现代汉语八百词

XIANDAI HANYU BABAI CI

（增订本）

商 务 印 书 馆

2006年·北京

《现代汉语八百词》

主　编　吕叔湘

编　写　李临定　刘　坚　范继淹　史有为

　　　　范方莲　孟　琮　马树钧　李　珠

　　　　陈建民　詹开第　郑怀德　陶宝祥

资　料　刘凯蒂　王健慈　蔡文兰　孟庆海

《现代汉语八百词》增订本

主　编　吕叔湘

增　订　（按姓氏音序排列）

　　　　蔡文兰　李临定　刘　坚　孟庆海

　　　　沈家煊　王健慈　郑怀德

总　目

增订本说明 …………………………………………………… 1

前言 …………………………………………………………… 3

凡例 …………………………………………………………… 4

现代汉语语法要点 ………………………………………… 7

正文 ………………………………………………………… 46

附录 ………………………………………………………… 709

　　名词、量词配合表 ……………………………………… 709

　　形容词生动形式表 ……………………………………… 716

音序索引 …………………………………………………… 737

笔画索引 …………………………………………………… 750

增 订 本 说 明

《现代汉语八百词》1980年出版。所收的词以虚词为主,也收了一部分实词。每一个词按照意义和用法详加说明。十五年来,这部书得到读者的肯定,证明这样的编法有一定的参考价值,但是我们也通过各种途径听到读者的一些意见和建议。同时,我们自己也感到,社会生活在不断发展,原书有些例句今天也有修改的必要。因此约集原书的部分编写人员对《现代汉语八百词》进行了一次修订和增订,成为现在的样子。需要说明的是:

十五年来,人事有不少变动,原书的编写者已不可能全体投入这次修订和增订工作。这次参加工作的同志手头同时也都有其他工作,也很难把原书出版以来所有的评论文章都收集到,充分吸取来自读者的批评意见。我们只能尽自己的力量来修改原来的条目。例如"爱"除了"喜欢某种活动、状态"之外,还有"容易发生"的意思,这种意思"必带动词、形容词宾语"(见原书"爱"字条)。原书指出了"容易发生"这一义项和用法,但是没有说明这一意义的"爱"所带的宾语通常是说话人主观上不愿意发生的。现在增订本对类似的问题进行了修改补充。

另外,《现代汉语八百词》出版十多年来,我国经历了改革开放的巨大变化,这种变化必然要在语言上反映出来。对此,我们的态度是:既要重视它,研究它;又不轻易肯定它并向本书的读者推荐。因为编写本书的初衷是"供非汉族人学习汉语时使用",是供"一般语文工作者和方言地区的人学习普通话"时参考。从这一原则出发,我们不推荐目前还有比较多的人提出非议的说法,尽管这种说法也许以后会得到社会的承认。

　　增订本对原书词条略有删除，主要是增收了二百多条新编的词条(其中多数是单音词)，这样加上原来的大部份词条，全书词条总数约一千条左右。增订本的书名还叫做《现代汉语八百词》，是因为原书的书名已经为读者所熟悉，我们只加上了"增订本"三个字，以区别于原书。新增词条的释义多以《现代汉语词典》为准。

　　增订本由原书主编吕叔湘任主编。参加工作的有：

　　　蔡文兰　李临定　刘坚　孟庆海　沈家煊　王健慈

　　　郑怀德

　　书中缺点错误仍请读者批评指正。

1995.10.

前　　言

　　《现代汉语八百词》选词以虚词为主,也收了一部分实词。每一个词按意义和用法分项详加说明,可以供非汉族人学习汉语时使用,一般语文工作者和方言地区的人学习普通话也可参考。

　　本书从 1978 年 1 月起曾陆续油印出初稿,分送各方征求意见,承蒙不少同志提了许多宝贵意见,非常感谢。

　　对一个个词的用法的研究,以前做的还不多,我们的工作也还是初步的,不妥之处一定很多。现在就把它印出来,不仅是因为在以汉语作为第二语言的教学工作中对这样一本工具书有相当迫切的需要,更重要的是我们希望得到广大读者的批评指正,以便修订补充,使它成为一本更有用的书。

　　这项工作是几个单位协作进行的,其中有中央民族学院的史有为、马树钧,有北京语言学院的李珠,有北京印染厂的陶宝祥,其他参加工作的都是中国社会科学院语言研究所的人员。商务印书馆的张万起参加了本书的讨论。

1979.4.

凡　例

1.词条按汉语拼音字母顺序排列。书后另附笔画索引。

2.全书收语词约一千条,以虚词为主,实词主要收用法比较复杂或比较特殊的。量词只收了一小部分,另附《名词量词配合表》;所收量词不列度量衡义项。

有少数条目(如:有点儿、差点儿、来不及)也许还不能算是单词,因为用法值得注意,所以也收录了。

3.本书目的在于说明一个个词的用法,力求少用术语,多用简明的文字说明。书前有一篇《现代汉语语法要点》和一些句式表,为的是供初学的人参考。汉语语法中有许多意见分歧的问题,本书不在这上面进行讨论。

4.各词条都标明词类。如一词兼属几类,在同一条目下分项标明。词类的排列顺序为:名词、量词、指别词、代词、数词、动词、助动词、形容词、副词、介词、连词、助词。但如果名词是由动词、形容词产生的,放在动词、形容词之后;如果动词是由形容词产生的,放在形容词之后。

5.每一词条都有一定数量的例句,反映各种不同的用法。各个义项都有简单说明,但具体用法只有通过例句才能显示出来。

6.用法相近的几个词(如:省得、免得、以免)合为一条,以其中的一条为主条,其余列为副条。

7.词类下边用 1.2.3.…标大项(主要按意义或作用分),用 a) b) c)…标小项(按用法或形式分)。

8. 动词条谈到'了、着、过'、重叠、带宾语时，只交代可以有的形式，不交代不能有的形式。如'丢'条，只注明'可带了、过。可带名词宾语'，不注明'不能带着，不能重叠'。

9. 书中用到的'名''动''形'，包括单词和短语(如'名'，包括名词和名词短语；'动'包括动词和动词短语，还包括助动词)。如只能用单词或只能用短语时，则加说明。

10. 每条都用汉语拼音字母注音，轻声在前边加小圆点。

趋向动词的注音特别些，小圈表示有时轻读，有时读本调。如'来'注作 //·lái，表示在'拿来'中'来'读轻声，在'拿得(不)来'中'来'可以读第二声；又如'起来'注作 //·qǐ//·lái，表示在'拿起来'中'起来'读轻声，在'拿得(不)起来'中'起'读第三声，'来'可以读第二声。

11. 有些词条列有'比较'项，说明用法相近或易于混淆的语词的区别。

12. 有些词条列有'习用语'项，主要说明熟语性的、固定格式的用法(如：想当然、彼此彼此)。

13. '动结式'(如：打倒，丢掉)只是举例，不是尽量列举。'动趋式'(如：拿来、送出去)也是有选择的列举，主要列第二成分是引申义或整个形成熟语的；可以广泛适用的一般不列。

14. 符号：

〔　〕表示词类名称。

～　　代表例句中的本字，如不用本字不清楚时，用本字。

[　]　表示括弧中的词语可有可无。

(　)　表示括弧中的是注释性的说明或'也可以是'等。

…＋…＋…　表示多项成分的组合顺序。

/　表示互相替代的成分。如'那么＋形/动'，表示'那么'可以和形容词组合也可以和动词组合。

| 用以隔开例句。

∥ 表示中间可以插入表可能的'得、不'。如'吃∥饱',可以说成'吃得饱'、'吃不饱'。

× 表示不存在的例子。如:每个学校(ˣ每学校),'每学校'是不说的。

ˈ 表示重读。如'ˈ他就学过法语,你可以问他',其中第一个'他'重读。

· 表示轻读。如'把手放·下',其中的'下'轻读。

需要用符号代替字或词时,用 A、B、C。如'可以有 ABAB 和 AABB 两种重叠形式',其中的 A 和 B 代替所讨论的字或词。

现代汉语语法要点

1. 总论

1.1 汉语语法的特点

(1) 没有形态变化。 汉语语法的最大特点是没有严格意义的形态变化。我国某些兄弟民族语言和西方语言里边用形态成分来表示的概念,汉语里边或者不作表示,或者用半独立的词来表示。

前者如表现在动词上的人称分别、单复数分别和过去、现在、将来的分别,表现在名词、形容词上的阴阳性分别和单复数分别。例如:'你说,我说,他说,他们说,'都是同样的一个'说';'他昨天说…,他现在还说…,他明天一定还说…,'也是同样的一个'说'。'一个男学生,三个女学生','学生'这个词本身没什么两样,'亲爱的妈妈,亲爱的爸爸,亲爱的同志们','亲爱'这个词也没什么变化。

后者如表示复数的'们',表示完成的'了'。它们的主要特点是缺少普遍性:有的场合一定要用,有的场合可用可不用,有的场合甚至不能用。例如:'工人们和农民们,工人和农民们,工人和农民',是同样的意思,都是不止一个工人,不止一个农民;'他们是工人','工人'是复数,但是不能加'们'(详见 384 页'们')。'你看见[了]没有?'和'我已经知道[了],你甭说了'里边的加括号的'了'都是可以用可以不用的(详见 351 页'了')。

有了形态变化,语法分析就比较容易进行。没有严格的形态变化,在语法分析上就容易引起问题。例如关于汉语里边词和非词的界限,词类的划分,词类的转变,特别是关于句子结构,在现有汉语语法的著作中间有相当多的分歧。学习的人一定不要在名称和定义上纠缠,要善于透过名称把握实质。只要不受别的语言的语法的拘束,汉语语法是不难理解的。

(2) 常常省略虚词[*]。 汉语里可以不用人称代词的时候就不用;即使因此而显得句子结构不完整,也不搞形式主义。例如:

> 看了没有? ——看了,还没看完|她有一个儿子,去年上的大学|失去了健康,才知道健康的可贵

第一个例子里省掉'你'和'我',因为当面说话,不会误会。第二个例子'去年'前边省掉一个'他',因为接着前一个小句的'儿子',也不会误会。第三个例子里两个小句都没有主语,因为适用于任何人。(在某些语言里有专门用在这种场合的人称代词,汉语里没有。)

连词也常常省略。例如:

> 路不好走,最近下了几天雨|你不写我写|哪天去都行

第一句的中间省掉了'因为',第二句头上省掉了'如果',第三句头上省掉了'不管'。

介词有时候也省略。例如:

> 他能左手写字|我前头带路

第一句的'左手'前边省掉了'用',第二句'前头'前边省掉了'在'。

(3) 单双音节对词语结构的影响。 现代汉语里的词语结构常常受单双音节的影响,最明显的是'双音化'的倾向。比如把单音节的词凑成双音节:一个人姓'张',就叫他'老张'或'小张',可如果他姓'欧阳',就只叫他'欧阳',不叫他'老欧阳'或'小欧阳'。单音的地名总带上类名,双音的就不需要,比较'大兴、顺义'和'通

---

[*] 这里所说'省略',是可用而不用的意思,不是该用而不用的意思。

· 8 ·

县、涿县'，'日本、印度'和'法国、英国'。数目字也有类似的情形，例如一个月的头上十天必得说成'一号'…'十号'，'十一'以后就带'号'字或者不带'号'字都可以。

又比如把双音节的词在复合词中缩成单音节，例如：

电影→影片｜地雷、水雷→布雷、扫雷｜黄豆→豆腐→腐乳

又比如双音节的词要求在它后边跟它搭配的词也是双音节，例如：

进行学习(×进行学)｜共同使用(×共同用)｜打扫街道(×打扫街)｜严重事故(×严重事)

如果前边的词变成单音节，后边的词最好也变成单音节，例如：打扫街道→扫街。

汉语里存在大量的四字语，其中绝大多数是由两个双音节组合起来的。

(4) 汉字对词形的影响。 汉语用汉字来写，汉字就不免要对现代汉语的书面形式产生一定的影响。

由于语音的历史演变，汉语里边的同音字(同音语素)很多。这些同音字有的可以作为词单用，有的只是构词的成分，还有的已经越来越少用，成为'生僻字'，正在被淘汰。但是这些同音字写成汉字是可以辨别的。同时，汉字虽然有一部分已经简化，但是总的说来，写起来还是比较费事。因此，往往口语里的多音词在书面上不写完全，例如把'但是'写成'但'，把'如果'和'如同'都写成'如'，把'的时候'写成'时'，等等；有时候把口语里的两个字写成一个字，例如把'千瓦'写成'瓩'，把'海里'写成'浬'。口语里带'儿'尾的词，在书面上也常常不把'儿'写出来。另外，有些文章里边常常把一般不单用的字(甚至是生僻字)当作词来用，光听人念，不看见文本，就不好懂。这些情况使初学的人在掌握汉语的词形上遇到一定的困难。

1.2 语素,词,短语,句子

(1) 现代汉语里边的<u>语素</u>绝大多数是单音节,写出来是一个汉字。从自由或不自由的角度来看,有四种情形:

(a) 自由,可以单独说。例如:

书,我,高,红,飞,跑,不,哎

(b) 不自由,不能单独说。例如:

牲,韭,鄙,啬,泌,沐

很明显,(a)是词,(b)不是词,只是构词的成分。

(c) 一般不自由,但是在特定场合作为自由的语素使用。例如:

本报记者摄|新华社五日讯|京、津、唐、张地区

在这些例子里,应该承认'摄、讯、京、津'等是词,但是在一般情况下,它们不是词。

(d) 半自由,结合的对象不限于一个词或语素,也可以是短语或句子,例如'我的、别的、姓张的,我认得的'里边的'的'。此外如'第,万,个,了(le),着(zhe),又,还(hái),呢(ne)'等。这一类之中,情况也不完全一样,但是大多数应该承认是词。所谓虚词,大多数属于这一类。

(2) 汉语里的<u>词</u>,大多数是单音节或者双音节;论数量,双音词比单音词多,但是最常用的词多数是单音节。三音节以上的词比较少。

单音词原则上都是自由的,但是上面已经说过,有一部分只是半自由的,或者只是在特定的场合是自由的。

双音词里边的两个语素可以都是自由的(加点),例如'牛肉,生长';或者有一个是不自由的(加圈),例如'人民,制造',或者都是不自由的,例如'植物,研究'。

(3) <u>短语</u>是词的组合。汉语里常见的短语类型有:

名词短语(名词加修饰成分)：

　　钢铁工业 | 幸福生活 | 代偿机能 | 管理体制

方位短语(名词加方位词)：

　　床前 | 桌子上 | 村东头儿 | 长江以南 | 今年之内

数量短语(数词加量词)：

　　三个 | 两次

指数短语(指代词加数词和量词或加其中之一)：

　　这几本 | 那一把 | 那个 | 这一

动词短语(动词加连带成分)：

　　打球 | 看报纸 | 打扫干净 | 走出去 | 正确对待 | 分别处理 | 明明
　　知道

动名词短语(动词加修饰成分,整个短语作名词用)：

　　家庭访问 | 群众的创造 | 图书的管理

形容词短语(形容词加连带成分)：

　　极其重要 | 很高 | 大两岁 | 好点儿

介词短语(介词加名词)：

　　在北京 | 到明天 | 给大家 | 论份量

　　'的'字短语(用'的'煞尾的短语),上面已举例,详见 156 页
'的'。

　　短语里边还可以包含短语。例如：

　　新编[小学(语文课本)] | 积极[进行(调查研究)]
还有一种词汇化了的短语,或者叫做短语式的词,见下面 2.6 节。

　　(4) **句子**是语言的实际使用单位,一个句子的末尾有一定的
语调标志,在书面上有句号(或问号、叹号)。

　　句子可以简单到只有一个词。例如：

　　谁？ | 来！ | 不！ | [可以用吗？——]可以
可以复杂到包含好几个小句(不独立的句子)。例如：

你去最合适｜我不知道他会不会答应｜这房子虽然有点破，可大家已经心满意足了，因为它是现成的，不用兴建，而且还宽大，连办公室带宿舍都有了

句子按它的用途可以分为四种：

（a）陈述句：

我懂了｜他是个先进工作者｜天空蓝得跟大海一样

（b）疑问句。可分特指问、是非问、选择问、反复问。

特指问句用'谁、什么、怎么、哪'一类表示疑问点的指代词表示，句尾可以用'呢'。

这是谁的帽子？｜你在那儿干什么呢？

是非问句可以单纯用语调表示，也可以在句尾用'吗、啊'等。

你已经答应他了？｜这间屋子大吗？

选择问句是并列几个项目，中间常常用'还是'连接。

你是去北京呢，还是去上海？｜和我谈还是和他谈？

反复问句是用肯定和否定的方式提问。

你去不去天安门？｜你去天安门不去？｜你见过他没有？｜你见过他没见过？｜你见过没见过他？

（c）祈使句：

快走！｜你别急嘛！｜咱们进屋去谈吧！

（d）感叹句：

真好！｜精彩极了！｜这小孩儿多懂事呀！

（5）成语，从形式上讲，多数是前后两截合起来的，前后各自是一个短语或一个小句。成语里边往往保存古代语法，有很多一般不作词用的字，在成语里作词用。例如：

言简意赅｜身体力行｜豕突狼奔｜登峰造极｜矫枉过正｜瞻前顾后｜宁缺毋滥

2. 词类

2.1 名词和名词短语 名词和直接修饰它的名词、形容词或动词构成名词短语。例如

　　名+名：体育事业

　　形+名：普遍真理

　　动+名：学习方法

名词短语往往紧缩成为'简称'。例如：

　　中国语言文学系→中文系|中央人民广播电台→中央台|人民代表大会→人大|初伏,中伏,末伏→三伏

有些名词短语,经过'简称'阶段,又凝固成为单词。例如：

　　文化教育→文教|语言文字→语文|医疗效果→疗效

名词和名词短语都可以受指数短语和'的'字短语的修饰,构成扩展了的名词短语。例如：

　　这一任务|这项任务|这一项任务|这个非常重要的任务

指数短语和'的'字短语,在一定的上下文里可以代替名词。例如：

　　大会开得很热烈,这一个刚说完,那一个马上接着发言|他的两个孩子都参加了工作,大的在工厂,二的在农场

本书提到'名词'的时候,包括名词和上述各种名词性短语,除非说明只指单个儿的名词。

　　2.2 方位词 方位词有单音的,有双音的。双音的方位词可以加在别的词(主要是名词)或短语后边,组成方位短语,也可以作为一个词单独用(除少数例外)。单音的方位词主要是加在名词或别的词语后边,一般不单独用。方位词如下：

　　(1) 上,下,前,后,里,内,中,外,旁,左,右,东,南,西,北

　　(2) 上(下,前,后,里,外,左,右,东,南,西,北)+边(面、头)

除×左头、×右头

（3）之（以）＋上（下，前，后，内，中，外，东，南，西，北）除×以中

（4）面前，跟前，头里，背后，底下，中间，当中，内中，旁边

方位词常常跟'在、从、到'等介词配合起来用。别的语言里的'介＋名'短语，汉语里有时候必得用'介＋名＋方'来说，例如英语的'in the room'，汉语里的说法是'在屋子里'。

2.3　数词　数词包括'一、二、三…'等简单数词和简单数词加'十、百、千、万'等位数词(性质近似量词)组成的复合数词。

数词必须通过量词才能修饰名词。只有在成语或熟语里才会有数词直接修饰名词的情况。

表示数量，除用数词外，还用得到数量形容词'多少、许多、好些、半、全'等。数量形容词跟名词中间要不要有量词，能不能有量词，各个词的情况不一样。

2.4　量词　量词有以下几种：

（1）个体量词：根，面，粒，顶，只，个，条，枝，件，管，项

个体量词里边有特殊的一类，不仅联系某事物，并且意味着与此有关的动作，例如'下（赢）一盘棋'的'盘'。

（2）集合量词：对，双，串，排，群，捆，包，种，类，套，批，伙，帮

（3）部分量词：些，把，卷，片，滴，剂，篇，页，层，点儿

（4）容器量词：杯，盘，碗，盆，篮，瓶，罐，缸，桶，车，口袋

（5）临时量词：身，头，脸，手，脚，院子，地，桌子

（6）度量量词：丈，尺，里，米（公尺），亩，斤，两，公分

（7）自主量词：国，省，区，县，科，系，年，月，星期，倍

自主量词后面不跟名词。也可以说这是一种不需要量词的特殊名词。个别自主量词也可以用在名词前边，如'三年时间'。

（8）动量词：次，遍，趟，下，步，圈，眼，口，巴掌

（9）复合量词：人次，吨公里，秒立方米

量词的作用本来应该是使不可计数的事物变成可计数,例如布是不可计数的,加上"尺、米、匹、段'就可以计数了。可以计数的事物不是一个一个地计数的时候,也得用上量词,如一'群'人,一'屋子'人。这样的量词(或这样用的名词)是各种语言都有的。汉语的特点在于量词的应用的普遍化,可计数的事物也需要用量词,并且这样的量词不是一个而是很多。不但是非汉族学生学习使用量词感到一定的困难,方言地区的学生有时候也会使用不当。本书除了把常见而使用面较广的量词编成条目以外,还附有《名词量词配合表》以供检索。

2.5 指代词 指代词包括指别词(作用类似形容词)和称代词(作用类似名词)两类。因为有很多词兼属于这两类,也可以把这两类合成一类。指代词分成四个小类:

(1) 人称代词。'你,我,他,自己,大家'等。只有称代作用,没有指别作用。

(2) 定指指代词。由'这,那'单独或加其他成分构成。

(3) 不定指指代词。除'谁,什么'外,由'哪,多,怎[么]'单独或加其他成分构成。多用于疑问,也可以用于虚指或泛指。

定指指代词和不定指指代词里边都有三种情况:或者只有指别作用,或者只有称代作用,或者兼有这两种作用。

(4) 其他指别词。'某,每,各,另外,其余,其他'等。

2.6 动词和动词短语 动词可以分为及物的和不及物的。及物动词后边可以带一个表示承受动作的事物的名词,称为宾语。不及物动词不能带这样的名词,但是可以带跟它发生别的关系的名词,一般也叫做宾语。有时候一个动词有几个意义,其中有的是及物的,有的是不及物的。例如:

及物动词:去[皮ㄦ],笑[他],赶[大车],挖[洞],考虑[问题],赠送[礼品]

不及物动词:去,笑,跑,跳,生长,休息,出发

汉语动词没有'时'的分别,但是有'态'的分别。

进行态(持续态):说着话

完成态:说了三个字

经验态:说过这句话

短时态(尝试态):你说说,我听听

可能态:说得清,听不懂

此外,附在动词后边的趋向动词,有时候也表示类似于'态'的意思(参看'起来'、'下去'等条)。

动词可以有三种连带成分:宾语,补语,状语。动词和它的连带成分构成动词短语。

有两种短语式动词需要特别提一下:一类是主要动词加表示趋向的动词,可以叫做动趋式;一类是主要动词加表示结果的形容词或动词,可以叫做动结式。它们的共同特点是可以在前后两个成分中间插入表示可能态的'得、不'。动趋式还可以把表示完成态的'了'插入两部分之间,动结式的'了'只能放在最后。

(1)动趋式。 动趋式里表示趋向的动词如下(趋向动词可以在句子里做主要动词,但是这里是做动趋式的第二成分):

上	上来	上去
下	下来	下去
进	进来	进去
出	出来	出去
回	回来	回去
过	过来	过去
起	起来	——
开	开来	——

到	到(来)*	到(去)*
一	来	去

动趋式可以带受事宾语,也可以带处所宾语。这两样都出现的时候,用'把'字把受事宾语提到动词前边去。

动趋式带'了'或'得、不'又带宾语的时候,有好几种可能的词序,详见本文后边的《动趋式动词有关句式表》。

动趋式里边的趋向动词,除表示动作的趋向外,还经常用于引申的意义,并且往往成为熟语,其中有些还必须插入'得、不'才能说,没有不带'得、不'的形式。

(2) <u>动结式</u>。 作为动结式的第二个成分的动词和形容词,最重要的是'了(liǎo),着(zháo),住,掉,走,动,完,好,成'等。此外的例子:

> 拉长,缩短,提高,长(zhǎng)大,吃饱,压扁,装满,伸直,磨
> 光,打通,堵死,说清楚,洗干净

有时候,一个动结式动词具有临时凑集的性质,不能形成一个整体意义,离开宾语不好理解。例如:

> 笑断了肚肠|吓破了胆|踏破铁鞋无觅处|最近这阵子忙,把
> 这件事给忙忘了

2.7 形容词 形容词和不及物动词在语法上有很多共同点,特别是能够直接做句子的谓语(不需要系词)。因此有的语法著作里把形容词算做动词的一个小类。

有一部分形容词不能做谓语,可以叫做非谓形容词。例如:

> 大型,初级,多项,巨额,二级,慢性,新式,特等,四方,五彩,
> 万能,共同,个别,天然,人为

这一类形容词不能用'不'来否定,有的可以用'非'否定。

---

* '到'只有带处所宾语的时候能加'来、去'。

很多非谓形容词的用途极窄,只作为科学技术名词的组成部分(名词短语的修饰成分)。例如:

高频电波|侧吹转炉|同步稳相回旋加速器

很多形容词能够重叠,或者加重叠式后缀,或者用其他方式生动化。例如:

黑:黑乎乎,黑压压,黑油油,黑洞洞,黑咕隆咚,黑不溜秋|

高兴:高高兴兴|糊涂:糊里糊涂|乱:乱七八糟

本书把常见的形容词的生动化形式列成一个表,作为附录。

2.8 副词 副词的主要用途是做状语,修饰动词、形容词或者修饰整个句子。副词的种类很多,主要的有以下几类:

(1) 范围副词:都,也,全,光,就

(2) 语气副词:才,可,却,倒,偏

(3) 否定副词:不,没[有]

(4) 时间副词:刚,正,恰好,一,老,总

(5) 情态副词:正,反,横[着],竖[着],一块儿,一起

(6) 程度副词:很,极,挺,真,更,更加,非常,尤其

(7) 处所副词:处处,到处

(8) 疑问副词:难道

2.9 介词 加名词构成介词短语,介词短语的主要用途是修饰动词。最常用的介词是'把,被(叫,让),给,和(跟,同),对(对于),用(以),为,在,从'等。

介词短语一般位于动词之前。例如:

把问题解决了|被大家尊敬|为人民服务|从南方来|按实际
情况处理

由'给,在,向'构成的短语也可以位于动词之后;由'于,自'构成的短语必得位于动词之后。例如:

发给到会的代表|挂在墙上|奔向远方|发源于青海|集中于

中央|引自《史记》

位于动词之后的'给、在、向'在语音上附属于动词,以至于表示完成态的'了'字不能加在动词之后,只能加在介词之后。因此也可以把动词加介词整个地当作一个复合动词。例如:

送给了有关单位|倒在了地下|驶向了远方

介词短语也可以位于形容词之后,修饰形容词。例如:

好就好在这一点上|热心于搞研究

介词短语也可以加'的'字组成'的'字短语,修饰名词。例如:

朝南的平房|在桌子上的书|沿马路的商店

汉语里的介词绝大多数是由动词虚化而成。至今还有兼属动词和介词两类的。例如:

叫,让,拿,在,给,替,比

还有一部分兼属介词和连词两类。例如:

和,跟,同

2.10 连词和关联词语 连词的用途是连接小句,组成大句。两个小句可以用一个连词连接,也可以用互相呼应的两个连词连接。例如:

虽然年过七十,身体还那么健康|文章不长,但是说理很充分|我和他虽然过去没见过面,但是一见面就谈得很融洽

有些连词也可以连接两个大句。例如:

这无疑是一件坏事。但是坏事也可以转变为好事

'和、跟、同'只连接单词和短语,不连接小句。

除连词外,有些副词和短语也有连接小句的作用;也可以互相配合或者跟连词配合。详见 3.5(1)节。

连词和有连接作用的副词和短语可以统称为关联词语。

2.11 助词 助词是独立性最差的一类词,它们的作用有一部分相当于别的语言里的形态变化。

(1) 动态助词:着,了,过

(2) 结构助词:的,地,得

(3) 语气助词(语助词):吗,呢,啊,吧,罢了,似的

2.12 **叹词** 叹词是不参加句子组织的词,一般出现在句子的前头,有时候也插入句子中间。

叹词要跟语调配合起来起作用,同一个叹词用不同的语调说,就表达不同的意思。例如:

啊(á):爸爸,我也去,～?(征求同意)

啊(á):～? 你说什么?(追问)

啊(á):～? 有这样的事?(惊讶)

啊(à):～,是～(应答)|～,原来是这样(恍然)|～,多美
　　　　～!(赞叹)

有些叹词的汉字写法不十分固定。例如'哦,喔,嚄'都代表'o!'

2.13 **象声词** 象声词是用语音来模拟实在的声音或者描写各种情态。象声词的形式跟形容词的生动化形式非常相似,要把它作为形容词的一个小类也未尝不可以。

象声词在句子里的用法:

(1) 插入句子中间而不在句子组织之内,类似叹词:

忽然哗,哗,下起了大雨|嗒,嗒,外面有敲门声

(2) 插入句子中间,和别的词语组合,通常是数量短语:

哗啦[的]一声,门推开了|当当[的]两下,大钟敲响了

(3) 作动词用,能加'了、着、起来':

嘴里叽咕了几句,听不清说的什么|雨停了,房檐上的水还
嘀哒着|安静了一会儿,又喊喊喳喳起来了

2.14 **词类的活用和转变** 我们把词分成若干类,并不等于说这些类之间没有交叉。一个词兼属几类,这种情况在各种语言中都是存在的。就汉语来说,大致有三种情况:

（1）词类活用：某类词临时借用作别类词。这是一种特殊的表达方法，口语里用得多一些。例如：

把眼光放远些，别那么近视眼！｜这就未免太官僚主义了

书面语里有时候也可以见到这种用法。例如：

…或者因为高等动物了的缘故罢，黄牛水牛都欺生，敢于欺侮我，…（鲁迅：《社戏》）

（2）中间状态：某类词取得了别类词的某些特点，但是没有完全转变成那一类词。比如形容词主要表示状态和性质，通常不带表示动态的标志，但有时候也能带这类标志：

地上湿了一大片｜前几天冷过一阵｜广场上顿时热闹起来了｜外头冷，进来暖和暖和｜兔子的尾巴，长(cháng)不了

这些例子里的形容词有了动词的某些特点，但没有完全变成动词，可以说是处于一种中间状态。

又如‘家庭访问、图书管理’等动名词短语，那里边的动词‘访问、管理’在句子里处于名词的地位，但是也还没有完全成为名词。

（3）词类转变：某类词完全取得了别类词的特点。例如：

他把螺丝紧了又紧｜炉子上正热着饭呢｜端正学习态度｜丰富实践经验｜密切同人民群众的联系

这里的形容词都表示‘使动’的意义，已经转变为动词；也就是说‘紧、热，端正’等兼属形容词、动词两类。

3. 句法

3.1 主语、谓语　一般句子都有主语和谓语两部分。在某些情况下，可以没有主语。例如：

（1）问答：［你］给了他没有？——［我］给了｜他收下没有？——［他］收下了

（2）命令和建议：[你]去吧！|[咱们]走吧！

（3）主语是‘任何人’：活到老，学到老|不经一事，不长一智

（4）自然现象等：下雪了|出了什么事儿了？

没有谓语的情况比较少。例如：

我的笔［在哪儿］呢？|谁末了一个走的？——老张［末了
(liǎo)一个走的]

有时候，既省掉主语，谓语也不完全。

我拣到一串钥匙。——在哪儿？（＝你在哪儿拣到的？）

谓语有三个类型：（a）动词（形容词）谓语；（b）名词谓语，附
‘是’字句；（c）小句作谓语。

3.2 动词谓语句 动词谓语是最占优势的句子类型，它的内部
情况也最复杂。本文后边附《动词谓语句式表》供查阅。

（1）宾语。 动词后边可以有宾语，宾语有三类。第一类代
表承受动作的事物，称为受事宾语，只有及物动词可以带受事宾语
(参看《动词谓语句式表》1)。

有的动词可以有两个受事宾语(参看表3)。

受事宾语一般是名词，有时候是动词或者小句(参看表4，表5)。

受事宾语通常是在动词的后边，有时候用介词‘把’字把它提
到前边去(参看表8)，有时候没有‘把’字也可以把宾语放在动词前边
(参看表7)。

代表受动者的名词有时候也放在主语的位置上，这是被动句。
在被动句里，代表施动者的名词可以不出现，也可以用介词‘被、
叫、让’把它引进来(参见表9)。

第二类宾语代表受动者以外同动作有关的事物，如工具、方
式、处所等，称为非受事宾语(参看表1，表2)。

第三类宾语是数量宾语，包括(1)主语或宾语所代表的事物的
部分数量，(2)动词所代表的动作的次数，(3)动词所代表的动作

所占的时间长短(参看表6)。数量宾语出现在动词前边的时候,有些语法书里把它归入状语。

(2) 补语。 动词之后可以有表示结果或情态的词语,用助词'得'引进,称为补语(参看表10)。

有时候,动词加补语和动结式动词表示相似的意思。这两种格式的选择主要决定于第二部分的长短,短的可以跟一个简单的动词结合成一个短语式动词,长了就用'得'字引进,单独成为一个成分。例如:

动结式　　　　动词＋补语

长大了　　　　长得又高又大

翻乱了　　　　翻得乱七八糟的

但是补语也有短的,例如:'跑得快,快得很,跑得快得很'。

形容词后边的数量词也是一种补语。

(3) 状语。 状语是修饰动词(形容词)的词语。最常见的状语是副词和介词短语,副词总是在动词的前边,介词短语的主要位置也是在动词的前边,但是'给、在、向'等介词引进的短语也可以在动词的后边。

形容词做状语,往往要采取重叠或者其他生动化形式。例如:

清清楚楚地画了出来|慢吞吞地说了个'好'字|糊里糊涂地坐错了车

也有只加一个'地'字,甚至连'地'字也不加的。例如:

认真[地]学习|慎重[地]处理

由名词担任和由名词产生的状语有三类:

(a) 表示时间的名词:

你现在就去？|我去年就来了|今天早晨有人找你

(b) 表示时间、处所或引申意义的方位短语:

我城里有事|你床上坐吧|三天之内我一定给你回信|他事

实上早已离开了

（c）名词加‘地’：

不要形式主义地看问题|应该历史地评价一个人

（4）存在句。　动词谓语句里边有一类表示事物存在的句子，它的结构比较特别，称为‘存在句’(参看《动词谓语句式表》11)。跟其他动词谓语句比较，存在句的动词除‘是、有’外经常带‘着’，可是不表示动作在进行而表示动作所产生的状态。在一般句子的主语的位置上，存在句里是一个处所词，间或是一个时间词；在一般句子里的宾语的位置上，存在句里是一个代表存在着的事物的名词。对于这个名词的句法性质，语法学者中间有不同的看法：有人认为这是倒装的主语（前边的处所词是状语），有人认为这是一种特殊的宾语（前边的处所词是主语）。

跟存在句性质相近的是一种表示事物出现或消失的句子，这种句子里边的动词一般是动趋式复合动词(参看《动趋式动词有关句式表》2)。这两种形式和意义都相类似的句子，可以合起来称为存现句。

（5）连动句。　这个类型的句子里的谓语动词不是一个而是几个，但是这几个动词之间不是并列关系而是连续关系(参看《动词谓语句式表》12)。

（6）兼语句。　这个类型的句子里的谓语由一前一后两个动词中间夹着一个名词组成，这个名词既是前一个动词的宾语，又像是后一个动词的主语，所以称为兼语。第二个动词的位置上也可能是一个形容词或者小句(参看《动词谓语句式表》13)。

（7）形容词谓语句。　谓语的主要成分为形容词的时候，一般情况跟谓语的主要成分为不及物动词的句子差不多。形容词后边不能带宾语，可以带补语。

形容词的状语主要是表示程度或者比较的词语。例如：

很大|相当远|比较好|非常积极|十分具体|

比那一盏亮|跟他一样坚决|像北斗星那么明亮

数量短语也常常用来做形容词的状语。例如:

五尺长|三寸宽|两斤重

数量短语还可以放在形容词后边做补语,表示比较的差额。例如:

这个比那个长五尺|哥哥比弟弟高半头

3.3 名词谓语句和'是'字句 用名词做谓语,一般要用'是'字连接主语,但是用'是'字连接主语和谓语的句子,那里边的谓语不一定都是名词。

(1)名词谓语句。 有些句子直接用名词做谓语,不用'是'字联系。做谓语的名词一般不是一个简单的名词(例如不说:ˣ这一画报|ˣ我一张老三),而是一个短语或者复合词,它的性质接近形容词。例如:

我十九岁|你哪儿人? |这个人高个儿,近视眼|这两篇文章
一个内容,两种写法|老两口儿就这么一个儿子

从上面举例可以看出,名词谓语主要用于年龄、籍贯、容貌等。名词谓语句多数可以加一个'是'字进去,如上面的二、三、四例,一、五两例也不是绝对不能加。

(2)'是'字句。 '是'是个特殊的动词,形式上它是谓语的一部分,但是实质上它不是谓语的主要部分。谓语的主要部分最常见的是名词,其次是'的'字短语,也可以是动词(单词或者短语),以及其他形式。

(a)'是'+名。 这种句子除表示等同和归类关系外(这是各种语言共同的),还允许谓语动词和主语名词不相应,用来表示别种联系(这是汉语比较特殊之处)。

张老师是我们的数学老师(等同)|槐树是豆科植物(归类)|
这个字是什么意思(=这个字的意思是什么)|他是个急性

子,你不要计较(＝他的性子急…)|这一种是五块,那一种
是五块六(＝这一种的价钱是…)

注意后面两个例句都是由并列的两个小句组成的,单独一个站不
住。

(b) '是'＋'…的'。 有的句子里的'…的'可以理解为省掉
一个名词或代词(可是事实上从来不说出来)。* 另外一些句子不
能这样理解,只是在一般句子里加进去'是…的',表示肯定的语
气。

我的词典是新的|这封信不是给你的|今天这件事是谁也意
料不到的|这个教训我是永远不会忘记的|你这样做是很好
的

(c) '是'＋动(形)。 这种句子比没有'是'字的语气重些,有
时候带有申辩的意味。常常由并列的两个小句组成。

我不是不管,我是管不了|我好久没给你写信,一半是忙,一
半是懒|这两遍都念得不太好,第一遍是太快,第二遍是太
慢

(d) '是'＋介＋名;'是'＋连＋小句。 这种句子突出'是'
字后边的部分。

我第一次认识他是在一个座谈会上|他学英语是为了看技
术资料|我昨天没去是因为家里来了客

(e) '是'＋句子。 整个句子做谓语,'是'字前边没有主语。
这种句式的作用在于强调肯定,常常是一正一反两个小句并列。

是谁把窗户打开的? |是有人来过了,地下有脚印儿|不是我
不管,是我管不了

总的说来,'是'字的基本作用是表示肯定。名词谓语句里经

---

* 比较英语在这种场合用支撑性代词 one。

常用'是'字,因而肯定的意思就冲淡了,好像只有联系的作用了。名词谓语句以外的句子,因为一般不需要用'是'字联系主语和谓语,用了'是'字就突出它的肯定作用,也就是加强了语气。

3.4 **小句谓语句** 用小句做谓语,这种句式在汉语里相当常见。大致可以分四个类型。

(1) 小句的主语或宾语复指大句的主语。例如:

> 老张嘛,他肯帮别人的忙,别人也肯帮他的忙|春生和小青,谁也没见过谁|这一次录取的新生,工学院的最多

(2) 小句主语代表的事物隶属于大句主语代表的事物。例如:

> 你真记性坏|道理都讲清楚了,谁还思想不通呢?|任何文章,题目总是要有的

(3) 大句主语前边隐含着'对于、关于'或者'无论'的意思。例如:

> 无线电我是门外汉|这个问题他心里有底|什么事情她都抢在前头

(4) 大句主语在意念上是谓语里的一个成分。例如:

> 这件事我没听说(＝我没听说这件事)|这位同志我好像在哪儿见过(＝我好像在哪儿见过这位同志)|这个消息知道的人还不多(＝知道这个消息的人还不多)|这件事他觉得比什么都重要(＝他觉得这件事比什么都重要)

3.5 **句子的复杂化和句式的变化** 句子的复杂化有两种方式:或者是由于含有几个小句,或者是由于有一个成分扩大。前者称为复句,后者仍然是单句。所谓成分扩大也有几种情况:或者是有几个并列的词语,共同构成一个成分;或者是把一个比较复杂的小句或者动词短语用作一个成分(主语、宾语等);或者是某一个名词的前边有复杂的修饰语。这三种情况又常常结合在一起。除此

之外,还有一些句子,不算怎么复杂,可是在句子的基本结构上增加了这样或那样的变化。下面分别举例说明。

(1) **几个小句组成大句。** 两个小句之间可以有关联词语,也可以没有关联词语;可以两个小句里都有关联词语,也可以只是一个小句有关联词语。主要的关联词语的合用和单用的情况如下,加点的是连词,加圈的是副词。

(a) 可以合用也可以单用的:

虽然…但是　　因为…所以

(b) 可以合用也可以单用后一个的(单用前一个的较少):

不但…而且　　既然…就

要是…就　　　如果…就

只要…就　　　即使…也

与其…不如　　也…也

又…又　　　　既[不]…又[不]

或者…或者　　还是…还是?(用于选择问句)

一方面…另一方面(多用于连接两个大句)

(c) 一般要合用的:

越…越　　　　一边…一边

一…就　　　　不是…就是

不管…都　　　尽管…还是

一则…二则(多用于连接两个大句)

首先…其次(多用于连接两个大句)

小句的次序一般不能改变,但是由'虽然、因为、只要、不管、尽管'引进的小句也可以放在另一小句之后,只要前一小句里没有'所以、就、都、还'等词。由'要是、如果'引进的小句如果放在后边,常常带'的话'煞尾;由'即使'引进的小句如果放在后边,常常带'也罢'煞尾。

如果两个小句的主语相同,第二个小句一般不重复主语。例如:

　　　　他虽然是第一回做这个工作,可是做得很好|你只要坚持下去,一定学得会

　　小句组成大句,也可以完全不用关联词语。这种'意合法'的句子,汉语里比别的语言里更常见。特别是表示并列关系的连词,在很多语言里既可以连接两个词,也可以连接两个句子,可是汉语里的'和'只能连接两个词(主要是名词),不能连接两个小句。下面例句里用括号列出隐含的关联词语,这些关联词语说出来反而显得累赘。

　　　　他[虽然]年纪小,[但是]胆子不小|我[不但]看了,[而且]看了两遍了|[要是]你不去,我[也]不去|你[如果]要用,[就]自己去借|我不知道,[因为]没有人通知我

　　不用连词连接的小句,不但是在主语相同的时候,后边的小句里可以不重复主语,而且在主语不同的时候,后边的小句也可以借用前边的小句里的宾语或者别的成分做主语。例如:

　　　　工业生产就像一架机器,[机器]缺少一个螺丝钉也不能转动|那地方,出了事儿,[事儿]就小不了|他还说我表扬不得,[他]一表扬[,我]就翘尾巴,[他]净给我吃辣的

(2) 并列词语作为一个成分。

　　　　做老实人,说老实话,办老实事,这是做人的起码标准

(3) 小句或动词短语用作句子里的一个成分。

　　　　每样东西,每件事情,由谁管,怎么管,都落实到每个人头上|我这时又忽然想起,小林要我给他买一本《鲁迅小说选》,刚才在书店里忘了问了|她看了看表,计算着乘哪一路汽车快,什么时候可以赶到幼儿园,什么时候可以接了女儿赶到家

第一个例句的主语是一个小句,这个小句的主语是并列的两个名词短语,谓语是并列的两个动词短语。第二个例句'想起'的宾语是一个复合的小句,那里边的第二小句借用前一小句的'我'做'忘了'的主语。第三个例句'计算着'的宾语是并列的三个动词短语,也可以说是三个小句,主语都是'她',承大句的主语而省。

(4) 名词前边有复杂的修饰语。

> 胶合板是把原木旋切或刨切成单片薄板,经过干燥、涂胶,并按木材纹理方向纵横交错相叠,在加热或不加热的条件下压制而成的一种板材|但那时我在上海也有一个惟一的不但敢于随便谈笑,而且还敢于托他办点私事的人,那就是送书去给白莽的柔石(鲁迅:《为了忘却的纪念》)

两个例句里边各有一个相当长的'的'字短语做名词的修饰语。

(5) 句式的变化。

> 要深入理解这项工作的意义,使自己,使别人都毫不动摇(＝…使自己毫不动摇,使别人毫不动摇)|这是当教师的人都有过的经验,不过这个过程有人长有人短罢了(＝…有人这个过程长,有人这个过程短)|巴扎是维语,汉语是集市的意思(＝巴扎是维语词,它的意思跟汉语的'集市'的意思一样)|她家养了一花一白两只大母鸡(＝她家养了两只大母鸡,一只是花的,一只是白的)|广阔的平原底下,横的,竖的,直的,弯的,挖了不计其数的地道(＝…挖了不计其数的地道,有横的,有竖的,有直的,有弯的)

动词谓语句式表

1. 及物动词句

	主　语	状语	动词	宾语受	宾语非受	助　词及其他
A	你 她 你 她	从前 最近	学过 唱过 会写 吃	英语	 女高音 这种笔 食堂	吗？ 吗？ 了
B	通县 这 晚上 这位客人	已经	属于 成为 不如 姓	北京市 制度 早晨 李		

（1）A 类动词一般可重叠，可带'了、着、过'，可带说明动作的方式、工具、处所的宾语。受事宾语在一定条件下可省。

（2）B 类动词一般不能重叠，不能带'了、着、过'。其中主语不是严格意义的施动者，宾语也不是严格意义的受动者。宾语不能省。常见的 B 类动词有'像、叫、姓、兼、号称、等于、成为、不及、不如、不比、具有'等。

2. 不及物动词句

	主　语	状　语	动　词	宾语非受	助词及其他
A	⎰马 ⎱象 你 我 他	 明天 今天晚上 这次又	走 飞 去 睡 跑了	⎰日字 ⎱田字 上海 折叠床 三个第一	吗？ 吧
B	工程 尘土	已经全部	完成 飞扬		了

（1）A 类动词不能带受事宾语，但是能带非受事宾语。

（2）B 类动词既不能带受事宾语，也不能带非受事宾语。常见

31

的 B 类动词有'看齐、着想、指正、罢休、到来、相反'等。

3. 双宾语句

	主 语	状语	动词	宾语 1	宾 语 2	助词及其他
A	张老师 我 他	以前	教过 请教 问	我们 你 我	数学 一个问题 明天去不去	好不好?
B	我 他	刚才	求 告诉	你 我	一件事 一个消息	
C	他 这件事		借了 费了	你 我	一本词典 不少时间	吗?
D	大家 他	都	称 叫	他 我	大老李 哥哥	

（1）A 类光有宾语 1 或光有宾语 2 都行；B 类光有宾语 1 行，光有宾语 2 不行；C 类光有宾语 2 行，光有宾语 1 不行；D 类表示称谓，光有宾语 1 或光有宾语 2 都不行。

（2）宾语 1 一般都指人，宾语 2 除 D 类外，都指物件或指事情。

4. 动词做宾语句

	主 语	状语	动词	宾 语动	助词及其他
A	你 大家 我们	一致 明天	喜欢 表示 开始	看小说 赞成 播种小麦	吗?
B	机器 我们	正在 已经	进行 给以	改装 详细说明	

（1）A 类动词可以带动词宾语，也可以带名词宾语。

（2）B 类动词只能带动词宾语。这类动词只有'进行、从事、给以、予以、给予、装作'少数几个。作宾语的动词不能再带宾语。

5. 小句做宾语句

	主 语	状语	动词	小　　句		助　词 及其他
A	大家 指挥部	正在	相信 研究	他的建议 工程	能够实行 从哪儿开始	
B	你们 我们	都	希望 认为	谁 这个办法	当代表 很好	呢?

（1）A类动词也可以带名词作宾语。这类动词常见的有'看见、知道、庆祝、听见、报导、相信、记得、考虑'等。

（2）B类动词只能带小句或动词短语做宾语。这类动词常见的有'断定、声明、以为、主张、提议'等。

6. 数量宾语句

主语	状　语	宾语数	状语	动词	宾语数	宾语受	宾语数	助　词 及其他
我 你 他 我 你	以前 这个星期 近来 曾经	一天	也 已经 只 再	学过 看了 上 问过 等	一年 三次 半天	英语 电影 班 他 我	一次 五分钟	了 好吗?

（1）数量宾语可以是动量、时量（也可以是物量，见下表）。动词可以是及物动词，也可以是不及物动词。

（2）数量宾语可以在动词后，也可以在动词前；受事宾语是代词时，数量宾语要放在代词后。

7. 宾语前置句

主语	状语	宾语数	宾语受	宾语数	状语	动词	宾语数	助词及其他
我们			什么工作		都认真	干		吗?
你			一样东西		也没	买		
我			米饭		也	吃		
			馒头		也	吃		
我	最近	一次	电影		也没	看		
他	这个星期			一次	也没	来过		
你			这三本书	一本	也没	看过		吗?
我			这三本书		只	看过	一本	

（1）动词前常有副词'都、也'等,有了这样的副词,宾语一般得放在动词的前边,语气上也有所加强。

（2）前置宾语往往含有'无论'或'一切'的意思,如一、二两例。

（3）这类句子否定的比肯定的多。

8. '把'字句

主语	状语	'把'+宾语1	状语	动词	宾语2	宾语数	助词及其他
你		把零钱		带			在身上
我	已经	把这本书		看了		三遍	了
你		把这本词典	再	借[给]	我	三天	
你		把写好的稿子	都	给	我		吧
老王		把炉子		生上了	火		

（1）用'把'字提到动词前面去的宾语总是代表有定的事物。

（2）动词一般不是一个简单的动词,而是复合动词或动词短语,至少动词后面要加'了'或'着'。

'把'字句的详细情况见 53 页'把²'条。

9. 被动句

	主　语	状语	'被'[+名施]	状　语	动　词	宾语受	宾语数	助　词及其他
A	衣服 他 她	全 成天	被露水 被石头 被家务		浸透 砸破了 捆住了	 脚 手脚		了
B	旧城 原计划 庄稼	已经 	被 被 被	彻底 	改造 推迟了 淹了		 三年 一大片	了
C	信 公共设施 这种书			已经 一定 照例	发 要爱护 卖得			了 很快

（1）被动句的主语代表受动者，并且总是代表有定的事物。

（2）动词一般不是一个简单的动词，而是复合动词或动词短语，至少动词后面要加'了'或'过'。

A、B 两类被字句的详细情况见 67 页'被'条。

10. 补语句

	主　语	状语	'把'+宾语	动(形)+'得'	宾语	补　　语	助　词及其他
A	这孩子 我们 天气	现在 		长得 跑得 冷得		挺高 都喘不上气来 连我都穿上皮袄	了 了 了
B	他 他 我	今天 一句话 	把屋里 把他	收拾得 说得 问得 问得	大家 他	又整齐又干净 都乐 半天答不上来	了

（1）'得'前可以是动词或形容词，补语可以是形容词，可以是动词，也可以是小句。补语或说明情况（A 类一例）或说明程度（A 类二、三例）或说明结果（B 类各例）。

（2）B 类要带宾语，宾语可以用'把'提前。

补语句的详细情况见 163 页'得¹'条。

11. 存在句

	处所(时间)词语	状语	动词	名　词	助　词及其他
A	屋子里 古代 大门外面	曾经	有 有过 是	人 这么一个勇士 一个荷花池	吗?
B	门口 槐树底下	并排	站着 坐着	一个小孩 几位老大爷	
C	沿着水渠 东屋里 墙上	靠墙	栽着 放着 挂着	一排杨树 各种农具 一幅世界地图	

（1）A 类表示单纯存在;B、C 两类表示以何种姿态存在。

（2）B 类的名词代表施动者;C 类的名词代表受动者。

（3）B、C 两类动词后边经常带'着',但是都不表示动作进行,而是表示动作产生的状态。

（4）动词后边的名词一般代表无定的事物,前边往往有'一个、几个'等词语。有时候这个名词代表有定的事物(如专名),但仍然需要在前边加上'[一]个'等字样。

12. 连动句

	主语	动词短语 1			动词短语 2			助　词及其他
		状语	动词	宾语	状语	动词	宾语	
A	他 我 她 你	已经 快	推开 打 笑着 来	门 电话	大踏步 给我们	走进去 通知 答应了 帮	工厂 一声'是' 个忙	了
B	校长 他	紧紧地 老是	握着 赖着	我的手	不 不	放 走		
C	我 你	明天 何不	找 倒… 出来	个人 一杯		问问 尝尝	味道?	

	主语	动词短语1			动词短语2			助词及其他
		状语	动词	宾语	状语	动词	宾语	
D	他 老张		喝 抓	酒 工作	喝醉 抓得			了 很紧
E	我们 我 你	怎么	走 赶 吃	亏	也 也没 就	走 赶上 吃	亏	到北京 在这一点上

（1）这是一种构造复杂的句式,共同的特点是:动1和动2联系同一个施动者,中间不能停顿。

（2）A类第一例动1和动2表示先后连续发生的动作,第二例动2是动1的目的,第三例动1表示动2的方式,第四例动1是表趋向的动词。这几个例子都只包含两个动词短语,实际也有不止两个的,如‘打电话叫汽车上医院看病’。

（3）B类动1和动2从肯定、否定两个方面说明一件事。动2带否定副词‘不’,表示动1动作的持续,或对动1动作的描写。

（4）C类动1的受动者同时是动2的受动者。

（5）D类动1、动2是同一个动词,动1带宾语,动2是动结式复合动词或带‘得’加补语。

（6）E类动1和动2重复,动1含有‘即使、如果、无论、要讲’等意思,动2之前总有‘也、都、就’等关联副词。

13. 兼语句

	主语	状语	‘把’ +宾语	动词1	兼语	动词2 （形、小句）	助词及其他
A	张老师 大家 学校	一致		叫 选 要求	你们 老王 大家	就去 当组长 努力学习	呢
B	我 领导上 他	一直 刚才还		喜欢 表扬 怪	这孩子 他们 我	懂事 干劲大 没有告诉他	呢!

	主 语	状 语	'把'+宾语	动词1	兼语	动 词 2（形、小句）	助 词及其他
C	我小红	现在	把这支笔把书	送给交[给]	你妈妈	用保存	吧

（1）兼语的后边可以停顿，而动1的后边不能，这是兼语句和小句作宾语句区别所在。

（2）A类动1常是含有使令意思的及物动词，动2是动1的结果或目的。常见的动词有'派、留、使、叫、让、劝、逼、催、请、要、托、求、号召、组织、发动、阻止、命令、动员、禁止'等。

（3）B类动1常是表示赞许或责怪的及物动词，动2表示赞许或责怪的原因。常见的动词有'爱、感谢、佩服、夸奖、称赞、嫌、恨、气、怨、可怜、笑、骂、讨厌'等。

（4）C类动1是表示给予的及物动词，它有两个受动者(双宾语)，一个用'把'提前，一个留在后面做兼语。这类句子，如果去掉主语和'把'，就成为被动句，参看表9C。

动趋式动词有关句式表

动趋式动词可以出现在多种类型的句子里。用动趋式动词作谓语动词的句子比其他句子复杂的地方在于动趋式动词后边代表事物的名词可以有三种位置:(1)在整个动趋式之后,(2)在趋$_1$和趋$_2$的中间,(3)在主要动词之后,趋向动词之前;加上用'把'字把它提前的格式,一共有四种格式。如果动趋式动词后边的名词代表处所,它只有一个位置,在趋$_1$之后,趋$_2$之前。根据这种情况,下面把用动趋式动词做谓语动词的句子分别编成四个表,那里边的'趋$_1$'指'上、下…'等,'趋$_2$'指'来、去','趋'指二者结合在一起或只有其中之一。值得注意的有以下几点:

（1）不是所有的动趋式动词都能用于每一种句式，不同的趋向动词的适应面不完全相同。

（2）不是所有的句子里的动趋式动词都能有完成态和可能

态,有的能加'了',也能加'得、不',有的只能加其中之一,有的二者都不能加。

（3）跟某些外语比较,当动趋式动词后边是代表处所的名词时,动趋式里的'趋₁'的作用像一个介词,例如'话说出口','走出门来';当后边是代表事物的名词时,趋向动词的作用像一个副词,例如'说出话来','走出一个人来'。

（4）动趋式里的趋向动词读轻声,但在主要动词和趋向动词被'得、不'隔开的时候,趋向动词可不读轻声。

1. 主语 + 动趋

	主　语	状　语	动 + 趋	助　词及其他
A	你 一群男孩子 泉水 咱们 她 你	迎面 从山上 就 [念到这里] 现在	记下 跑来 流[了]下来 走回去 念不下去 走得开走不开?	吧! 了
B	包裹 电话号码 说出去的话 这个题目	还	取来 记下来 收不回来 做得出来	了 没有?

（1）A 类的主语是施动者,B 类的主语是受动者。B 类的动词限于及物的,A 类的动词不受限制。

（2）动词直接加'了'限于'趋'为'趋₁₊₂'。

2. **主语(处所)＋动趋＋宾语(事物)**

	主 语处	状 语	动＋趋$_{1[+2]}$	宾 语物	趋$_2$
A	天上 树上 胡同里	忽然	飘过 掉下来[了] 跑出	几朵白云 一个苹果 一群小孩儿	来
B	院子里 我后头 窗户眼儿里	一连又	种上了 爬上来[了] 塞进	许多瓜果 两个男孩儿 一个字条儿	来

(1) A 类的动词限于不及物的,B 类的动词限于及物的。

(2) 动词直接加'了'限于'趋'为'趋$_{1+2}$'。

3. 主语＋动趋＋宾语（事物）

	主语	状语	把＋宾语	动词	趋1	趋2	宾语	趋1	趋2	助词及其他
A	小华			戴	上		眼镜			了
	一个演员	深深地		牵	出	来	一头大黑熊			
	他			爱	上	了	音乐			
	他	最后还是		说	出	来了	一个名字			
	我			学	出	不来	她的表情			
B	我们	在这里		安	下		家		来	了
	他	已经		做	出		点成绩		来	了
	你			画得	出		这么好的画儿		来	吗？
	他	又		吃	下		几个杏儿		去	
C	你	[到了那里]就		写			个信		来？	
	你	怎么没先		打			个报告	上	去？	
	我	已经		发了			个电报		去	
	他			递了			一本书	过	来	
D	最后走的人	要好	把门	锁	上					了
	你	最好	把这封信	带		去				
	他们	终于	把这个难关	攻了	下	来				
	这孩子	居然	把一桶水	提了	上	来				
	他	又	把东西	退	回	来				

（1）A 类是趋向动词紧跟动词，B 类是趋₁紧跟动词，趋₂ 在宾语之后，C 类是趋向动词整个在宾语之后，D 类因为宾语提前，趋向动词紧接动词，没有分合问题。

（2）动词直接加'了'限于'趋'为'趋₁₊₂'。

4．主语＋动趋＋宾语（处所）

	主 语	状 语	把＋ 宾语物	动＋趋₁	宾 语处	趋₂	助 词 及其他
A	运动员 两个人 他们 你	奋力 一前一后 终于		跑到 走进 登上了 跳得过	终点 屋 顶峰 那道水沟	来	了 吗？
B	两个球 孩子们 问题 这个话 这东西	都没有 已经 已经 怎么 [太大，]		踢进 送回 摆到了 说得出 放不进	球门 老家 桌面上 口 箱子里	去 去	了
C	他 你 他们 历史	简直 [无情，]	把信 把我们 把她 把他们	投进 领到 捧上了 扔进了	邮筒 哪儿 天 垃圾堆	去	了 了？

（1）A 类和 C 类的主语都是施动者，但 A 类没有事物宾语，C 类用'把'字把事物宾语提前。B 类的主语是受动者，没有事物宾语。

（2）'趋₁'不包括'开、起'。

（3）'动＋趋₁'＋'了'限于没有'趋₂'。

动趋式的轻重音

1．动＋趋。动词重读，趋向动词轻读。如：

把帽子'戴·上｜把手'放·下｜东西已经'取·来｜你先'收拾·去｜
'提·上·来｜'放·下·来｜'送·进·来｜'摆·出·来｜'还·回·来｜'借·
过·来｜'抬·起·来｜'递·上·去｜'传·下·去｜'投·进·去｜'发·出·

去｜'顶·回·去｜'流·过·去｜'散·开·来｜箱子'打·开了没有？｜'大门'开·开了没有？

'进、出、回'放在句尾时，不轻读，否则仍可轻读。

买'进｜取'出｜送'回｜'买·进了没有？｜'取·出了没有？｜'送·回了没有？

'起'很少放在句尾，在句尾时不轻读。如：

这话从何说'起？

'过、开'做补语时不轻读。如：

从桥上走'过｜'坐'过了站｜'拉'开距离｜我想'开了

2. 动趋带宾语。趋向动词轻读。

（1）动＋趋＋宾。名词宾语重读。

穿·上'衣服｜摘·下手'套儿｜拿·出·来一本'书｜交·上·去一份报'告

代词宾语一般轻读，动词重读。

'放·下·它！｜'看·上·他了｜同学们经常'提·起·你·们

数量词宾语表示不定数时，动词重读；表示定数时数词重读。

再'来·上几个｜随便'说·上两句｜请您'送·回·去一些｜我只拿·来'一个｜放·进·去'两件

（2）动＋趋₁＋宾＋趋₂。名词宾语重读。

拿·出'办法·来｜看·出'门道·来｜扔·进一分'钱·去｜想·起一件'事·来｜把这些书送·回书'架·去

代词宾语一般轻读，动词重读。

'想·起·你·来｜'放·出·它·来｜'送·出·他·们·去

数量词宾语表示不定数时，动词重读；表示定数时数词重读。

'钓·上·几·条·来｜'写·出·一·些·来｜'种·下·三·五·颗·去｜'选·上·三·两·个·来｜迈·出'五步·去｜跳·过'两米·去｜逮'三只·来

（3）动＋宾＋趋。名词宾语重读。

打电'话·去｜他送'东西·来｜放点'盐·进·去｜寄一笔'款·回·去｜

43

　　　　　递一支'铅笔·过·来

代词宾语一般轻读,动词重读。

　　　　　您放心吧,天晚了我'送·他·回·来|明天咱们'看·他·们·去|
　　　　　他说他'找·我·来

趋向动词若重读,则成为主要动词。比较:

　　　　　明天我'送·他·去:明天我送·他'去|我'叫·你·去:我叫·你'去|
　　　　　到时候我一定'请·你·们·来:到时候我一定请·你·们'来

数量词作宾语表示不定数时动词重读;表示定数时数词重读。

　　　　　'寄几本·回·去|'放几只·出·来|'送一点儿·进·去|买'五斤·回
　　　　　·来

3. 动+<u>得</u>/<u>不</u>+趋。

　　(1) 动+<u>得</u>+趋。'得'轻读,趋向动词一般轻读,动词重读。

　　　　　二百斤我'扛·得·起·来|书包里'放·得·下|这几把椅子屋里
　　　　　还'摆·得·开|几十块钱他'拿·得·出·来|行,我自己'搬·得·上
　　　　　·去|这几步路我'走·得·回·去|今儿晚上'回·得·去

'动+<u>得</u>+趋'表示条件或受到强调时,趋向动词重读(双音趋向动
词第二音节重读)。

　　　　　放·得'下,你再往里放|搬·得·出'来,你就搬走|我就不信你
　　　　　跳·得·过'去|这么复杂你能背·得·下'来! |我怀疑这么早他
　　　　　起·得'来吗? |这么大年纪难得他爬·得·上'去

　　(2) 动+<u>不</u>+趋。'不'轻读,趋向动词一般重读。

　　　　　二百斤我可扛·不·起'·来|院子里放·不'下|栽了半天栽
　　　　　不·进'去

在回答问题或对肯定、否定两种可能做出判断时,动词可<u>重读</u>。

　　　　　你看我搬得起来吗? ——我看你'搬·不·起来|你吃得下去
　　　　　吗? ——我怕我'吃·不·下·去|我认为这几件事'进行·不·下
　　　　　·去

　　(3) 是非问句中动词重读。反复问句中第一个动词重读,趋
向动词轻读。

这么宽你'迈·得·过·去吗？|五点钟你'起·得·来起·不·来？|这道题你到底'算·得·出·来算·不·出·来？

(4) 带宾语时，宾语在趋向动词后则趋向动词重读。

从远处看也看·得·出'来这是座房子|我想·不·起'来他是什么模样|他吃·不'下这碗面

宾语在趋$_1$和趋$_2$的中间，则宾语一般可重读。

我记·不·起他的'名字·来了|想·不·出一个好'主意·来|这件事总让我放·不·下'心·去|琢磨一会儿就能写·出一篇'文章·来

4. 没＋动＋趋。

(1) 趋向动词重读。强调未能实现。

写了半天没写·出'来|一步没跳·过'去|使了很大劲儿，就是没举·起'来|三个人都去请也没请'来

(2) 动词重读，趋向动词轻读。客观陈述事情的结果，无强调语气。

我想写可是没'写·出·来|上次没'跳·过·去，这次再试试|五十斤的杠铃没'举·起·来

(3) 宾语在趋向动词后，趋向动词一般重读。宾语如重读，则表示强调宾语。

没编·出'来故事|没考'上北大(比较：没考·上北'大，可是考上清华了)|这么多人会没研究·出·来一个好'办法

宾语在趋向动词前或在趋$_1$和趋$_2$的中间，则宾语一般重读。

你怎么没请几位'客人·来？|什么都送到了，就是没送一份'样本儿·去|在家里没觉·出下'雨·来|没想·起电话号'码·来

A

啊 ·a （呀、哇、哪）

〔助〕用在句子或小句末尾,与前面的辅音或元音连读而有不同的
语音形式和写法,主要有两种:

呀:在元音 a,e,i,o,ü 之后。

啊:在其他场合。但在 u 和 ao 之后,有人写做'哇';在 n 之
后,有人写做'哪'。

1. 用在陈述句末尾,表示解释或提醒对方。

咱们的胜利可是来之不易～|你说什么? 我听不清～|光着脚
走不了路～

有时带有不耐烦的语气。

不是我不肯管,我是管不了～|我也没说你全错了～

2. 用在祈使句末尾,表示请求、催促、命令、警告等。

请坐～,大伙儿慢慢儿说,说清楚点儿～|快走～|你可小心,别
上当～|你可得好好儿干～

3. 用在感叹句末尾或打招呼的话里。

这马跑得真快～|这儿的风景多美～|老李～,你这儿来!

4. 用在问句末尾。

a) 在有疑问指代词的问句和选择问句里,用不用'啊'都可以,用
了'啊'语气和缓些。

是谁～? |你是打哪儿来的～? |是买苹果还是买梨～? |这本
书你还看不看～?

b) 陈述句形式的问句,提问的目的是要求得到证实,句末一般
要用'啊';如不用'啊',最后一个音节要用升调。

你不去～? |你说的是真话～?

c）反问句。用'啊'比不用'啊'语气和缓些。

客人来了，怎么不倒茶～？｜你怎么不理人家～？｜谁知道是怎么回事～？

5. 用在句中停顿处。

a）表示说话人的犹豫，或为引起对方注意。

去年～，去年这会儿～，我还在上海呢｜今天请大家来～，是想多听听各方面的意见和建议｜你～，真傻！

b）表示列举。

这里的山～，水～，树～，草～，都是我从小就非常熟悉的｜他的思想作风～，文化水平～，工作能力～，哪样都比我强｜这～那～说了一大堆

c）用在假设小句或条件小句的末尾。

我要是自己会～，就不来麻烦你了｜你早说～，我不就早给你办了吗？｜要是一会儿下起雨来～，咱们可就走不成了

6. 用在重复的动词后面，表示过程长。

地质小分队找～找～，终于找到了铁矿｜他们追～，追～，追了半天也没追上

挨（捱）　ái

〔动〕1. 遭受。可带'了、着、过'。必带宾语。

a）挨+名/量（多表示殴打）。不能带'着'。

我在上私塾时，多次～过先生的板子｜身上～了一脚｜～了一顿棍子｜～了一个耳光

b）挨+动/小句。

～打受骂｜～了一顿骂｜～了他好几回批评｜格桑受着冻～着饿，还得给农奴主干活｜小心～狗咬！

2. 困难地度过。可带'了'。后面多为时间词语。

～日子｜那时候～一天算一天｜～了一年又一年

3. 拖延。后面多为时间词语。

快唱吧,不要~时间了|今天能解决,干嘛要~到明天?

动趋 捱∥下去　继续忍受:这种日子没法捱下去|那年月,我实在捱不下去啦,就离家闯了关东

捱∥过　好容易捱过了冬天|他这病恐怕捱不过春天

捱∥过去(来)　春天能捱过去,这病就容易好了|多少年啊,总算捱过来了

　　矮　ǎi

〔形〕高度小的。

a) 修饰名词。

~个子|~个头儿|~胖子|小~人|很~的姑娘|~~的个子|~院墙|~凳子

作为并列结构的一部分。

又~又胖的姑娘|又~又瘦的小男孩|又~又丑的怪物

b) 作谓语和补语。可带'了'。

小王高,小陈~|身材比较~|欧阳家的孩子最~了|老李比老张~了一头|在他面前,我觉得~了一截|他家的老三跟老二比起来,显得~多了|那座楼盖得太~了

c) (级别、地位)低。可带'了',可带数量短语表示比较。

小王~我一班(=比我矮一班)|在他面前,我觉得~了一截

　　爱　ài

〔动〕1. 对人或事物有深厚的感情。可带名词宾语。

~祖国|~科学|父母~儿女|夫妻相~|~孩子~得要命

a) 专指男女相爱,可带'着、过'。

她深深地~着这个小伙子|他曾经~过一个歌唱家

b) 可带兼语。兼语后多是形容词短语,表示原因。

我~他勤奋好学|他~这小孩老实

c) 带宾语后可受程度副词修饰。

小陈很～他|他最～他的小女儿

2. 喜欢某种活动、状态。必带动词、形容词宾语。

～说～笑|～干净|～热闹|～下象棋|他～和群众接近|你～不～听京戏?

带宾语以后可受程度副词修饰。

小汪很～劳动|他最～拉手风琴

3. 爱 A 不 A。表示无论选择哪一种都随便。含有不满情绪。

反正我通知到了,你～去不去(＝你爱去就去,不爱去就不去)|车在那儿放着,～骑不骑,随你便

下边的例子偏于否定。

瞧他那～理不理的样儿(＝不爱理的样儿)

4. 爱护;爱惜。必带名词宾语,限于少数双音节名词。

～公物|～名誉|～面子

5. 容易发生。必带动词、形容词宾语。宾语通常是说话人主观上不愿发生的。

他老～发急|我～晕船|铁～生锈|他是平足,走远路～累

动趋 爱·上 他从小就爱上了数学

安 ān

〔形〕 1. 安定。只能做谓语。一般用否定式。

这件事没办好,我心里一直不～|坐不～,立不稳,心神不～

2. 对生活、工作等感觉满足合适;心安。

～于现状|心～理得

3. 平安;安全(跟'危'相对)。

转危为～

〔动〕 1. 使安定(多指心情)。

～民告示|这种药可以～神|使他们～下心来工作

2. 使有合适的位置。可带'了',可带名词宾语。

在他管辖的部门～了一名处长|～了自己的学生

49

3. 安装;设立。可带'了、着、过';可带名词宾语。

~门窗|这儿应该~个公用电话|~了两把锁|~过电灯|~天线

4. 加上。可带'了、过',可带名词宾语。

~罪名|~了一个头衔|给他~过不少名誉职务

5. 存着;怀着(某种念头,多指不好的)。

你总在背后说他坏话,~的是什么心? |你~的什么心?

动结 安//好　安好了电话就方便了

动趋 安//上　螺丝安不上|这种罪名根本就安不上

安(不)下…来　他老安不下心来|你要安下心来学习

安出(来)　你们这个月要安出十台机器(来)

安得/不过来　这么多用户都要安电话,两个人可安不过来

安开　农村也普遍安开电话了

安到　路灯一直安到西郊|安到五点才完

安到…来(去)　把天线安到房顶上去

　　按　àn　(按照)

〔动〕遵从;遵照。通常要带双音节名词宾语。

办事情要有计划,要~制度

〔介〕表示遵从某种标准。

a) **按 + 名。**

~期举行|~时完成|~月上报|~规定办事|~年龄分组|~现在的速度,我们三点以前可以到达

可加'着',但后面是单音节名词时不能加。

~着计划执行|~着图纸施工

b) **按 + 动/小句。**

时间尚未确定,先~明天一早出发做准备|~他前天离开昆明算来,现在已经到了桂林|~亩产八百斤计算|~每人两张票分发

c）按＋名＋说(讲)。名词限于指道理、条件、规律一类的,表示说话人根据某种事理作出通常应有的论断。

～理说,他不会不同意的|～节气来说,立秋以后应该比较凉爽了,可是这几天还那么闷热|～条件讲,人家比咱们差,可人家的成果反而比咱们多

习用语 按说　按道理说。

按说这是老王办的事,既然他有困难,我就去一趟吧!

比较 按:照　见'照'。

【按照】1）动词用法同动词'按'。

　2）介词用法同介词'按'。

应该按照政策办理|按照一磅等于九两折合,共计七斤六两五

注意 '按'和'按照'的选择与后面名词的音节多寡有关。例如:

按时完成|按期完成|按预定期限完成|按照期限完成|按照预定期限完成|ˣ按照期完成

按照　ànzhào　（见'按'）

B

巴不得　bā·bu·de

〔动〕迫切盼望。可带动词、小句作宾语。

　　～马上就回到故乡|我真～能有机会系统地学习汉语|他正～你去给他帮忙呢！|你怎么不愿意呢？这样的事我还～呢！

比较　巴不得：恨不得　　1) '巴不得'所希望的是可能做到的事情，'恨不得'所希望的是不可能做到的事情。

　　我巴不得有人来帮帮忙|快叫他来，我巴不得马上就见到他|我恨不得插上翅膀飞到北京|我恨不得马上就见到他，可是远隔千里，叫我怎么办？

　　2) '巴不得'的宾语可用否定式，'恨不得'不能。

　　我巴不得不去(˟我恨不得不去)|我巴不得他不走(˟我恨不得他不走)

　　3) '巴不得'在一定上下文中可用指数量短语作宾语，'恨不得'不能。

　　爸爸说了一声'可以'。小华就巴不得这一句，扭头就跑(˟小华就恨不得这一句…)

　　4) '巴不得'可以加'的'修饰名词，'恨不得'不能。

　　这正是我巴不得的事情(˟…我恨不得的事情)

把¹　bǎ

〔量〕1. 用于有柄或有类似把手的器物。

　　一～刀(镰刀)|一～锄头(铁锹、镐头、铁锤、锅铲)|一～锯(钳子、螺丝刀、扳子)|一～扫帚|一～扇子|一～伞|一～茶壶|两～椅子|三～锁(钥匙)|一～算盘

2. 可用一只手抓起来的数量(包括用绳捆起来的东西)。有时可儿化。

一～炒面(小米、土、砂子)|一～儿菠菜(鲜花、小萝卜)|一～香蕉|两～柴禾|三～筷子(商店出售时,一把筷子为十双)

引申用于骨头,含夸张意味。数词限用'一'。

瘦得只剩下一～骨头了|我这～老骨头还想为人民干点儿事呢

引申用于同手的动作有关的某些事物。数词限用'一'。

一～鼻涕一～眼泪,哭得眼睛都肿了|好容易一～屎一～尿地把孩子拉扯大了

'把'前可加'大、满、小',强调数量多或少。

他抓了一大～,我抓了一小～|抓了一满～[的]泥|大～大～地抓着吃

3. 用于某些抽象事物。数词限于'一'。

他倒有一～力气|我这么一大～年纪还能说瞎话?

4. 用于能手等。数词限于'一'。

他是一～好手|养月季花他可是一～手

用于领导职务,前面限用序数词。

老张是我们单位的第一～手,老徐是第二～手

5. 次。用于同手有关的动作。数词多用'一'。

a) 动 + 数 + 把。

拉了一～|推了一～

动词后如有宾语,宾语指人时,必定在动词后。

拉了我一～|推了小黄一～|快帮我一～!

宾语指物时,必定在'把'后。

擦一～脸|擦了两～汗|再加一～劲儿

b) 数 + 把 + 动。表示动作快而短暂。数词限于'一'。

一～把他拉住|我一～抱住了小华|一～没拉住,掉下去了

把² bǎ

〔介〕跟名词组合,用在动词前。'把'后的名词多半是后边动词的

宾语,由'把'字提到动词前。

1. 表示处置。名词是后面及物动词的受动者。

　　～信交了|～技术学到手|～衣服整理整理|～房间收拾一下

　'把'字后边可以是动词短语或小句,但较少。

　　～提高教学质量当作首要工作来抓|他～创作更多、更好的作
　　品当作自己后半生的主要目标|大婶～春生是怎么走的详细
　　说了一遍

2. 表示致使。后面的动词多为动结式。

　　～嗓子喊哑了|～鞋都走破了|～问题搞清楚|谁～这块毛巾
　　弄脏的?

　动词或形容词后面常常用'得'字引进情态补语。

　　～礼堂挤得水泄不通|～这马累得浑身大汗|～我冻得直哆嗦
　　|～个小王听得入迷了|～小宇高兴得手舞足蹈起来

3. 表示动作的处所或范围。

　　～东城西城都跑遍了|～个北京城走了一多半|你～里里外外
　　再检查一遍

4. 表示发生不如意的事情,后面的名词指当事者。

　　偏偏～老李给病了|真没想到,～个大嫂死了

5. 拿;对。

　　他能～你怎么样? |我～他没办法

　用法特点:

　a) 关于'把'后面的名词。

　名词所指事物是有定的、已知的,或见于上文,或可以意会。前
面常加'这、那'或其他限制性的修饰语。

　　～书拿来(已知是哪本书或哪些书)|他～两本书都看完了(上
　　文已说过是哪两本书)|你～这本书借给他|～书架上的书整
　　理一下

　代表不确定的事物的名词,不能跟'把'组合。

　　买了很多书(ˣ～很多书买了)|他拿走了几支铅笔(ˣ他～几支

铅笔拿走了)

b) 关于'把'字句里的动词。

口语和散文里,'把'后面的动词要带其他成分,一般不用单个动词,尤其不用单个单音节动词,除非有别的条件。韵文不受这个限制。下面分别举例。

动词+了(着)。

　　～茶喝了|～介绍信拿着

动词重叠。

　　～桌子擦擦|～院子也打扫打扫

动词是动结式、动趋式。

　　～事情办完|～小鸡赶走|～窗户关上|～他叫进来|～用过的东西放回原处

动词+动量、时量宾语。

　　～话又说了一遍|～这件事压了几天

动词+介词短语。

　　～书放在桌上|～这封信带给小王

动词+得+情态补语(例见上2)。

动词前面有修饰成分。

　　别～废纸满屋子扔|～被子往小孩身上拉|小勇～眉毛一扬…

某些双音节动词可以单个用,不带其他成分。这些词多半是动结式的构词。

　　～直线延长|～运动场扩大|～温度降低|～时间约定|建议～这个约会取消

c) 把+名$_1$+动+名$_2$。有几种情况:

名$_2$是名$_1$的一部分或属于名$_1$。

　　～杂志翻了几页|～衣服脱了一件|～公鸡拔了毛|～他免了职|～指头擦破了一点儿皮

名$_1$是动作的对象或受动者,名$_2$是动作的结果。

　　～他当作自己人|～事情的经过写了一篇报导|～衣服改了个

样儿|～纸揉成一团儿

名₁和名₂是双宾语。

～钢笔还你|～这件事告诉他

名₁表示动作的处所,名₂是动作的工具或结果。

～门上了锁|～炉子生上火|～瓶里装满水|～伤口涂点红药水

d) '我把你这个…'。后面没有动词,表示责怪或无可奈何。只用于口语。

我～你这个小淘气鬼! |我～你这个糊涂虫啊!

e) 否定词'不、没'一般用在'把'字前。

没～衣服弄脏|不～他叫回来不行.

但在某些熟语性例子里'不'可前可后。

不～我当人(=～我不当人)|不～它当一回事儿(=～它不当一回事儿)|简直不～这点困难放在眼里(=～这点困难简直不放在眼里)

罢了 bà·le

〔助〕用在陈述句末尾,表示如此而已,有把事情往小里说的意味。常跟'不过、只是、无非'等词前后呼应。

只不过写错几个字～,有什么可大惊小怪的|不必说这些客气话了,我不过做了我应当做的事情～|你爸爸不会真的不理睬你的,无非吓唬吓唬你～|我只是说说～,你可不要当真

吧(罷) ·ba

〔助〕1. 用在祈使句末尾,表示命令、请求、催促、建议等。

你好好儿想想～|帮帮我的忙～|快点儿走～|别说了～

有时直接用在表示疑问的格式后边,等于前面省去'你说',有催促对方回答的意味。这是一种祈使句,不是疑问句。

你到底同意不同意～(=你到底同意不同意,你说～)|快告诉

我他上哪儿去了～|[你说]这样做行不行～

2. 用在问句末尾。

这座房子是新盖的～？|你就是李师傅～？|这道题不难～？|
一班有三十人～？

这些问句往往不是单纯提问而有揣测的语气,比较:

这座房子是新盖的吗?(单纯提问)|这座房子是新盖的吧?
(我想大概是新盖的)

因此,句中假如有'大概、也许'之类表示揣测的副词时,句末只
能用'吧',不能用'吗'。

他大概已经走了～？|也许明天能见到他～？|现在说不定已
经过了十二点了～？

3. 用在'好、行、可以'等后面,表示同意,是一种应答语。

好～,就这么办|行～,咱们试试看|可以～,就照原计划执行

4. 用在句中停顿处。

a) 用于举例。

就拿我们的小王来说～,他在各方面表现都挺不错|就说废旧
物资回收这一项～,上个月就积累了上万元|譬如你～,你的
普通话就比他讲得好

b) 用于让步小句。

就算你正确～,也该谦虚点儿|即使是一个螺丝钉～,我们也不
应该浪费

c) 用于交替的假设,有左右为难、犹豫不决的意思。

大伙儿选我当队长。当～,能力有限;不当～,又不好推托|去
～,路太远;不去～,人家又来请了几次了,实在不好意思

5. 用在'动＋就＋动'的句子末尾,这种句子表示'没关系','不要
紧'。

丢了就丢了～,我另外给你一个|不去就不去～,反正以后还
有机会

白　bái

〔形〕1. 像霜或雪的颜色(跟'黑'相对)。

　　a) 修饰名词。

　　　～纸|～雪|～花|～房子|～布|～衬衫|～裤子|～～的纸上|
　　挺～的桌布

　　b) 作谓语和补语,可带'了'。

　　　他的皮肤～|这只小狗的毛～,那只黑|个子高高的,脸蛋～～
　　的|台布挺～|他的脸一下子～了|屋子刷得挺～|衣服变～了
　　|衬衣洗得～～的|～了一大块|黑一块,～一块

　　c) 做'觉得、认为、以为'等的宾语,做主语。

　　　我觉得还不～|我认为已经挺～了|我以为太～了|～点儿好|
　　～点儿显得干净

2. 清楚;明白;弄明白。用于书面语。

　　　真相大～|不～之冤

3. 没有加上什么的;空白。

　　　～开水|一穷二～

〔副〕1. 没有效果;徒然。

　　　～跑一趟|～费力气|～～地搭上一天时间|你说也～说

　　2. 无代价;无报偿。

　　　～吃|～干|～看两场电影|你就～替他干了? |你～教了他半
　　年|～尽义务

〔动〕用白眼珠看人,表示轻视或不满。可带'了'。不单独作谓
语,后边多带动量词'眼'或'下儿'。

　　　～了他一眼(˟白了他)|他用眼珠子～了小王一下儿

摆　bǎi

〔动〕1. 安放;排列。可带'了、着、过',可带名词宾语,可重叠。

　　　～凳子|书架上～了好多书|院子里～着几盆鲜花|～过地摊|

你们几个～～桌子|任务～在面前|～窗台上|～事实,讲道理

2. 显示;炫耀。可带'了、着、过',必带名词宾语,可以重叠。

～架子|～谱儿|你不想干,也得～～样子|你在我面前～什么老资格

3. 摇动;摇摆。可带'了、着、过',可带名词宾语,可以重叠。

～手|他向我～了一下儿头|她朝我～～手就上了汽车

动结 摆∥好　摆∥齐　摆∥完　摆得(不)了(liǎo)

动趋 摆∥上　摆上一盆鲜花

摆∥下　这儿摆不下这么多东西

摆出　摆出两本书|摆出一副盛气凌人的架势

摆∥出来　样书全摆出来

摆出去　把展品摆出去

摆回　摆回原处

摆∥过去　摆过去一点儿|她的头又摆过去了

摆∥起来　摆起架子来|摆起谱儿来

摆∥开　东西太多,摆不开

摆∥到　一直摆到墙根底下|摆到屋里去

　　败　bài

〔动〕1. 在战争或竞赛中失败(跟'胜'相对)。可以带'了、过'。

他们～了|排球队～过两场

a) 败+给(于)。

～给对方|～于山西队

b) 败+在。

～在我们手下|～在自己人手里

c) 作动结式的第二成份。

战～了敌人|打～了国家队

2. 打败(对手或敌人)。用于书面语。必带宾语。

大～敌军|大～侵略者(意思与'大胜侵略者'同)

3．(事情)失败(跟'成'相对)。用于书面语。

　　不计成～|不顾成～

4．搞坏(事情)。用于书面语。必带宾语。

　　成事不足，～事有余|～家

5．解除；消除。必带宾语。可以重叠。

　　～毒|多喝白开水可以～火|给孩子吃点儿药，～～火

6．破旧；腐烂；凋谢。做修饰语和补语。

　　～絮|残枝～叶|开不～的花朵

[动结] 败得(不)了(liǎo)　我们绝对败不了

[动趋] 败下来　蓝队很快败下阵来

　　半　　bàn

〔数〕二分之一。

　a) 半＋量[＋名]。

　　～斤酒|～个西瓜|写了～张纸|每次吃～片|～个月|在上海
　　住了～年|倒了小～瓶油|剩了～瓶多

　b) 数＋量＋半[＋名]。数词为个位数，或者是带个位数的多位
数；量词主要是度量词、时间量词、容器量词或'倍'。'半'和名词
之间可加'的'。

　　一米～花布|现在是五点～|水泥还有两袋～|产量增加了四
　　倍～|吃了六十二斤～的大米|花了三天～的时间|还剩一瓶
　　～桔子汁

　个体量词只有'个'常见，其他少用。'半'与名词之间不能加
'的'。

　　两个～小时|一个～月|三个～星期|我家有五个～劳动力|我
　　们组一共才七个～人，老王另外有兼职，只能算～个|这月烧
　　了七十五块蜂窝煤，平均每天两块～

　c) '半＋量'常和否定词语配合使用，表示量很少。有夸张的意
味。

他连～句话都不说|连～个影子都没见到|老张一心为集体，～点儿私心也没有|他说的全是实话，没有～点儿虚假

d) 一A半B。A、B为同义或近义的单音节名词或量词。表示不多。多为固定格式。

一鳞～爪|一时～刻|一年～载|一星～点儿|一知～解

〔副〕一半程度，不完全。

a) 用于形、动前。

一座～新的瓦房|我有胃病，只能吃个～饱|窗户～开着|门～掩着|很多干部都是不脱产或～脱产的

b) 半A半B。A、B为意义相反的单音节动词、形容词或名词。表示相对立的两种性质或状态同时存在。多为熟语。

～信～疑|～推～就|～吞～吐|～明～暗|～中～西|～文～白(指文言和白话杂用)

c) 半A不B。A、B为意义相反的单音节形容词、动词或名词。表示某种中间的性质或状态，含有厌恶的意思。多为熟语。

～新不旧|～生不熟|～长不短|～明不暗|～死不活|～文不白

d) 半A不A。意思跟'半A不B'相同，较少用。

～新不新|～懂不懂

帮 bāng

〔动〕1. 帮助。可带'了、着、过'，可重叠。可带名词宾语或兼语。

我们～你|咱们～～张大爷|～他一把|你来～着抬一下箱子|～他复习功课

2. 赠送，补助。可带'了、过'。可带名词宾语，可带双宾语。

我也许能～他一点儿|他们去年～过咱们一批蔬菜种子|～个十块八块的

动结 帮得(不)了　能(不能)帮：他自己都忙不过来，哪里帮得了我

动趋 帮得(不)上　能(不能)达到帮助的目的：干着急，就是帮不上

习用语 帮忙　帮助别人做事，中间可插入其他成分。

请人帮忙｜找我去帮帮忙｜请你们帮忙解决运输问题｜帮了点儿忙｜帮了几天忙｜帮了很大的忙｜这可帮了我的大忙了

包　bāo

〔动〕1. 用纸、布或其他薄片把东西裹起来。可带'了、着、过'，可带名词宾语，可以重叠。

～衣服｜～了一杯黄土｜书的外面～着书皮｜你～～看｜把大衣也～在里面｜～得很紧

2. 围绕；包围。可带'了、着'，不单独做谓语。

把他们几个～中间了｜骑兵分两路～了过去｜火苗～着锅底｜所有的人全被～在里头了

3. 容纳在里头；总括在一起。

无所不～｜你交2元钱就行了，所有的费用都～在里头了

4. 把整个任务承担下来，负责完成。可带'了、过'，可带名词宾语、动词宾语。

～产量｜～了两天活儿｜～加工｜～楼房维修｜这些事～在我身上了

5. 担保。可带动词宾语、形容词宾语、小句作宾语。

种的树～活｜这西瓜～甜｜吃三剂药～好｜～你满意｜～他能学会｜～大桥安全

6. 约定专用。可带'了、着、过'，可带名词宾语。

～三节车厢｜～五辆大轿车｜你～过房间吗？｜这个会议室～给山西代表团了

动结 包∥好　包∥结实　包住

动趋 包∥上　打开以后就包不上了｜他们在那儿包上茶叶了

包上去　包上去一张纸

包∥下　能容纳:纸太小,二斤糖包不下|这个饭店我们包下了

包下来　那两个套房我们全包下来了

包∥进　每个粽子包进两个小枣儿

包∥进来　把那两件衣服也包进来

包∥进去　把这些馅都包进去

包∥出　今天要包出十斤饺子

包∥出来　包完:三点以前包出二十斤面的饺子来

包∥回　用手绢包回一斤面条

包∥回来　他是用报纸包回来的

包∥过来　用布包过来,然后再缝上

包∥起来　把东西包起来|他们又包起饺子来

包开　他又包开书了

包到　包到纸里|包到六点

〔名〕1.包好了的东西。

　　衣服~儿|打了两个~儿|你带了几个~儿?

2.装东西的口袋。多用于构词。

　　书~|背~|钱~|我的~呢?

3.物体或身体上鼓起来的疙瘩。

　　山~|土~|树干上有个大~|腿上起了一个~|让蚊子咬了一
　　个~

4.毡制的圆顶帐篷。

　　蒙古~

〔量〕用于成包的东西。

　　一~糖|两~瓜籽|拿走了两~书|三~大米

　　包括　bāokuò

〔动〕包含。可带'了'。可带名词宾语。

　　这次选出的四十九名委员,~了各个方面的代表|语文学习~

听、说、读、写四个方面 | 计划很全面,大家提的主要内容都～
了 | 全校人数,～教师、学生和职工,共计一千三百五十七人

前面可加'其中',后面可用'在内(里面)'、'在…内(以内、之
内)'等。

最近出版了一百多种新书,其中～一些外国文学名著 | 亚洲面
积为四千三百八十万平方公里,～附属岛屿在内 | 职工的业余
学习问题也～在计划之内

动趋 包括//进来 总数一万七千五百元,所有的收入都包括进
来了

包括//进去 初稿写好以后,发现还有一点意思没包括进去

薄 báo

〔形〕1. 扁平物上下两面之间的距离小(跟'厚'相对,下2、3同)。
前面可以加程度副词'很'等。

a) 修饰名词。

～棉被 | ～嘴唇 | ～板子 | 小～片儿 | ～～的一层纸 | 他带了一床
很～的褥子

b) 作谓语和补语。

这块玻璃～ | 塑料薄膜很～ | 稍微～了一点儿 | 这块板子～得多
| 玻璃买～了,得另买一块厚的 | 镜片磨～了 | 饺子皮儿擀得太
～了 | 他擀得～得多

c) 重叠后修饰动词词语。

～～地涂了一层漆 | ～～地抹了一层油 | ～～地盖了一层土

d) 作'觉得、认为'等动词的宾语,作主语。

我觉得太～了 | 他认为不～ | ～点儿好

2. (感情)冷淡;不深。一般不作修饰成分。

他们俩交往不多,感情并不～ | 他们还有重男轻女的传统观
念,待儿子厚,待女儿～

3. 不浓;淡。使用面比较狭窄。

酒味很～,跟水一样

4. 不肥沃。

　　变～地为良田|那儿的地太～了|多年不好好施肥,地都变～了

　　保　bǎo

〔动〕1. 保护;保卫。

　　～家卫国|～边疆|～大城市|～交通枢纽|～基础工业

2. 保持。类乎构词成分。带宾语后多作修饰语。

　　～温杯|～暖|～墒|～值储蓄

3. 保证;担保做到。不单独作谓语。

　　～质～量|旱涝～收

4. 担保(不犯罪、不逃走等)。

　　～释|～他出来|～人

动结 保得(不)了(liǎo)　篱笆墙保不了温

　　　　保∥住　孩子是保不住了,先保大人吧

动趋 保∥下来　这个部门一定要保下来

〔名〕保人,保证人

　　作～|交了个～

习用语 保不住　难免,很可能:这样的天气,保不住要下一场大雨

　　报　bào

〔动〕1. 告诉。可带'了、过',可带名词宾语,可重叠。

　　他昨天～了名|他跟我～过账|你～～账|～菜单|～价钱|～
　　数|～丧|～个信儿

2. 回答。可带名词宾语。多用于书面。

　　～友人书|～以热烈的掌声

3. 报答。多用作构词成分。

　　～效|～酬|～恩|有恩必～

4. 报复。可带'了',可带名词宾语。

~怨|总算~了一箭之仇|~了二十年的仇和恨

动结 报得(不)了(liǎo)　报完　报清楚

动趋 报∥上　他们都报上名了

报∥上来　月底前把账报上来

报∥上去　五号前把预算~上去

报∥到　三号前把账单~到会计室

　　抱　bào

〔动〕1. 用手臂围住。可带'了、着、过',可带名词宾语,可以重叠。
　　~孩子|~头痛哭|~了十分钟|~着一口袋面|让奶奶~~

抱＋在。
　　~在怀里

2. 初次得到(儿子或孙子)。可带'了',可带名词宾语。
　　听说您~孙子了|~了孙子了

3. 领养(孩子)。可带'了、过',可带名词宾语。
　　她从儿童福利院~了一个孩子|他以前还~过一个女儿

4. 结合在一起。可带'了',名词宾语多为'团'。多用于贬义。
　　他们~了团儿就不好办了|几个人~成团儿对付别人

5. 心里存着(想法、意见)。经常带'着'。
　　~着报效祖国的愿望|~着远大的理想|~着改造贫穷的决心

动结 抱∥住　你抱住了,别松手

抱∥动　你肯定抱不动这摞书

抱得(不)了(liǎo)　能抱(不能抱):他年老体弱,抱不了孩子了

动趋 抱∥上　能或不能抱到:这次大赛,你们还抱得上奖杯吗?

〔量〕表示两臂合围的量。
　　一~柴火|一~旧衣服|~棉花|抱了两~

　　背　bēi

〔动〕1. (人)用脊背驮。可带'了、着、过',可带名词宾语,可重叠。

66

～粮食|肩上～着书包|你帮我～～

a）**背**＋**在**。

商品篓～在肩上|粪筐～在后面

b）常构成连动句。

他经常～着我去看病|～孩子过河

2．负担。可带'了、着、过'，名词宾语多为不如意的事。

～债|～了一辈子黑锅(背黑锅指代人受过，泛指受冤屈)|～
过坏名声

背＋**在**。

全家的生计都～在他一个人身上

动结 背∥动 有无力量背：我连二十斤粮食都背不动了|这个口
袋我背得动

背得(不)了(liǎo) 我背不了这么多

动趋 背上 年轻时他就背上了这些不好听的名声

背得(不)起 有无能力承担：这个包袱我可背不起啊

　　被 bèi

〔介〕用于被动句，引进动作的施动者。前面的主语是动作的受动
者。动词后面多有表示完成或结果的词语，或者动词本身包含此
类成分。

芦花～微风吹起|我～一阵雷声惊醒|歌本儿～人借走了|小张
～大家批评了一顿|我刚出门又～他叫了回来|夜空～五彩缤
纷的焰火照得光彩夺目

a）'被…'后用单个动词，限于少数双音节，'被'前要有助动词或
表时间的词语。

这句话可能～人误解|你的建议已经～领导采纳|这一点必将
～历史证明|清王朝于一九一一年～孙中山领导的辛亥革命
推翻

b）动词后还可以带宾语，但限于以下几种：

宾语是主语的一部分或属于主语。

　　小鸡～黄鼠狼叼去了一只|我～他吃了一个'车',这盘棋就输了

宾语是主语受动作支配而达到的结果。

　　他～大家选为小组长|这些民间小调～我们改编成了一套器乐组曲

主语指处所。

　　树梢～斜阳涂上一层金色|窗台上～工人们刷上了绿漆

动词和宾语组成固定的动宾短语。

　　这话～你打了折扣了吧?|他～歹徒下了毒手,不幸牺牲了

　　c) 被…<u>所</u>+动。用了'所',动词不能再带其他成分。双音节动词前'所'可省。

　　～歌声[所]吸引|～好奇心[所]驱使

单音节动词前'所'字不能省,并有较浓的文言色彩。

　　～风雪所阻|～酷热所苦

注意　'被…所+动'里面的'被'可以改用'为'。

　　d) 被…<u>把</u>+动。'把'字后的名词或是属于主语,或是复指主语。

　　牲口～套绳把腿绊住了|这调皮鬼～我把他赶走了

〔助〕用在动词前,表示被动的动作,但不点明施动者。不能跟'所、给、把'等词合用。

　　大坝～冲垮了|这支军队～称为'铁军'

　　a) 跟少数单音节动词构成固定词语,多指不利的事。

　　～迫|～捕|～围|～杀|～囚|～控|～盗|～窃|～告(＝～告人)

　　b) '被+动'跟少数名词结合,构成名词。

　　～除数|～害人|～选举权|～剥削者|～压迫民族

比较　被:叫²:让　见'让'。

倍　bèi

〔量〕表示倍数。属于自主量词,后面一般不跟名词。

三的两～是六|九是三的三～|九比三大两～|二百五十比一
百多了一～半|他的水平比我不知高出多少～

呗　·bei

〔助〕用在陈述句末尾,语气大致同'吧',多一点感情色彩。

1. 表示道理简单,无须多说。

靠什么完成任务? 靠咱们集体的力量～|不懂就好好学～|没
有车就用两条腿走～

2. 用在'动+就+动'的句子末尾,这种句子表示'没关系'、'不要
紧'。

下就下～,咱们带着雨衣呢! |你愿意走就走～,没人拦你|有
多少算多少～,总比空手回去强|他爱说就让他说去～!

3. 用在'就得了'、'就行了'等之后。

人家改了就得了～! |土块太多,再耙一遍不就行了～!

本¹　běn

〔指〕1. 用在名词前。说话人指自己或自己所在的集体、机构、处
所。

～人|～工厂|～校定于三月一日开学|～市召开技术革新交
流会议

2. '本+名'复指前面的名词或代词,不限于说话人或所在集体
等。

他～人已经同意做手术,再问问家属的意见|这事应该由你们
～单位解决|你说话不像四川～地口音

3. 这。以制作者或主管人身份措词时用。

a) 本+名。

～书共十章|～品为棕黄色片剂,每片重一毫克|～办法自即
日起施行|～合同一式两份,双方各保存一份|～片由以下单
位协助摄制

b) <u>本</u>+量+名。

～次列车由北京开往西宁|～届篮球联赛已进入决赛阶段

4. <u>本</u>+时间词。指包括说话时间在内的一段时间。

～年|～月|～周|～季度|订于～星期三下午二时举行职工大
会|现在距～世纪末只有两年的时间了

〔形〕原来的。只用在单音节名词前。

～心|～意|～题|～性

〔副〕本来。多用于书面,口语常用'本来'。

他～姓何|他～是山东人|～想不去|～已说定|～不足惜|～
以为他会来的

本² běn (见'本着')

本来 běnlái

〔形〕原有的。只修饰名词。

～面目|这幅地图太旧了,～的颜色要明显得多

〔副〕1. 原先,先前。可用在主语前。

他们几个～不是一个单位的|这地方～就低洼,不下雨也积水
|他～就不瘦,现在更胖了|～这条路很窄,以后才加宽的

2. 表示按道理就该这样。

a) <u>本来</u>+就+动。动词部分必须用'应该、该、会、能'等助动词,
或用'动+得(不)…'。

当天的功课～就应该当天做完|他的病没好,～就不能去|～
就写不完,再催还是写不完|普通话他～就说得不错,还用辅
导?

b) '本来+�(嘛)'用于主语前,后面有停顿。

70

～嘿,一个孩子,懂什么呀? |～嘛,学习文化就得下工夫

本着　běn·zhe　(本²)

〔介〕表示遵循某种准则。限于跟'精神、态度、原则、方针、指示'等少数抽象名词组合,名词前常有修饰语。

> 两国政府～真诚合作的精神,签订了技术合作协定|我们～勤俭建国的方针,节约了大量资金

'本着…'可以用在主语前,有停顿。

> ～求同存异的原则,我们坦率地交换了意见

【本²】同'本着'。用于书面。

> ～此进行,必能成功|～此方针,采取如下措施|希～上述精神,妥为处理

甭　béng

〔副〕'不用'的合音。用于口语。

1. 表示劝阻,禁止。

> 你～管|您～生气|告诉他,～来! |[你]～废话! |我扶你走吧——～,我自个儿能走

2. 表示不需要。

> 这以后的事你都清楚,我就～讲了|人手已经够了,～派人去了

习用语　**甭说**　表示情况不言而喻。多用在表示让步的小句中。

> 这种事甭说你了,连我这么大年纪也没经历过|甭说你一个人,咱们都去也不见得能解决

甭提　不必说。后面用'[有+]多+形',表示程度高,难以形容。

> 昨天的联欢会,甭提有多热闹了|这件事办得甭提多糟了

甭想(打算)　表示客观上没有可能。后面用动词。前边常有一个表示条件的小句。

> 这个问题不解决,任务就甭想完成|雨下大了,你就甭打算回

家了

比较 甭:无须:不必 见'无须'。

逼 bī

〔动〕1. 逼迫;给人以威胁。可带'了、着、过'。可带名词宾语。

　　～债|～口供|～了三天|他是被～着去的|我从来没～过他

　可构成兼语式。

　　他～我承认|他～着爸爸答应他

2. 逼近。可带处所宾语。不单独作谓语。用于书面。

　　洪水已～城郊

动结 逼∥急　别把他逼急了

逼∥疯　他在旧社会走投无路,生给逼疯了

逼∥走　是你把他逼走的

动趋 逼∥上　他最近又逼上我了

逼∥下去　继续逼　再逼下去会出问题的

逼∥出来　逼出人命来

比 bǐ

〔动〕1. 比较;较量。可带'了、过',可重叠。可带名词、动词、形容词、小句作宾语。

　　～数量(＝就数量来～)|～先进(＝和先进相比)|我和你～远,不～快|～象棋|～下棋|不～吃,不～穿,就～谁干劲大|看着他挺高,跟小齐一～就把他～下去了|你不相信? 咱们～～看

2. 能够相比。可带名词、动词作宾语。常用否定式,肯定式只限于少数习用语。

　　近邻～亲|出门不～在家,遇事要多加考虑|今年不～往年,用收割机几天就收割完了|我不～你,你上过大学|小孩不能跟大人～,应该早点睡

3. 比画。可带'了、着',可重叠。

　　他用两个手指～了个'八'字|他～着手势叫我进去|小芳又是说，又是～|他没说话，只用手～了～

4. 比照。可带'着'。

　　将心～心|～着身材做衣服|用尺子～着画了一道线

5. 比方。常跟'做、成'组合，用于'把'字句。

　　把这种细致活～做绣花|把儿童～做花朵|你把我～成什么啦？|这样～，可以说是惟妙惟肖

动结 比赢了　比输了

比得(不)了(liǎo)　我哪能比得了你？

动趋 比∥上　和…相比：能比上他的没有几个|谁也比不上他

比∥下去　比输：可不能让他们把咱们比下去!

比∥出来　要比出个高低来

比起　和…相比。必带宾语：比起过去，现在好多了

比起来　a)开始并继续比赛：象棋赛你们俩不报名，倒在这儿自己比起来了　b)和…相比：比起老赵来，我差远了

〔介〕用于比较性状和程度。

　a) 两种不同事物比较。'比'的前和后可以是名词、动词、形容词、小句，前和后的词类或结构一般相同(但可有省略)。

　　他～你高|他的热情～年轻人还高|挑着～扛着轻|快点儿～慢点儿好|你别争，我去～你去合适|他干起活来～谁都泼辣

　b) 同一事物前后不同时期比较，'比'后限于时间词语。

　　身体～过去结实了|他今天～哪一天都高兴

　c) 谓语形容词前后可带表示数量或程度的成分。

　　小赵～我小五岁|他～你更快|他的汉语～我熟练得多

　d) 谓语如用动词，限于表示能力、愿望、爱好、增减的动词或'有、没有'等。

　　他～我会下棋|妹妹～姐姐喜欢唱歌|产量～上个月增加百分之十|老张的发言～任何人都有说服力

e) 如果是表示一般行为的动词,限用于'得'字句,'比'可在'得'前或后,意思相同。

> 她唱得～她老师还要好(＝她～她老师唱得还要好)|他的散文～诗写得好(＝他的散文写得～诗好)

f) 一+量+比+一+量。表示程度累进。

> 一个～一个积极肯干|生活一天～一天好|球赛一局～一局激烈

注意 '不比…'跟'没[有]…'意思不同。

> 他不比我高(＝他跟我差不多高)
>
> 他没[有]我高(＝他比我矮)

比方 bǐ·fang

〔动〕用容易明白的甲事物来说明不容易明白的乙事物。可带'了',可带名词宾语。

> 我们就拿他来～,如果当时他参了军,现在会是怎么样呢? |小女孩的脸蛋用苹果来～,挺合适的|他～了半天也没说清楚|用辛勤的园丁来～老师是很贴切的

〔名〕指用甲事物来说明乙事物的行为。前边的动词多用'打'、'是'。通常不作主语。

> 打～|这是个～,没说你真会那么干|你这个～不合适

〔副〕表示'假如'的意思。

a) 比方+动。

> 他在这个时候,～说了一句气话,你就别太计较了|他在家,你老跟他斗气儿,～长期在外,你想不想他呢? |现在你当了处长就这个样,～当不上处长,你也这个样吗?

b) 比方+小句。

> 他来接你,你还不高兴,～他不来呢,你又怎么样? |做事情不能总靠一个人,～他生病了,你还不办事了? |他是我的老同学,～我求他办件事,他不会不答应的

'比方'经常和'说'连用,'(打个)比方＋说'近似于插入语。

　　我们～说碰到一个陌生人求我们帮忙,会不会干呢? |～说让他去了,没让你去,你会怎么想? |～说,你遇到了坏人在行凶,你是去制止呢,还是装没看见呢?

比较　bǐjiào　(较、较为)

〔动〕辨别异同或高下。可带'了、过',可重叠。可带名词宾语。

　　～异同|请～下边两组例句有什么不同|是好是坏,应该～～|把这两篇文章一～,就看出高低来了

a) 修饰名词。

　　～解剖学|～宗教学|用～的方法容易把问题说清楚

b) 用作名词。

　　经过粗略的～,区别已经很清楚了|没有～就不能鉴别事物的好坏

〔副〕表示具有一定的程度。不用于否定式。

a) 比较＋形。

　　从这里走～近|今天～冷|大汶口文化的晚期,阶级分化已经～明显

b) 比较[＋助动]＋动。

　　他～能动脑筋|我～爱看电影|现在他也～会办事了|这个人～有办法|我～喜欢[打]篮球

【较】副词。用法同'比较'(副),多修饰单音节形容词。只用于书面。

　　本文内容较好|近日气温较低|近日参观者较多

【较为】副词。用法同'比较'(副),修饰双音节形容词。

　　环境较为清静|那里条件较为优越|这个医院设备较为齐全

比如　bǐrú

〔动〕举例时的发端语。

a) 放在句子后,用在后续句的开头。

我们县自改革开放以来,出现了一批先进青年,～张文林就是他们当中的一个代表|这儿很重视环境保护工作,～李家村这几年就种了几万棵树

b) 放在句子中间,类似插入语。

我们这儿很多离休的老同志,～王春来同志,仍然坚持为群众做好事|目前不少学校,～光明小学,学生负担仍然过重。

c) 用在假设句中。

你在驾驶车辆的时候,～前面突然出现飞跑的孩子,你该怎么办?|他犯了错误,你这么整治他,～你的孩子也犯了同样的错误,你也这么对待他吗?

比较 比如:例如 '比如'的 c)项用法,'例如'不能这么用。

彼此 bǐcǐ

〔代〕那个人和这个人;双方。

a) 做主语。所指的往往已见于上文。

他们初次见面,～还不熟悉|老朋友重新相见,～都很激动|大家从四面八方走到一起,应该～互相关心|～都一样,都是从头学起

b) 做宾语。

不分～|不要讲什么～了,需要什么就拿吧!

c) 加'的'或'[之]间的'修饰名词。

对一个问题,～的认识不同,这是完全可能的|～的经历虽然不一样,奋斗目标却是相同的|我们分手以后,～[之]间的联系少了

习用语 彼此彼此 套语。双方差不多,双方都一样。

咱们俩彼此彼此,我画的比你也好不了多少|您辛苦啦! ——彼此彼此!

笔　bǐ

〔量〕1. 项。用于钱款、账目、交易。

一～钱(款、财产)|两～收入(支出)|记上一～账|讨还这～债务|做了几～生意|这～交易已经谈妥|军火商在这场战争中大捞了一～

2. 指汉字的笔画。后面不用其他名词。

'衣'字有六～|你多写了一～|字要一～一～地写

'一笔'引申为'一段文字',用于书面。

对这项创造发明应大书一～

3. 用于书画艺术,指有相当的技巧。含褒义。数词限于'一、几'。

他写得一～好字|能写一～魏碑|能画几～山水画

必定　bìdìng　(见'必然')

必然　bìrán　(必定)

〔形〕一定;表示事理上确定不移。不能直接作谓语。

a) 必然[＋的]＋名。单个名词前的'的'可有可无;名词短语前多用'的'。

～[的]产物|～[的]结果|～[的]趋势|～[的]联系|～的因果关系|～的发展趋势

b) 是＋必然＋的。

工作中会有困难,会有反复,这是～的

c) 必然＋动/形。

水加温到了沸点～变成水蒸汽|看到孩子们的进步,家长～高兴|不努力学习,～落后

d) 必然＋助动(限于'会、要、得 děi'等)。

他听到这个消息,～会感到惊讶的|他～得找你帮忙

比较 必然:势必　见'势必'。

77

【必定】1）表示主观上认为确定不移。用法同'必然'c) d)。

我想，坚持锻炼必定对身体大有益处|从现有的资料来看，这个矿必定是个富矿|你见了必定会喜欢的|要学习好必定得打好基础

2）表示意志的坚决。'必然'无此项用法。

好，明天我必定来|你放心，东西我必定托人带到

必须 bìxū

〔副〕一定要；表示事实上、情理上必要。

a）修饰动词、形容词，或用于主语前。

我们～坚持真理|这件事别人办不了，～你亲自去

b）表示否定用'不必'或'无须'。

问题总能解决的，你不必着急|我已经知道了，你无须再说了|事情已经办妥了，无须你再去了

毕竟 bìjìng

〔副〕后面的话表示追根究底所得的结论；究竟；终归；到底。充分肯定重要的或正确的事实，暗含否定别人的不重要的或错误的结论。

a）毕竟＋动。常与'不管'、'不论'等呼应。

他～是个孩子|这些问题～不是重大的原则问题|不论怎么说，他～还是来了|～走了|孩子～长大了|他～走得太远了

b）毕竟＋形。'形'多用否定式。

不管怎么说，这么做～不好|先前的结论～[是]错了|情况～不怎么清楚|他的嗅觉～不太灵敏

c）毕竟＋小句。

～他还是个孩子，不懂得这些道理|～他没出席，不知道这里边可能有什么问题

注意 '毕竟'可以放在主语前，也可以放在主语后，有时没什么差

别,如:

> 他～是个孩子|～他是个孩子|他～不是有意伤害你|～他不
> 是有意伤害你

比较 **毕竟**:终究 见'终究'。

避免 bìmiǎn

〔动〕设法不使某种情形发生;防止。可带名词宾语、动词宾语,可带'了'。可带少量双音形容词宾语。一般用于肯定句。

> ～了一场战争|尽可能～各种交通事故|～造成重大的影响|
> 说话要简炼,～重复|看问题要全面、客观,～主观、片面

动结 **避免得(不)了**(liǎo) 矛盾总是要出现的,谁也避免不了

边 biān

〔名〕1. 几何图形上夹成角的直线或围成多边形的线段。

> 我们设∠A的一个～是a,另一个～是b|正方形、长方形和菱
> 形都是四个～|直角三角形的斜～最长|对30°的直角～等于
> 斜～之半|大角对大～

2. 紧挨、靠近物体的地方。只能作中心语,近乎构词成分。

> 身～|他们家就住在河～儿|厕所就在马路～儿|旁～总有一个
> 孩子|老人坐在中间,这～儿是他的儿子,那～儿是他的儿媳妇

3. 边缘,边界。一般作中心语,也可作修饰语,近乎构词成分。

> 花～儿镶了一个金～儿|桌子～儿|地～儿|～区|～疆|～防|
> ～远地区|无～无际|你说的话一点也不挨～儿

〔副〕边…边…。两个或几个'边'分别放在动词前连用,表示几个动作同时进行。

> ～讲～写|～学～干|～收购,～打包,～入库

比较 **边**:一边 见652页'一边'[副词]注意。

扁　biǎn

〔形〕图形或字体上下的距离比左右的距离小;物体的厚度比长度、宽度小。

　　a) 作修饰语。

　　　　～柿子|～鼻子|～坛子|～的东西放在一起|～～的脸|～～的箩筐

　　b) 作谓语和补语。

　　　　盒子～了,装不进去|字体太～不好看|把脸画～了|把人挤～了|削～了

　　有的类似构词成分。

　　　　～体字|～平脸|～圆形

变　biàn

〔动〕1. 和原来不同,变化,改变。可带'了、过',可重叠。可带名词宾语。

　　　　天气～了,要下雨了|他又～了主意了|饭菜可以多～～花样|这个办法不好,～个办法试试|大家一努力,几天就把广场～了一个样儿|村里的面貌～得我都认不出来了|几年不见,他完全～了

　　a) 下面两种句式意思相同。

　　　　他～了主意:他的主意～了|这块布～颜色了:这块布的颜色～了

　　b) 不带宾语时,前面可用'有点儿'。

　　　　你的样子有点儿～了|激动得声音都有点儿～了

2. 一种性质或状态转换为另一种性质或状态;变成;变为。可带'了'。必带名词、动词、形容词作宾语。

　　　　一个～两个|少数～多数|落后～先进|几年不见,他好像～了另外一个人

书面常用'变…为…'的格式,表示'使…变为…'。

~废为宝|~外行为内行|~水患为水利|~落后为先进|~不利为有利

3. 变戏法,变魔术。可带'了、着、过',可重叠。可带名词宾语。

你会~戏法吗? |戏法人人会~,各有巧妙不同|叫他给你~一条金鱼看|鸡蛋~母鸡,还可以再把它~回来|这个魔术~得不错

动结 变∥好 变∥坏 变∥红 变∥大 变∥小 变∥年轻

变得(不)了(liǎo) 能(不能)变:三十多岁的人了,性格变不了了

动趋 变∥出·来 她织毛衣能变出许多花样来|一张纸怎么变出两张来了? |你变得出来,我变不出来

变∥过来 思想可以逐渐变过来|他是死脑筋,一下子变不过来

变起·来 一个人要变起来,还是很快的

便 biàn (见'就¹')

遍 biàn

〔量〕指动作从开始到结束的整个过程。

a) 动+数+遍。

看了一~|问过两~|这首诗我念了十几~

动词后如有宾语,宾语一般在'遍'后。

看过三~《红楼梦》|写了好几~草稿,都不满意

b) 数+遍+动。数词限于'一',数量短语常重复,表示重复多次。

一~~地说个没完|一~一~朗读|一~又一~地修改|我一~也没看过

注意 '这本书我看了一遍',是指从书的开头看到末尾的整个过程。

标志着 biāozhì·zhe

〔动〕作为…的标志。必带宾语(限于小句或抽象名词)。主语常是动名词短语。

一九九七年七月一日～香港回到了祖国的怀抱|蒸汽机的发明～资本主义生产开始进入现代大工业的阶段|大庆油田的建成～中国人民艰苦创业精神的胜利

表示 biǎoshì

〔动〕1. 用言语行为显出某种思想、感情、态度等。可带名词宾语、动词宾语;可带'了、过'。可以重叠。

～决心|～了我们的心意|有所～|他曾经向我～过这个意思|对他们的到来,我们～热烈地欢迎|我们～钦佩|～反对

2. 事物本身显出某种意义或者凭借某种事物显出某种意义。可带动词宾语、形容词宾语、小句作宾语。

红灯～停止,绿灯～放行|他不说话～不同意|他对这个决定～不高兴|用沉默～抗议|经常出虚汗～身体不好|他使劲儿拍了一下儿桌子,～决心已下|一言不发,～他有不同看法

动趋 表示∥出来　大家的意思你已经给表示出来了

表现 biǎoxiàn

〔动〕1. 表示出来。可带名词宾语;可带'了、过'。

～了他的大无畏精神|～了人民的创造性|～了勇敢、机智和顽强|他的作品充分～了农民的质朴、勤劳和善良|～得淋漓尽致|他对这个问题的处理～过不满

表现 + 在。

他的崇高品质主要～在这几个方面|～在这些地方

2. 表现 + 自己(个人等)。故意显示自己(含贬义)。

他处处～自己|有机会就要～一下自己|他有意地突出自己,

～自己|这是为了～自己|从来没有～过自己

动结 表现得(不)了(liǎo)　这些情节还表现不了他的思想境界

动趋 表现(不)出　表现出良好的修养

表现(不)出来　他的特点已经充分表现出来

表现起来　小王又表现起自己来

〔名〕行为或作风中表现出来的。

他最近的～不好|他的这些～不是偶然的|这种种～说明了他的精神世界|他的一系列的～已经给我们的工作带来了困难|上课不注意听讲,下课后跟同学打架,这就是你孩子最近的～|这个问题怎么处理,就看你今后的～

别　bié

〔副〕1. 表示劝阻或禁止。

a)别＋动/形。

～笑|～嚷|～怕|～着急|～难过|～摔着|～碰了|～挂上电话|～麻痹大意|～冒冒失失的

b)用于做谓语的小句前。句子常带有熟语性。

～一个人说了算|～自作主张|～一条道儿走到黑|～整天张家长李家短的

c)单用。用于接着对方的话说。

我先走啦! ——～,～,咱们一块走吧|我提不出什么意见了。——～,你还是多提提吧|我再也不去了。——你～! 你～!

2. 表示揣测,所揣测的事往往是自己所不愿意的。经常与'是'合用。

～又弄错了吧|天空乌云密布,～是要下大雨了吧|约定的时间都过了,～是他有事不来了|电话怎么老拨不通,～是电话机坏了

表示揣测的部分如果是小句,只能用'别是',不能单用'别'。

别看 提出一种情况,下文表示相反的意思。

别看他头发白了不少,年纪可并不老

别管 同'无论'。

别管是谁,一律按规章办事

别的 bié·de

〔指〕另外的。修饰名词。

~人|~事情|~办法|我还想去~地方看看

〔代〕代替名词。

说~吧! |不会再有~了|不买~,就买这些|~,他从来没有对我说过

注意 '别'可不带'的'修饰名词,限于'别人'、'别处'、'别家'。

别管 biéguǎn

〔连〕无论。

a) 引进带疑问词语的短语或表示正反两方面的并列短语。

~干什么,你只要好好儿干就行了|~遇见谁,你都不要吱声|~下雨还是刮风,你必须在十二点以前到达|~好坏,你都要接受

b) 引进小句,'别管'放在小句的主语前边。

~他参加不参加,你必须来|~别人说什么,你要按照我说的办|~天好还是天坏,你都要坚持锻炼|~东西是好还是坏,都不应该浪费

别是 biéshì

〔副〕莫非是。表示猜测和估计。常与'吧'呼应。

他这时还没到,~不来了吧|他没请假也没来,~生病了吧|一言没发,~有什么想法吧|~出车祸了吧

别说 biéshuō （慢说）

〔连〕用于表示让步的复句。先把某一人或事物往低处说，借以突出另外的人或事物。

 a）用于前一小句，后一小句常用'即使（就是）…也…'或'[就]连…也…'。

 ～这么点小事，即使再大的困难，我们也能解决｜动物园的熊猫，～小孩子喜欢，连大人也都爱看｜这几位专家，～在国内，就是在世界上也是很有名的

 b）用于后一小句，句尾多用'了'。前一小句常用'都、也'。

 [即使]再复杂的算术题他都能算出来，～是这么简单的了｜这件事他连自己的亲人都没告诉，～是你我了｜这种动物我连听也没听说过，～见过了

 注意 '别说'有时是'副＋动'，意思是'不要说[话]'，不是连词。

 别说了，我知道了｜别说这些事了，快上车吧

【慢说】用法同'别说'。多见于早年的白话作品，如：'慢说是你，连我都没见过。'现在一般用'别说'，不大用'慢说'。

别提 biétí

〔动〕表示程度很深，不用细说。含夸张语气，句尾必带'了'。

 a）别提＋多＋形/动＋了。

 在桂花林里散步，～多香了｜这座楼盖得～多结实了｜这个人说起话来，～多啰唆了｜一张小嘴～多会说话了

 b）用于句末，前面是感叹词语。

 他那个高兴劲儿啊，～了！｜比赛开始后，那个激烈啊，～了！｜一看离开车还剩十分钟，这个赶啊，就～了！

 注意 以下各例是副词'别'和动词'提'组成的短语（别＋提），表示不要说；不是动词'别提'。

 这事你别提，让他自己说｜这点儿小误会以后就别提了｜你问我

吗？嘿,别提了,白跑一趟

并　bìng

〔副〕1. 表示两件以上的事同时进行,或对两件以上的事同等对待。限用于某些单音节动词前。

齐头～进|这两件事不能相提～论|学习外语应当听、说、读、写～重

2. 加强否定的语气。放在'不、没[有]、未、无、非'等前边。常用于表示转折的句子中,有否定某种看法,说明真实情况的意味。

计划订得再好,可是～不实行,等于没订|我们之间～没有什么分歧|你说的这件事,他～没告诉我|老林躺在床上,脑子～没休息|试验多次,证明新农药～无副作用|我们沿河边走～非贪图路近,而是要顺路看看电站

〔连〕表示更进一层的意思。多连接并列的双音节动词。连接小句时,限于后一小句主语承前省略。用于书面。

要继续保持～发扬优秀的民族传统|会议讨论～通过了今年的工作计划|技术员找出了机器的毛病,～研究了修理的办法|他一九八五年大学毕业,～于同年留校任教|他迅速地～准确地回答了问题

并且　bìngqiě

〔连〕表示更进一层的意思。连接并列的动词、形容词、副词、小句。多用于书面。

业余学习一定要组织起来,～坚持下去|咱们可能～必须提前实现这个计划

a)'并且'后边常有副词'也、还'。

海面起风了,～天色也暗淡下来|这种植物我们家乡也有,～还很多

b) 不但(不仅)…并且…。进一层的意味更重。

他不但嘴上这么说，～行动上也这么做|老林不但能使唤牲口，～还会给牲口治病|这里的橘子不仅产量高，～质量也很好

c) 连接三项以上时，'并且'放在最后一项前。

教室里干净、明亮～温暖|一年没见，你个子长高了，身体长壮了，～性格也好像更开朗了

d) 后边句子较长时，'并且'后可以停顿。

这项水利工程完工之后，可以使附近三个县的农田受益；～，因为利用水力建了几个小发电站，还可以为这一地区的小工业提供动力

拨　bō

〔动〕1. 用手脚或工具等横着用力，使东西移动。可带名词宾语；可带'了、着、过'；可重叠。

～了～门栓|～电话|～了一点儿菜|他给我～过刺儿|你把灯花～～|～了半天|～得太多了|按顺时针方向～|把足球往球门轻轻一～

拨＋在(给)

～在碗里|～给奶奶一些菜

2. 分出一部分发给；调配。可带名词宾语、双宾语、补语；可带'了、着、过'。

～救济粮|～款|～了一千万|～他们三千斤化肥|政府正给灾区～着救灾物资|～过两次款|～得不少

拨＋给。

～给受灾地区|～给贫困地区

动结　拨∥掉　拨∥完

拨得(不)了(liǎo)　一年给学校拨不了多少钱

动趋　拨去　拨去一批物资

拨∥上去　把这颗算盘珠拨上去

・ 87 ・

拨∥下来　月底前这笔款子拨得下来吗?

拨∥下去　尽快拨下去

拨∥出　从泥土拨出一条蚯蚓|一时拨不出那么多钱

拨∥出去　活动经费已经拨出去了

拨∥过去　电话拨不过去|粮食已经拨过去了

拨回来　你把表拨回来

拨到　拨到盘子里|拨到灾区

〔量〕(～子、～儿)用于人的分组;伙。

　　来了一～儿人|走了一～子|来的这～儿人挺多的|这～儿年轻
　　人才有闯劲儿呢|他赶上这一～儿啦|走了三～儿了

注意　'一拨儿一拨儿'经常作状语。

　　一～儿一～儿地出去了|一～～儿地离开了家乡

　　补充　　bǔchōng

〔动〕原来不足或有损失时,增加一部分。

　a) 可带名词宾语、双宾语;可带'了、看、过';可重叠。
　　我再～两点意见|～了不少设备|～了一批新人|不断地～着
　　新生力量|你来～～|～了两次

　b) '补充'可引起兼语式:
　　我们再～两个人去参加|你们尽快～人力去投入防汛

　c) '补充'可直接修饰名词。
　　～材料|～教材|～意见|～队员

动结　补充∥好　补充∥足了　补充∥完

补充得(不)了(liǎo)　你们缺员,暂时补充不了

动趋　补充∥上　原材料暂时补充不上|他们又补充上新设备了

补充上去　把这两点意见补充上去

补充进来　补充进来一批新设备

补充进去　你修改的时候,别忘了把他的意见补充进去

补充到　剩下的人员都补充到进修班

〔名〕指所补充的东西。

这是我对你刚才发言的~|你的~很正确

部　bù

〔名〕1. 部分。前必有修饰成分。可作构词成分。

外~情况|胸~|内~有分歧|四~合唱|身体的上~比较粗，
下~比较细|小学是二~制

2. 部门。

外交~|司令~|门诊~|这两个~合并|~里最近又开了专门
会议|~和~之间要搞好协调工作

〔量〕用于书籍、影片等。

买了五~书|拍了两~戏|最近出了三~电影|他写了二十~
著作|买了两~轿车

同用于书籍的量词'本'。一本书可以是一部书，但一部书可以
不止一本。

一~《二十四史》有多少本？|这部《水浒传》分上下两本

部分　bù·fen

〔名〕1. 整体中的局部。

~应该服从整体|这项工程有三个重要组成~|展览会分这么
几个~

2. 指团体单位或军队的组成部分。

你是哪个~的?

〔量〕用于组成整体的局部。不能重叠。

全馆分成十二~|这个机器由三~组成|其中有这么两~人|
有一小~人还没有赶到

〔形〕局部，非全体。

a) 修饰名词，不能加'的'。

今年我省~地区遭受了旱灾|~同志中有过这种想法

这里的'部分'也可以说成'一部分'。

b) 修饰少数动词。

机器设备已开始～更换|人员配备可作～调整

不　bù

〔副〕1. 单用,回答问话,表示与问话意思相反。

他知道吗? ——～,他不知道|他不知道吧? ——～,他知道|
再坐一会儿吧——～了(啦),我还有事呢

也用来更正自己说的话。

这个会改在明天开,噢,～,后天

2. '不'用在动词、形容词或个别副词前,表示否定。

～去|～是|这～可能|～会说英语|这帽子大了吧? ——～大
|你去不去? ——～一定

a)A 不 A(A 为动词或形容词)。用于反复问句。

去～去? |是～是? |能～能联系一下? |好～好? |干净～干
净? |把车子弄成这样,人家还骑～骑?

A 有两个以上音节时,往往只重复第一个音节。

打球～打? |打～打球? |可～可以去? |你知～知道这件事
情?

b) 不管 A 不 A(A 为动词或形容词)。表示'无论这样或不这
样'。

不管来～来,你都打个电话给我|不管他画得好～好,我都要

也用管它(他)A 不 A(A 也可以是名词)。

管它好～好,先写出来再说;写得不好再修改|管它来～来都
应该通知他一下|管它台风～台风,我们都不怕

c) 什么 A 不 A[的](A 为动词、形容词或名词)。表示不在乎、无
所谓。

什么谢～谢的,别提这个|什么难～难,只要肯下工夫就不难|
什么肥～肥的,我看穿着还可以|[什么]钱～钱,说它干嘛!

|什么报酬～报酬[的],没有报酬也照样干!

d) 不 A 不 B(一)。A、B 为意思相同或相近的单音节动词或文言词。表示'既不…也不'。

～说～笑|～吃～喝|～言～语|～声～响|～战～和

e) 不 A 不 B(二)。A、B 为意思相对的单音节形容词、方位词或文言词。表示适中。

～软～硬|～肥～瘦|～多～少|～前～后

f) 不 A 不 B(三)。A、B 为意思相对的单音节动词、形容词、名词、方位词或文言词。表示既不像这,又不像那,而是一种不满意的中间状态。

～中～西|～死～活|～男～女|～人～鬼|～上～下

这种格式可以说成'中～中,西～西'等。

g) 不 A 不 B(四)。A、B 为意思相对或相关的动词或短语。表示'如果不…就不…'。

～破～立|～见～散|～打～成相识|～去～行|～塞～流

h) 半 A 不 B。A、B 可以是意思相同或相对的单音节动词、形容词。表示的意思大致同 f。

半懂～懂|半生～熟|半死～活

i) 不 A 而 B。A、B 为单音节文言词。表示虽然不具有某种条件或原因,但是也产生某种结果。用于成语。

～寒而栗|～劳而获|～谋而合|～约而同|～翼而飞|～胫而走

j) 不是 A 就是 B。A、B 为同类的动词、形容词,也常常是小句。表示两项之中必有一项是事实。

～[是]刮风就[是]下雨|他～是蒙族就是满族|～是你去,就是我去

k) 不…就(才)…。表示如果不这样就会怎样。

～做周密计划,工作就做不好|～刮风就好了|～生病才好

〔助〕放在动结式、动趋式复合动词的两部分中间,表示不可能,跟

91

表示可能的'得'相对。轻读。

　　拿～动｜吃～了｜装～下｜运～出去｜说～清楚

　肯定式和否定式连用表示疑问。

　　你看得见看～见？｜洗得干净洗～干净？｜装得进去装～进去？

　 爱Ａ不Ａ 见'爱'。

不大(不怎么) + 形/动 表示程度不重。一般没有相应的'大(怎么) + 形/动'。

　　不大好｜不大舒服｜不大满意｜不大会｜不大愿意｜不怎么忙｜不怎么明白｜不怎么重视｜不怎么愿意

不几 + 量词 表示数量不大。

　　不几天就是春节了｜走不几步又回过头来叮嘱几句

不一会儿 表示时间不长。

　　帮忙的人多,不一会儿会场就布置好了

不的话 等于'不然的话','如果不这样的话'。

　　你一定得去,不的话,他会不高兴的

　[比较] 不:没有(没) 见'没有(没)'。

　　　不比　bùbǐ

〔动〕比不上;不同于。必带名词宾语、小句宾语。

　　今年～往年｜北京～其他城市,它是首都｜论相貌她～小刘,可是她人品好

[比较] 不比:不如　'不比'和'不如'都有比较的意思。但用法上有差别。

　1)'不比'用于对比,前后两项不一定谁强谁弱、谁好谁坏,只强调有差异。如:

　　今年不比往年

可以是今年比往年好,也可以是今年比往年差。'不如'用于比较,用来比较的前项对象总是比后一对象要差。如:

今年不如往年

就是今年的收成或收入等一定比往年低。

2)'不如'后边可以不带宾语,如'连猪狗都不如',而'不比'则不能这样用,后边一定带宾语。

不必　bùbì

〔副〕表示不需要,用不着。

a) 不必 + 动。

　　～去 | ～问他,我都知道了 | 慢慢来,～着急 | 事情已经很清楚了,～再争论了

b) 不必 + 形。形容词前要有表程度的修饰语。

　　～很长 | ～过早 | ～太详细 | ～这么厚 | ～一样整齐 | ～那么周到

表示情绪、态度等的形容词,可直接受'不必'修饰。

　　～紧张 | ～高兴 | ～悲观 | 生活小事,～认真

c) '不必'后面的动词、形容词可以提前或省略。

　　这样做,我认为～ | 他准备再去一次,我看～了 | 等我有空再详细告诉你——～了,我都知道了

⬛比较　不必:未必　词形相近,词义完全不同。'未必'是'必定'的否定,意思是不一定。'不必'是'必须'的否定,意思是不需要、用不着。

　　他未必去(＝他不一定去) | 他不必去(＝他用不着去)

不必:甭:无须　见'无须'。

不便　bùbiàn

〔形〕不方便。前面的名词语(多含动作意义)或动词语限于多音节。

　　交通～ | 行动～ | 家里离学校太远,孩子上学很～ | 如果没有食堂、宿舍,吃住就非常～了 | 以前这里没有商店,想买东西十分

~

手头不便　指一时缺钱用。

〔动〕不适宜。也说‘不便于’。必带动词宾语。没有意义相对的‘便’，肯定式要用‘便于’。

　　他不往下说了，我也～再问 | 他不愿把她叫出来，自己更～走进去 | 他有点不乐意，但又～马上拒绝 | 背包太大，～携带（背包轻巧，便于携带）

　　不曾　bùcéng

〔副〕对‘曾经’的否定。只用于动词语的前面。动词后面常有‘过’，但不用‘过’意思不变，多用于书面。

　　这种事在历史上也～出现过 | 过去～发生的问题今天也出现了 | ～来过 | 老张～提过他们兄弟失和的事

　　不成　bùchéng

〔助〕用在句末，表示反问的语气。前面有‘难道、莫非’等副词呼应。可用‘吗’字替代。

　　难道我怕你～[吗]？| 莫非他不来，咱们就得呆着～？

　　不单[是]　bùdān[shì]　（见‘不但’）

　　不但　bùdàn　（不仅、不单[是]、不光、不只）

〔连〕和‘而且、并且’配合起来连接两个并列小句，表示除所说的意思之外，还有更进一层的意思。也可以连接并列的名词性成分或介词短语。

　a) 用在前一小句。两个小句主语相同时，‘不但’多放在主语后；主语不同时，‘不但’多放在主语前。后一小句必用‘而且、并且、也、还、又’等呼应。

　　水库～要修，而且一定要修好 | 生活改善了，我家～不愁吃穿，

并且还有富余|～产量增加了,人的精神面貌也改变了|结婚
以后,小吴～学会了做饭,还学会了服装裁剪|我们尊敬他,～
因为他是一位温和的长者,而且还因为他是一位很有学识的
专家

b) '不但…而且…'可以连接名词性成分或介词短语(均限于谓
语前)。

～所有的工人,而且几乎所有的家属都参加了这次义务劳动|
～在这个车间,而且在全厂都开展了生产劳动竞赛

c) 后一小句用'连…也(都)…'、'甚至…也…'或'即使(就是)…
也…',表示进一层的意思。

那山峰～人上不去,连老鹰也很难飞上去|他～在国内是第一
流的医生,就是在国际上也是闻名的

d) 前一小句是否定句,后一小句是肯定句,用'反而'呼应。

困难～没有吓倒他,反而更加坚定了他的信心|这样做～不会
解决矛盾,反而会增加矛盾

e) '不但'可以不用,光用承上的'而且、又、也'等词;但是不能光
用'不但',不用'而且、又、也'等。

[不但]产量增加了,人的精神面貌也改变了|ˣ～产量增加了,
人的精神面貌改变了

【不仅】用法同'不但'。常用在'是…'前。也说'不仅仅'。多用
于书面。

我们不仅要学会这门技术,而且要精通这门技术|这不仅(不
仅仅)是你个人的事,也是大家的事

【不单[是]】基本上同'不但',但没有 d)的用法。c)的用法口语也
说'不单单'。

【不光】同'不单'。

【不只】同'不但'a) b)。

不得了　bùdéliǎo

〔形〕1. 表示情况很严重,没法收拾。

· 95 ·

a) 一般用于无主句,常在前面用副词'可'。

    哎呀,～,出了大事啦!｜这可～,发这么高的烧,还不快送医
院!

b) 前面有说明情况的小句时,'不得了'前面常用副词'可、更、
就、才'。

    粗心大意,出了事故可～｜要是让他知道了更～｜幸好发现得
    早,着起火来才～呢!

2. 表示程度很深。用于'得'字句。

    今年夏天热得～｜她急得～,快去劝劝她｜他们高兴得～｜我后
    悔得～

[比较] 不得了∶了不得 1)'了不得'一般有名词性主语(人或物),
'不得了'一般没有名词性主语。

    2)'不得了'通常不作定语,'了不得'可作定语(前面常有'什
么')。

    这不是什么了不得的事,何必那么着急?

    3)'不得了'不作'有(没有)'的宾语,'了不得'可以(前面常有
'什么')。

    我看这没有什么了不得的,不必大惊小怪

    4)'了不得'可以表示'超过寻常','不得了'不能。

    这个人了不得(ˣ不得了),只要他见过的人都能记得

    5) 大多数形容词带'得'后,可带'不得了'或'了不得',意思没
有什么差别。

    他高兴得不得了(＝他高兴得了不得)｜他后悔得不得了(＝他
    后悔得了不得)

    不得已 bùdéyǐ

〔形〕无可奈何,不能不如此。

    a) 修饰名词(限于少数抽象意义的),多带'的'。

    ～的时候｜～的措施｜～的办法

b) 主 + 是 + 不得已。

他半夜动身也是～|这实在是～|我是～才这样做的

不用'是'时，后面要有其他动词语或小句。

半路上车坏了，我们～又回来了|屋里坐不下，～，我们只好站在外头

c) 由于(出于、因为、迫于) + 不得已。

父亲年轻的时候是由于～才飘泊在外的|出于～只好把孩子寄放在亲戚家|没有请您来也是因为～|迫于～才采取这样的非常措施

d) 到 + 不得已。表示到不得已的程度或地步。以否定式为常见。

到～再采取措施就太晚了|他不到～是不会求人的

习用语　万不得已　实在不得已。

不到万不得已，不准开枪

不定　bùdìng

〔副〕表示不肯定,后面常有表示疑问的词或肯定和否定相叠的短语。

a) 不定 + 动。

他～来不来呢|～说什么呢|今天还～谁输了这场球呢|～讲多长时间呢|听了这话他～有多生气呢

b) 不定 + 形。

这个工程～有多大呢|这个楼～多高呢|～好到哪去|～比前校长强多少|级别～比老陈低多少呢

c) 不定 + 小句。小句的主语多是疑问词语。

～谁来当厂长呢|～谁参加呢|～多少人出席呢|还～哪个人来收拾这个局面呢|～什么人说话了|～他来不来呢

不独　bùdú

〔连〕不但。多和'而且'连用,有进一层的意思。多用于书面语。

a) 用在前一小句,两个小句主语相同时,'不独'经常放在主语后。

他的著作～具有创造性,而且也有科学性|他～是个经济学家,而且还是个政治家

b) 用在前一小句。两个小句主语不相同,'不独'用在主语前面,跟用在主语后面意思不同。

～他能写出高质量的论文,而且别人也能写出这种论文|这个厂里～他是个小发明家,而且还有一批像他这样的年轻人|～这个村富了,而且整个县都富了

不妨　bùfáng

〔副〕表示可以这样做,没有什么妨碍。

a) 不妨 + 动(重叠或短语)。

你～试试|我们～举几个例子来说明这个问题|你们虽然不熟悉,也～交换交换意见|你～也一块儿去一趟|你～对他直说,不必客气|你对他～要求严格一些

b) 动(重叠或短语) + 也 + 不妨。

不管是谁,见见也～|你跟他谈谈也～,反正早晚得告诉他|你的意见说出来也～

不管　bùguǎn

〔连〕用于有疑问代词或并列短语的语句,表示在任何条件下结果或结论都不会改变。后边有'都、也'等呼应。

他～怎么忙,每天都要抽出一定的时间学习|～有什么困难,我们都不要气馁|～哪一个人都要遵守法律,按法律规定办事|～你去还是我去,都要先把情况了解清楚

比较　不管:无论:不论　1)'不管'多用于口语,'无论、不论'多用于书面。因此'不管'后面不能用'如何、何、是否、与否'等文言色彩的字眼,'无论、不论'可以。

2) '不管'后面可以用'形＋不＋形',用'无论、不论'时,这种格式中间一般要加'还是、跟、与'。

> 不管天气热不热,他总是穿这么多│无论天气热还是不热,他总是穿这么多

不管:尽管　见'尽管'。

不管:管　见'管'。

不管:任凭:无论　见'任凭'。

不光　bùguāng　（见'不但'）

不过　bùguò

〔副〕仅仅;指明范围,把事情往小里或往轻里说。前后常有说明或解释的词语。不用于主语前。

> 我不太了解,只～随便说说│他～翻了翻,没有细看│我看他也～三十岁,不会太大│我～是知道有这么一回事,具体情况并不了解

句末常用'罢了、而已、就是了'配合。

> 我～是问问价钱罢了,并不真想买│他打字打得还不错,只～打得慢一点就是了

〔连〕表示转折,比'但是'轻。多用于口语。

a) 补充、修正上文的意思;只是。

> 他性子一向很急,～现在好多了│这人很面熟,～我一时想不起来是谁│老张工作很积极,～,有时候比较主观

b) 补充同上文相对立的意思。

> 试验失败了,～他并不灰心│对于各种意见都要听,～听了要作分析

比较　不过:只是　见'只是'。

不及 bùjí

〔动〕1. 不如,比不上。必带名词宾语。多用于书面。

　　写字我～他|我们班的成绩～三班

宾语后可以用形容词指出所比较的事物的性质。

　　老张那时的思想～现在成熟|《梅花三弄》～《春江花月夜》幽
　　雅动人

2. 来不及。同少数双音节动词搭配。用于书面。

　a) 不及 + 动。

　　　他～细问,匆匆离去|时间太仓促,～准备

　b) 动 + 不及。

　　　一时躲避～,撞在车上|出了问题就后悔～了|伤势太重,抢救
　　　～,终于死去

比较 不及:不如　1)'不及'只用来比较不同的人或事物,因此只
能前后都是名词(例见上1)。'不如'除用于比较人或事物以外,还
可以比较动作行为的利弊得失,因此除名词外,前后可以是动词或
小句。

'不如'没有'不及'2项用法。

不见得 bùjiàn·dé

〔副〕不一定。

　a) 不见得 + 动/形

　　　这雨～下得起来|药吃多了,对病～好|屋里开着灯,～就有人

　b) 不见得 + 助动[+ 动/形]。

　　　看样子,他～会来|明天～能动身|把孩子送走,他妈～肯答应
　　　|一个人走夜路,你～敢|大红大绿～会多么好看

　c) 可以单独回答问话或在句中做宾语。

　　　这棵树长不高——～|他会同意的——～|你说他想回来,我
　　　看～

'不见得'表示一种主观的估计,语气比较委婉,句中常用'我看、看样子'一类词语。表示事实还没确定,要用'不一定'。

事情的结果还不一定(×不见得)

不仅 bùjǐn （见'不但'）

不愧 bùkuì

〔副〕只修饰'为、是',表示当得起。

她～为一个优秀教师|老刘～是新中国培养出来的大学生|百货大楼～是信得过的单位

不料 bùliào

〔动〕没想到。无主动词,意念上的主语是说话人。前一小句说明原先的情况或想法,后边的小句表示转折,常用副词'却、竟、还、仍、倒'等呼应。

本来打算去动物园,～来了位朋友,没去成|我原来想让孩子们在一起好好玩玩,～却玩出事来了|大家以为这么多人劝过了,小方情绪会好些,～她还是一脸的不高兴|春天随便栽了几棵杨柳,～竟都活了|总以为他要反对的,～他倒同意了

不论 bùlùn （见'无论'）

不免 bùmiǎn

〔副〕免不了。表示由于某种原因而导致并非理想的结果。多用于后一小句,只修饰肯定形式的多音节动词、形容词。

刚一见面,～说些寒暄的话|时间快到了,事情还没做完,心里～着急起来|刚接手会计工作,有时～忙乱一些

不免:难免:未免 见'未免'。

不然 bùrán （要不然 要不）

〔形〕不是这样。

a）只作谓语。可以受某些副词修饰。

看上去他身体比较弱，其实～|表面上这些都是小事，实质上并～|别看这条河现在水不多，一到夏天就～了

b）用在对话的开头，表示否定对方的话。

～，事情决不像你说的那么简单

习用语 **不尽然** 不完全是这样。

你把人家说得一无是处，我看不尽然

〔连〕1．如果不这样；否则。引进表示结果或结论的小句。'不然'后面可带'的话'，加强假设语气。

该写信了，～家里会不放心的|我们应该把工作做好，～就不能算是称职的干部|他一定有事，～的话，为什么这么晚还不回来？

2．引进与上文交替的情况。前面可加'再'，后面常用'就'呼应。

可以打电话去找他，～你就自己跑一趟|他不在办公室就在车间，再～就到工地去了

【要不然】基本上同连词'不然'，假设语气较重。'不'字轻读。多用于口语。

幸亏来得早，要不然就赶不上车了

【要不】同'要不然'。

你快去给他解释解释，要不他该有意见了

不如 bùrú

〔动〕用于比较，表示比不上。

a）两种事物比较，'不如'的前后可以是名词、动词、小句，前和后的词类或结构一般相同。后面不说明用来比较的事项(性质、数量等)。

老大～老二,老二～老三|谁说女同志～男同志?|这三篇作
文一篇～一篇|看电视～看电影|走路～骑车|你去～我去|一
个人唱～大伙儿一块儿唱

b) 两种事物比较,后面说明用来比较的事项。

这个体育馆～那个体育馆大|我们厂～他们厂老师傅多|里间
～外间亮堂|走路～骑车快|你去～我去好

用来比较的事项也可以说在前面。

论手艺,谁也～张师傅

c) 同一事物前后不同时期比较。

现在身体～十年以前[结实]了|那时候我们家的光景一年～
一年|这个月的游客～上个月多

d) 在'得'字句里,'不如'可以在前,可以在后。

这张相片～那张照得好(＝这张相片照得～那张好)

e) 连…都不如。'不如'的宾语被'连'字提前。

你这个人真傻,连小孩都～|我的法语连他都～,怎么能跟你
比?

f) [与其…],不如…。

与其你去,～我去|与其花这么多时间打电话,～骑车去一趟

习用语 牛马不如 连牛马都不如。

农奴们过着牛马不如的生活。

比较 不如:不及 见'不及'。

不如:莫如 见'莫如'。

不时 bùshí

〔副〕表示间隔不长而不断地重复发生;时时;常常。可加'地'。
用于肯定句,作状语。

远处～传来鸡叫声|会场里～地爆发出热烈的掌声|他～用手
扶扶鼻梁上的眼镜|这里是个小码头,～有船只来这里停靠

103

不外 bùwài （见'不外乎'）

不外乎 bùwài·hu （不外）

〔动〕不超出某种范围以外。必带宾语。有往小里说的意味。宾语可以是名词短语，也可以是动词短语或小句。

> 大家所关心的～质量问题｜处理这个问题，我看～两种办法｜如果你不答应，其后果～有三种可能｜如果需要面谈，～他来我这里，或者我去他那里

【不外】同'不外乎'。

不宜 bùyí

〔动〕不适宜。通常要带动词、形容词(多为双音节以上)作宾语。多用于书面。

> 少儿～｜年事已高，～远行｜事关重大，～操之过急｜孩子正在长身体，衣服～做得太瘦｜路途～太远｜冬天～喝凉茶

　a) 在'宜…不宜…'中，'宜'和'不宜'后边多用意思相反的单音节词。

> 肾炎病人的饮食，宜淡～咸｜为了争取时间，速度宜快～慢

　b) 不宜＋<u>于</u>。必带多音节词语作宾语。

> 大病初愈，～于操劳过甚

注意 '不宜'的反面是'宜于'。'宜'除与'不宜'对举外很少单用。

不用 bùyòng （见'甭'）

不在乎 bùzài·hu

〔动〕不放在心上；不在意。

　a) 不在乎＋名词宾语。

> 他既～名，也～利｜王先生～你说话的方式，只要你的出发点

是为搞好工作就行|我～这几件旧家具,你要就拿去用吧

b) <u>不在乎</u>+动词宾语。宾语是疑问形式。

只要能学到一技之长,我倒～学什么专业|他只要能吃饱,～好吃不好吃

c) <u>不在乎</u>+小句宾语。宾语是疑问形式。

我～他在背后说我什么|我～别人对我有什么看法|我倒～他有没有钱,关键是为人得好

'不在乎'涉及的对象往往可以放在句首,并可以加'对'。

只要事情能办成,苦点儿累点儿我～|吃好吃坏,他全～|这套丛书很有用,定价高点儿他倒～|老师批评他,他却一点儿也～|对这事儿他根本～

'不在乎'可以受程度副词或语气副词修饰。

满～|一点儿也～|挺～的|很～|才～呢

'不在乎'可以作状语。

他～地点了点头|他～地说

不止　bùzhǐ

〔动〕1. 不停。用于双音节动词语后,不能再带其他成分。

大笑～|咳嗽～|叫苦～|流血～(＝血流～)

2. 超出一定数量或范围。

a) <u>不止</u>+数量。

他恐怕～六十岁了|剩下的词典～五十本|身高超过一米八的～他们几个|本地所产水果～柿子一种|这口箱子～三十斤,怕有五十斤

b) <u>不止</u>+名。

去过北京的～我们|受到奖励的～老张

c) <u>不止</u>+小句。

班里～我一个人会画画儿

d) 动+<u>不止</u>+数量。动词多带'了、过'。

这个问题他提过～一回了｜这部电影我看了～两遍了｜我们设计了～一种方案｜我在桂林住了～一个月,前后一共有四十多天

不只 bùzhǐ （见'不但'）

不至于 bùzhìyú

〔动〕表示不会达到某种程度。宾语是动词短语,一般表示说话人不希望发生的事情。

他～连这点儿道理也不懂｜他是数学系毕业的,～连这种题目都做不出来吧?｜他已经答应了我们,～不来吧?｜我的棋再不好,也～输给他｜他～连我的话都不听

'不至于'也可以不带宾语。

要说她明知故犯,那倒～｜你说他一定要输,我看～

不致 bùzhì

〔动〕不会引起某种后果。不能带'了、着、过'。只能带动词宾语。动词所表示的是说话人不愿意发生的事。前边常要用副词'才、就'。

要注意饮食,也要经常锻炼,才～发胖｜在大森林中,每走一段路要做上记号,才～迷失方向｜按顺序放回原处,就～把东西弄乱

C

才 cái

〔副〕1. 刚刚。表示事情在前不久发生。

a）用于单句。

他～走｜我～从上海回来不久

b）用于前一小句,后一小句用'就'呼应,表示两件事情紧接着发生。

你怎么～来就要走?｜我～要去找你,你就来了｜他～回到家里,老徐就来找他来了

2. 表示事情发生或结束得晚。

a）前面有表示时间晚、历时长的词语。

他明天～能到｜都十二点了,他～睡觉｜催了几次他～走｜跳了三次～跳过横竿

b）前面有问原因的疑问词语。

你怎么～来?｜你为什么这会儿～说呢?

3. 表示数量少,程度低;只。

一共～十个,不够分配的｜我～看了一遍,还要再看一遍｜这孩子～六岁,已经认得不少字了｜他～比我早到一天｜～星期二,还早呢｜他一个人就翻译了五十页,我们几个人合起来～翻译了四十几页｜他～是个中学生,你不能要求太高

4. 表示只有在某种条件下,或由于某种原因、目的,然后怎么样。用于后一小句,前一小句常有'只有、必须,要;因为,由于;为了'配合。

只有熟悉情况～能做好工作｜要多练习,～能提高成绩｜这样做～对全局有利｜正因为有困难,～派我们去｜大家为了帮助

你，～提这些意见|这种活儿非要他来～行

5. 强调确定语气。

　　a) **才**＋形＋呢。主要强调程度高。

　　　　这～好呢！|昨天那场球～精彩呢！|他不知道～怪呢！

　　b) **才**＋[是]…。含有'别的不是'的意味。

　　　　这～是好样的！|这～是名副其实的英雄！|你～[是]撒谎！

　　　　(我没撒谎)|你～[是]死心眼儿！

　　c) **才**[＋不]＋动＋呢。肯定句少用。

　　　　我～不去呢！|让我演坏蛋，我～不干[呢]！|我～懒得管呢！

|比较| **才：再**　见'再'。

才：方才　见'方才'。

　　　采取　　cǎiqǔ

〔动〕表示选择施行某种方针、政策、措施、手段、形式、态度等。通常带名词、动词或形容词宾语。可带'了、过'。

　　～正确的方针|～行动|对于协作单位，要～积极合作的态度|不能～高压手段|～有力措施制止犯罪行为|在这件事上你应该～主动(×～被动)|～了紧急措施|～过灵活多样的形式|～过不合作态度

可以作定语。

　　～的手段十分卑鄙|～的态度不卑不亢

|比较| **采取：采用**　'采取'的对象是方针、政策、态度等抽象词语。'采用'的对象多为具体事物或某种办法。'采取'除可带名词宾语外，还可带动词、形容词(均为双音)宾语；'采用'只能带名词宾语。

　　　采用　　cǎiyòng

〔动〕认为合适而利用。可带'了、过'，有时可重叠。可带名词宾语。

　　～新方案|～过新技术，新工艺|～了灵活的战术|～无记名投

108

票的方式｜这一次比赛,我们队将～全新的打法｜在他的书里,
～了不少新术语｜也可以～～他的建议

比较 采用:采取　见'采取'。

参加　cānjiā

〔动〕加入某种组织或某种活动。

～政党｜～会议｜我们都～明天的新年晚会｜弟弟～了武术培
训班

可以带动词宾语。

～比赛｜～了他们的讨论｜他～过几次竞选

可以作定语。

～的人数比去年多

动结 参加得(不)了(liǎo)

参加得(不)成　能(不能)参加:

这次学术会议,我参加得了｜明天的会,我恐怕参加不了啦｜我
要出差,你们的婚礼也参加不成啦

动趋 参加起…来　加入某种活动并继续下去:

他也参加起我们的活动来了

比较 参加:参与　见'参与'。

参与　cānyù

〔动〕参加(事务的计划、讨论、处理等)。可带'了、过',不能带
'着'。可带名词宾语或动词宾语。

那天的事情我没有～｜～国际事务｜他也～了这项工作｜曾经
～过盗窃活动｜他～了我们的调查｜～了公司的筹建｜由于他
的积极～,最后制订出来的计划充实多了

注意 也可写作'参预'。

比较 参与:参加　'参与'指参加事务的计划、讨论或处理等活动。

'参加'指加入某种组织或对某事提出意见。例如'他参加(ˣ参与)了书法学会'。'我在公司里从来没参与(ˣ参加)过机密'。

层　céng

〔量〕1. 用于重叠或累积的事物。表示序数的数目字前也可不加'第'。

　　三～院子｜这座楼有十五～,我住在第五～｜再上一～楼｜我们研究所在六～｜把他围了个里三～外三～(限用'三')｜远远望去,山坡上是～～梯田｜一～～地传达下去

　数+层+的。修饰'楼、宝塔'。

　　七～的宝塔｜一座二十四～的大楼

2. 用于可以分项、分步的东西,主要是表思想、含义、理由等抽象意思的。

　　这句话有两～意思｜这里还有一～原因(理由、道理)｜我可没料到这一～

3. 用于覆盖在物体表面上的东西。

　　桌上蒙了一～灰｜外面罩着一～塑料薄膜｜窗户缝儿上糊了两～纸｜再铺上厚厚的一～棉花｜河面上结了一～冰｜盖上薄薄的一～土｜外面包了好几～,先是一～布,然后是几～纸,要一～一～地打开

曾经　céngjīng

〔副〕表示从前有过某种行为或情况。

　a) 曾经+动。动词后一般用'过',也可以用'了'。

　　我～跟他在一起工作过三年｜这位画家～到过西藏｜他又回到童年时～住过的村子｜他～学过俄语,后来改学英语｜我～为这件事费了很多时间

　'曾经+动'的否定形式是'没[有]+动[+过]'。

　　我没有跟他一起工作过｜我没有到过西藏｜他从来没有失信

'不曾'或'未曾'口语已经罕用,书面上有时还能见到。

　　除此之外,不曾发现其他可疑之处|如此盛大的场面,我从来
　　未曾经历过

b) 曾经+形。形后必用'过'或'了'。

　　前些天～热过一阵,这几天又凉快些了|为了做好准备工作,
　　他～忙了几天|刚得病的时候,我也～悲观过,是大家的鼓励
　　使我变得坚强了

'曾经+形'的否定形式仍是'没[有]+形[+过]'。

　　我从来没有这么兴奋过|这条街从来没有像现在这样热闹

c) '曾经'后面不能是否定式,除非有时间限制。

　　为了搞试验,～三个月不出门(ˣ为了搞试验,～不出门)

比较　曾经:已经　1) '曾经'表示从前有过某种行为或情况,时间
一般不是最近。'已经'表示事情完成,时间一般在不久以前。

　　这本书我曾经买过好几回,都没买到|这本书我已经买到了,
　　不用你费心了

2) '曾经'所表示的动作或情况现在已结束;'已经'所表示的动
作或情况可能还在继续。

　　我曾经在这里住过三年(现在不住在这里了)|我已经在这里
　　住了三年(现在还住在这里)

3) '曾经'后的动词以带'过'为主,也可用'了';'已经'后的动
词以带'了'为主,少用'过'。

差不多　chà·buduō

〔形〕1. 一般;大多数。后面加'的'修饰名词。

　　～的农活儿他都会|～的人都知道这事,你还不知道?

2. 相差很少、相近。作谓语或补语。

　　姐妹俩的长相～|三班的水平跟二班大概～|那麻袋很沉,你
　　扛不动,我去还～|麦子熟得～了,该收割了

〔副〕表示相差很少;接近。

a) 差不多＋动(常包含数量或程度词语)。

快去,火车～要进站了|～等了两个小时|～有两千人|他的年龄～是我的一倍

b) 差不多＋形(常包含数量或程度词语)。

他俩～高|头发～全白了|两个箱子～一样重|你比我～高一头

c) 差不多＋数量[＋名]。

这个工厂已经办了～六年了|走了～十五里山路|～一半同学都学过英语

差点儿 chàdiǎnr

〔副〕表示某种事情几乎实现而没有实现,或几乎不能实现而终于实现。

a) 表示不希望实现的事情几乎实现而没有实现,有庆幸的意思。动词用肯定式或否定式,意思相同。

～[没]闹笑话(事实是没闹笑话)|～[没]答错(事实是没答错)|～[没]摔倒(事实是没摔倒)

b) 表示希望实现的事情几乎不能实现而终于实现,有庆幸的意思。动词用否定式。

～没见着(事实是见着了)|～答不上来(事实是答上来了)|～没买到(事实是买到了)

c) 表示希望实现的事情几乎实现而终于没有实现,有惋惜的意思。动词用肯定式,前面常用'就'。

～就见着了(事实是没见着)|～考上甲班(事实是没考上甲班)|～就买到了(事实是没买到)

比较 差点儿:几乎 '差点儿'基本同'几乎'2项,口语中'差点儿'更常用。

产生　chǎnshēng

〔动〕生出;出现。多用于抽象事物。可带'了、着、过'。可带名词宾语。

～问题|～力量|～困难|我最近对象棋～了很大的兴趣|在中国几千年的历史中,～了极其丰富灿烂的文化|当初我们没估计到会～这样多的矛盾

代表所产生的事物的名词常常用做主语。

旧的问题解决了,新的问题又～了|这种情况还没有～过

动趋　产生出　必带宾语:在实践过程中必然会产生出新的经验

产生出来　经过多次培育,新品种终于产生出来了

长短　chángduǎn

〔名〕1. 长度,口语中通常儿化。

这条裤子～儿挺合适|绳子的～儿不够,差两寸|这两根柱子的～儿一样|你试试这件衣服～怎么样

2. 意外的变故(多指生命危险)。常作'有'的宾语。前面用量词'个'。

你要有个～儿,我可怎么办|万一他有个～儿,你就该后悔了

习用语　三长两短　指意外的灾祸。多指人的死亡。

他要有个三长两短,我怎么向他的家人交代啊!

说长道短　指议论别人的是非。

长期　chángqī

〔形〕长时期。作定语和状语,不单独作谓语,作谓语只能在'是…的'中。

a) 作定语。

～贷款|～任务|这是一个～的历史过程|作好～的打算|经过～的不懈努力,他们取得了最后的成功

b) 作状语。

今后我们要～合作|～居住在郊外|各种细菌～生存在人的体内|他在西藏住了二十年,～地考察那里的地形地貌|这种病～地折磨着老人

c) 是＋长期＋的。

这笔贷款是～的|这种影响是～的|我们的计划是～的

长于　chángyú

〔动〕(对某事)做得特别好;擅长。必带名词宾语。

～书法|～音乐|～民歌|～绘画|～诗歌朗诵|王先生～写作七言律诗

场　cháng

〔量〕事情经过一次为一场。

a) 用于风雨、病、灾、农事活动等。

下了两～雨(雪、雹子)|刮了一～大风|生了一～病|受了一～虚惊|发了一～大水|这～大火整整烧了两天|发生了一～革命|经过一～大战|掀起一～风波|经受了这～大风浪的考验|轧了一～麦子|打了三～谷子

b) 用于某些言语行为,后面不能接名词。

大哭一～|闹了两～|责备了我一～|这才不辜负父母辛辛苦苦培养你一～|我决心在建设地铁的战斗中大干一～

习用语 一场空　比喻希望和努力完全落空。

旧社会农民辛辛苦苦劳动一年,到头来往往是一场空

常常　chángcháng

〔副〕表示行为、动作发生的次数多。

他～工作到深夜|早期的白话文中～夹杂文言成分|他～一出去就很晚才回来

注意 否定式多用'不常'，一般不用'不常常'。

他不常来|现在身体好些了,不常闹病了

比较 常常:往往 见'往往'。

常常:通常 见'通常'。

场 chǎng

〔量〕1. 戏剧演出、体育活动等完整地进行一次为一场。

三～戏(电影、演出)|这个星期只演出四～|我看四点半的一
～|这出戏公演以来～～都满座|这部片子星期天有早～、下
午～、晚～,还有夜～

2. 一出戏中小于'幕'的片段。

这出戏一共有五幕十～|这个话剧分几～?

3. 用于考试等。

昨天考了两～|今天还要考～物理

朝 cháo

〔动〕指人或物正对某个方向,必带宾语。

仰面～天|这间屋子坐北～南|这个人背～着我,没看清是谁

〔介〕表示动作针对的方向。'朝…'只用在动词前。'朝'后可加
'着',但跟单音方位词组合时不能加。

～前看|大门～东开|应该～这方面想|舰队～海岛驶去|～着
确定的目标加倍努力|他～我挥手,我～他点头|小丰进来,大
伙儿都～着他笑

比较 朝:向 1) 用'朝'的句子可以用'向'。

2) '向'可以用在动词后,'朝'不能。

奔向远方|从胜利走向胜利

3) 引进指人的名词时,'朝'只能用于指身体动作、姿态等具体
动词,不能用于抽象动词。下例都不能用'朝'。

向人民负责|向群众学习|向老师借了一本书

朝:往　见'往'。

趁　chèn（乘）

〔介〕表示利用条件或机会。'趁…'可用在主语前。

a）趁＋名。后面是双音节以上的名词时，可加'着'。

～空儿把车修了一下｜天色不早了，咱们～亮儿赶路吧！｜～着晴天抢收麦子｜～着休息的时候他给我理了发

b）趁＋形。后面是双音节形容词时，可加'着'。

～早准备｜姜汤要～热喝｜咱们～黑摸过去｜～着年轻多学点技术

c）趁＋动词短语。可加'着'。

～有劲儿多干点活儿｜～着还没到时间，再检查一遍｜～着走得不远，快把他追回来

d）趁＋小句。可加'着'。

～天还没有完全黑下来，快点儿赶路吧｜他～我不注意，又把我的衣服拿去洗干净了｜～着身子骨还结实，抓紧时间多做一些工作

【乘】同'趁'。用于书面，不能加'着'。

乘势｜乘机破坏｜乘胜前进｜乘人之危

称　chēng

〔动〕称呼；名叫。可带'过'。必带宾语。

a）带名词宾语时，'称'一般不单用，前面常有副词性成分。

～王～霸｜他自～多面手｜古体诗又～古诗或古风｜李白与杜甫并～李杜

b）称＋名₁[＋为]＋名₂。

我们都～他老李头儿｜他们～那些为填补空白而辛勤工作的人为'拓荒者'｜《水浒传》里～鲁智深为'花和尚'

c）称＋为。多用于'把'字句。

食盐在化学上～为氯化钠|人们把他～为'活字典'

动趋 称得(不)上　能(不能)被称为:老张称得上文武双全|我做得很不够,称不上模范

称得(不)起　够(不够)资格被称为;称得(不)上:他称得起我们工厂的好管家

成　chéng

〔动〕1. 成功;完成。可带'了、过'。

大功告～|功到自然～|事情已经～了|你先去办,如果不～,咱们再商量

2. 成为,变为。可带'了'。必带名词宾语。

芳草遍地,松柏～林|两个人～了好朋友|这一带已经～了住宅区|这事不～问题

3. 可以;行。可带'了'。用在句首或句末。

～,就这么办|什么时候都～|送到这儿就～了,请留步吧|你不参加怎么～? |我同意了还不～?

4. 能干。必加'真',少用。

这个球队可真～,这次又打赢了

5. **成**+量。构成短语,可修饰动词。可重叠。强调数量多或时间长。

～年累月|桌上文件～堆|～批生产|～倍地增长|～天～夜地抢修大桥|草原上奔跑着～群～群的牛羊|各种化肥～吨～吨地运往农村

6. 作动结式第二成分。

a) 表示成功,完成,实现。可插入'得、不'。

筐编～了|文章昨天才写～|新品种试验～了|这个会开得～吗? |下雨就去不～了|缩手缩脚办不～大事

b) 表示成为,变为。必带宾语,一般不能插入'得、不'。

这些素材打算用来写～一个剧本|喊声连～一片|把旧设备改

117

造～新机器|她的体型好,可以培养～一个舞蹈演员

动结 成得(不)了(liǎo) 能(不能)成功:这种人成不了大事

成为 chéngwéi

〔动〕变成。不能单独作谓语,必带宾语。

他～名演员了|我们已经～好朋友了|这已经～事实,无法更改了

动+成为。

我们要把他培养～一名好棋手|那里已经发展～一个新型城市了

诚然 chéngrán

〔副〕实在;的确。前边常有先导句。

他很爱小动物,小动物也～讨人喜欢|你说那里环境很好,我去看了一下,那里～不错|他的性格长相,～如你说的那样|这里有山有水,护理条件也不错,～是个疗养的好地方

〔连〕固然。连接复句,用在前一分句,表示先承认甲事为事实,然后转到另一方面。后一分句常用'但是'等转折连词,是说话的主要意思所在。

我～严厉批评过他,可完全不是恶意的|问题～不少,但是我们总会想办法一个一个地解决|他的看法～不够全面,但也不是一点道理都没有

可以用在主语前边。

～,他的行为可疑,但是我们并没有掌握他的确切证据

程度 chéng·dù

〔名〕1. 文化、教育、知识、能力等方面的水平。

～参差不齐|文化～很高|他的中文～也就相当于小学毕业|通过培训,他们已经达到高中～|他的英文已经有相当的～

118

2．事物变化达到的状况。

精密～很高|这个地区文物破坏的～相当严重|他们厂的亏损已达到非常惊人的～|天气虽冷，还没有到上冻的～

乘 chéng （见‘趁’）

吃 chī

〔动〕1．通过嘴嚼把食物摄入体内。可带‘了、着、过’，可重叠。可带名词宾语。

～了饭再走|鱼让猫给～了|这种白兰瓜我～过|～得很饱|你把这药～了

a）宾语大多指固体食物，液体限于‘奶’和‘药’。

b）可带非受事宾语。

表示处所。

～小馆|～食堂

表示工具或方式。

～火锅|～大碗，不～小碗|～大锅饭

表示凭借。

靠山～山，靠水～水|～劳保

2．消灭。多用于打仗、下棋。可带‘了、着、过’。可带名词宾语。

～了敌人一个团|他的‘马’～着你的‘车’呢

3．吸收；吸取。必带名词宾语。

道林纸不～墨水|小白菜很～油

4．表示物体插入或切入另一物体。宾语限于少数几个单音节名词。

船身～水一米八|这犁～土很深|机床转速很快，～刀不要太深

5．捱；忍受。可带‘了、着、过’。必带名词宾语。

～苦头|腿上～了一刀|～过几次败仗

119

6. 接受,认可。必带名词、形容词作宾语。

　　我不～这一套|～软不～硬

动结 吃//掉　吃//饱　吃//惯　吃得(不)了(liǎo)

吃好　吃完:我已经吃好了,你收拾吧!

吃//好　吃饭获得满意结果:发生这件事以后,他吃不好也睡不好

吃//透　透彻地理解:吃透文件的精神|我吃不透他的意思

吃得(不)住　能(不能)承受:支架很结实,上面再重一点也吃得住

吃得(不)消　能(不能)支持:蝶泳二百米我可吃不消

动趋 吃//上　能吃到:我们这里一年四季都能吃上新鲜蔬菜

吃//下去　胃里难受,吃不下去

吃//出来　辣椒本来我不吃,现在可吃出点味道来了

吃起来　这橘子看起来不怎么样,吃起来味儿挺好

吃得(不)开　受(不受)欢迎:你这一套现在是吃不开了

吃得(不)来　吃得(不)惯:羊肉我吃不来

　　充满　chōngmǎn

〔动〕1. 填满;布满。通常带'了'。必带表示处所的名词宾语。没有否定式。

　　欢呼声～了整个赛场|兴奋得泪水～了眼眶

2. 被填满,被布满。可带'了、着'。主语是表示处所的名词。没有否定式。

　　整个赛场～了欢呼声|屋子里～着阳光|商场内外～着节日前的繁忙景象|他的信中～了对新工作的热爱

　　重　chóng　(见'重新')

　　重新　chóngxīn　(重　从新)

〔副〕从头另行开始;再一次。

　　重新＋动。动词后可带'了、过'。

治疗一个多月以后,头发～长出来了|你再～检查一次|我又
把这篇文章～读了一遍|～安排了一下|计划已经～修改过了

【重】同'重新',后面只用单音节动词。

这样写不对,请你重写一遍|久别重逢

【从新】同'重新'。

愁　chóu

〔动〕1. 担忧。可带名词、动词、小句作宾语,宾语多表示原因。
'愁'前常用副词'正、还、就'等。带名词宾语多见于习用法。

不～吃不～穿|我们就～孩子没人管|计划完不成,他～得饭
也吃不下去|～眉苦脸

动词、小句作宾语时,宾语常用否定式。

学会了开车,还～没用处? |你们这里老工人多,还～抽不出
人来吗?

2. 使担忧,只用于'愁死、愁坏'等动结式。

～坏了|秋风秋雨～煞人|这件事该怎么办呢,真～死我了

出¹(齣)　chū

〔量〕一个独立的戏曲剧目叫一出。

一～京戏|这～戏很好

[比较]　出¹:台　见'台'。

出²　chū(动);//∘chū(趋)

〔动〕1. 从里面到外面。同'进'相对。可带'了、过'。可带处所宾
语。

他～国了|～了这条街,一拐弯就到|一会儿～,一会儿进,忙什
么? |～～进进的,干什么呀?

2. 使物体从里面移动到外面;使…变空。可带'了、着、过'。宾语
限于'煤、粪、猪圈'等。

121

过去他们用铁镐～煤,现在用风镐了|那儿正在～粪呢|今天我们～了四个猪圈

3. 超出。可带'了、过'。可带表示范围、时间的名词宾语。

　　～圈儿|～格|球～了边线了|考题不会～这个范围|不～一年他的外语一定能赶上你|期中考试没～过课本的范围

4. 往外拿。可带'了、过',可重叠。可带名词宾语。

　　～布告|～专刊|～大力,流大汗|请你给我们～～主意吧|这辆车～多少钱买的?

5. 产生、发生、出产。可带'了、过'。可带名词宾语。

　　要早～人才,早～成果|我们家乡～铜|从未～过任何事故|要小心,别～事故啊!

　　<u>出</u>+<u>在</u>(于、自)。

　　事情～在一九二七年|问题就～在他身上|他们这样做是～于什么目的?|这幅画一定～自名家之手

6. 发出。可带'了、着、过',可重叠。可带名词宾语。

　　～了不少汗|你～过麻疹吗?|张着嘴呼哧呼哧地～着粗气|～～汗,病就会好的|他走路一点声音也不～

动结 出尽　　这家伙出尽了洋相

出得(不)了　a)出得了这个范围吗?　　b)出不了差错,你放心

动趋 出得(不)起　能(不能)拿出:这笔钱他出得起

〔趋〕1. 动+出[＋名]。名词一般为受事,间或有施事。

a) 表示人或事物随动作从里向外。

　　列车从北京开～了|电报已经发～了|从银行取～了一笔存款|我们要为祖国贡献～全部的力量|我们一下子运不～那么多矿石|你们还派得～人吗?|老松树上渗～了厚厚的松脂|从屋里走～一个人

b) 表示动作完成,兼有从隐蔽到显露或从无到有的意思。

　　挤～时间|做～成绩|腾～房间|生产～粮食|我看～了他的心事|一定要找～地震的规律|到底为什么,谁也说不～|我怎么

也想不～一个好办法|舞台上展现～当年的生活情景

2. 动＋<u>出</u>＋名(处所)。表示人或事物随动作从某处向外。

走～办公室|他把客人送～了大门|这种话我可说不～口

3. 形＋<u>出</u>＋数量[＋名]。表示超过。

拖拉机耕地，比用牛的效率高～许多倍|这件衣服再长～一寸就合适了|他已经高～我好多了|怎么屋里多～了一把椅子?

出来 chū//·lái(动);//·chū//·lái(趋)

出去 chū//·qù(动);//·chū//·qù(趋)

〔动〕1. 从里面到外面。'出来'表示动作朝着说话人所在地，'出去'表示动作离开说话人所在地。可带'了、过'。可带名词宾语，表示施事。

他从屋里出来了|太阳出来了|群众的积极性出来了，生产就上去了|你明天有空吗? 出得来出不来? |从里面出来了几个人|你出去过没有? |我们出去散散步吧|门口人多极了，你出得去吗? |刚出去了一个学生

'出来'可引申为公开露面。

这次音乐会很精彩，不少名演员都出来了

<u>出</u>＋名(处所)＋来(去)。

妈妈出门去了|你今天怎么有时间出城来呀?

2. '出来'表示产生、发生。可带'了'。可带名词宾语。

旧的问题解决了，新的问题又出来了|只出来了一个化验结果，还有一个没有出来|计算结果今天出得来出不来?

〔趋〕'动＋出来'和'动＋出去'的分别在于前者表示动作朝着说话人所在地，后者表示动作离开说话人所在地。

1. 动＋<u>出来</u>(出去)[＋名]。名词一般为受事，间或有施事。

a) 表示人或事物随动作从里向外。

我高兴得心都要跳出来了|小伙子，拿点干劲出来! |你拿出

123

办法来嘛！｜树林里跳出来一只老虎｜今天运出去五十袋水泥｜别担心，水洒不出去｜班长把他叫出去了｜从屋里跑出去一个人

b) 表示人或事物随动作由隐蔽到显露。多用‘出来’。

我看出来了｜群众的积极性都焕发出来了｜这几首诗把他的爱国热情表达出来了｜这篇文章还没有把老王的献身精神反映出来｜我认出他来了｜能不能从他那儿打听出点消息来？｜你猜得出来猜不出来？

带‘出去’的动词限于‘说、讲、嚷嚷、透露、泄露’等少数几个，名词要提前(常用‘把’)，一般表示说话人不赞成这种行为。

你把这件事说出去了？｜没有最后决定的事嚷嚷出去不好

c) ‘出来’表示动作完成，兼有使一种新的事物产生或从无到有的意思。名词经常放在‘出’和‘来’之间。

办法已经研究出来了｜我担心闹出病来｜你们厂一天能生产出多少辆汽车来？｜我们已经腾出两间房子来了｜这两天我挤不出时间来｜一定想得出好主意来

也可表示动作使人或物在某一方面获得了某种好的能力或性能。

我这两条腿走出来了(变得善于走路了)｜他的嗓子练出来了｜这镰刀已经使出来了

2. 动＋出＋名(处所)＋来/去。表示动作使人或物从某地方出来。

迎出村来｜一路走出城来｜急忙跑出屋去｜把行李搬出门去

初　chū

〔前缀〕加在‘一’至‘十’的前面，表示农历一个月前十天的次序。

三月～一｜五月～五｜七月～十

除　chú （见‘除了’）

除非　chúfēi

〔连〕强调某条件是唯一的先决条件。

a）除非…，才…。表示一定要这样，才能产生某种结果。

~你答应我的条件，我才告诉你 | ~战胜上海队，北京队才有可能进入决赛 | ~你去，他才会去

b）除非…，[否则…]不…。表示一定要这样，否则就不能产生某种结果。

~你去，否则他不会去 | ~你去，他不会去

c）除非…[才…]，否则…。表示一定要这样，才会得到某种结果，如果不这样，会得到另一种结果。

~临时有事，否则八点一定动身 | ~得到上级指示，不然我决不离开这里 | ~你去，他才会去，否则他不会去

不用'否则、不然、要不'时，可以把后一小句挪作前一小句，意思相同。

八点一定动身，~临时有事 | 我决不离开这里，~工作确有需要 | 他不会听的，~你亲自去劝他

d）[如果]…要…，除非…。表示要想得到某种结果，一定要这样。

要想取得第一手资料，~你亲自去作调查 | 如果你要得到他的同意，~找老何去跟他谈谈 | 如果要战胜困难，~把群众发动起来 | 若要人不知，~己莫为

e）'除非'后面同一动词一正一反叠用时，'除非…'只表示陪衬。

他平时~不喝酒，喝起酒来谁也比不上他 | 他~不出去，一出去就是一天

比较　除非：只有　1）'除非' a），b）两项同连词'只有'。'只有'从正面提出某个唯一的条件；'除非'从反面强调不能缺少某个唯一的条件，语气更重。

2）'除非'可以用在'是…'前；'只有'不能。

125

除非是你才那样想 | 只有你才那样想

　　3) '除非…, 才…'也可以说'除非…, 不…'; '只有…, 才…'不能说成'只有…, 不…'。

　　　除开　chúkāi　（见'除了'）

　　　除了　chú·le　（除开　除去　除）

〔介〕表示不计算在内。跟名、动、形、小句组合, 后面可加'外、以外、之外、而外'。'除了…'可用在主语前, 有停顿。

　　　这篇文章～附表和说明, 不过二千五百字 | ～给他留一张, 就剩下两张票了 | ～稍小一点以外, 这套房间还不错 | ～南极洲外, 其余各大洲总面积约为一亿三千五百万平方公里

　a) 排除特殊, 强调一致。后面常用'都、全'等呼应。

　　　～老王, 我都通知到了 | ～这一间以外, 所有的房间全住满了 | ～你去过, 我们都没去过 | ～下大雨, 他每天坚持长跑

　后面用'不'、'没[有]', 强调唯一的事物或动作。

　　　～小张, 没人来过 | 我晚上～自学外语, 不做别的事 | ～这次特快以外, 没有其他从北京直达重庆的客车 | 上午～写了两封信, 什么也没干

　b) 排除已知, 补充其他。后面常用'还、也'等呼应。

　　　这儿懂英语的, ～他还有两个人 | ～以上几点而外, 再补充一点 | 新型油轮～航速加快以外, 载重量也有增加 | ～到车站托运行李之外, 我还想顺路去看看老杨

　c) 除了…就是…。表示二者必居其一。

　　　这几天～刮风, 就是下雨 | 下午我～上课就是在图书馆

【除开】【除去】同'除了'。

【除】同'除了'a), b), 后面必加'外、以外、之外、而外'。多用于书面。

　　　中国是一个多民族国家, 除汉族外, 还有五十多个少数民族 |

126

除一人因病请假以外,全体代表都已报到

除去　chú·qù　(见'除了')

处于　chǔyú

〔动〕在某种地位或状态。必带名词宾语。

在技术方面,他们厂～领先地位|我们厂正～转型时期|～劣势|病人～昏迷状态

处处　chùchù

〔副〕任何地方;所有动作行为涉及的范围或者情态呈现的场所。

这样的好人好事,在我们那里～可以看到|我～关心他,但是他还不满意|他～和我为难|祖国各地～呈现着繁荣向上的景象

|比较| 处处:到处　'到处'多指具体的处所,而'处处'则可以表示较为抽象的行为,泛指各处,比如上边第二例和第三例则以用'处处'为好。而第一例和第四例用'处处'或'到处'都可以。

穿　chuān

〔动〕1. 破;透。可带'了'。

a) 构成动结式或动趋式短语,可带名词宾语。

子弹～过右臂|钉子～透了三层木板

b) 可带非受事宾语,表示结果。

顶棚上～了一个大窟窿|为了装烟囱,在墙上～了一个洞

2. 通过。可带非受事宾语。

a) 宾语表示处所。除熟语外,要在'穿'后加'过'。

～山越岭|～过大街小巷|阳光～过树叶的缝隙射进来

b) 宾语表示工具。可带'了'。

～线|～一条铁丝把这些铁环连起来|在牛鼻子上～了一个铁

圈儿

c) 主语表示处所,宾语表示'穿'的对象。可带'了、着'。

竹签上～山里红,再蘸上炒化的糖就是糖葫芦|丝线上～着一
串珍珠|竹竿上～了两件洗干净了的衣服

d) 穿 + 在。

算盘珠～在细竹棍儿上|铜钱～在一根绳儿上

3. 把衣服、鞋袜等套在身上。可带'了、着、过',可带名词宾语。
'穿'后可带'在'。

～鞋|～袜子|上身～着一件灰呢大衣|那件衣服我～过了,挺
合身|～得很朴素|给小丰做件新衣服～|长大衣～在外面

|注意| '帽子、手套'不能用'穿',只能用'戴'。

4. 作动结式第二成分。

a) 表示破或透。

鞋底磨～了|一箭射～靶心|不小心把麻袋戳～了

b) 表示彻底显露。限于少数几个动词。

看～了他的心思|说～了就是这么回事|戳～敌人的阴谋诡计

|动结| 穿∥透

穿∥破　弹片穿破了甲板|衣服穿破了

|动趋| 穿∥上　a)钥匙上穿上一根绳儿　b)穿上大衣

穿∥出来(去)　a)枪弹从前窗穿进来又从后窗穿出去了　b)这衣
服太难看,穿不出去

穿∥过　a)这种炮弹穿得过那么厚的钢板　b)火车穿过铁桥,向
前疾驶

穿起　穿起大衣往外走

穿得(不)起　有(没)能力买来穿:这衣料太贵,我可穿不起

穿起来　你也穿起裙子来了?

此外　cǐwài

〔连〕除此之外。连接小句、句子或段落。

他家住五间北房，～还有一间厨房|他一生就写过这两部书，～没有别的著作了|小余会说北京话和上海话，～也懂点儿广州话|这次到上海，是去看望多年不见的大姐。～，还想去杭州玩玩

⊠比较 此外：另外 '此外'只有连词用法。'另外'的连词用法同'此外'，但是还有指别词的用法。

除了老陆，另外的人都去了

次[1] cì

〔量〕1. 用于可以重复出现的事物。

一～机会|两～会议|取得了无数～胜利|第二～世界大战|九～特别快车(＝第九～特别快车)

'次'后可加'的'。

两～的调查报告都收到了|下～的会议在广州召开|第二～的电报你收到没有?

2. 用于可以重复的动作。

a) 动＋数＋次。

问了一～|去过两～|还要修改一～|这话我说过好多～了

动词带宾语时，有两种词序。或是宾语在前(人称代词作宾语时必须用这种词序)。

每周碰头一～|去过杭州两～|问过小李几～|找老白三～，都没找到|我见过他一～|表扬了他们好几～

或是宾语在后。

每周开一～会|去过两～杭州|问过几～小李|找了三～老白，都没找到

b) 数＋次＋动。

一～解决|多～试验|接连好几～都失败了|一～、两～、三～、五～地修改|～～都射中了靶心|一～～地解释|一～一～地调查|一～又一～地研究

c) '有一次'用在句首,表示过去某个时候,后面可以有停顿。

有一～,我去上海,特意在南京下车逛了一下玄武湖|有一～
老王来,对我谈过这件事

次² cì

〔形〕质量较差的。

a) 修饰名词。不能带'的'。名词限于少数单音节的。

～品|～货|～等

b) 作谓语。前面常加程度副词,后面常带'点儿、一点儿'。

这钢笔很～,老不出水儿|昨天晚上的节目特～,我只看了一会
儿就走了|料子买～点儿的,不用太好|这种酒虽好,倒底还是
比茅台～

c) 次+于。只用于否定句。

他的法语并不～于小朱|春光牌收音机不见得就～于光明牌

从¹ cóng

〔介〕1. 表示起点。常跟'到、往、向'等配合使用。

a) 指处所、来源。跟处所词语、方位词语组合。

～东到西|邮局～这儿往南去|我刚～农村回来|前排～左起第
四人就是他|～本质上看问题|知识～实践中来

b) 指时间。跟时间词语、动词短语或小句组合。

～早到晚|～古到今|～今以后|～明天起改为夏季作息时间|
～开始上学到现在,小华一直成绩很好|～上回大家给我提了
意见,我就经常注意改正

c) 指范围。跟名词、动词短语或小句组合。

～头到尾|～小孩到大人都参加了植树活动|～改良品种谈到
加强田间管理|今天～李自成攻克洛阳讲起

d) 指发展、变化。跟名、动、形、数量组合。

～猿到人|～无到有|～不了解到比较了解|～外行变成内行|

～胜利走向胜利|由浅入深,～简到繁|耗煤量～五十吨降低到三十八吨

2. 表示经过的路线、场所。跟处所词语、方位词语组合。

～小路走|～空中运输|列车～隧道里穿过|队伍刚～操场经过

3. 表示凭借、根据。跟名词组合。

～工作上考虑|～实际情况出发|～脚步声就能听出是你|～气象卫星云图看来,这次大面积降水即将过去

从² cóng （见'从来'）

从此 cóngcǐ

〔副〕表示从所说的时间起。

a) **从此**+动。

通了公路以后,山里的土特产品源源运出山外。这里老百姓～告别了贫困|我们建立了大型语料库,科研人员～摆脱了手工搜集资料的传统方式|他搬走后就没来信,我们～失去了联系|他十六岁下南洋,～离开家乡,直到去年才回来一趟

'从此'一般只修饰动词短语。只有少数表示发生、消亡、变化的双音节动词,可单独受'从此'修饰。

原始公社解体以后,阶级社会～产生|经过两年的艰苦奋斗,这个村子的落后面貌～改变|事情已经查清,误解～消除

b) **从此**+形。一般限于形容词短语。

铁路通到山区,交通～就方便了|明白了在困难面前一定不能退缩的道理,小刘～加强了信心

c) **从此**+小句。

发生了这次事故,～小张再也不敢麻痹大意了

从而 cóng'ér

〔连〕表示结果或进一步的行动。用于后一小句开头,沿用前一小

句的主语。用于书面。

通过调查研究发现问题，～找到解决问题的方法｜经过多年的
摸索，终于找到了这种病的起因，～为彻底战胜这种疾病创造
了条件｜通过同志们的帮助，消除了隔阂，～达到了新的团结

比较 从而:进而 见'进而'。

从来 cónglái （从²、历来、向来）

〔副〕表示从过去到现在都是如此。

a) 多用于否定句。

～不吸烟｜～不骄傲｜～不隐瞒自己的观点｜～没听说过｜～没
有灰心｜～没有浪费一点粮食

也用于肯定句，修饰动词短语、形容词短语或小句，一般不修饰
单个动词、形容词。

～就是如此｜我跟他下棋～都要输的｜我们～支持山区的教育
事业｜我的屋子～就很干净｜他对工作～认真负责｜川西平原
～物产十分丰富

b) 用否定词'没、没有'时，单音节动、形后通常要带'过'。

～没去过｜我～没有想过｜人数～没少过｜时间～没有晚过

双音节动、形，或单音节动、形构成的短语，可带'过'。

这事我～没考虑｜她～没有落后过｜我～没这么想｜这问题～
没有搞清楚过

注意 '从来＋没(没有)＋形'一式中，形容词前如加上'这么、这
样'等，意思就完全改变，甚至相反。

情况从来没好过(现在仍然不好)｜情况从来没这么好过(现在
比以前任何时候都好)｜他从来没有马虎过(现在仍然不马虎)
｜他从来没有这样马虎过(这回相当马虎)

【从²】意思同'从来'。只用在'不'、'未'前，有文言色彩。后面必
须用双音节动词或动词短语。

～不推辞｜个人问题～不考虑｜～不向困难低头｜工作认真负

责,～未出过事故

单音节动词要用'从来',不能用'从'。

[×]从不想|[×]从不问|[×]从不看

从来不想|从来不问|从来不看

【历来】用法基本上同'从来',多用于书面。不用于否定句,否定句用'从来'。

> 历来如此|我们历来提倡艰苦朴素,反对铺张浪费|这个人历来忠厚老实,可以信赖|我国西北地区历来雨量稀少

【向来】用法基本上同'从来',但用于肯定句比用于否定句多。

> 向来如此|小梅向来很老实|他向来心直口快,有什么说什么|向来不喝酒|向来不糊涂

可修饰单个的双音节动词、形容词。

> 对于老王,我向来放心|他说话向来直爽|交通向来方便

从新　cóngxīn　（见'重新'）

催　cuī

〔动〕1. 叫人赶快行动或做某事。可带'了、着、过',可重叠。可带名词宾语或兼语。

> 别～他,让他慢慢儿修理|～～他,叫他快点儿|他昨天又来～稿子,真把我～烦了|你别～了,我马上就去|厂里～着要统计表|学校来电话～我回去

习用语　催命　比喻紧紧地催促:

> 三番五次地催我,就跟催命似的

2. 使加快生长或加快起变化。可带'了',可重叠。可带名词宾语。

> ～生|～奶|～眠|一场雨就把庄稼～了起来|这块庄稼地还得用点化肥～～

动趋　催上　老催咱们休息,现在又催上了!

催下去 继续催：老这么催下去,还不把他催急了?

催∥出来 催他好几次也没催出个结果来

催起来 a)他又催起我来了　b)追了肥,又赶上一场好雨,庄稼几天就催起来了

撮 cuō

〔量〕1. 用于可用手或工具撮取的粉粒状东西。可以儿化。

几～土(灰、粉末)|一小～盐|一一～儿芝麻|一小～儿米

2. 用于指极少数的坏人。可以儿化。前面常用'小',数词限于'一'。

一小～坏人|一小～儿捣乱分子|坏人只是一小～儿

另见 zuǒ。

错 cuò

〔形〕1. 不正确,不对。

你对,我～|事情究竟～在哪儿呢? |东西拿～了|看～人了|这个字～得不应该|这个答案是～的|有什么～的地方请指出来|不～,我是看过这本小说

a) 可以修饰动词。

～认了人|～打了主意|应该放糖,可是～放了盐了|～把好人当成坏人|～把东海当黄海了

b) 除某些习用语(如'大错特错')外,不受程度副词修饰。

ˣ很～|ˣ非常～|ˣ～极了

c) 可带'了、过、下去'等,表示动态。

老师,我～了|赶紧改正,不要再～下去了

d) 错+在(到)。

事情～在什么地方? |这题～在公式上|简直从头～到底

e) 可带数量,表示错在哪里,错了多少。

～了两道题|这儿～了几个字|这话对一半,～一半

2. 坏;差。限用于否定式'不错'。

他对同志很不~,总是热情帮助|味道不~|周末晚会组织得
不~|我跟小江不~(关系好)

'不错'修饰名词时,前面要加'很、相当'等,后面要加'的'。

很不~的意见|这是一篇相当不~的文章

〔动〕1. 移动位置、线路、时间,使互不冲突。可带名词宾语。

~车|劳驾往里边~一~|见面的时间可以往后~|两场球赛
~开进行

2. 不整齐。必带趋向动词,后面可再带'了'。

没排齐,这儿~进去了一点儿

动结 错得(不)了 a)会(不会)错:这么办你看错得了错不了?|
信封上写清楚了还错得了?|多核对几遍就错不了了 b)认
为很好,表示估计。'错得了'只用于反问:这种桃儿味道还错
得了?肯定好吃|今年的庄稼错不了

动趋 错//进来(去) 柜门错进去半公分

错//出来(去) a)后檐墙错出来一大块 b)事情太多,实在错
出时间来了

错//过[去] 失去(时机):这样好的学习机会可不能错过

错//开[来] 你们几位错开坐|上班的时间错开来一点可以减轻
公共交通的负担|地方小,错不开车

〔名〕过错,错误。常儿化(cuòr)。

认个~儿,赔个礼儿|不要挑~儿|没~儿,准是你哥哥来了|这
是我的~

达到 dádào

〔动〕到(某个目标或某种程度)。可带'了、过'。可带名词、动词、形容词、小句作宾语。

　　日产量曾～过三十吨|大家的意见最后～了一致|一年内争取～平均每位科研人员一台微电脑|我们的目的已经～了

　　a) '达到'中间可以插入'得、不',表示可能。

　　这个指标达得到|要求太高,恐怕达不到

　　b) 问话可用'达到没达到?''达得到达不到?'。

注意 '到达'跟'达到'意思相近。但'到达'只能带表示地点的处所宾语;'达到'可带名词、数量词、动词、形容词、小句作宾语,却不能带处所宾语。

　　本次列车明晨六点到达(˟达到)南京

打[1] dǎ

〔动〕1. 撞击;敲打。可带'了、着、过',可重叠。可带名词宾语。

　　～锣|～门钟～了十下|一个敲着鼓,一个～着锣|把鼓～响一点儿|玻璃窗被石头～得粉碎

2. 因撞击而破碎。可带'了、过'。可带名词宾语。

　　～了一块玻璃|一失手把碗给～了

3. 殴打;攻打。可带'了、着、过'。可带名词宾语。

　　不能～人|三～祝家庄|两个人～了起来|这一仗～得很好

4. 放射;发出。可带'了、着、过',可重叠。可带名词宾语。

　　～枪|～炮|～雷|～信号|～了一个电话|这一枪没～中|电报～了没有?——～了

5. 打猎;捕捉。可带'了、过',可重叠。可带名词宾语。

　　～鸟|～老鼠|鱼～得不多,虾捞了不少

6. 通过一定手段使成为。可带'了、着、过',可重叠。可带表示结果的宾语。

　　～坝|～井|～洞|～包裹|～草稿|～格子|～手印|～介绍信|

　　～了一个柜子|要把基础～牢固|这件毛衣～得不错

7. 举。可带'了、着、过',可重叠。可带名词宾语。

　　～伞|～着一面大旗|灯笼我来～

8. 除去。可带'了、着、过',可重叠。可带名词宾语。

　　～皮|～了杈棉花才长得好|叶子已经～过了

9. 舀取,购买。可带'了、着、过',可重叠。可带名词宾语,限指液体。

　　～水|你从这缸里～了几斤油? ——～了五斤|去～瓶酒回来|

　　他把酱油～了就走了|酒～得不够,还要～一点

注意 '打油、打酒'等,既可表示'舀取',也可表示'购买'。但后者必须是从较大的容器里舀取出来零售的,才能叫'打',否则只能说'买'。比较:

　　打了一块钱的芝麻酱|买了一瓶辣椒酱

10. 指农作物收获。可带'了、过',可带名词宾语。

　　一亩地～多少粮食? |去年～了八百斤,今年能～一千斤|今年麦子～得不少

11. 计算;预计。可带'了、着',可带名词、动词、小句作宾语。

　　每班～五个人,三个班要十五人|就～着下几天雨也不碍事|

　　～他不来吧,我们还有八个人呢! |损耗已经～进去了|旅费

　　～得够多的了

12. 从事某种行为、活动、游戏等。可带'了、着、过',可重叠。可带非受事名词宾语。

　　a) 表示从事的工作。

　　　～杂|～夜班|～了几个月的短工

b) 表示行为、活动的方式。

~赌|~官司|~游击|~埋伏|以前我从来没有跟他~过交道

c) 表示言语、行为的方法。

~官腔|~比喻|~了一个马虎眼儿

d) 表示动作或状态。

~哈欠|~手势|~了一个喷嚏|~了个盹儿|他冷得浑身~着哆嗦

e) 表示做的游戏。

~牌|~扑克|~麻将|~秋千|他的牌~得好

动结 打//翻 打//死 打//破 打//败 打//掉 打轻了 打小了 打错了 （'打'能造成很多动结式）

动趋 打上 a)瓶里打上了一斤酒 b)刚做完被子,又打上毛衣了 c)没打[上]几枪,敌人就跑了 d)下雨了,快把伞打上 e)计算在内:连你打上,才三个人

打//下 攻克:打下一座县城

打//出 必带宾语:这次一定要打出新水平

打//出来 这块地一定要打出一千斤粮食来

打//开 a)揭开;拉开;解开:打开抽屉看看|把窗户打开 b)使开展;使转化:打开局面|只有这样,才能打开僵局

打//起来 a)这一仗打不起来了 b)你一定要打起精神来好好干

打² dǎ

〔介〕从。用于口语。

1. 表示处所、时间、范围的起点。

~这儿往东去|老郑刚~县里回来|清理仓库~明儿开始|~学习班回来,小芳就当上了讲解员|~组长起到每一个学员,都练了一遍

2. 表示经过的路线、场所。

~水路走,两天可以到|阳光~窗口射进来

138

〔注意〕 1）‘打’带有北方方言色彩，普通话里一般用‘从’。

2）在单音方位词前，特别是四字格中，只能用‘从’。

从早到晚｜从里到外｜从东一直到西

打算 dǎ·suan

〔名〕想法；念头。

你有你的主意，我有我的～｜他的第一个～是争取考上大学

〔动〕考虑；计划。可带‘了、着、过’，可重叠。可带动词、小句作宾语。

一切要为群众～｜居家过日子，事事都得～～｜你～怎么办？｜他～一个人承担这项工作

大 dà

〔形〕1. 在体积、面积、深度、强度等方面超过一般或超过所比较的对象。除用于两项比较外，一般不单独作谓语。

～屋子｜～个子｜～～的眼睛｜昨天晚上下了场～雨｜出～力，流～汗｜骆驼～，马小｜这种鸡下的蛋特别～｜工夫不～，他就办完事了｜她睁～了眼睛，惊奇地看着周围｜我总担心这只小牛养不～｜这场秋雨下得真～｜他比我～｜这个瓜比那个～

a）可带‘了、起来’，表示变大。

人长高了，力气也～了｜说话之间雪～起来了

b）大[+了、着]+数量。用于比较。

新的比旧的～了几公分｜哥哥比弟弟～着好几岁呢｜这一间比原来的几乎～一半｜领子～了些

‘我比你～一岁’也可以说成‘我～你一岁’。

c）多[么]+大。主要用于疑问句和感叹句。

这个小孩儿今年有多～？｜这块地有多～？｜谁也不清楚这个地方到底有多～｜多么～的山洞啊！

否定式是‘没有+多+大’。

他没有多～,才十五

'多大'也可以有'无论多大'的意思。

多～的力气也举不起这块石头来|多～的车也装不下这台机器

2. 放在某些时令、时间、节日前,表示强调。

～热天(～冬天)的,到处跑什么！|～晴天怎么下起雨来了|一～清早人就不见了|～年初一的,应该高兴高兴

3. 表示排行第一。

～哥|～姐|～儿子|他是老～,我是老二

称呼生人,不表示排行,只表示尊敬。

～爷,您坐|～娘,马家桥还有多远?

〔副〕表示程度深。

a) **大**+**有**+名。名词限于双音节,还可以再加修饰语。

～有问题|～有关系|～有希望|我看这里头～有文章(比喻其中有人所不知的情况)|～有一触即发之势|～有要打起来的架势

b) **大**+动/形。动词、形容词限于单音节。

天已经～亮|～好河山|病已～好|起了个～早|～骂一顿|～吼一声|～笑一通|～开着门就走了

c) **大**+**为**+动/形。动词、形容词限于双音节。

～为不满|～为高兴|～为赞赏|～为惊讶|～为改观|～为感动

d) **大**+**不**+动/形。限于少数动词、形容词。

兄弟俩性格～不相同|身体～不如前|嘴里没说什么,心里可～不高兴|学和不学～不一样

e) **不**+**大**+形/动。表示程度浅,'大'等于'很'或'太'。

不～好|不～高|不～舒服|不～好看|不～容易|不～听话|这孩子这几天不～吃东西|他们俩不～合得来|我也不～想去

f) **不**+**大**+动。表示不经常。

这两天他不～提这事了|我们家喜欢吃大米,不～吃面|我住在学校里,不～回家,也不～出去

g) 动＋不＋大＋形/动。这是动结式动词的扩展形式。'大'后面的动词、形容词多为单音节。

这本书我看不～懂|站在这儿听不～清楚|对这个问题我始终想不～通|他的脾气我摸不～透

h) 不＋大＋名(限于少数时间词)。表示时间短。

不～工夫|你走了不～一会儿,他就来了

[习用语] 大 A 大 B　A、B 是意义相近或相关的单音节名词、形容词、动词。表示规模大,程度深。

～手～脚(比喻铺张浪费,花钱多)|～鱼～肉|～红～绿|～荤～素|～吵～闹|～喊～叫|反对～吃～喝

大 A[而]特 A　A 是动词,限于单音节。表示规模大,程度深,带夸张语气。

～书[而]特书|～讲[而]特讲|～睡[而]特睡

大概　dàgài　(大约、约、约莫)

〔形〕不十分详尽的;大致。不受程度副词修饰,不做谓语。

这就是当时的～情况|我只知道一个～数字|你给我们介绍一下～的内容|他～地谈了谈明年的规划

〔副〕1. 表示对数量、时间的不很精确的估计。

a) 大概＋数量。

小红～十六七岁|这里离县城～十里左右|增加了～百分之十五

b) 大概＋时间词语。

我～月底回国|期终考试～在下星期二举行

c) 大概＋动＋数量。

～讲了半小时|大娘～有五十多岁|这一箱～是二十五斤|我们厂女工～占百分之六十

2．表示对情况的推测；可能。

　　a）大概＋动。

　　　我想他～会同意｜已经十点了，他～不会来了｜你的事～能办成｜这～没有问题

　　b）大概＋形。

　　　这道题～不错，你再问问老师｜长短～合适｜进展～很快｜事情～不难

　　c）可以用在主语前。

　　　已经十点了，～他不会来了｜～你还不了解

【大约】用法基本上同副词‘大概’。

　　a）多用于估计数量、时间。

　　　光速每秒大约三十万公里｜房间面积大约六十平方米｜时间大约是三点半｜大约走了十多里地才到｜大约有一千二百人参加

　　b）用于推测情况较少，多见于书面。

　　　此事大约已成定局｜条件大约尚未谈妥

【约】大约，用于书面。只表示数量、时间的估计。

　　光速每秒约三十万公里｜我厂女工约占百分之六十

　　用在时间词语前，后面要加‘在、于’等介词。

　　我约在月底回国｜期中考试约于下周举行

【约莫】大约，用于口语。只表示数量、时间的估计。

　　这一箱约莫有二、三十斤｜走了约莫十多里地才到｜这些活儿约莫天黑以前能干完

大伙儿　dàhuǒr　（见‘大家’）

大家　dàjiā　（大伙儿、大家伙儿）

〔代〕1．称一定范围内所有的人。

　　～都不是初次见面，彼此不必拘束｜～情绪很高｜科里已经把考核的事通知了～｜～的事～关心

放在复数代词后面,表示复指。

你们~|他们~|咱们~|大娘,老李不在您身边,还有我们~呢!

2. 称某人或某些人之外的一定范围内的所有人。

你去告诉~,气象预报说今晚有大风|我决不辜负~的希望|代表讲完了,~报以热烈的掌声|一心想着~,唯独不顾自己

【大伙儿】【大家伙儿】同'大家'。用于口语。

大家伙儿　dàjiāhuǒr　（见'大家'）

大约　dàyuē　（见'大概'）

带　dài

〔动〕1. 随身拿着;携带。

~雨伞|~证件|多~点儿吃的|身上~了不少钱|他走到哪儿,都把孩子~在身边

2. 捎带着买某物或做某事。句中常用'给'介词短语。

你给我~包火柴来|给孩子~几本练习本回来|他托我从黄山~些好茶叶|这都是~给你的

3. 呈现;含有。常构成存现句。

脸上~着微笑|话里~着脏字|他说话常~着'刺儿'|这种糖~有酸味

4. 连带;附带。可带'了、着、过',一般要求带宾语。

桌子上的茶杯,都~着盖儿|筐子里的菜上边~了不少土|买我们商店的大件商品,~送货上门

5. 引导;带领。可以重叠。

我给你们~路|老师傅~了几个新徒弟|好好~~这些年轻人|~大家游览长城

动结 带得(不)了(liǎo)　能(不能)带;有能力(无能力)带:我带不

143

了这么多东西|我身体不好,恐怕带不了研究生了

带成　成为;能(不能)带:你要把他带成有用的人才|我要退休了,
带不成徒弟了

动趋　**带上**　添加:把这些东西都带上|在信上也给我带上一笔问
好的话

带下去　继续带:研究生我还要带下去

带起来　开始并继续带:他也带起徒弟来了

带开　他上班也带开饭了

代¹　dài

〔动〕1. 代替。

王老师给我～过几节课

常构成连动句。

你～我买一件衣服|谁～王先生去一趟? |你～我办一件事

常常作构词成分。～乳粉|～用品|～词

2. 代理。只能作定语,不能加'的'。

～部长|～所长|～主任

代²　dài

〔名〕世系的辈分。

一～伟人|一～巨匠|青年一～|下一～

〔量〕用来称数不同辈分的世系。后面的名词可以不出现。

第二～|第三～传人

代替　dàitì

〔动〕以甲换乙,起乙的作用。句中常有'用…'介词短语。

小王～小李|新事物～旧事物|机器～了人的体力劳动|聋哑
人用手势～语言|用塑料～木材|你暂时～科长的工作|以点
点头～打招呼|光明～了黑暗

· 144 ·

常构成连动句。

我～他值了几个夜班|彩色电视机～黑白电视机进入了千家万户

动结 代替得(不)了(liǎo) 有(无)能力代替:他那么能干,我代替得了他吗? |我代替不了小张|他的作用是任何人也代替不了的

单 dān

〔形〕1. 一个。只能作定语(不能加'的')。

～扇门|～兵操练

2. 奇数的。(跟'双'相对)。作定语(不能加'的')。

～数|～号|～日子

用于'是…的'格式。

马路东面的门牌号码都是～的,马路西面的门牌号码都是双的

3. 只有一层的(衣服等)。作定语(不能加'的')。

～衣|～裤|～褂儿

用于'是…的'格式

这件衣服是～的,那件衣服是夹的

〔副〕限定范围;只;光。

a) 单+动。

干什么事不能～靠别人,自己先要多努力|～看他的外表,我就知道他不是本地人|～说优点不说缺点,这就有点儿片面性|～凭热情,是做不好工作的

b) 单+名。

在书目里,～文学方面的书,就有好几十种|～你一个人,恐怕完不成任务

145

担心　dānxīn

〔动〕放不下心。可带'了、着、过'。可带名词、动词、小句作宾语。

这样治疗我就不会～了|我真为(替)他～|他从来没有～过自己的安全|你这么粗枝大叶，真让人～|他～到了新岗位不能胜任工作|我～他通不过这次考试

a) 前可加程度副词。

真～|更～|最～|非常～|实在～|听到春梅救火负了伤，人们都很～

b) '担'和'心'之间可插入'了、着、过'；'心'前可有数量及其他修饰成分。

整天担着心|从没担过心|除了自己的事以外，还为别人担了一份儿心|你知道我担着多大的心啊！|你就别担这份心了

动趋 担上心　我自己不觉得怎么样，他倒替我担上心了

淡　dàn

〔形〕1. (味道)不浓，不咸。

a) 修饰名词。

早晨起来喝一杯～盐水|他有病，要吃很～的菜|～～的饺子馅儿

b) 作谓语和补语。

菜太～，再少加点儿盐|这一盘炒西红柿有点儿～|这种酒味道很～|沏到三遍水，茶味已经～了|把馅拌～一点儿|菜做得挺～

作补语时可以有偏离某种标准的意思。

今天的菜炒～了

c) 带补语。

菜～极了|～得一点儿味儿也没有

2. (颜色)浅。

146

a) 修饰名词。

她喜欢～颜色|涂了些比较～的色彩|画面的背景是～～的蓝色

b) 作谓语或补语。

这块布料颜色～，给你做件上衣挺合适|家具的颜色有点儿～，我不大喜欢|底色涂～一点儿|眉毛描得挺～|口红涂得～～的

作补语时可以有偏离某种标准的意思。

颜色你调～了

c) 带补语。

家具的颜色～极了|底色～得好像没有涂似的

但　dàn　（见'但是'）

但是　dànshì　（但、然而）

〔连〕表示转折，引出同上文相对立的意思，或限制、补充上文的意思。连接小句或句子，也连接词、短语、段落。要表达的重点在'但是'之后。'但是'后面常有'却、也、还、仍然'等。

我很喜欢中国古典文学，～没有系统地研究过|要充分肯定成绩，～也要指出缺点|我们已经培养了不少人才，～还不能满足实际需要

a) 上一小句常用'虽然'或'尽管'。

我虽然学了三年汉语，～听北京的相声还有困难|尽管我们花了很大的力量，～仍然没有收到预期的效果|声音虽然低沉，～坚强有力

b) 连接词、短语时，所连接的多为修饰语，与'而'相近。

要建立一个人数不多～坚强有力的领导班子|我喜欢素净～明朗的花色

c) 连接句子或段落，前面不能用'虽然'。

这里风景很好，还有一些名胜古迹，很值得看看。～你们要早

点儿回来,进城的末班车是五点。

【但】 用法基本上同'但是'。有以下几点不同:

1) '但是'后可以停顿,'但'后不能。

这部影片的题材很好,编导也不错,但是,摄影的技巧差一些|问题已经提出,但尚未着手解决|这是一般规律,但也不是没有例外

2) '但'还有副词用法,表示'只、仅仅'。用于书面。

但愿如此|'不求有功,但求无过'这种思想是不对的

【然而】 意义、用法基本上同'但是'。多用于书面。

在试验中虽然多次失败,然而他们并不灰心|工作是繁重的,条件也很差,然而,大家的情绪却始终很饱满|他是一个性格古怪然而十分正直的人|小陈沉默地然而异常坚定地向前走去

比较 但是;而 见'而'。

当 dāng

〔介〕 1. 表示事件发生的时间。用于书面,'当'后有时加'着'。

a) 当+小句/动+<u>的时候</u>(时)。多用在主语前,有停顿。'当'后可加'着'。

～我回来的时候,他已经睡了|～他八岁的时候,父亲带着他来到北京|汽车在公路上奔驰,～经过一片丛林时,突然停了下来|～着市场的形势发生变化的时候,我们的对策也要跟着改变

前面可以加'正',强调某件事正在发生。

正～村里欢庆丰收的时候,又传来了火车很快就要通到这里的消息(=～村里正在欢庆丰收的时候…)

b) 当+小句/动+指数量+时间词语。

～我毕业那一年,哥哥从外地回来了|～他走的那天上午,我还看见他的|～你在上海的这几个月,我到云南去了一趟

c) 当 + 小句/动 + 以前(之前)/以后(之后)。

　　～洪水来临之前, 一定要做好防汛工作|明年～春暖花开以
　　后, 我想去杭州重游西湖

b)、c)两项用'在'比用'当'更常见, 或者'在'和'当'都可以不用。

2. 表示事件发生的处所。

a) 跟少数单音名词组合, 指场所、位置。

　　～头一棒|～众表演|～胸就是一拳|教练～场给我们做了示
　　范动作

b) 当 + 面; 当 + 着 + 名; 当[+ 着] + 名 + 的 + 面。指面对面。
'面'前可加修饰语; '当'后可加'着', 加'着'后'面'可省。

　　～面点清|你有什么意见, 可以～我的面说|现在～着你们俩
　　的面, 我把情况介绍一下|你要～着大伙儿说清楚

比较 当:在 1) 表示时间, '当'必须跟小句或动词短语构成的时
间词语组合, 不能跟单独的时间词组合; '在'不受此限。

　　在一九七〇年(×当一九七〇年)|在那时(×当那时)|在以前
　　(×当以前)

2) 表示处所, '当'只能跟少数名词组合, 不能跟处所词、方位词
组合; '在'相反, 只能跟处所词、方位词组合, 不能跟一般名词组
合。

　　当头泼冷水(×当头上泼冷水)|当我的面讲(×当我的面前讲)
　　在头上泼冷水(×在头泼冷水)|在我的面前讲(×在我的面讲)

　　当然　dāngrán

〔形〕应当这样。较少作定语。不加'很'。作谓语时, 主语多用
'这、那', 或用在'是…的'格式中。

　　～代表|你说应该早做准备, 那～|生产受了损失, 心情不好是
　　～的|群众有不同的意见是～的

习用语 理所当然　照道理应当这样:立功受奖, 理所当然

〔副〕表示肯定。有加强语气的作用, 表示不必怀疑。

我这样说,～有根据|你去吗? ——～去|办法～很多|我们～
会等你的

a) 可以用在主语前,多有停顿。

～成绩是主要的|～,他也可以去试试|～,厂里的大事得由职
工代表讨论决定

b) 前面常有提供理由的词语。

不练习～学不会|我在他背后,他～没看见我|刚洗过～干净|
橘子皮还是绿的,～不好吃

前面有时用'既然'或'因为'。

客观形势既然有了变化,我们的主观认识～也应该跟上去|因
为当时是战争时期,物资～不可能很充足|既然他们不去,我
们～也不去

c) '当然'可以单用或回答问题。

～! 我一定写信给你|你可要带我一起去呀! ——～!

d) 当然…,[可是]…。表示转折,与'虽然…但是…'相近,但语
气较缓和。

狐皮的～暖和,可是太贵|我去～也可以,就是路不太熟|能升
学～很好,升不了学做别的工作也一样|住二楼～很好,住五
楼也没什么

e) 表示对上文加以补充。多作插入语,可省。

打太极拳对身体很有好处,～,要持之以恒|～,我上面说的只
是个别情形

当中 dāngzhōng （见'中间'）

当 dàng （见'当做'）

当做 dàngzuò （当）

〔动〕 作为;看成。可带'了'。必带名词宾语。多用于'把'字句和
'被'字句。

a) **把**[＋名₁]＋**当做**＋名₂[＋动]。

王成把学校～了自己的家|别把好心～恶意|他一向把我～亲兄弟看待|别把还可以用的材料～废料处理了

b) **被**[＋名₁]＋**当做**＋名₂[＋动]。

'人飞出地球去'曾经被人们～一种幻想,今天已经实现了|这棵小树苗被～一件珍贵的礼物送到我手里

c) 名₁＋**当做**＋名₂[＋动]。

两步～一步走|这间房可以～仓库

【当】 1) 同'当做'。

把我当亲兄弟看待|底稿被他当废纸扔了|临时借了个书包当提包用

2) 抵得上。必带名词宾语。

以一当十|干农活儿他一个人能当两个人

3) 以为;认为。必带动词或小句作宾语。

你在这儿,我还当你走了呢! |我当是老徐,走近一看,不是

到 dào(动); //。dào(趋)

〔动〕 1. 到达;达到。可带'了、过'。可带表示处所或数量的宾语。

老王～了没有? |春天～了|北京～了,请旅客们拿好行李下车|他今年二十[岁]都不～|我～过延安|～八点再开会|今年我们县的各类农作物产量分别提高了一成～四成

2. 往。必带表示处所的宾语。

～历史博物馆参观去|～我那儿谈吧|你～哪儿去? |他是昨天～这儿来的

动结 **到得(不)了**(liǎo) 他今天到不了北京

〔趋〕 1. 动＋**到**[＋名(受事)]。表示动作达到目的或有了结果。

好容易走～了|我说～一定做～|你要的那本书我已经找～了|我今天收～了一封信|这个人好像在哪儿看～过|响声很大,很远都能听～|我把话说～了,听不听随你|你说的都办得～|想

151

不～会出这样的事情

2. 动＋到＋名(处所)。表示人或物随动作到达某地。

他回～了家乡｜他一直把我送～村口｜成绩单已经寄～学生家里去了｜天黑前咱们赶得～县里吗?

表示处所的宾语之后还可以加'来、去'。加'来'和加'去'的分别是前者表示动作朝着说话人所在地,后者表示动作离开说话人所在地。

中学毕业后他又回～家乡来了｜你快点赶～我家里来｜来,快把伤员抬～安全的地方去｜你把文件塞～哪儿去了? ｜你这是说～哪儿去了?

3. 动＋到＋名(时间)。表示动作继续到什么时间。名词为表示时间的词语。动词和'到'中间一般不能加'得、不'。

等～明年暑假我再来看你｜大风刮～下午两点才停止｜找～天亮还没有找着李强

4. 动/形＋到＋名。表示动作或性质状态达到某种程度。名词多为数量短语或表示程度的词语。

他的视力已经减退～零点一了｜这口井已经打～一百二十米深了｜事情已经发展～十分严重的地步｜这里的冬天可以冷～零下二十度｜他坐了不～十分钟就不耐烦了｜这种纸纵然好也好不～哪儿去｜这个人真是坏～家了(坏～极点)

5. 形＋到＋动/小句。表示状态达到的程度。'到'的作用接近于引进结果—情态补语的助词'得',多数例句可以改用'得'。

船上平稳～跟平地上差不多｜声音高～不能再高了｜有些生物小～连眼睛都看不见

到处　dàochù

〔副〕任何地方(都);指说话人所指的动作或状态的全部范围。

他浑身上下～都是土｜坡上坡下～站满了观众｜孩子的玩具扔得～都是｜店内店外～挂满了灯笼

比较 **到处：处处** 见'处处'。

到底 dàodǐ

〔副〕1. 用于疑问句，表示进一步追究；究竟。用在动词、形容词或主语前。

他～是谁？|～事情怎么样了？|那里的气候～冷不冷？|火星上～有没有生命？

主语如是疑问代词，'到底'只能用在主语前。

～谁去？(×谁～去)|～哪一个好？(×哪一个～好)

带'吗'的问句，不能用'到底'。

×你～去吗(只能说'你去吗?'或'你～去不去?')

2. 表示经过较长过程最后出现某种结果。

到底＋动/形。必带'了'或其他表示完成的词语。

经过一番曲折，事情～成功了|我们～战胜了风雪，到达了目的地|他沉默了半天，～开了口|我想了好久，～明白了|过了几天，心情～平静下来了

3. 强调原因或特点；毕竟。

a) 用在动、形或主语前。

～没去过，问了很久才问到|他～有经验，很快就解决了|孩子～小，不懂事|他～还年轻，还请大家多帮助|～人手多，一会儿就弄完了|～你有办法，很快就把机器修好了

b) [名]＋到底＋是＋名。前后名词相同。

[南方]～是南方，四月就插秧了|[小孩]～是小孩，这些道理他还不大懂

比较 **到底：终于** 见'终于'。

倒 dào （倒是）

〔副〕1. 表示跟一般情理相反；反而；反倒。

妹妹～比姐姐高|多年的老朋友，他～跟我客气起来了|没吃

药,这病～好了|我的化学一直不行,可是这回考得～不错

2. 表示跟事实相反。用于'得'字句,动词限于'说、想、看'等,形容词限于'容易、简单、轻松'等。主语限于第二、三人称。有责怪的语气。

你说得～简单,你试试看|他想得～容易,事情哪儿有那么好办!

3. 表示出乎意料。

有这样的事? 我～要听听(不相信)|你一说,我～想起来了(本来没想起)|十个学员里头～有七个是南方人(没估计到)|哪儿没找遍,你～在这儿!

4. 表示转折。'倒'后用表示积极意义的词语。前一小句可加'虽然'。

房间不大,陈设～挺讲究|剧本的内容一般,语言～很生动|这篇文章引用的数据虽然不多,结论～还站得住

5. 表示让步。用在前一小句,后一小句常用'就是、可是、但是、不过'等呼应。

质量～挺好,就是价钱贵点儿|住这儿交通～很方便,可是人声太嘈杂|这个题目难～不难,不过做起来也还要费点儿脑筋|我～很想去一趟,不过还要看有没有时间

6. 舒缓语气。不用'倒',语气较强。

a) 用于肯定句。后面限用表示积极意义的词语。

咱俩能一起去,那～挺好|借这个机会去看看老朋友,～也不错|在院子里养点儿金鱼儿,种点儿花儿,～很有意思

b) 用于否定句。

你说他不肯去? 这～不见得|这个牌子的自行车就比那个牌子的好? 那～不一定|我～不反对这么办,只是说要考虑周到一点|这～不是故意的,只是一时疏忽

7. 用于追问或催促。

你～说说看|你～说句话呀! |你～去不去呀?

倒：却 见'却'

【倒是】同'倒'。注意'这倒是个好地方'是副词'倒'加动词短语'是个好地方'，不是副词'倒是'。

倒是 dàoshì （见'倒'）

道 dào

〔量〕1. 用于长条形的东西。
一～河(沟、山泉)｜一～虹｜万～金光(彩霞)｜冒出一～烟｜划了一～口子｜裂了一～缝｜两～眉毛｜好几～皱纹｜一～山岗(山岭、屋脊)｜一～拦河大坝｜箱子上捆了好几～草绳｜衣服上红一～白一～的,沾了不少颜料

2. 用于门、关口等阻拦的事物。
一～门(关)｜一～水闸｜一～墙(防线、铁丝网、篱笆、屏风)｜头～幕不要落,落二～幕

3. 用于某些分次、分项或分程序的事物。
一～命令｜来了一～公文｜两～算术题｜考了五～题｜这是第一～工序(手续、菜),一共五～工序(手续、菜)

4. 次。用于某些分程序的动作。
a) 动＋数＋道。
洗了三四～都没洗干净｜水已经换了两～了｜清漆还要上一～

动词后如有宾语,宾语在'道'后。
换了两～水｜上过三～漆

b) 数＋道＋动。数词限于'一'。
一～一～地画｜漆一～还没上呢!

得 dé

〔动〕表示许可(多用于规章法令等)。后面必带动词短语,否定式

· 155 ·

加'不'。用于书面。

　　符合以上条件者～优先录取|库房重地,不～入内

　不＋得＋不。表示客观情况迫使这样做。后面必带动词短语或'这样、如此'一类的词。

　　由于工作调动,我们不～不暂时分手了|飞机票买不到,他们不～不改乘火车|他的话说得那么恳切,我不～不答应他了

　得了　dé ·le

〔动〕算了。也写作'得啦'。用于口语。

　　～,甭跟他啰唆,叫他走吧|～吧,我才不信呢

〔助〕用在陈述句末尾,表示肯定。有加强语气的作用。轻读。

　　你放心,我明天一定去,绝不让生产受影响～|你走～,家里的事不用你操心

　⎡比较⎤ 得了:就是了　都表示肯定语气,'得了'有时略有不满的意味。

　得以　déyǐ

〔助动〕能够,可以。不能单独回答问题,没有否定式。用于书面。

　　必须尊重群众,让群众的意见～充分发表|为科研人员创造条件,使科研工作～顺利进行|由于有了这些条件,我们的愿望才～实现|这次～圆满完成任务,全靠了你们的帮助

　地　·de　(见'的')

　底　·de　(见'的')

　的　·de　(底、地)

〔助〕'的、底、地'口语都读轻声·de,书面上因不同的用法分写成不同的字形。'底'在五四时期至三十年代用于领属关系(如:'我底母亲','作家底感情'),现已不用。现在修饰动词和形容词写

156

'地',其他场合一律写'的'。

1. 构成'的'字短语修饰名词。除连词、助词、叹词外,各种词语都可构成'的'字短语修饰名词。

a) 名+的+名。

你~票|我~哥哥|集体~力量|府绸~衬衣|牛皮纸~信封|下午~会|窗外~歌声|队伍~前头

b) 动+的+名。

走~人|唱~歌|研究~问题|战斗~一生|开往桂林~火车|管理~方法|打电报~费用|下车~地点

c) 形+的+名。

聪明~人|幸福~生活|新鲜~空气|坚决~态度|普通~劳动者

d) 副+的+名。限于少数几个双音节副词。

历来~习惯|万一~机会|暂时~困难|一贯~表现

e) 介词短语+的+名。介词 限于'对、对于、关于'。

对问题~看法|关于天文学~知识

f) 象声词+的+名。

当当~钟声|嗖~一个箭步

g) 小句/四字语+的+名。

你寄来~信|工业发展~速度|两全其美~解决办法

注意 1) 名词、动词、形容词往往可以直接修饰名词,不一定构成'的'字短语。

a) 意义已经专门化的,不用'的'字。

龙井茶|数学教员|工业城市|制药厂|流动资金|装配车间|重工业|清洁车|绝对真理

b) 单音节形容词后一般不用'的',但加强语气时都可用。

一朵红花儿:我要那朵红的花儿|这是一个新问题:旧的问题解决了,又会出现新的问题

c) 修饰语和中心名词不经常组合的,要用'的'。

铁的纪律|血的教训|化肥的事情|科学的春天

d) 修饰语和中心名词经常组合的,'的'字可用可不用。

我们[的]学校|历史[的]经验|新鲜[的]空气|幸福[的]生活|驾驶[的]技术|开会[的]结果

2) 名词、动词、形容词直接修饰名词时,修饰成分和中心名词之间结构紧密,不能分离,类似一个复合名词。名词、动词、形容词构成'的'字短语修饰名词时,'的'字短语和中心名词之间结构松散,可以分别扩展。

a) 名词、动词、形容词直接修饰名词构成的短语,可再受其他形容词直接修饰;'的'字短语修饰名词的组合不能。

塑料床罩:大塑料床罩(×大塑料的床罩)|热牛奶:新鲜热牛奶(×新鲜热的牛奶)|炼钢工人:老炼钢工人(×老炼钢的工人)

b) '的'字短语和中心名词之间可插入数量短语;名词、动词、形容词直接修饰名词,中间不能插入。

最要紧的一件事(×最要紧一件事)|在那儿下棋的两个人(×在那儿下棋两个人)

c) '形+的+名'里的形容词可以用重叠、前加、后附等方式构成各种形容词短语,'形+名'不能。

蓝蓝的天(×蓝蓝天)|老老实实的态度(×老老实实态度)|雄纠纠的队伍(×雄纠纠队伍)|火热的心(×火热心)|很好的事情(×很好事情)|不太冷的时候(×不太冷时候)

d) '动+的+名'的动词可以受副词修饰,'动+名'不能。

不开会的时间(×不开会时间)|已经巡逻的地区(×已经巡逻地区)

e) 一个'形+的'可以同时修饰几个并列的名词,几个并列的'形+的'也可以同时修饰一个名词;'形+名'无此用法。

正确的立场、观点、方法(×正确立场、观点、方法)|重要的、深远的意义(×重要、深远意义)

3) 并列的'的'字短语修饰一个名词很自由。但是两个'的'字短语逐层修饰一个名词——‘A的＋(B的＋名)’,在语音节律上不够协调,语义层次上也不够明确,最好尽量避免。三个以上‘的’字短语逐层组合——‘A的＋[B的＋(C的＋名)]’或‘(A的＋名)的＋(B的＋名)’几乎决不允许。可用下列方法处理。

a) 减少层次:内层结构改为直接组合的名词短语。

> 高山上的稀薄的空气→高山上的稀薄空气|小张的方案的主要的内容→小张方案的主要内容

b) 改变句式。

> 我的房间的窗户朝南→我的房间,窗户朝南|新盖的大楼的地下室的空气调节很好→新盖大楼的地下室,空气调节很好

2. 构成‘的’字短语代替名词。修饰名词的‘的’字短语,在句子里往往可以代替整个组合。有的是名词已见于上文,避免重复;有的虽然不见于上文,但可以意会。

> 我～笔忘带了,借你～使使|去参观～[人]在门口集合

‘的’字短语代替名词,有一定的规律。

a) 名＋<u>的</u>[＋名]。中心名词泛指人或指具体物品,可省;指人的称谓或抽象事物,不能省。

> 二车间～[工人]来了没有?|他～行李多,我～很少|我们～老师比你们～老师年纪大些|老王～意见明天去,我～意见今天就走

b) 形＋<u>的</u>[＋名]。修饰语是限制性或分类性的,中心名词可省。

> 两个小孩,大～八岁,小～三岁|矛盾很多,要抓主要～|给你一朵粉红～[花儿]

修饰语是描写性或带感情色彩的,中心名词不能省。

> 美丽～花朵|朴素～服装|光辉～形象|宏伟～蓝图|热烈～场面

c) 动＋<u>的</u>[＋名]。中心名词能作前面动词的主语或宾语的,可省,否则不能。

> 游泳～[人]很多(人游泳)|过去～[事情]就不谈了(事情过去

了)|唱～[歌]是《绣金匾》(唱歌)|原来安排～[时间]是星期三,现在改到星期五(安排时间)|伴奏～声音太大,唱～声音太小(ˣ唱声音)

如动词已有宾语,只有当中心名词是表示动作的工具时才能省,否则不能。

你用这个杯子,那个是吃药～(吃药用杯子)

d) 小句+<u>的</u>[+名]。中心名词能作小句中动词的宾语的,可省,否则不能。

他说～[话]我没听清(他说话)|他说～办法可以试试(ˣ说办法)

3. 构成'地'字短语修饰动词或形容词。

a) 形+<u>地</u>+动。

兴奋地说|爽朗地笑|谦虚地表示|顽强地战斗|严肃地处理

b) 动+<u>地</u>+动/形。较少见。

雨不停地下|说不出地高兴|着重地谈谈这个问题

c) 名+<u>地</u>+动。名词一般不修饰动词、形容词,少数几个抽象名词可以构成'地'字短语修饰动词。

科学地论证|历史地考察|部分地解决|不能形式主义地看问题

d) 四字语或其他词语+<u>地</u>+动/形。

自言自语地说|或多或少地有了一些进步|哗啦啦地响|认识一步一步地深入|像年轻人一样地矫健

注意 各种词语往往可以直接修饰动词、形容词,不一定构成'地'字短语。

1) 数量名短语的重叠式和少数几个动词修饰动词、形容词,'地'字可用可不用。

一个字一个字[地]念|拼命[地]干|胜利[地]完成任务

2) 单音节形容词修饰动词不用'地'。

远看|深耕细作|平放在桌上

160

双音节形容词一般要用'地',但跟动词经常组合的,可用可不用。

　　详细[地]查问|随便[地]谈谈|认真[地]研究|彻底[地]解决

形容词前有程度副词,要用'地',只有个别单音节形容词例外。

　　很平地放在桌上|很灵活地处理|很热情地招待|很快[地]解决|要很好[地]学习|很少提到|很难想像

形容词重叠式,'地'字可用可不用。

　　好好[地]工作|高高兴兴[地]走了|痛痛快快[地]玩儿一天

　3) 副词修饰动词、形容词一般不用'地',只有在少数几个双音节副词后面可用可不用。

　　渐渐[地]走远了|偶然[地]想起|非常[地]雄伟|故意[地]开玩笑

　4) 四字语或其他词语修饰动词、形容词,'地'字都可用可不用。

3 项 d)各例'地'字都可省。

4. 构成'的'字短语作谓语。各种'的'字短语,前面如有'是',构成'是…的'格式,都能作谓语(参看'是'字条)。

　　书是他~|生活是幸福~

前面没有'是','的'字短语单独作谓语有一定限制。

a) 名/代 + 的。限于表示领属关系或质料的。

　　这帽子我~|你那提包真皮~吧?

b) 形 + 的。可以是单音节形容词。

　　这苹果酸~|水缸满~|绳子松~

可以是形容词生动形式。

　　井水冰凉~|眼睛大大~|身上干干净净~|夜里静悄悄~

双音节形容词前面要加'怪、挺、够'等副词或某些助动词。

　　你女儿怪能干~|心里挺高兴~|这事够麻烦~|他会冷静~

c) 动/小句 + 的。

　　这本书借来~|电影票我买~

d) 四字语 + 的。

161

桌上乱七八糟～|大伙儿有说有笑～

5. 构成'的'字短语用在'动＋得'之后,表示结果的状态。

a) 形＋的。限于形容词短语和形容词生动形式。

写得很清楚～|烧得通红～|擦得亮亮～|玩得痛痛快快～|晒得黑油油～

b) 四字语＋的。

笑得前仰后合～|搞得晕头转向～

6. 用在句子末尾,表示一定的语气。

a) 表示肯定。用不用'的'意思相同,但用'的'后加强肯定的语气。

他要走(不太肯定):他要走～(肯定)|我问过老吴(一般陈述):我问过老吴～(加强语气)

b) 表示已然。某些句子末尾不用'的',表示事情尚未发生,用'的'则表示已经发生。

我骑车去(未去)|我骑车去～(已去过)|他什么时候走? (未走)|他什么时候走～? (已走)|我们由二环路进城(未进城)|我们由二环路进城～(已进城)

7. 其他用法。

a) 在指人的名词、代词和指职务、身分的名词中间加'的',表示某人取得某种职务或身分。

今天我的东(＝我作东。意思是'我做主人,请客吃饭')|排《白毛女》,小谢～喜儿,我～大春(＝小谢演喜儿,我演大春)

b) 在某些动宾短语中间,插入指人的名词或代词加'的',表示某人是动作的对象。

别生我～气|开小王～玩笑|你是不是要告我～状?

c) 在某些句子的动词和宾语中间加'的',强调已发生的动作的主语、宾语、时间、地点、方式等。

老马发～言,我没发言(＝是老马发的言)|回来坐～飞机,两小时就到了(＝回来是坐的飞机)|我昨天进～城(＝我是昨天

进的城)|你在哪儿念～中学(＝你是在哪儿念的中学?)|我们
按规定作～处理(＝我们是按规定作的处理)

d) 用在句首某些短语后,强调原因、条件、情况等。用于口语。

大白天～,还怕找不到路?|走啊走～,天色可就黑了下来啦

e) 用在并列的词语后,表示'等等、之类',跟'什么的'同义。

钳子、改锥～,放在这个背包里|老乡们沏茶倒水～,热情极了

f) 口语中用在两个数量词中间,或者表示相加:

一百二十五块～八十二块,一共二百零七块

或者表示相乘(限于面积、体积):

两米～四米,是八平方米|六平方米～三米,合十八立方米

的话　.dehuà

〔助〕用在假设小句的末尾。

a) 跟连词'如果、假如、要是'等合用。表假设的小句有时也可以
在后。

如果服中药能稳定病情～,就不必动手术|假如临时有事～,
可以打个电话来|要是你认为有必要～,我一定设法去办|今
天该到了,要是昨天动身～|再让我试试,如果可以～

可以不用表示假设的连词。

明天没事～,我一定去|不够分配～,我就不要了

b) 承接上文,直接用在表示相反条件的连词'否则、不然、要不
然、要不'或副词'不'之后,构成一个假设小句。

最好你去,否则～,只有叫老高去试试了|必须进一步调查了
解,不然～,情况无法核实|可以坐无轨电车去,要不～,坐地
铁也行|他同意当然好,不～,就得另找旁人

得[1]　.de

〔助〕连接表示程度或结果的补语。基本形式是'动/形＋得＋补'。
动词不能重叠,不能带'了、着、过'。

a) 动/形 + 得 + 形。

　说～快|写～清楚|雨下～急|来～早不如来～巧|建设～很漂亮|进展～十分迅速|收拾～干净极了|茶沏～酽酽的|脸刮～光光的|动作快～出奇|颜色绿～可爱

表示否定在'得'后加'不'字。

　字写～不清楚|雨下～不小

b) 动/形 + 得 + 动。'得'后不能是单个动词。

　跑～一个劲儿地喘|大厅里亮～如同白昼|墙上打～都是洞|高兴～大声笑着|团结～像一个人一样|乱～理也理不清

c) 动/形 + 得 + 小句。

　累～气都喘不过来|跑～满身都是汗|伤心～眼泪围着眼圈儿转|气～手直发颤

d) 动 + 得 + 名 + 动。'得'后不能是单个动词。名词是前面动词(使动意义)的宾语,这个名词都可以用'把'字提到动词的前边去。

　忙～他团团转(＝把他忙～团团转)|逗～我们哈哈大笑(＝把我们逗～哈哈大笑)|乐～他跳了起来(＝把他乐～跳了起来)

e) 一般的动宾短语加'得'时,要重复动词。

　他唱歌唱～好听极了|我说话说～忘了时间了|孩子们听故事听～不想回家

f) 动/形 + 得 + 四字语。

　讲～一清二楚|说～头头是道|搞～乱七八糟|忙～不亦乐乎

g) 形 + 得 + 很。

　好～很|糟～很|清楚～很

h) 动/形 + 得。'得'后的话不说出来,有'无法形容'的意味。

　看把你美～! |瞧你说～! |这番话把他气～!

i) 以上格式的动词或形容词前如意思上容许加否定词,一般限于'别、不要'。

　别搞～乱七八糟|别说～太过分了|不要弄～太响

得² ·de

〔助〕用于表示可能、可以、允许。

a）动＋得。动词限于单音节。否定式是在'得'前加'不'，动词不限于单音节。

用～｜吃～｜这东西晒～晒不～？｜这双鞋穿～｜篮子里有鸡蛋，压不～｜这件事放松不～｜他这个人哪，简直批评不～

这种格式里的动词一般都是被动意义，不能带宾语。但是'顾得、顾不得、舍得、舍不得、怨不得'等是主动意义，可以带名词、动词做宾语。

顾得这个，顾不得那个｜舍得花时间就能学会｜舍不得吃｜怨不得你

b）在动结式和动趋式复合动词的中间插入'得'或'不'，表示可能或不可能。

看得清楚：看不清楚｜做得成：做不成｜扯得断：扯不断｜吃得了(liǎo)：吃不了｜睡得着：睡不着｜回得来：回不来｜出得去：出不去｜爬得上去：爬不上去｜走得进：走不进｜说得出：说不出

与上面a)项不同，这里的动词只要是及物的都可以带宾语。

看得清楚那几个字｜我们拿得下这块大油田｜扯不断这根绳子｜这个东西，我叫不出名字｜你搬得动搬不动(搬不搬得动)这口大缸？

这一类有的已经凝固为熟语，没有相应的不带'得、不'的格式；或者虽有，但是意思不同。

对得起：对不起｜称得起：称不起｜来得及：来不及｜吃得消：吃不消｜˟跟他过得去：跟他过不去｜这儿坐得下，那儿坐不下(跟一般'坐下'意思不同)

这类熟语，否定式比肯定式用得多。

注意 1）'记得、认得、晓得、觉得、显得、值得、省得、免得'里边的'得'是构词成分，不是动词后头的助词。

2) '使得'有两个意思,见'使得'条。

得　děi

〔助动〕1. 表示情理上、事实上或意志上的需要;应该;必须。不能单独回答问题。表示否定用'不用、用不着、甭',不能用'不得'。用于口语。

干什么都～有一股干劲|遇事～跟大家商量|要学会一门技术,就～刻苦钻研|你～快点儿,要不然就晚了|我还～考虑考虑——我看你甭考虑了,就这么办吧|这件事～(不用、用不着)请示上级

a) 得+数量。

这个工作～三个人|买个新的,至少～五十块

b) 得+小句。

别人去不行,～你亲自去|这件事～你来做

2. 会;估计必然如此。不能单独回答问题。没有否定形式。用于口语。

他准～来|别忘了带雨衣,要不然～挨雨淋|这么晚才回去,妈又～说你了

等¹　děng

〔动〕1. 等候、等待。可带'了、着、过',可重叠。可带名词、动词、小句作宾语。

他正～着你呢! |～了你两个小时|我在那个路口～过几次车|～着看电影|我～他给我带路|他～你～得不耐烦了

重叠后通常只能带指人的名词或代词。

你～～我|～～小吴吧

2. 等+动/小句[+的时候(以后、之后)]。用于另一小句前,表示主要动作发生的时刻。后一小句常用'再、才、就'配合。

～下了雨就追肥|～吃过饭再去|～他来了再说|不～他说完

· 166 ·

我就抢着说起来|～我走到老张床前的时候,才发现他已经睡着了|～她上班以后,你再把孩子接回去|～心情稍微平静之后,再继续往下写

【动结】 等 // 着(zháo) 昨天在车站没等着他

等得(不)了(liǎo) 能(不能)等待:他十二点才能回来,你等得了吗?|～不了也得～啊!

等得(不得) 能(不能)等待:衣服后天才能做好,你等得等不得?

【动趋】 等 // 上 等不上班车就坐电车去

等 // 下去 再等下去就来不及了|我可等不下去了

等得(不)起 有(没有)足够的时间等待:你等得起,我可等不起

等 // 到 a)我等到两张退票 b)我老了,怕等不到二十一世纪了

等² děng (等等)

〔助〕 1. 表示列举未尽。用在两个或两个以上并列的词语后,用于书面。

本次列车开往成都,沿途经过郑州、西安～地|唐代著名诗人李白、杜甫、白居易～|水、电、取暖～设备尚未安装就绪

2. 列举之后煞尾,后面往往带有前列各项的总计数字。

中国有长江、黄河、黑龙江、珠江～四大河流|这学期我们学了语文、代数、几何、化学、英语～五门课程

【等等】与'等'1项的用法相同。'等等'一般不用于专有名词后,后边一般也不能再有其他的词语。可以重复。

这个商店供应的货物有瓷器、竹器、小五金等等|这次全运会的比赛项目有田径、体操、游泳、射击等等|这批货物品种不少,包括布匹、呢绒、手表、收音机、电视机等等,等等

等等 děngděng (见'等²')

等于　děngyú

〔动〕表示前后相等或差不多相等。必带宾语。否定句用'不',不用'没'。

a) 用于数量。必带数词宾语。

五加三～八 | 三个五～十五 | 四的平方不～八

b) 表示两件事差不多相等。必带名词、动词、小句作宾语。

不识字～睁眼瞎子 | 我在物理学方面的知识,几乎～零 | 你不说话就～默认 | 这些话说了也～白说,没用 | 我错了并不～他就正确

的确　díquè

〔副〕完全确实。表示十分肯定。

a) 用在动、形前。单音节动词必带其他成分。

他～来过,我看见的 | 这本书～好 | 这种刻苦钻研的精神,我～佩服 | 问题～重要,大家未必都认识到了 | 他最近～是有进步

b) 用在句首,加强语气,后有停顿。

～,他就是这样一个坚强的人 | ～,那时候我是有过这样的想法

c) 有重叠形式'的的确确'。

现在的生活的的确确比过去好多了 | 他的的确确为你的事忙了好几天 | 我的的确确是昨天才收到信的

|比较| 的确:确实　见'确实'。

第　dì

〔前缀〕加在整数的前边,表示次序。

～一天 | ～二(ˣ两)次 | ～九 | ～十 | ～几排? | 《红楼梦》～二十回 | ～六十五中学 | ～一百二十个 | ～三～四两章

几个成分并列可共用一个'第'。

～一、二次|～三、四两章

注意 1）序数可以直接和自主量词及少数名词连用。

第三年|第二十天|第十一区|第三代|第五纵队|第三人称

2）时间、编号以及少数其他场合的序数不用或可以不用‘第’。

一九七八年二月十五日|一点二十分|[第]七十八师|[第]五十三团|[第]二营|[第]二卷|[第]一期|九路汽车|三十八中(第三十八中学)|二叔|二把手|二门|二拇指

点　diǎn

〔动〕1．用笔加上点儿。可带‘了、着、过’，可重叠。

～小数点|在正中间～了一个点儿|在馒头上～了一些红颜色|～在两边|标点～错了|孩子的眉心处清清楚楚地～了一个红点儿|这一本书没标点，也没有人～过，你给～～

2．触到物体立刻离开。可重叠。

蜻蜓～水|他～着鼻子骂人|他～了一下篙，船就离开了岸边|你再给他～～穴位

3．头向下微动一动立刻恢复原位。可重叠。

他不停地～着头|～了一下头|～了～头

‘点头’经常表示同意的意思。‘头’如果位于前边，‘点’就成为不及物动词。

他的头不停地～着

4．使液体一滴滴向下落。可重叠。

～眼药|给车轴～了几滴油|把药水～到有病的右耳里|卤水～豆腐，一物降一物|你给孩子～～眼药水

5．点播。可重叠。

～种子|～花生|在地边上～点儿芝麻|你去帮他～～豆子

6．一个个查对数目。可重叠。

～钱|～数儿|他们在仓库里～货呢|他们班正～着名呢|～了两遍也没～对|你再仔细～～|别把钱～错了|～到的人要回

答一声'到'

7. 在许多人或事物中指定。可重叠。

~节目|~了一出戏|你替我~一段曲艺|~一个折子戏《苏三起解》|你们先~~菜,他们马上就来|我们特意~一首歌祝贺你的生日

8. 引着火。可重叠。

~柴火|~炉子|给客人~烟|从前的小油灯大多数~煤油|桌子上~着一支蜡烛|小灯笼~亮了|你替我~~火

9. 指点;启发。

这个淘气鬼又被老师~了名|文章一定要~题|话不在多,~到为止|他一~,我就明白了|老王的话~出了问题的实质

动结 点得(不)了(liǎo) 有能力(无能力)点;能(不能)点:给古文点标点我点不了|今天点得了豆子吗?|保管员没在,点不了货了

点得(不)成 这几天没下雨,点不成豆子|点名簿没带来,点不成名了

动趋 点下去 继续点:这段古文的标点,你接着点下去|你的眼病还没好,药水还得点下去

点起来 开始并继续点:他朝来客不停地点起头来|他拿过眼药水就点起来|会计坐在那里点起钱来

点开 他又点开钱了

〔量〕1. 用于意见、希望、内容等。

三~意见|两~希望|作出三~保证|内容大致有四~|还有一~需要说明|讲了好几~|在这一~上他是正确的|第三~是什么,我没听清

2. 表示少量。必儿化。数词限于'一、半',口语中'一'常省略。多用在动词后。

多做一~儿工作|出了一~儿毛病|去买~儿东西|有~儿事儿|上~儿水儿|半~儿声音也没有

也可用在动词、形容词前。多用于否定式。

这本书我一～儿还没看呢！｜我一～儿都不要｜一～儿一～儿地挖,别碰伤了树根

注意 '有点儿'用在形容词和动词之前,是副词,表示略微。要注意与'有＋点儿＋名'区别。参见副词'有点儿'。

3.表示程度、数量略微增加或减少,数词限于'一',可省略。

a)动/形＋[一]＋点儿。

节省一～儿｜烧退了一～儿｜防备着～儿｜小心一～儿｜简单～儿｜我的表快了～儿｜慢～儿走,小心摔倒

b)形＋[一]＋点儿＋名＝形＋名＋[一]＋点儿。形容词限于'大、小',名词限于'声'。用于祈使句。

大～儿声(＝大声一～儿)｜小～儿声(＝小声一～儿)

c)[一]＋点儿＋动/形。用于否定式。

一～儿没考虑｜一～儿不能马虎｜一～儿不讲究｜我的表一～儿也不快

比较 点:些 见'些'。

掉 diào

〔动〕1.脱离;落。可带'了、着、过'。掉落的事物可以做主语,也可以做宾语。

～眼泪｜～雨点儿｜衬衫扣子～了｜别出去,外头正～着雨点儿呢｜～下来几片花瓣儿｜害了这场大病,头发都～光了｜墙上白灰～得差不多了,该粉刷了

掉＋在。后加表示处所的成分。

熟透了的杏儿都～在地上了｜水桶～在井里了｜跑了五十米他就～在后头了(＝落在后面)

2.遗失;遗漏。可带'了'。可带名词宾语。

这句话－了一个字｜我的钢笔－了｜别把钥匙～了

掉＋在。后加表示处所的成分。

171

大衣～在路上了|钢笔～在操场上了|钱～在外边了

3. 减少;降低。可带'了、过'。可带少数几个名词宾语。用于口语。

药品普遍～了价儿(＝降价)|他喂的牲口从来没～过膘(＝没瘦过)

4. 回;转。可带'了',可重叠。可带名词宾语。

把天线～一个方向,电视就清楚了|你～～身子,我就能过去了|～回头来|～过脸去|汽车～了头,向东疾驶而去

5. 作动结式第二成分。可插入'得、不'。

a) 在及物动词后,表示去除。

打～|去～|除～|删～|烧～|卖～|忘～|吃～|换～|消灭～|反对～

b) 在不及物动词后,表示离开。

走～|跑～|逃～|飞～|溜～|死～|散～|蒸发～|挥发～

动结 掉得(不)了(liǎo) 能(不能)掉:扣子缝得很结实,掉不了

动趋 掉//下去 花盆从阳台上掉下去了|有绳子拴着,掉不下去

掉//出来 苹果从网兜里掉出来了

顶 dǐng

〔副〕1. 表示程度最高。用法基本同'最',只用于口语。

a) 顶+形。

我们三个当中他～小|这种计算方法～简单了|小何是我们班里～活跃的青年

'先、后、前、末了、新式、老式'等形容词前面一般只用'最',不用'顶'。

b) 顶+动。

～爱爬山|～能抓紧时间学习|这故事～吸引人|这小家伙～招人喜欢|她是个～有出息的姑娘|～受欢迎的还是这个节目

c) 顶+动+得(不)…。适用范围比'最、很'小。

～沉得住气｜～沉不住气｜～经不起批评｜～看不惯｜ˣ～过得
去

2. 表示最大限度。含有让步语气。用于'多、少、坏、快、慢、大、
小、长、短、厚、薄、麻烦、复杂'等形容词前。

～多再过两天就能结束｜这堆煤～少也有五吨｜这段路～快也
要走半小时｜～麻烦也不过如此，我们就再拆卸一次吧

3. 同方位词组合，表示方位的极端。

～上头｜～下头｜～前边｜～后边｜～东头儿｜～西头儿｜～中间
的一个座位(＝正中间…)

习用语 顶好 同'最好'。表示说话人认为最好的选择，或一种希
望。

顶好三个人一块儿走，省得迷路｜顶好请老张讲讲该怎么操作

比较 顶：最 见'最'。

定 dìng

〔动〕1. 固定；使固定。构成动词短语作谓语。可带个别单音节名
词作宾语。

两脚好像～住了，挪不动｜～睛一看，原来是小田｜相片显影之
后还要～影

定＋在。

眼睛～在书上

2. 使平静；使稳定。多指情绪。可带'了'，可重叠。宾语限于
'心、神'等少数几个。

～～神再说｜孩子没出事，心才～了下来｜惊魂未～

3. 决定；使确定。可带'了、过'，可重叠。可带名词宾语。

～案｜～个规矩｜大局已～｜计划已经～了｜先把原则～下来，
再谈具体措施｜药价～得很便宜

定＋在(于)。

讨论会～在每周星期五｜货物～于九月一日起运

4. 约定;订。可带'了、过',可重叠。可带名词宾语。

　　～货|在饭馆～了一桌菜|飞机票已经～了|跟他商量一下,把
　　时间～下来

动趋 定∥上　去晚了一步,定不上座位了|票已经定上了

定∥下　时间、地点都定下了|定下三张卧铺票

定∥下来　事情定下来了

定∥出　必带宾语:还没有定出办法

定∥出来　定出一个原则来|名单已经定出来了

〔形〕安定,稳定,确定,规定了的。

1. 不作谓语。修饰名词不带'的'(多数可视为单词)。

　　～理|～局|～量|～员|～额

2. 作动结式第二成分。

　a) 表示固定不动。一般不插入'得、不',用在少数不及物动词
后。

　　立～|站～|坐～|过几天住～以后,再给他写信

　b) 表示决定,确定。可插入'得、不'(双音节动词后一般不能插
入),用在及物动词后。

　　下～决心|拿不～主意|我跟他说～了,明天动身|办法已经商
　　量～了(ˣ商量得定)|时间还没有安排～

　c) 表示坚决,不改变。'定'重读,必带'了'。不能插入'得、不'。

　　不管怎么说,我是走～了|我就当教师,当～了

〔副〕一定;必定。用于书面。

　　～能成功|～有原因|明日～来相会

习用语 说不定　不一定,也许。

　　结局如何,目前还说不定|说不定他今天会来

　　丢　diū

〔动〕1. 丢失;遗失。可带'了、过'。可带名词宾语。

　　我～过一个钱包|票已经～了,找不到了|东西放好,别～了|

不小心把钢笔～了

a）否定式一般用'没'。

我没～东西｜雨伞没～，在这儿

b）用'不'否定，限于'不'后有助动词，或'不'前有'从来、向来'等表示习惯性的副词。

这封信可不能～｜你放心，不会～的｜这孩子从来不～东西

2．丢弃；扔。限于下列格式。

a）丢＋给。

把白菜叶儿～给小兔吃

b）丢＋在。

我早把这事～在脑后了（＝早忘了）

c）二＋丢。

他随手把外衣往床上一～

3．搁置；放下。或带'了'。可带名词宾语。

听见有人叫，小芳～下饭碗就往外跑｜我的法语已经～了好些日子了

习用语 丢人 丢脸，丢面子。

动结 丢∥光 丢∥掉 丢得（不）了（liǎo）

丢得（不）起 我可丢不起这个人

动趋 丢下 遗下：嫂子死后，丢下一个三岁的孩子

丢∥下 放下：手里的活儿一时丢不下

丢∥开 放下：叫他把一切工作都丢开，好好养病｜我心里有件事儿，老是丢不开

动 dòng

〔动〕1．活动；行动；动作。可带'了、着、过'，可重叠。

风吹草～｜躺着别～｜他嘴唇～了一下，想说什么｜坐在那儿一～也不～｜心里一～，想起一个主意来｜我们厂里的生产搞得热火朝天的，你们那里～得怎么样？｜别老在家呆着，也该出

去～～

2. 改变事物原来的位置或样子。可带'了、着、过',可重叠。可带名词宾语。

别～人家的东西|桌上的书有人～过|这笔钱是个整数,我们暂时不～

3. 使用;动用。可带'了、着、过',可重叠。可带名词宾语。

～笔|～刀～枪|不要打架,更不能～家伙|这个问题你～了脑筋没有? |这笔钱我还没～,你先拿去用|遇到问题要多～～脑子

多构成固定短语,表示特定的意思。

～身(出发)|～手(做事或打人)|～嘴(说话)|～武(采取武力行动)|～手术(进行手术治疗)

4. 触动思想情绪。可带'了、过'。必带名词宾语。

～气|～怒|～心|～了感情|～了肝火|从没～过心

5. 感动。限用于固定短语。

～人|不为所～|漠然不～

6. 作动结式第二成分。

a) 表示活动,移动。可带'得、不'。

吹～|抖～|挣扎不～|小芳走不～,你抱抱她|太重了,一个人拿不～

b) 表示使改变主意。可带'得、不'。

一句话打～了他|他不同意,我说不～他|我去劝劝他,看劝得～劝不～

注意 '动不动'有两种情况。一种表示一般的疑问,如:'你还动不动我的东西了?'另一种是固定短语,表示极容易作出某种反应或行动,多用于不希望发生的事。如:'他身体太弱,动不动就感冒'、'这孩子动不动就爱打人'。

都 dōu

〔副〕1. 表示总括全部。除问话以外,所总括的对象必须放在'都'前。也可以说'全都',总括的意思更明显。

大伙儿～同意|一天功夫把这些事～办完了|所有产品出厂前全～要经过质量检查|每个孩子～长得很结实

a) 所总括的对象可以用表示任指的疑问指代词。

给谁～行|怎么办～可以|我什么～不要|什么时候～可以来找我

b) 所总括的对象前可以用连词'不论、无论、不管'。

不论大小工作,我们～要把它做好|无论干什么事情,他～非常认真|不管刮风还是下雨,我～坚持练习游泳

c) 问话时总括的对象(疑问代词)放在'都'后。

你～去过哪儿?|老王刚才～说了些什么?

d) 与'是'字合用,说明原因,有责备的意思。

～是你,一个人耽误了大伙儿! |～是他不好,你就没一点责任吗? |～是你一句话把他惹翻了

注意 有时总括的对象可以不止一个,在一定的场合,也可以偏指其中之一,说话时用重音来区别。

这几天,我们～忙着筹备会计人员培训班

重音如果在'这几天'就表示主要总括'这几天',重音如果在'我们'就表示主要总括'我们'。

'不都'和'都不'意思不一样,比较:

他们不都去|他们都不去

2. 甚至。'都'轻读。

我～不知道你会来|真抱歉,我～忘了你的名字了|把他～吵醒了

a) 与'连'字同用,有强调语气的作用。

连这么重的病～给治好了|连书包里的东西～淋湿了|连个人

影儿～看不见

　b) '都'字前后用同一个动词(前一肯定,后一否定)。

　　我[连]动～没动|拉～拉不住他|你怎么问～不问我一声?

　c) 一+量…都+动(否定式)。

　　一口～没喝|一个人～不见|一声～不吭

　d) '都'用于表示让步的小句,引出表示主要意思的小句。

　　为了营造绿化林带,家～不回,苦点儿累点儿算什么?|你～搬
　　不动,我更不行了

3. 已经。句末常用'了'。

　　～十二点了,还不睡!|饭～凉了,快吃吧!|我～快六十了,
　　该退休了

〔比较〕 都:也　见'也'。

度　dù

〔后缀〕加在名词、动词、形容词后构成名词。

1. 指程度。加在形容词后面。

　　高～|广～|深～|长～|厚～|宽～|密～|速～|硬～|强～|浓
　　～|温～|热～|难～|灵敏～|能见～

2. 指幅度。加在部分名词和少数动词后面。

　　角～|坡～|弧～|光～|经～|纬～|跨～|倾斜～

3. 指时间段落。只加在'年、季、月'后面。

　　年～|季～|月～

端正　duānzhèng

〔形〕1. 不歪斜。重叠式为'端端正正'。

　　五官～|他的字写得很～|桌子上的东西摆得端端正正的|同
　　学们都～地坐着听讲

2. 正确;正派。

　　他为人正派,行为～|在学校里他是一个品行～的学生|批评

别人时,自己也应该有个～的态度

〔动〕使端正。可带'了、过',重叠式为'端正端正'。宾语限于少数抽象名词。

　　～工作态度|应该～我们的学风|你的服务态度应该认真～～

动趋 端正∥过来　使变得端正:错误态度应该迅速端正过来

　　短　duǎn

〔形〕两端之间的距离小(跟'长'相对)。

a) 修饰名词。

　　～衣服|很～的裙子|最～的距离|他拿了一把～刀|案子太复杂,～时间内调查不清楚|她头发～～的,显得挺精神

b) 作谓语和补语。

　　这根绳子～,绑不牢|时间太～,恐怕到时候做不完|这一笔应该写～一点儿|头发剪得太～了

作补语时可以有偏离某种标准的意思。

　　这件衣服裁～了

c) 带补语。

　　她的头发～极了|夏至以后,天渐渐地～起来|衣服～得没法穿了|裤子～了一点儿|新布一下水,比原来～了一截儿

〔动〕缺少;欠。可带双宾语。

　　你理儿～,当然说不过人家|你还～我什么吗? |你来到我们家里,我～过你什么?

动结 短得(不)了　能(不能)缺少:你说,我短得了你吗? 别人都给了,就不给你一个人? |不管在哪儿,谁也短不了水

　　断　duàn

〔动〕1. 表示长形的东西分成两段或几段。

　　绳子～了|铅笔～成两截了|三股线～了一股|刮了一夜风,～了不少树枝|牙根～在牙床里了

　　　　179

2. 断绝;隔断;中断。可带名词宾语。

宿舍区又～电了|孩子大了,该～奶了|我跟她已经～了关系了|十字路口那儿出事故了,～了交通了|我们早已经～了来往了

动结 断得(不)了(liǎo)　能(不能)断:这条绳子粗,断不了|连着几天暴雨,咱们的公路断得了断不了,真让人担心

断 // 开　因断而分开:柱子从中间断开了|好几十个字的一段话,不用标点断开怎么念?

注意 '断'可以是及物动词也可以是不及物动词。下边第一例里的'断'是及物动词,第二例里的是不及物动词,只带时间宾语。

我们断了联系有好几年了|我们的联系～了好几年了

段　duàn

〔量〕1. 用于条形物所分成的部分。有时可儿化。

这～铁路需要修一下|锯下来一～木头|两～铁丝接起来就够长了|把绳子剪成两～儿

2. 用于时间、路程的一定距离。数词多用'一'。

过一～时间再来看你|把前一～的工作总结一下|这～路不太好走|坐了一～火车,又坐了～汽车|他正好是在五十岁至六十岁这个年龄～

3. 用于音乐、戏曲、文章、说话的一部分。

这支曲子分三～|我来唱一～京戏|这首歌有四～歌词|信里有一～谈到老周最近的情况|文章的第二～还要充实一下

用于某些曲艺演出,可以是完整的节目。

听了两～相声|一～快板儿|一～评书

堆　duī

〔量〕用于堆积的东西或围聚在一起的人(对所尊敬人不用'堆')。

一～土(肥料、垃圾、柴火)|外面生了好几～火|山脚下生起一

180

~~篝火|院子里围了一~人(这里集中了一~有名望的专家)|还有一大~材料要看|家里老的小的一大~

引申用于抽象事物,形容数量多。数词限于'一','堆'前常加'大'。

大伙儿提出了一~问题|一大~事情在等着他办呢!|啰里啰唆地说了一大~

对¹　duì

〔量〕用于按性别、左右、正反等配合的两个人、动物或事物。有时可儿化。

一~夫妇|一~男女|一~儿鸟儿(鸳鸯、鹦鹉、鸽子、喜鹊)|一~金鱼(大虾、石狮子)|一~翅膀|桌上摆着一~花瓶|买了两~枕头|一~矛盾

有时只是两个在一起的同类人或物。

一~电池|他俩是一~儿活宝

注意　由相同的两部分连在一起的单件物品不能用'对'。

一条裤子(ˣ一~裤子)|一把剪刀(ˣ一~剪刀)|一副眼镜(ˣ一~眼镜)

比较　对¹:双　见'双'。

对²　duì

〔形〕相合;正确;正常。

你说的都~|这一点很~|数目不~|~,~,就这么办吧|坚守工作岗位是~的|写~了|走~了路|孩子们做得~|他的神色不~(不正常)|味道~,可是颜色不~(味道正常,颜色不正常)

a) 可带'了、过',表示动态。

这次~了|猜了十回,我只~过一回

b) 可带数量。表示对在哪里,对了多少。

181

我～了四道题|这话～一半,错一半

c) <u>对</u> + <u>了</u>,用在句首,表示突然想起什么事。

～了,有件事忘了告诉你|～了,还有件事要麻烦你

对³   duì

〔动〕1. 对待;对付;对抗。必带宾语。

批评要～事不～人|刀～刀,枪～枪|男子排球赛:农机厂～学联队

2. 朝;向;面对。常带'着'或其他后加成分。

窗户～着马路|两家大门正～着|枪口～准靶心|图上画的箭头～得不准

┌────┐
│习用语│ **对不起**   对人有愧,常用作表示抱歉的套语。也说'对不住'。
└────┘

对不起,踩你脚了|是我错了,对不起

〔介〕1. 指示动作的对象;朝;向。

小黄～我笑了笑|决不～困难低头|他～你说了些什么?

2. 表示对待。用法大致同'对于'。用'对于'的句子都能换用'对';但用'对'的句子,有些不能换用'对于'。

a) 表示人与人之间的关系,只能用'对'。

大家～我都很热情|我们～你完全信任|我～老张有一点意见

b) '对…'可用在助动词、副词的前或后,也可用在主语前(有停顿),意思相同。

我们会～这件事作出安排的|我们～这件事会作出安排的|～这件事,我们会作出安排的

大家都～这个问题很感兴趣|大家～这个问题都很感兴趣|～这个问题,大家都很感兴趣

'对于…'不能用在助动词、副词之后,只能用在另两个位置。

c) 对…来说。表示从某人、某事的角度来看。有时候也说'对…说来'。

～我们的文艺创作来说,题材是很广泛的|～我们说来,没有
克服不了的困难

对于 duìyú

〔介〕表示人、事物、行为之间的对待关系。多跟名词组合,也可跟
动词、小句组合。'对于…'除用在主语后外,还可用在主语前,有
停顿。

a)'对于'后面的名词指动作的受动者。

我们～任何问题都要作具体分析|广大侨胞～祖国都十分关
心|～好人好事,要及时表扬|～汉语虚词的用法,我还没有完
全掌握

'对于…'在主语前时,动词后面可用代词复指动作的受动者。

～那些生活有困难的残疾人,社会要热心帮助他们|～家庭琐
事,又何必花费那么多的精力去管它!

b)'对于'后面的名词、动词指涉及的事或物。

这种气体～人体有害|～这件事,我不同意你的看法|～工作,
他一向非常认真|这样做,～解决问题起不了多大作用|早晚
散步,～养病很有好处

c)'对于…'可以加'的'修饰名词或动名词。

～一件事情的看法|～改进工作的建议|这是我们～开展科学
研究的初步设想

[比较] 对于:关于 见'关于'。

顿 dùn

〔量〕1. 用于饭食。

一天三～饭|这～饭吃了二十多块钱|～～是大米白面

2. 次。用于斥责、打骂、劝说等动作。

动＋数＋顿。

骂了一～|打了两～|批评了一～|揍过他好几～|教训你一～

'打、骂'等也可以放在'顿'的后面,多做'捱、受'等动词的宾语。

　挨了一～打|挨了两～骂|受了一～批评|这一～骂,直骂得他抬不起头来

多¹　duō

〔数〕用在数量词后,表示不确定的零数。

　a) 数 + <u>多</u> + 量[+ 名]。数词为十位以上的整数,'多'表示整位数以下的零数。

　　十～封信|五十～张桌子|一百～个人|两千～斤大米|走了二百～里

　量词为度量词或容器量词时,量词和名词之间可加'的'。

　　买了三十～尺的蓝布|托运了二十～箱的图书资料

　b) 数 + 量 + <u>多</u>[+ 名]。数词为个位数或带个位数的多位数,量词主要是度量词、容器量词、时间量词或'倍'。'多'表示个位数以下的零数。

　　六斤～菜|四尺～布|过了一个～月|现在五点～钟|一共花了五十六块～|这包裹有三公斤～|功效提高了一倍～

　'多'与名词之间可加'的'。

　　买了三斤～的牛肉|装了两口袋～的苹果|这部小说写了三年～的时间|要做好这件事,三倍～的人力都不够

　个体量词只有'个'常见,限用于时间,名词不能省,'多'与名词之间不能加'的'。其他个体量词少用。

　　三个～小时|一个～月|两个～星期|写了四张～稿纸

[注意] 数词是'十',量词是度量词时,'多'在量词前或后,意思有很大不同。

　　十多亩地(=十几亩地)|十亩多地(超过十亩,但不到十一亩)

多²　duō

〔形〕1. 数量大(与'少'相对)。

· 184 ·

a) 修饰名词。前面必带其他修饰语。修饰数量时,'多'后要加'的'。

很～人|好～缺点|这么～的书|那么～朋友|他要～的一堆|我要汤～的那一碗

单独修饰名词时,限于少数固定词语。

～民族国家|～年的老朋友|～种～样|～才～艺

b) 作谓语和补语。

人～力量大|他的著作很～|这个图书馆藏书最～了|我们这儿新鲜事儿～着呢|钱花得太～|四川省的人口比陕西省～得～

c) 修饰动词。在某些客套话里可以重叠。

道理很清楚,不必～说|儿童读物里应该～加些插图|明年一定～种棉花|我不能在这儿～住,两三天就得走|时间紧迫,不容你～考虑|这一类词语～用于比较庄重的场合|以后请你～～帮助|请～～指教

2. 比原来的数目有所增加;数量上超出。

a) 用在动词前。动词后有数量词。

～吃了一碗|比去年～收了上万斤粮食|工具革新后,十天～干了不少活儿|他今天中午比往常～休息了半小时

b) 作动结式第二成分。

请你再算一遍,钱找～了|酒喝～了对身体有害|话说～了反而说不清楚

3. 形+<u>多</u>+<u>了</u>;形+<u>得</u>+<u>多</u>。表示相差的程度大,用于比较。

好～了|慢～了|新鲜～了|简单～了|孩子胖～了|有了这条铁路可方便～了

好得～|简单得～|我们走小路比你们近得～

〔动〕超出原有的或应有的数量或限度。

1. <u>多</u>+<u>的</u>+名。

～的钱怎么处置?|这是加工后～的材料

2. '多'后带数或数量加名词,表示超出的幅度。可带'了'。

~了三个|~了一倍|班上~了三个新同学|'玉'字比'王'字~一点|分下来~的一份也归你

3. '多'后面带名词宾语'事、话、嘴、心'等,表示某种行为超过限度。有熟语性。

你干嘛又~事!|别~话了!|都怪我~嘴(表示不该说而说)|他是无意,你别~心(表示别起疑心)

4. 某些指自然现象的名词,用在'多'后作宾语跟用在'多'前作主语意思相同。

这里的气候,春天~风,夏天~雨(＝春天风~,夏天雨~)|夏天~痢疾,吃东西要小心(＝夏天痢疾~)

注意 '多的一筐'这样的格式有两个意思,一个意思的'多'是形容词,指筐里的东西多,一个意思的'多'是动词,表示'多出来'。

动趋 多上 增加,多指未实现的。必带宾语:多上两天就不成问题了

多出 必带宾语:晚上结账多出三块钱

多出来 钱多出来了

多³ duō (多么)

〔副〕1. 用在疑问句中,询问程度、数量。

多＋形。形容词单音节居多。做谓语时,'多'前常用'有'。句末可用'呢'。

从这儿到天安门有~远?|前面那座楼有~高?|你[有]~大岁数?|这条铁路[有]~长?|~厚的木板才能做桌面呢?

2. 表示任何一种程度。用在'无论(不管)…多…'、'多…都(也)…'、'多…多…'等格式中。

无论工作~忙,他总要抽时间读书|不管遇到~大的困难,我们也会想办法克服|~复杂的算术题他都能作出来|山有~高也要上,路有~远也要去|这店里鞋号很全,要~大号儿的就有~大号儿的|有~大劲儿使~大劲儿|能拉~长就拉~长

186

3. 表示程度很高。含夸张语气和强烈的感情色彩。多用于感叹句中。

  a) 多+形/动。句末常带'啊(呀、哪、哇)'。

    ～好的老师啊！｜瞧,这天～闷哪！｜瞧她的手有～巧啊！｜你瞧他演得～逼真！｜他要是知道了该～伤心哪！｜这孩子～爱劳动啊！｜这件事～说明问题呀！｜～引人入胜啊！

  b) 多+不+形/动。

    ～不简单(ˣ～不复杂)｜～不容易呀！(ˣ～不难)｜～不好啊！(ˣ～不坏)｜～不好看！(ˣ～不难看)｜～不讲理｜～不讲卫生啊！｜～不愿意离开这儿啊！｜～不懂事！

  c) 动+不+多+形;没+多+形。

    走不～远他又回来了｜这种树能长～高? ——长不～高｜小桥没～宽,只能走一个人

【多么】用法基本上同'多'。主要用于2项、3项感叹句中,但没有3项c)的用法。

    多么伟大呀！｜多么快的速度！｜多么有意思啊！｜多么不容易啊！

注意 口语中'多'可读作 duó,'多么'可读作 duó ·me。

多半　duōbàn

〔副〕1. 表示某一数量内的半数以上;大部分。可儿化。

    游览北京名胜古迹的～是外地人｜我的藏书～儿是自己买的,也有一部分是别人送的｜参加长跑运动的～儿是男同志

2. 通常。

    休息日,我们～去父母家团聚｜过了立秋,天气～会变得凉爽起来｜他有什么重要事情,～要先找我商量

3. 表示对情况的估计;很有可能。

    钱包找了半天没找到,～在外边丢了｜他～不会来了,我们不必等了｜我看,他们～会同意的,你不要着急

【多一半】同‘多半’。

多会儿　duō·huir

〔代〕用于口语。1. 什么时候。

你~到北京的？|~去庐山？|他来电话问我~动身

可用于反问，否定对方的看法。

他~说过假话啊？|我~不听你的话了？

2. 指某一时间或任何时间。指任何时间时多与‘都、也’相应，或两个‘多会儿’对应。

~我休假，我就回来看你们|~也没听到他叫苦叫累|~有空~来

3. 没[＋动]＋多会儿。表示时间不长。

没~，他就走了|没坐~，他就走了

注意　‘不多会儿’是‘不多＋会儿’，不是代词‘多会儿’的否定形式。也可说成‘不一会儿’。

不多会儿，人都到齐了(＝不多一会儿…)

比较　多会儿：几时　‘多会儿’用于口语，‘几时’多用于书面。‘几时’无‘多会儿’3项的用法，后面也不能用‘都、也’。

多亏　duōkuī

〔动〕表示由于别人的帮助避免了不如意的事，含有感谢或庆幸的意思。可带‘了’。必带名词、动词、小句作宾语。没有否定式。

这次~了你，要不我们连票也买不上|~没去，去了就赶不回来了|~他拉了我一把，要不就滑下去了

多么　duō·me　（见‘多³’）

多少¹　duōshǎo

〔副〕或多或少；一定程度。常同‘一点儿’、‘一些’等相配合。

对于这个人,我～了解一些|他的意见～有一点儿道理|这筐苹果～分给我一点儿吧

有重叠式 AABB。

法语我也多多少少懂一点儿

多少² duō·shǎo

〔代〕1. 问数量。

你们研究所有～人?|你带了～钱?|老王家今年收了～斤粮食|他寄给我们～件货物|每个月肉吃～,蛋吃～,她都有计划

2. 指代不确定的数量。

我知道～说～|你给～我要～|我没问过他买了～吨钢材

多一半 duōyībàn (见'多半')

躲 duǒ

〔动〕1. 避开。可带'了、着、过',可重叠。可带名词宾语。

～风|～～雨|你别～,碰不着你|往边上～一～,让汽车开过去|～得远远的

后边可用'[一]点儿'。

～着点儿|以后可要～着他点儿|他正在生气,你可～他远点儿

[习用语] **躲警报** 因警报而躲避:抗战时期,在后方常常躲警报,有时候一天躲几次

躲债 因负债无法付还而躲避债主:那年头,哪年年三十儿不跑出去躲债?

2. 隐蔽。可带'了、着、过',可重叠。

他在朋友家里～了几天|在这样不利的情况下,我们还是～～吧

a) 可带非受事宾语,表示施事。

桌子底下～着一个人

b) 躲＋在。

他们都～在哪儿？|小鸡～在母鸡的翅膀下边|～在大树后边

【动结】躲得(不)及　快！还躲得及，再耽搁，就躲不及了|司机发现太晚，已经躲不及了

躲得(不)了(liǎo)　躲得了初一，躲不了十五(熟语)|躲得了今天，躲不了明天

【动趋】躲上　你在我这里躲上几天再说

躲∥下　有足够的地方隐蔽：这里躲得下十个人，再来几个，就躲不下了

躲∥过　躲过这阵雨再走

躲∥过去　躲来躲去，还是没躲过去|想躲也躲不过去

躲起来　快躲起来，别让他看见

躲∥开　应该躲开这个地方|怎么躲也躲不开他

E

儿 ér

〔后缀〕加在名词性成分或其它成分后面,构成名词。读时与前面合成一个音节,叫做'儿化',书面上有时不写出来。'儿化'现象各地方言很不一致,这里以北京多数居民的口语为准。

1. 名 + 儿。指小。

　a) 前一成分不单说。

　　兔儿|穗儿|帽儿|壳儿

　b) 前一成分能单说。

　　刀儿|鱼儿|洞儿|球儿

2. 名 + 儿。不指小。

　a) 前一成分不单说。

　　味儿|核儿|仁儿|末儿|汁儿|手绢儿|瓜子儿

　b) 前一成分能单说。

　　山沟儿|树枝儿|电影儿|问题儿

3. 名 + 儿。加'儿'后改变词义。

　　皮儿(某些薄片状的东西)|腿儿(器物下部像腿一样的起支撑作用的部分)|头儿(事物的起点或终点等)|嘴儿(形状或作用像嘴的东西)

4. 名 + 儿 + 名。

　　猫儿眼(一种宝石)|片儿汤(一种食品)|灯儿节(元宵节)|花儿市

5. 量 + 儿。构成名词。

　　块儿|个儿|片儿|把儿

有些加'儿'后还是量词。

191

一对儿枕头|一捆儿菠菜

6. 形＋儿。构成名词。

尖儿|单儿|空儿|方儿|好儿|亮儿|香儿|短儿|肥瘦儿|长短儿|白干儿(一种白酒)

有些只用在一定的动词后面。

(打)杂儿|(包)圆儿

7. 动＋儿。构成名词。

盖儿|杂耍儿|扶手儿|围嘴儿|提兜儿|吸管儿|我跟你作个伴儿|打了一个滚儿

注意 1) 带'儿'的形式比不带'儿'的形式显得轻松些,亲切些。

2) 有极少数用'儿'构成的词是动词。

我不玩儿|他火儿了

比较 儿:子 见'子'

而 ér

〔连〕从古代沿用下来的连词,多用于书面。

1. 表示转折。

a) 连接并列的形容词、动词,用法同'然而、但是、却'。两部分意思相反,后一部分修正和补充前一部分。

这种苹果大～不甜|幼苗早管理,费力小～收效大

b) 连接小句,表示相对或相反的两件事。'而'只能用在后一句的头上。

这里已经春暖花开,～北方还是大雪纷飞的季节|饱食终日,无所用心,实在可耻;～克己奉公,埋头苦干,才值得学习

c) '而'前后两部分一肯定一否定,对比说明一件事,或一件事的两个方面。

不应当把理论当作教条,～应当看作行动的指南|这里的气候有利于种小麦,～不利于种水稻|这个问题不是一个小问题,～是一个关系到工程能不能按期完成的大问题

d) 放在意思上相对立、形式上像主语谓语的两部分之间，含有'如果、但是'的意思，后面要有表示结论的另一小句。

> 作家～不为人民写作，那算什么作家呢？|科室干部～不能团结本部门的群众，那是不能做好工作的

2. 表示互相补充。

a) 连接并列的形容词。

> 少～精|严肃～认真|文笔简练～生动

b) 连接动词短语、小句。两部分有先后承接或递进的关系。

> 战～胜之|取～代之|经验是宝贵的，～经验的获得又往往是需要付出代价的|各组都取得了良好的成绩，～以三组的成绩最为突出

3. 把表示目的、原因、依据、方式、状态的成分连接到动词上面。

a) 前面用'为了、为、为着、因为、由于、通过'等词。

> 为培养青年学生～默默耕耘|为建设祖国～努力学习文化|我们决不能因为取得了一些成绩～骄傲自满起来|通过实践～发现真理，又通过实践来检验真理

前面用'随、依、因、就、对'等词，后面常用单音节动词。

> 工作不能完全随个人的兴趣～定|农活的安排需要依季节～定|治疗方案应该因人～异|就我们小组～言，任务完成得还不够理想

b) 前面用动词、形容词表示方式、状态。

> 不战～胜|顺流～下|匆匆～去|江水滚滚～来|水由氢和氧化合～成

4. 由(从)…而…。多连接名词性成分(限于意义上可分阶段的)，表示从一个阶段(状态)过渡到另一个阶段(状态)。

> 由春～夏，由秋～冬|由童年～少年、～壮年

注意 单音节形容词并列要用'而'(除非有熟语性的才可以不用)。

> 这件衣服长～瘦(ˣ这件衣服长瘦)|他个子矮～小

双音节形容词并列，当中可以用'而'，也可以不用。

天安门广场庄严[而]雄伟|这条林阴路,宽阔、整洁[而]幽静

<u>习用语</u> 一而二,二而一　'而'等于'就是'。

一而再,再而三　表示重复几次。

　　一而再,再而三地追问

不得而知　不知道,表示不明底细或真相。

　　他只给我透了点消息,详细情形不得而知

<u>比较</u>　而:但是　1)'但是'同'而'1项 a)用法相当。

　2)'而'和'但'都能引出和上文相对立的意思,区别在于,'但'前面的部分总是含有'虽然'、'尽管'这种让步的意思,'而'不受这一限制。比较:

　　这不是一个小问题而(ˣ但)是一个大问题|这不是一个大问题而(ˣ但)是一个小问题

　3)'但是'可以连接两个带'的'的形容词修饰语,'而'前面的形容词限于不带'的'的。

　　这是一项艰巨的但是很光荣的任务|这是一项艰巨而光荣的任务(ˣ这是一项艰巨的而光荣的任务)

而:而且　'而且'同'而'2项 a)用法基本相当。

　　而况　érkuàng

〔连〕何况。用反问语气强调更进一层的意思。用于后一小句开头。用于书面。

　　行政工作非其所长,～他又有病,还是另选别人吧!　|他本来就不善于言谈,～又在稠人广众之间,越发显得局促不安了

<u>比较</u>　而况:何况　二者用法基本相同,上边的例子都可用'何况'替换,但'何况'前可加'更、又','而况'不行。

　　而且　érqiě

〔连〕表示意思更进一层。连接并列的形容词、动词、副词、小句。

　　表面柔软～光滑|这些机器我们都能开,～还能修理|我们应

该～能够完成这项指标

a) '而且'连接小句时，后面常有副词'还、也、又、更'。

这里不少人是我的老同学，～有的还是好朋友|从陆路可以去，从水路也可以去，～更近一些

b) 不但(不仅、不单、不只、不光)…而且…。强调更进一层的意思。

他不但著译很多，～有很高的水平|我们不仅要研究现在，～还要研究未来|他不只非常聪明，～还很用功

c) 可以连接句子。后边句子较长时，'而且'后可以停顿。

在沙漠里行进是很困难的，那里风沙大，又缺水。～，因为沙地松软，人们走路都十分费力

|比较| 而且：而 见'而'。

而已 éryǐ

〔助〕用在陈述句末尾，有把事情往小里说的意味。常与'不过、无非、只、仅仅'等呼应。多用于书面，口语多用'罢了'。

以上只是几个例子～，类似的情况还很多|我不过是说说～，你不必过于认真

|习用语| 如此而已 仅限于此。可以单用。

如此而已，岂有他哉？

F

发 fā

〔动〕1. 送出；交付。可带'了、着、过'。可带名词宾语(信、电、文件等)。

　　～了一封信|报务员正～着电报|货已经～了,月底可以收到|你去把文件～了|通知～得太晚了

　　发 + 给。

　　文件全～给他们了|通知书～给本人

2. 发布；表达。可带'了、着、过',可重叠。可带名词宾语(多指抽象事物)。

　　～命令|他正～着言呢！|老徐又～了一通议论|别老是～牢骚|这个音你教我～～

3. 发生；产生。可带'了、过',可重叠。可带名词宾语。

　　～电|种子～了芽|有一分热,～一分光|他的病又～了

4. 显现出；流露出。可带'了'。多带动词、形容词作宾语,'发'和宾语之间不能插入其他成分。多指不愉快的情况。

　　a) 发 + 动。动词多为单音节。

　　　　～笑|～问|～抖|～怒|～疯|头～晕|气得手直～颤|吓得直～呆

　　b) 发 + 形。形容词多为单音节。

　　　　～亮|～白|～痒|～酸|脸色～黄|心里～慌|你别～急|眼睛～直|人到中年容易～胖

　　c) 发 + 名。

　　　　～火|～毛|～脾气

5. 食物发酵或因水浸泡而膨胀。可带'了',可重叠。可带名词宾

196

语。

    ～面做馒头|面已经～了|干笋要先用水～～|这面～得不好

动趋 **发上** 你把面发上没有？

发下 必带宾语:省里发下一份文件

发∥下来(去) 文件已经发下来了

发∥出去 线路被切断,电报发不出去

发∥起来 天太冷,面发不起来

发来 老赵发来一封急电

    发生 fāshēng

〔动〕1. 原来没有的事情出现了。可带'了、过'。可带名词宾语。

    ～事故|以前这里水灾、虫灾都～过

  不能有施事主语,动词前可以用处所或时间词语。名词在前在后,句子意思基本不变。

    ～了问题(＝问题～了)|以前也～过这种现象(＝这种现象以前也～过)|事情～得很奇怪

2. 产生。可带'了、着、过'。必带名词宾语。

    最近,我对围棋～了很大的兴趣|看来我的话没有～任何作用

    番 fān

〔量〕1. 用于心思、言语、过程等。数词限于'一、几'。

    一～心血|讲了一～道理|做了一～解释|那是他的一～好意|
    不要辜负了他对你的一～期望|下了一～工夫|费了几～周折|
    经过几～风雨|这一～经历我要把它详细写出来

2. 遍。用于费时较多、用力较大或过程较长的动作。数词限于'一'。(除习用语'三番五次'等以外。)

    动＋一＋番。

    调查研究一～|把企业整顿一～|嘱咐(端详、考虑、检讨)了一～|受了伤的黑熊挣扎了一～,最后还是倒下了|他打量了我

一～,似乎有点不认识了

动词后如有宾语,宾语在'番'后。

　　出了一～力|生了一～气

3. 倍。限用于动词'翻'后。

　　产量翻一～(两倍)|十年内研究人员的数量翻了两～(四倍)

注意　'翻几番'本来是乘以几个 2 的意思,如一百翻三番就是用 2
乘三次($100 \times 2 \times 2 \times 2 = 800$)。但是现在有另一种用法:'翻几番'
就是乘以几,如一百翻三番就是乘以 3($100 \times 3 = 300$)。

习用语　**三番五次**　接连多次。

　　三番五次来电报催我回去

几次三番　同上。

　　几次三番劝他,他都不听

　　凡是　fánshì

〔副〕表示在一定范围里没有例外。用在主语前边。

　　～跟他一起工作过的人,都称赞他良好的工作作风|～符合规
　　定条件的,都可以报名参加|～帮助过我的人,我都不会忘记

注意　'凡是'中的'是'都可以不说出来,而只用'凡'。

　　反[1]　fǎn

〔前缀〕1. 表示颠倒,方向相反。

a) 构成名词。

　　～话|～面|～派|～义|～证|～响|～作用|～比例

b) 构成动词、形容词。

　　～动|～对

2. 表示回,还。

a) 构成名词。

　　～光|～应

b) 构成动词。

~照|~问|~射|~攻|~扑|~咬|~击|~省|~抗|~映

反² fǎn （见‘反而’）

反倒 fǎndào （见‘反而’）

反而 fǎn'ér （反倒、反²）

〔副〕表示跟前文意思相反或出乎预料之外,在句中起转折作用。

他们不仅不厌烦,~热情欢迎他|这一不幸事件~使他更加坚强起来|老杨住得最远,~先到了|风不但没停,~更大了|经过这场大病,他的身体比以前~好了|小华见大家都夸奖他,~很不好意思

【反倒】同‘反而’,多用于口语。

【反²】同‘反而’,多用于书面。

身体反不如前|此计不成,反被他人耻笑|文章过于冗长,反有损于主题的表达

反正 fǎn·zheng

〔副〕1. 强调在任何情况下都不改变结论或结果。上文常有‘无论、不管’,或表示正反两种情况的词语。多用在主语前。

信不信由你,~我不信|老王来不来还没定,~小张一定来|不管你怎么说,~事情很难办|这也好,那也好,~都一样

2. 指明情况或原因,意思与‘既然’相近,而语气较强。多用在动、形或主语前。

~不远,咱们就走着去吧!|~你不是外人,我也就不客气了|我~要路过南京,可以顺便替你办这件事

反之 fǎnzhī

〔连〕从相反的方面说。用在两个小句、句子、段落中间,起转折作用,引出同上文相反的另一意思。‘反之’后有停顿。

天气热,根的吸水力强。～,天气寒冷,根的吸水力就弱|谁为大众服务,大众就欢迎他;～,谁只为自己打算,大众就不欢迎他

'反之也一样'是从正反两个方面共同说明同一个规律或道理。

金属体积和温度高低成正比,温度越高体积越大,～也一样,温度越低体积越小

犯　fàn

〔动〕1. 违犯。可带'了、过'。可带名词宾语。

～法|～忌讳|三号队员～了两次规

2. 侵犯。可带名词宾语。多用于成语或书面语。

人不～我,我不～人|井水不～河水

3. 发生;发作。指疾病、疑虑等。可带'了、着、过'。

腰疼又～了|他正～着气管炎,来不了|心里直～嘀咕

4. 造成。可带'了、过'。宾语限于'罪、错误'。

～过罪|～了一次错误|～下了滔天大罪|谁也免不了～错误

动趋 犯上　又犯上病了

犯下　犯下了严重的错误

犯∥起来　犯起病来|这病犯不起来

习用语 犯得(不)上　值得(不值得)。

为这点小事犯不上生那么大的气|犯得上冒这种风险吗?

犯得(不)着　同'犯得(不)上'。

方才　fāngcái

〔形〕不久以前;刚才。只作定语、状语,不作谓语。

你把～的情景再说说|他～的脸色很不好看,好像跟谁生过气似的

上边的例句是作定语,下边的例句是作状语。

他～来找过你|我～在大街上遇到一位多年不见的老朋友|他

们～都在这里,现在都出去了

〔副〕表示经过一定的时间或某种动作行为后,产生了某种结果。

我们等了三天,～得到对方的答复|经他反复解释后,我～恍然大悟|得了病,～知道健康的可贵

比较 方才:才 '方才'的副词用法表示时间或条件关系,与'才'相同,但语气稍重。'才'表示对比起来数量小,次数少,能力差等等,'方才'不这么用:

这个研究所创建的时候才(×方才)几十个人,现在已经二三百人了

'才'可以表示强调所说的事,'方才'不这么用:

我才(×方才)不去呢!

仿佛 fǎngfú

〔动〕差不多。单独作谓语,前面可加'相'。用于书面。

两个孩子年纪相～|我的情况大致与前几年～,没什么变化

〔副〕好像;似乎。句末可加'似的、一样'。多用于书面。

a) **仿佛**+动。

看到这些活泼可爱的孩子,他～看到了自己的童年|读着这些有趣的故事,我～也被引进了童话世界|我喊了他一声,他～没听见似的,还是低着头往前走

b) **仿佛**+形。形容词前常有程度副词。

瞧他的样子,～十分为难|他们俩～很熟悉似的

c) **仿佛**+是+名。

远远望去,～是一座古庙|小树摇来晃去,～是个人影儿|来客～是南方人

d) 用在主语前。

他四面点头,～这里的人他都认得|他俩见面不打招呼,～谁也不认得谁

放　fàng

〔动〕 1. 解除约束,使自由。可带'了、过',可重叠。可带名词宾语。

　　赶快～了他|把这只鸟儿～了吧|她紧拉着姐姐的手不～

2. 放牧。可带'了、着、过',可重叠。必带名词宾语。

　　我小时候～过牛|他曾在草原上～了几年马|到河边～鸭子|～牛～累了,就坐在草地上休息一会

3. 放送,放映。可带'了、着、过',可重叠。可带名词宾语。

　　～收音机|～音乐|幻灯已经～过了|一天～了两场电影|今天晚上～不～实况录像?|给我们～两张唱片听听

4. 在规定的时间停止工作或学习。可带'了、着、过'。可带名词宾语,限于'假、学、工'等。

　　国庆节～了两天假|暑假还没～|春节～假三天|十二点～学回家|今天～学～得晚

5. 花朵开放,常用于四字语。

　　花开花～|百花齐～|心花怒～

6. 散发(气味);发出;发射;点燃。可带'了、着、过',可重叠。可带名词宾语。

　　满园的玫瑰～出阵阵芳香|瓶里的氨水～着刺鼻的气味|十一月初开始～暖气|孩子们都喜欢～风筝|往空中～了好些彩色气球|枪口朝上～了一枪|男孩子们在院子里～花炮

7. 扩展;加大。可带'了、过',可重叠。常构成动结式、动趋式或重叠式。可带名词宾语。

　　他在暗室里～照片|这件衣服～～身长就能穿|～开眼界看未来|裤腿还可以～出一寸来|腰身可以～肥一些|扩音机使声音～大好几倍|相片不必～得太大

8. 使处于一定的位置;放置、安放。可带'了、着、过',可重叠。可带名词宾语。

202

这儿～桌子,那儿～柜子|门口～着一辆自行车|箱子大点儿好,
东西～得多

放+在。

把花盆～在台阶上|你的笔记本怎么～在我的桌子上了？|把
自己的全部精力都～在工作上

9. 使停留在原来地方或状态,不加处理。

鲜肉不能～得太久|这个问题先～一～再说

放+着+名+不+动…。表示应该做的事没有做,反而做了不
该做的事。

～着觉不睡,却到处乱跑|～着正路不走,走邪路|～着这么多
好书不看,净想玩儿

10. 搁进去,加进去。可带'了、着、过'。

先给锅里～点水|汤里多～点盐|糖已经～过了|正往池子里
～着水

11. 控制速度,态度等,使达到某种状态。

汽车的速度～慢了|声音～得很低|做事～谨慎点|说话～和
气些

构成动结式可带名词宾语。

～慢速度|～低声音

动结 放得(不)住 a)能(不能)停放稳:桌子不平,花瓶放不住
b)能(不能)保存:天凉,饭菜放得住

动趋 放上 a)靠窗再放上两盆盆景|汤里放上点胡椒面儿 b)开
始放:过了一会儿又放上音乐了

放下 a)使落下:把手放下,别老举着 b)搁下:刚拿起来又放下
了

放∥下 a)容纳:书架已经满了,这几本书放不下了|这儿能放下两
把椅子 b)能(不能)抛开不顾:他不愿意放下手头的工作|孩
子们走了以后,他的心总放不下|放下架子,向群众学习

放∥下来 a)请你把绳子放下来|从上游放下来一只木排 b)我

们现在很忙,工作放不下来

放过　a)饶恕,原谅:这一次可不能放过他们　b)错过,失去:这个机会可不能放过

放//开　a)解开,使自由:把小猫儿放开,别老用绳子套着　b)另放一处:熟肉另外放开,别跟生肉搁一起　c)不理,不管:有些事情可以放开不管　d)不拘束:把嗓子放开|上台以后动作要放开

放手　fàngshǒu

〔动〕1. 停止掌管,转交别人。

　　我要他交给小张去办,他就是不～|刚到手的材料,怎么能随便～呢|孩子都大了,家里的事你也可以～不管了

2. 指打消顾虑,解除不必要的约束。多跟其他动词连用,或修饰其他动词。

　　既要谨慎,又要大胆～|你～去做,不要缩手缩脚|我们一定要～地,大量地选拔人才

放心　fàngxīn

〔动〕心情安定,没有忧虑和牵挂。可带'了、过'。可带名词或小句作宾语。有宾语时,多用于否定句或疑问句。

　　您～,我会照顾他的|虫害扑灭了,我就～了|您怎么老不～别人?|同事们都不～老许的病|不～他到远处去|你～徒弟一个人开车吗?

a) 可受程度副词修饰。

　　很～|十分～|非常～|稍微～了一点儿|你去我就更加～了

b) '放'和'心'之间可插入'了、过'等其他成分。

　　这下我才放了心|一天也没放过心|稍稍放了一点儿心

动趋 **放心得(不)下**　他一个人去,我放心不下

放//下心　收到回信,我才放下心了|孩子回家晚了,她总是放不

下心

放∥下心来 万事具备,这才放下心来|工作还没有一点头绪,你
　　说我放得下心来吗?

　　非[1]　fēi

〔动〕不是。只用于书面,并且多数用在固定格式中。

　a) 非…所…。

　　答～所问|这件事～你我所能解决|当时情景～言语所能形容

　b) 非…非…。表示'既不是…又不是…'。用在两个意义相关
或相近的单音节名词中间。

　　～亲～故|～驴～马

　c) 非…即…。表示'不是…就是…'。用在两个同类词语之间
(多为单音节)。

　　～攻即守|～此即彼|两人很亲切,看来～亲即友

　d) 似…非…。表示'又像又不像'。用在两个相同的单音节动
词、形容词或名词中间。

　　似醒～醒|似醉～醉|似红～红|似懂～懂|似雾～雾

〔副〕1. 非…不…。表示一定要这样。'非'后多为动词语,也可以
用小句或指人的名词。'非'后有时加'得'。后一部分常用'不行、
不可、不成'。

　　～说不可(＝一定要说)|～看不行|要学好一种语言,～下苦
　　功夫不可|这件事～得他来不行|要办成这件事～你不成|这
　　样的坏人,必须坚决惩办,～如此不足以平民愤

　口语中,'非…'后也可以不用'不可'等词,常用于承接上文或反
问句中。

　　不让他去,他～要去!|干这活儿～得胆子大|他不来就算了,
　　为什么～叫他来!

2. 非…才…。表示一定要具备某一条件才能怎么样。

　　～把事实摆出来我才相信|要修一条大水渠～几个村子联合

205

起来才行|你～要经过一两年的锻炼才可以独立工作|～亲自
去一趟才成

注意 '非…不…'和'非…才…'的意思基本相同,但'非…才…'后
面不能用'可'。

非² fēi

〔前缀〕表示不属于某种范围。构成名词。

a) 非＋名。

～会员|～党员|～晶体

b) {非＋名}＋名。

～金属元素|～生物体|～条件反射|～匀速运动|～人生活|
～武装斗争|～对抗性矛盾

c) {非＋动}＋名。

～卖品|～导体|～生产开支

d) {非＋形}＋名。

～正常情况|～熟练劳动|～经常开支|～一般事故

非常 fēicháng

〔形〕异乎寻常的,特殊的。多与名词直接组合,类似一个复合词。

～时期|～事故|～事件

也可构成'的'字短语跟名词组合。较少用。

～的人物|～的举动|～的现象

〔副〕表示程度极高;十分。

a) 非常＋形/动。

～大|情绪～好|～舒服|做得～及时|～会说话|～能吃苦|～
心疼|～喜欢|～感谢|～同意|～解决问题|～有意思|～感兴
趣|～引人入胜

b) 非常之(地)＋形/动。语意更强调、突出。

西湖～之美|问题～之复杂|天气～地热|～地感谢

热闹非常　非常热闹,用于书面。

　　人来人往,热闹非常

非常:十分　用法略有不同。1)'非常'可重叠用,'十分'不能。

　　非常非常精彩|ˣ十分十分精彩

　2)'十分'前可用'不',表示程度较低;'非常'不能。

　　不十分好|ˣ不非常好

分　fēn

〔量〕一个整体划分成十部分,每一部分为一分。多用于抽象事物。

　　七～成绩,三～错误|多了一～希望|病好了几～|他已经有
　　七、八～醉了|有一～热发一～光

前面的数字有时候超过'十',是夸张用法。

　　我有十二～的把握|万～想念

1)'十分'在通常情况下是程度副词,修饰形容词和某些动词短语。参见'十分'条。

　2)'分'另有计量单位的用法:＝1/10 寸,1/10 亩,1/10 钱,1/60 度,1/60 小时。

分别　fēnbié

〔名〕不同。

　　有些汉字字形相近,要注意它们的～|外表上乍看起来好像没
　　有什么～

〔动〕1. 离别。可带'了'。

　　～了不到一年又见面了|～之前照了个像留念

2. 辨别。可重叠。可带名词、小句或一对反义形容词作宾语。

　　～主次|～轻重缓急|要仔细～'的'字的各种不同用法|这一
　　对双胞胎很难～谁是哥哥谁是弟弟

动趋 分别//出　必带宾语:我分别不出这两个字的读音

分别//出来　差别虽小,还是可以分别出来的

〔副〕1. 采取不同方式。

　　对他们应该～对待|根据情节轻重,～处理

2. 分头,各自,不共同,不一起。

　a) 一个主体对几个对象。

　　为了弄清问题,他～向老王、老李和老张作了调查

　b) 几个主体对一个对象。

　　会长和秘书长～接见了他|一班、二班、三班～讨论了这个问

题

　c) 数目相同的主体和客体一个对一个。

　　电、化肥、水泥比去年同期～增产百分之四、百分之三、百分之

　　八|老周和老陈～当了主任和副主任

比较 分别:分头　见'分头'。

　　分配　fēnpèi

〔动〕1. 按一定的标准或规定分[东西]。可带'了、着、过'。可带
名词宾语、双宾语。

　　上个月给他～了新的住房|他正在给孩子们～着节日礼物|以
　　前～过粮食|～他一套住房

　a) 分配+给。

　　把这些营养品先～给孤寡老人|东西两间宿舍准备～给新来
　　的大学生

　b) 可作宾语。动词限于'停止、进行、负责'等双音节动词。

　　暂时停止～|重新进行～|由管理处负责～

2. 安排;分派。可带'了、着、过'。可带名词宾语、双宾语。可重
叠。

　　他给每人～了任务|车间主任正在给大伙儿～着工作|公司去
　　年给北京的代办处～过两名职员|要合理～劳动力|～他两项

工作|他如果认为这样分配不合理,让他来～～看

a) **分配＋在**。

我们几个同学都～在钢铁公司|把我们俩～在一起

b) **分配＋给**。

这两项工作～给你们小组|新来的同志～给资料室

c) 用于兼语句。

上级领导～他去西藏工作|～你去五号操作台

d) 可作宾语。动词限于'停止、进行、负责、服从'等双音节动词。

上级让你们暂时停止～|结业合格者由教育局进行～|学生毕业以后由校方负责～|应该服从～

动结 分配错了　分配光了　分配少了　分配//好　分配//完

分配得(不)动　能(不能)分配出去:这几间旧房没人要,还是分配不动

分配得(不)了(liǎo)　能(不能)分配:这个月的奖金暂时还分配不了

动趋 分配//上　得到分配:这次分配住房,我也许能分配上

分配//下来　今年的植树任务还没有分配下来

分配//出去　三台仪器都分配出去了

分配得(不)过来　够(不够)分配:东西太少,实在分配不过来

分配起来　这么多物资分配起来很麻烦

分配//到　分配到每个人|她被分配到山区当教师

分头　fēntóu

〔副〕表示若干行为主体分若干方面做某事。多用于口语。

我们几个博士生将～去广州、上海和南京等地作实地调查|姐姐和弟弟～去找爸爸和妈妈|为了搞好这次活动,我们筹备组的几个人～到各个学校联系过了

比较 分头:分别　'分头'和'分别'一般都可用于多个主体对多个

客体或多个主体对同一客体。如果是同一主体对多个客体，只能用'分别'，不能用'分头'。

> 我准备分别($^×$分头)找老李和小张了解有关情况|市长分别($^×$分头)会见了外国贸易代表团和电子工业代表团

'分头'有各自分开行动的意思(如'你们几位去分头通知大伙儿)，有些非动作性动词前不能使用'分头'。

> 郑晓平和刘丽丽分别($^×$分头)当选了学生会主席和副主席|他们几个人分别($^×$分头)对这件事作了解释

份 fèn

〔量〕1. 用于整体分成的部分，或组成整体的部分。可以儿化。

> 分成三～，给他一～|拿了两～儿报酬|这工作也有你一～儿|为救灾贡献一～力量|我也为他担了一～儿心|那～儿差使交给我吧!

2. 个。用于某些抽象事物。必儿化。常加'这、那'。

> 瞧你这～儿模样! |我可没那～儿闲功夫|心里那～儿痛快就甭提了

3. 件。用于报刊、文件、表报等。可以儿化。

> 订两～报纸(杂志)|一～文件(材料、计划、记录、清单)|本合同一式两～，双方各执一～|这文件我只有一～儿

4. 餐厅、商店为单人提供的食物量。可以儿化。

> 一～菜|两～客饭|要一～儿腊肠|再来一～儿点心

丰富 fēngfù

〔形〕种类多或数量大。

a) 作谓语。

> 我国幅员广大，物产～|他的实际工作经验很～|水利工程建成以后，农产品将更加～|这里的煤矿储藏量比别处～得多|他的书本知识不少，可是工作经验没有你那么～

b) 作定语,必带'的'。

～的成果|～的知识|～的资源|～而又深刻的内容

〔动〕使丰富。可带'了',可重叠。必带名词宾语(多表示抽象事物)。

我们要向各方面学习,～我们的知识领域|学校安排了各种文化活动,～了学生的暑期生活

封　fēng

〔动〕封闭。可带'了、着、过'。可带名词宾语。

把洞口～了|瓶口一直～着|他没有～过火炉子|～了两口井

封＋在。后面要用表示处所的成分。

东西都被～在屋子里|没收的财产先～在地下室

〔名〕封起来的或用来封东西的纸包或纸袋。必须写作'封儿',读作'fēngr'。

我帮你做几个纸～儿|不知道每个～儿里放了什么

〔量〕用于装封套的东西。常组成数量词组作句子成分。

收到一～家信|请你把这几～公函送到收发室

動結 封∥好　封∥严　封∥住　封∥结实　封∥死　封闭得很

结实,没有缝隙:瓶口一定要封死,不能漏气

封得(不)了(liǎo)　能(不能)封:没有水泥,洞口还封不了

動趋 封∥上　先把火炉子封上

封∥起来　那坛酒已经封起来了

否则　fǒuzé

〔连〕如果不是这样。连接小句,用在后一小句的头上。

a) 后句指出从前句推论的结果,或提供另一种选择。

遇事要调查研究,～就会脱离实际|他一定有要紧事找你,～不会接连打三次电话来|最好下午去,～就明天一早去

b) 后句可用反问句式。

看来他已经离开上海了,～为什么没有回电? |必须到基层去
工作一段时间,～怎么能了解下情?

c) 除非…,否则…(＝除非…,才…,否则…)。

除非有特殊情况,～原计划不可改变(＝除非有特殊情况,原
计划才可以改变,～不可改变)

d) '否则'后可带'的话',有停顿。

看问题必须全面,～的话,就难免以偏概全|最好让小兰去,～
的话,只有你自己去一趟|他大概不同意,～的话,为什么一句
话也不讲?

副　fù

〔量〕1. 用于成对或配套的东西。

两～手套|一～对联|一～象棋(扑克牌)|两～铺板|四～碗筷|
一～假牙|一～眼镜儿

也用于中药。原写作'服'(fù)。

抓了三～中药|这～中药有十二味药

2. 用于面相表情等,名词前常有修饰语。数词限于'一'。

一～笑脸|一～红脸膛|脸上显出一～惊喜的样子|一～伪善
的面孔|一～惊异的神色

G

该¹ gāi

〔动〕1. 应当是。必带名词、小句作宾语。

十五斤分三份,每份～五斤|按岁数排,～老潘排第一

2. 轮到。必带名词、小句作宾语。

今天值班～我了|下面就～你发言了|现在～我们发球

3. 活该;理应如此。限于单用。

～! ～! 谁让你淘气呢!

该² gāi

〔动〕欠。可带'了、着、过'。可带名词宾语、双宾语。指物的宾语一般是指钱或账。

这钱是～您的|东西拿走,钱先～着吧|这笔账～了快一年了|我还～你十五块钱|～账～多了,就不好还了|～得不少了

该³ gāi

〔助动〕1. 表示理应如此;应该。可以单独回答问题。否定用'不该'。

我～走了|～有个长远打算|～三天办完的事,他两天就办完了|你不～一个人去|人家已经赶到前头去了,咱们～怎么办?～不～加把劲儿干? ——～!

'不该不'等于'该'。

他的话你不～不听(＝～听)|昨天的会你不～不来|这些事他不～不知道

213

2. 估计情况应该如此。不能单独回答问题。没有否定形式。

他要是知道了，又～批评我了|这孩子今年～高中毕业了吧？

a) 有时可以和'会、可以'连用。

这么粗枝大叶，～会给工作造成多大的损失！|接到这封信，你～可以放心了吧？

b) 该＋有＋多…。用于感叹句。

等这些树木都长大成林，风景～[有]多美！|这些能量要是都释放出来，～有多大的威力啊！|再过十年，这里～有多么大的变化啊！

'有'后面是形容词短语时，'有'可以省去；'有'后面是名词短语时，'有'不能省去。

|比较| 该³：应该：应当 见'应该'。

|习用语| 该不是 表示估计和推测，用于不如意的事： 他从来没缺席过，该不是病了吧！

改 gǎi

〔动〕1. 改变。可带'了、过'。可重叠。可带名词宾语。

没想到他后来又～了主意|她的发式从没～过样子|你能帮我～～这件衣服吗？|怎么又～了章程了？

2. 修改。可带'了、着、过'。可重叠。可带名词宾语。

那篇文章～了好几遍|老师正给我～着作文呢|这份计划已经～过两次了|我认为这篇新闻稿还得～～|弟弟让我帮他～～作文

3. 改正。可带'了、过'。可重叠。可带名词宾语。

有错误～了就好|那道题～过，可是没～对|你帮他～～错别字|他终于～了这个毛病

|动结| 改//掉 改//好 改//完

改得(不)了 能(不能)改：你这个缺点怎么总～不了呢？

动趋 改//过来　先把写错的地方改过来

改起来　有些习惯改起来也不那么容易

赶　gǎn

〔介〕表示等到将来某个时候。用于口语。

～明儿咱们去看看王老师|～晌午我就走|～春暖花开的时候去颐和园玩儿玩儿|我大约～年底就回来|车也许～星期天才能修好

敢　gǎn　（敢于）

〔助动〕1. 表示有勇气做某事。可以单独回答问题。否定用'不敢'。

～想～干|～作～为|刀山～上,火海～闯|过去连想都不～想的事,现在变成了现实|你～不～去? ——～! 怎么不～?

'不敢不'表示肯定,有被迫、不得已的意思,不等于'敢'。

你出来说话,他们不～不听|他本来不愿意去,可是又不～不去

'敢'前还可以用'没'。

这几天下雪,路太滑,我没～让他开车|我们提过这个要求,他没～答应

2. 表示有把握作某种判断。不能单独回答问题。否定用'不敢'。

我～说他一定乐于接受这个任务|他明天能不能来,我不～肯定

【敢于】同'敢'1,多用于书面。一般不用在单音节动词前。否定用'不敢',不用'不敢于'。

敢于斗争|敢于承担责任|因为得到广泛支持,我们才敢于这么办

敢于　gǎnyú　（见'敢'）

感到　gǎndào

〔动〕1. 通过感官感觉到,觉得。一般不单独作谓语,常带动词、形容词、小句作宾语;不带宾语时必带'了、过'。

我也～了他对我们很关心|从来没～过这么疲乏|机器发动后,大家都～有点轻微的震动|昨天夜里有轻度地震,你～了吗?——～了|坐在树荫下,大家都～很凉快

a) 作宾语的形容词通常限于表示身体或心理的感受的,不包括视觉、听觉等。

刚进针的时候我没～麻,现在～麻了|大家都～高兴|～非常舒畅|ˣ～红|ˣ～结实

b) 名词宾语前面常有数量词。

～一阵头晕|～了几次强烈的冲击|～一种由衷的高兴|突然～一股寒气

注意 动结式通常不说'感得(不)到',说'感觉得(不)到'。

2. 表示有某种想法,近于'认为',但语意较轻。多用小句作宾语;宾语较长时,'感到'后可以停顿。

大家～不能采取这个方案|同学们都～,这次全班取得好成绩是老师认真辅导的结果,也是同学们认真学习的结果|他～,游过这条河,爬过对面那座山,恐怕就没有力气再走十几里路了

刚　gāng　(刚刚)

〔副〕1. 表示发生在不久前。修饰动词和少数表示变化的形容词。
a) 指说话前不久发生。

我～来一会儿|～出门儿|他～从这儿走过,骑车还能赶上|伤口～好,还要多注意|心情～平静下来

b) 指紧挨在另一动作之前发生。后面常用'就、又'呼应。有时也说'刚一…'。

216

天～亮,社员们就下地了|小沈～要走又被老吴叫住了|～一
进屋,就有人来找

2. 正好在那一点上(指时间、空间、数量等;有不早不晚、不前不
后、不多不少、不…不…的意思)。

a) 刚+动/形。

不大不小,～好|长短～合适|十二份材料,一人一份～够|剩
下的酒精～装满一瓶|身高一米六,～达到标准

b) 刚+数量。

行李～二十公斤,没超过规定|到剧场～一点半,正好

3. 表示勉强达到某种程度;仅仅。

屋里挺黑,伸手～能见到五指|声音很小,～可以听到|他身材
高大,小明～齐他肩头|人家快上山顶了,我才～爬到半山腰

注意 '我刚来一会儿'和'我刚来没一会儿'意思一样。都表示来到
的时间不长。

【刚刚】同'刚'。

刚刚散戏,出来的人很多|我刚刚出门就碰见小梅|材料刚刚
够|行李刚刚二十公斤|声音很小,刚刚能够听到

比较 刚(刚刚):刚才 见'刚才'。

刚才　gāngcái

〔名〕指说话以前不久的时间。

a) 用在动词、形容词或主语前。

～发现了一个新情况|～来过一个电话,不知道是不是她打来
的|～还不到一点,怎么现在已经两点半了? |～很亮,现在不
亮了|～你干什么去了? (=你～干什么去了?)

b) 用在'比、跟'等词后。

吃了退烧药,现在比～舒服些了|跟～一样,水还是太烫

c) 刚才+的+名。

他把～的事儿忘了|～的消息可靠吗?

217

d) 刚才＋指＋名。

这就是～那个人｜～这句话很重要

⎡比较⎤ 刚才：刚（刚刚） 1) '刚才'和'刚'意思相近,但词类不同,'刚'是副词,只能用在动词前,不能用在别的位置上。

2) 用'刚、刚刚'的句子,动词后可以用表示时量的词语,'刚才'不行。

我刚(ˣ刚才)来一会儿｜他刚(ˣ刚才)走了两天你就回来了

3. '刚才'后可以用否定词,'刚'不行。

你为什么刚才(ˣ刚)不说,现在才说?

刚刚 gāng。gāng （见'刚'）

刚好 gānghǎo

〔副〕正好在那一点上(指时间、空间、数量等;有不早不晚、不前不后、不多不少、不…不…的意思)。

a) 刚好＋动。

我们顺便走进他家,他～在｜一枪～打在靶心上｜这两只花瓶～配成一对｜在我的窗口～能看见放礼花｜今天～没事,咱们去香山走走吧

b) 刚好＋形。

人数～够｜浓淡～合适｜我们去的时候,病人～清醒过来｜这间屋子的面积～比那间大一倍

c) '刚好'用于有数量词的句子。

体重～[是]一百斤｜不多不少,～[有]三张票｜这根竹竿～[有]一米长｜这一箱～装二十五斤

d) '刚好'用在主语前。

正要找他,～他来了｜事情发生的时候,～我在现场

高兴 gāoxìng

〔动〕1. 感到愉快而兴奋。可带'了、过',可重叠为 ABAB 式。

白～了一场|你给我们说说,也让我们～～|小陈受到表扬,又
～起来了

2. 带着愉快的心情去做某事;愿意做某事。用在别的动词前,类
似助动词。

    a) 多用于否定式。

        路太远,我们不～去|人家不～玩扑克,你别勉强他|路那么
        远,谁都不～去

    b) 肯定式常用于反问句或连锁句。

        这本书那么枯燥,谁～看呢? |他自己～去,谁拦得住他? |谁
        ～去谁去

〔形〕 愉快而兴奋。

    a) 作谓语。

        看到孩子们有进步,心里很～|听说第一口油井出油了,大家
        ～极了|小方比谁都～|这两天他不太～|听到这个消息,我～
        得几乎要跳起来

    b) 修饰名词的时候要带'的'。

        他平时话不多,～的时候才说上几句|遇到～的事情,有时他
        也会唱上两句

    c) 修饰动词的时候常用重叠式 AABB。

        他们高高兴兴地走了

    d) 作补语。

        两个人谈得可～了|这一天玩得真～

    搞 gǎo

〔动〕 做;弄;干。可带'了、着、过',可重叠。可带名词宾语。

    这事儿不好～|我们～了一个初步方案|他～设计,我～施工|
    要把问题～清楚|这事叫他～得一塌胡涂|你在～什么名堂?

    a) '搞'可代替各种不同的动词,常随不同的宾语而有不同的意
义。

～总务(担任总务工作)|～对象(找结婚对象)|～关系(拉关系)|～一个方案(制订方案)|～科学工作(从事科学工作)|不要～花架子(不要华而不实)

b）数量词加表示具体事物的名词作宾语，'搞'有'设法获得'的意思。

～几张票|～一台电视机|～点儿东西吃

动结 搞//好 搞//成 搞//通 搞//明白 搞糟了 搞丢了

搞得(不)了(liǎo) 有(没有)能力搞：他刚学英语，还搞不了文学翻译

动趋 搞//上去 把国民经济搞上去

搞//下去 继续搞：试验要搞下去，不能半途而废

搞//出来 必带宾语：还没有搞出结果来|一定要搞出个名堂来

搞//到 票已经搞到了

告诉 gào·su

〔动〕1.把意思传给人家知道。可带'了、过'，可重叠。可带双宾语或只带指人的宾语。

我～你一个好消息|大夫～病人应该吃什么药|～他们,说话小点儿声|～张老师,明天上午八点全体运动员在操场集合|把详细情况～我|事情的经过让老陈～您吧

'告诉'后可加'给',再接指人的宾语。

情况全都～给我了|你把那消息～给他听听|我已经～给老王了

动结 告诉错了 告诉晚了

格外 géwài

〔副〕表示程度超过一般。

a）格外[地]＋形/动。

这几天好像太阳～亮,天空～蓝|最近他显得～[地]高兴|脚

步～[地]坚定有力｜比平时～爱说话了｜～用功｜～感兴趣｜～
有意思｜这一次比平时～努力｜～做得好(＝做得～好)｜问题
～解决得彻底(＝问题解决得～彻底)

b) 格外＋不＋形/动(多为双音词)。

～不容易｜～不新鲜｜～不可靠｜～不讲理｜～不愿意了

c) '格外'修饰带'得(不)'的动结式或动趋式动词。

～过意不去｜～沉得住气｜～沉不住气｜距离那么远,又赶上雾
天,～看不清楚了

个　gè

〔量〕1. 通用个体量词。用于没有专用量词的事物。

一～人｜一～影子(人影)｜两～西瓜(苹果、萝卜)｜三～馒头
(包子)｜一～集团(政党、团体、单位、机关、剧团)｜一～国家
(社会、世界)｜一～地方(操场、战场)｜一～村子(院子)｜一～
季节(冬天、月、星期、钟头、时期、阶段、时代、世纪)｜在北京过
了好几～年(中秋节、国庆节)｜一～字(句子、词组、词、段落、
声音)｜一～号码｜一～故事(笑话、节目、游戏)｜摔了一～跟
头｜转了两～弯儿｜画了两～图样｜三～臭皮匠,合成一～诸葛
亮｜小伙子一～赛过一～｜～～儿都是英雄｜地上放着一～～西
瓜｜一～一～走,别挤

也可用于某些有专用量词的事物。

一～(只)耳朵｜一～(所)学校｜一～(家)工厂｜一～(张)凳子

2. 跟动作有关的用法。

a) '一个'跟少数名词、动词结合,用在谓语动词前,表示快速或
突然。

一～箭步窜了上去｜一～跟头栽了下来｜一～失手,碗摔碎了｜
一～不小心(不留神、不注意),把手指划破了

b) 动＋个＋约数。跟不用'个'比较,有'个'显得语气轻快、随
便。

哥儿俩才差～三、两岁|每星期来～一、两趟|这本书我得看～
四遍五遍的|一天跑～百儿八十里不算什么

c）动＋个＋宾。常常连用两个，有时还在后面加'的'或'什么
的'。整个语句显得轻快、随便。

他就爱画～画儿、写～字什么的|他常在我这儿吃～饭、喝～茶
的|洗～澡，睡～觉，休息休息|他就爱讲～卫生|讨他～喜欢|
有～差错怎么办?

有时表示'一次'。

我跟他见了～面(＝见了一次面)|上了～大当(＝上了一次大
当)

d）动＋个＋形/动。'个'的作用跟引进补语的'得'相近。动词
可带'了'。

看～仔细|问～明白|笑～不停|他倒跑了～快|玩了～痛快

也可以跟'得'字连起来用，但动词不能带'了'。

看得～仔细|玩得～痛快|把对方打得～落花流水|吵得～不
亦乐乎|闹得～满城风雨

e）没(有)＋个＋动/形。有的形容词要带儿尾。用于口语。

大家齐心协力，那没～打不赢的|他一说就没～完|没～错儿，
就是这样|这样做对你也没～好儿|你有～正经没有? |他说话
就没～正经

注意 除'个个'外，'个'在语句中一般轻读。

各　gè

〔指〕指某个范围内的所有个体。用在名词或量词前。名词限于
'人、机构、单位、组织、党团、阶级'等。

～人|～家|～县|～区|～村|～省|～地|～工厂|～学校|～
医院|～诊所|～单位|～机关|～团体|～车间|～车厢|～办
公室|～部委|～分局|～中队|～派出所|～国|～党派

量词常用的有下面这些。

~个(小组)|~级(委员会)|~位(家长)|~次(列车)|~类(文件)|~种(消息、人)|~项(工作)|~式(糕点)|~期(杂志)|~条(战线)|~门(功课、课)|~路(大军)|~章(内容)|~界(人士)|~届(毕业生)|~方面(代表)|~种~样(人物)

〔副〕表示分别做或分别具有。

a) 各+动。

~尽所能,按劳分配|左右两侧~有一门|双方~执一词

b) 名…各[的]。表示不一样。

这两样工具~有~的用处|他们~有~的想法|下了班,他们就~回~的家了

a)是 b)的较早的用法。比较:各有用处|各有各的用处。

c) 各+数量。

精装本平装本~三部|我们班男生和女生~一半|每组~三名组员

注意 除少数四字语(见下)外,'各'一般不用于否定句。

习用语 各顾各　各自为政　各就各位　各行各业　各不相同　各不相让　各不相谋　各不相扰

比较 各:每 1)'各'和'每'都指所有的个体,但意义上的着重点不同。'每'着重于取出一个或一组做例子,'各'则着重于同时遍指。如下面例子中的'每'不能换成'各'。

每一个人都有一辆车|每三年粉刷一次

2)'各'可以直接加在一些名词前,'每'要跟量词或数量词结合才能加在名词前('人、家、年、月、日、星期、周'等除外)。

每个学校(×每学校)|每个车间|每两个小组

3)'各'后只能用一部分量词,'每'后可以用各种量词。'每'可以和数量词结合,'各'不能和数量词结合。

各别　gèbié

〔形〕1. 各不相同;有分别。

a) 作谓语。

问题的性质～,应该用不同的方法解决|情况～,要区别对待

b) 作定语。

～的问题|～的性质

c) 修饰动词,表示采取不同的方式。

其他问题～对待|对这类事情要～处理

2. 别致;新奇。

这件衣服的式样很～|这些产品使用的材料很～

3. 特别(含贬义)。

他的脾气很～,一点儿小事就生气|他看问题的方法太～了

各个 gègè

〔代〕每个;指称某一类人或事物中的所有个体。

a) 作主语时,所称代的具体对象或范围须在前文出现。

我几个同学,～都是劳动能手|大家在运动场上～争先恐后

b) '各个'有时与称代的对象组成同位词组,充当主语。

他们～都像运动员|同学们～精神振奋

c) 作定语时,直接修饰名词,不能加'的'。

当时,～分厂的生产任务各不相同|应该考虑问题的～方面|
参赛者是来自～大学的高才生

〔副〕逐个。表示依次行动。

对待这些同案犯,应该采取～击破的策略|这些问题要～解决|
我们应该想方设法,克服工作中的～困难

各自 gèzì

〔代〕各人自己;各个方面中代表自己的一方。

a) 作主语时,所称代的具体范围中的具体对象须在前文有所交待。

陈田和刘英都是代表,～代表不同的行业|大家听完报告以

后,～都有很多想法|大家谁也不开口,～都在想自己的心事

b) '各自'有时与所称代的对象组成同位词组充当主语。

看完电影,他们～回到宿舍|小明和小光自从吵架以后,他们～谁也不肯先跟对方说话|把我的打算告诉你们以后,你们～先考虑一下,明天再答复我

c) 作定语时,可直接修饰名词,也可加'的',也可以与所称代的对象组成同位词组以后再充当定语。

他们从～不同的角度出发考虑问题|他们有～的朋友一起玩儿|由此可以看出他们～的态度

给　gěi

〔动〕1. 使对方得到。可带'了、过'。可带双宾语,也可只带其中之一。

那本书我～你了|～了他一张票|从来没有～过他钱|把钢笔～我|材料～得相当齐全

a) 第二个名词宾语后面还可以再加动词,这个名词类似兼语。

～我一壶开水沏茶|～学校这块空地作操场

b) 第二个名词宾语是它后面的动词的受事。

～我一杯水喝(给一杯水,喝水)|～你一点儿尝尝(给一点儿,尝一点儿)

2. 使对方遭受。可带'了、过'。在一般情况下必带双宾语,有时可以只带第二个宾语,但不能只带第一个宾语。

a) 第二个宾语可以是动词、形容词,但必加数量词。

～你一点厉害|～他一个不理睬

b) '给'代替某些具体动作动词。

～了他两脚(＝踢他两脚)|～他几句(＝说他几句)

3. 容许;致使。用法与'叫、让'相近。

城里城外跑了三天,～我累得够呛|～他多休息几天|你那本

书～看不～看？|酒可是不～喝|看着小鸟儿,别～飞了

动结 给∥全　给∥够　给多(了)　给少(了)　给错(了)

动趋 给∥出[来]　定出:提出(用于科技文献):给出一定条件|要把已知数都给出来,才能编制计算程序

给得(不)起　有(无)能力付给:我们给不起这么多的钱

〔介〕1. 引进交付、传递的接受者。

　　a) 用在动词前。

　　　　～我来封信|～他去个电话|家里～小刘寄来了一个包裹|教师～每个同学发了一份复习提纲

　　b) 用在动词后。

　　　　留～你钥匙|交～我一封信|厂里发～他一套工作服|通知已经寄～他了|把文物献～国家|后卫把球传～了中锋

2. 引进动作的受益者。

　　　～黑板报写稿|～病人治病|我～你当翻译|努力攀登科学高峰,～祖国争光

3. 引进动作的受害者。

　　　对不起,这本书～你弄脏了|小心别把玻璃～人家碰碎了|怎么把屋里～我搞得这样乱七八糟的?

4. '给我'加动词,用于命令句,有两种可能的意思,要根据上下文区别:

　　a) 同'为我','替我'。

　　　　我的帽子不知哪儿去了,你～我找一找|出去的时候～我把门关好

　　b) 加强命令语气,表示说话的人的意志。

　　　　你～我走开! |你～我小心点儿! |瞧你一身泥,快～我把衣服换了! (不是换我的衣服)

5. 朝;向;对。

　　　～老师行礼|～他道歉|～小朋友讲故事|他～我使了个眼色

6. 表示被动;被。

门～风吹开了|衣服～雨淋湿了

注意 '给…'用在动词前,有时会产生歧义,要根据上下文判断。

你给他打个电话,说他在我这儿有事(＝替他打电话通知别人)|你给他打个电话,叫他马上到这儿来(＝打电话通知他本人)|对不起,铅笔给你弄丢了(＝把你的铅笔弄丢了)|你看,铅笔给你弄丢了吧?(＝被你把铅笔弄丢了)

〔助〕直接用在动词前。用于口语。1.用于主动句。

a)'把'字句。

他把衣服～晾干了|让我把杯子～打碎了一个|我们把房间都～收拾好了

b)非'把'字句。

明天的事儿,你·-记着点儿|水龙头坏了,我们～修|我～洗,你～烫,咱俩一起干|劳驾,您～找一下老王同志

2.用于被动句。

a)'被'字句。

衣服让他～晾干了|杯子叫我～打碎了一个|房间都让我们～收拾好了

b)非'被'字句。

杯子我～打碎了一个|房间我们都～收拾好了

施动者可以不出现。

杯子～打碎了一个|虫子都～消灭光了|房间都～收拾好了

给以　gěiyǐ

〔动〕给。必带双音节动名词做宾语。前边常用助动词或'一定、必须'等副词。多用于书面。

他有困难,我们应当～帮助|对于工作上作出成绩的同志,要～适当的鼓励

受动者必须放在主语前或'给以'前,如以上各例。如放在动词后,'给以'就要改用'给'。

227

他有困难,我们应当给他帮助

或者用'给…以…'。'给'后可带'了'。

兄弟院校给了我们以很大的支持|演员们精湛的演技给我们以深刻的印象

根 gēn

〔量〕用于条形物。可儿化。

一～竹竿(棍子、骨头、管子、筷子、树枝)|一～木头两个人抬|三～电线杆|一～柱子|一～儿线(铁丝儿、头发、火柴)

根本 gēnběn

〔名〕事物的根源,最重要的部分。前面不能加数量词。

放弃品德教育就是放弃了～|水、土是农业的～

根本＋上。

问题必须从～上解决

〔形〕最重要的,起决定作用的。前面可以加副词'最'。

～原因|～保证|～措施|～问题|事物发展的～原因,要到事物内部去找

〔副〕1. 彻底。

问题已经～解决|要～改造自然环境,还需要相当的时间|这种不良风气已经～改变

2. 从头到尾;始终;完全。多用于否定句,或修饰含义近于否定的动词。

他～不认识我|他～不住在这儿|我～没同意|你～不了解情况,怎么能把事情办好呢? |这个～不成问题|去年冬天～不冷|车子开得～就不快|我～怀疑这样做有什么好处

'根本'有时可修饰全句。'根本'与主语中间不能有停顿。谓语中常用副词'就'。

～你就不对么! |～我就没理他

根据 gēnjù

〔名〕作为论断前提或言行基础的事物。

理论～|科学的～|说话要有～|我这话可是有根有据|你的～是什么?

〔动〕以…为根据。必带宾语。

财政支出应该～节约的原则|你作出这个结论是～什么?

〔介〕表示以某种事物或动作为前提或基础。

a) 根据+名。用在主语前时,有停顿。

～原著第三版翻译|～民歌改编|～不同情况分别处理|计划还要～群众的意见加以修改|～现有的材料,我们还不能作出最后的决定

b) 根据+动。一般用在主语前,有停顿。

～统计,产量比去年同期增加百分之十|～抽血化验,他的病情已经大大好转

'根据'后面的动词用如名词,不能带宾语;前面如有表示施事的名词,中间往往加'的'。

～我们[的]了解,这件事与他无关|～专家[的]鉴定,这是恐龙的化石

[比较] 根据:据 '根据'的介词用法基本同'据',略有区别。

1) '据'可以跟单音节名词组合,'根据'不能。

据实报告|根据事实报告

2) '据'可以跟'说、报、闻、传'等组合,'根据'不能。

据说他走了(×根据说…)|据报明天有雨(×根据报…)

3) '据'常跟'某人说''某人看来'之类的小句组合,用'根据'时,通常要把这种小句改为名词性短语。

据他说,情况并不严重|根据他的说法,情况并不严重(×根据他说…)

据我看来,还需要进一步调查|根据我的看法,还需要进一步

调查(×根据我看来…)

跟　gēn

〔动〕在后面紧接着向同一方向行动。不能单用,必须加趋向动词或在前后加介词短语。

> 你走慢一点,快了老太太～不上|陈叔叔在前边走,小华在后面～着

〔介〕1. 表示共同,协同。只跟指人的名词组合。

> 你去～老王研究一下|我～你一起去|小莉～同学游泳去了

  a) 否定词'不'用在'跟'前,表示主观意愿。

> 我不～他在一起|我不～这个人见面

用在'跟'后,表示客观事实。

> 我～他不在一起|我～这个人不相识

  b) 否定词'没'在前在后意思相同。

> 我没～他在一起(＝我～他没在一起)|我没～这个人见面(＝我～这个人没见面)

2. 指示与动作有关的对方。只跟指人的名词组合。

  a) 对。

> 把你的想法～大家谈谈|要尽快～厂里联系|他～谁都一样

  b) 从…那里。

> 这本书你～谁借的? |我～你打听一件事

3. 表示与某事物有无联系。

> 他～这事没关系|这事～我有牵连|他去不去～你什么相干!

4. 引进用来比较的对象。后面常用'比、相同、不同、一样、差不多、相像'等词。

> ～昨天比,气温下降了五度|这种萝卜～梨一样甜|我的爱好～你差不多|女儿长得～妈妈一个样儿|我的看法～你不同|我去～你去一样|写诗～写散文比较起来,更需要在用字上下功夫|他说汉语就～说藏语那样流利

〔连〕表示平等的联合关系;和。一般连接名词、代词。多用于口语。

　　小李～我都是山西人|铅笔～橡皮你都搁那儿去了?

比较 跟:同:和:与　1)用作介词时,口语中常用'跟',书面语现在倾向于用'同'。用作连词时,一般倾向于用'和',较少用'跟',用'同'则更少。

　　2)'与'多用于书面,尤其多用在书名、标题中。

　　跟前　genqián

〔方位〕身边;附近。

1. 单用,前面没有名词。

　　他靠在沙发上,～有一大堆书报|这孩子爹娘不在～,全靠邻居们照管|你往～站站,让我仔细看看|走到～,才看清楚

2. 名+跟前。

　　您～有几个小孩?|纪念碑～站着不少人|别到病人～去

　　更　gèng　(更加)

〔副〕表示程度增高。用于比较。多数含有原来也有一定程度的意思。

　　a) 更+形。

　　学习是为了～好地工作|迎接～艰巨的任务|他比你来得～早|还可以～详细一些|比起过去来,现在的产品～多～好了

　　b) 更+动词短语。

　　比以前～懂得道理了|～喜欢这个地方了|这么做～联系实际|～使我感动的是另一件事|比较起来,我～愿意到牧区去工作|这样做～能解决问题

动词后用'得'引进补语时,'更'可以移到补语里去。

　　～干得起劲了(＝干得～起劲了)|～解决得彻底(＝解决得～彻底)

c) 更+不+形/动。

~不容易了|~不对了|~不明白了|~不愿意了|她比我姐姐
~不爱说话

d) 更+动+得(不)+…。否定形式居多。'得、不'后常用趋向
动词和'了(liǎo)、住、着(zháo)'等。

~合得来了|比过去~说不出口|~沉得住气了|~抓不住
(着)了|这一次~决定不了了|今天我~帮不了忙了|~看不
见了|~说不清楚了

注意 1) '更'有时不含有'原来也有一定程度'的意思，而只是和
相反的一面比较。如：'反而更快了'，原来不一定就快，也可能是
慢。'反而更说明问题'，原来不一定说明问题。

2) 表示与同类事情比较更加突出，与'尤其'相近。

我佩服他的学问，~敬重他的品德|他没去图书馆，也没去教
室，~没在宿舍，不知去哪儿了|我不喜欢下棋，~不喜欢打扑
克，只喜欢打乒乓球

【更加】同'更'。常用在双音节形容词、动词前。

你这个主意比我的更加高明|更加说明问题|更加不容易了|
更加不明白了|更加听得进去|×更加好地工作

比较 更加：越发 见'越发'。

更：再 见'再'。

更加 gèngjiā （见'更'）

供 gōng

〔动〕1. 供给，供应。可带'了、过'。可带双宾语，也可以只带其中
的一个。

你上大学的那几年谁~你生活费？|你写吧，我~你纸笔|我
砌砖，你~料|这种商品现在是~不应求

2. 提供某种方便条件，以备利用。多带兼语。

· 232 ·

这套通俗读物可～具有初中文化程度的人阅读|这是～旅客
候车的地方|以上意见～你参考|这几种盐都可～食用

动趋 供得(不)上　能(不能)及时供应:快点装车,快～不上了|你
一个人～得上这么多人吗?

供得(不)过来　能(不能)满足供应:你太快了,我供料～不过来了

供得(不)起　有(没有)能力供应:你们要这么多,我们可～不起

　　共　gòng

〔形〕表示相同的;共同具有的。多用作构词成分。

　　～识|～性|～通

〔副〕1. 一起;一齐。表示共同。

　　他们同甘苦、～患难|邀请客人～进晚餐|这个人很难～处|～
　　商国家大事|这些成果我们应该～享

2. 表示总计,意思相当于'一共'、'总共',动词后面必出现表示数
量的词语。

　　两杯饮料～收八块八毛|几批货～欠两千多元|全校～有两千
　　多人

注意 '共'一般多用于单音节词之前,构成意义比较固定的双音节
词。如:共事、共存、共鸣、共享、共识等等。

　　共通　gòngtōng

〔形〕表示通于或适于各方面。不能单独做谓语,只能用在'是…
的'中间。

　　这些道理是～的|处理方法可以不同,但原则是～的|我们的
　　想法是～的

　　修饰名词短语。

　　～的道理|～的原则|这是两者～之处

比较 共通:共同　见'共同'。

233

共同　gòngtóng

〔形〕表示相同的、多方具有或一致的。不能单独作谓语，只能用在'是…的'中间。

　　我们的事业是～的|奋斗的目标是～的

　用于名词短语的修饰成分。

　　～的特点|～的利益|～语言|～的节日|～之处|～的财富

〔副〕表示两个以上的主体配合行动，相当于'一同'、'一起'。后边的动词必须是双音节词。

　　～承担责任|～商讨学术问题|～克服困难|～协商

|比较| 共同：共通　'共同'说明各个方面具有一致性；'共通'说明各个方面相通。'共同'修饰动词，表示多个主体采取一致的行动。'共通'没有副词用法。如'大家共同努力，把报纸办好'（˟共通努力）。

够　gòu

〔动〕1. 满足需要的数量、标准、程度等。可带'了'。

　a) 不带宾语。

　　你带的钱～不～？|我们人数还不～|材料已经～了

　b) 够+名。名词多为双音节抽象名词。

　　～时间了|你给的～不～份量？|当总工程师我还不～条件|身高一米六～不～标准？|他这个人～交情|我学得并不好，当老师～资格吗？|这篇论文不～水平

　c) 够+动。动词多为单音节。

　　～用|～花了|一个面包就～吃了吗？|这点儿地方只～盖一间小房|他攒的钱已经～买一台电视机了

　d) 够+小句。

　　这一盒铅笔～你用一年呢|才一间房，～谁住呢？

　e) 做动结式第二成分。中间可插入'得、不'（插'得'较少）。多

234

含不耐烦的语气。

> 你们笑～了没有？|我还没睡～呢,让我再睡会儿|老朋友见了面,总也聊不～|他这些话你还听不～? 我早听～了|带孩子我可带～了|那时候成天吃海带,大家都吃～了

f) 动+<u>个</u>+<u>够</u>。动词后面带'了'或前面有'要、可以、让'等。

> 星期日一整天,他们玩了个～|老朋友好不容易聚到一块儿,一定要说个～|等苹果树结了果,让你们吃个～

<u>习用语</u> **够朋友** 能尽朋友的情份:你这么说可太不够朋友了

2. 伸直了胳膊或用长形的工具取东西。可带'了、过'。可带名词宾语。

> 小克爬到树上～了一把枣儿|劳驾你给我把气球～下来

<u>动结</u> **够∥着**(zháo) 达到一定的高度而接触到或拿到:他个儿矮,上面的那扇玻璃够不着|你够着了给我

<u>动趋</u> **够∥到** 够着:地道很矮,伸手就够得到顶|墙上钉子钉得太高,不站在椅子上够不到

〔副〕1. 修饰形容词,表示达到一定标准。形容词只能是积极意义的,不能是相应的反义词。

> 别接了,绳子已经～长了(ˣ够短)|你看～宽不～宽? ——～宽了(ˣ够窄)

2. 修饰形容词,表示程度很高。形容词可以是积极意义的,也可以是消极意义的。句尾多加'的'或'了'。

> 天气～冷的|这件事～糟糕的|如今的儿童～幸福的|炼钢工人可～辛苦的|老大爷待我们～好了|他们已经～忙了,别再给他们加任务了|不要再说了,人家已经～为难的了

股 gǔ

〔量〕1. 用于条形物,尤其是由不止一条合成的。

> 两～线|这电线是双～的|走这一～儿小道上山|这趟列车走哪～道儿

235

2. 用于气流、水流等。

一～冷风吹了进来|一～热气|两～浓烟|几～火光|一～泉水|
一～潮流

3. 用于气味、力气、神态等。数词多用'一'。

一～香味|屋里有一～味儿|说起话来一～书生味儿|他有～冲
劲儿|他们俩是两～劲儿,合不到一块儿|姐妹俩见了面,那～亲
热劲儿就甭提了|大家都有一～爱国热情

4. 用于成批的人(多为坏人、坏势力)。

两～土匪|一小～敌军

固然　gùrán

〔连〕1. 表示确认某一事实,转入下文。前后小句意思矛盾,'固
然'的用法近于'虽然',但'固然'多用在主语后。后一小句常用
'但是、可是、却'等配合。

药～可以治病,但是服用过量也会产生相反的作用|工作～很
忙,但还是可以抽出一些时间来的

重复同一形容词谓语,'固然'插在中间。

这样做,好～好,可就是太费时间了|这种机器,笨重～笨重,
但用处还是很大的|钢铁厂离我们这里远～是远点儿,不过交
通还算方便

2. 表示确认某一事实,接着说同时也应该承认另一事实。前后意
思不矛盾,转折较轻,重在突出后一小句,多用'也'配合,有时也用
'但是、可是'。

大米白面～好,高粱玉米也不错|考上了～很好,考不上也不
必灰心|～每个画家都有自己的风格,但同时代的作品总还会
有某些共同的特点

比较 固然:虽然　1) '固然'侧重于确认某种事实, '虽然'侧重于
让步。因此, '虽然'只和'固然'1 项用法相近, '固然'2 项用法不
能换成'虽然'。

2) '虽然'用在主语前后比较自由,'固然'则很少用于主语前。

故意 gùyì

〔副〕明知不应或不必这样做而这样做;有意识地。常含贬意。

～捣乱|说话之前,先～咳嗽两声|做菜时～多洒上一把盐|说到紧张的地方,～要歇口气,喝口茶|他～不理睬我

'故意'可以用在'是…的'中间。

昨天迟到,我看你是～的|对不起,我不是～的|别理他,他～的

顾 gù

〔动〕1. 看。限用于书面。

四～无人|左～右盼|瞻前～后|环～四周|相～一笑

2. 照管;注意。可带'了'。可带名词、动词、形容词、小句作宾语。不单用。

a) 常用于正反并列形式。

～了这头,丢了那头|只～别人,不～自己|～此失彼

b) 用肯定式时,一般要在'顾'前加'只、光、就、净'等副词;否定式不受此限。

光～说话,把事情忘了|就～你自己方便,这怎么行! |不～危险|看他不怎么～家

【动结】顾得(不)了(liǎo) 能(不能)照管到:这些事情你一个人顾得了吗? |办事情要快,顾不了这么多了

顾不得 a)无法照管:母亲远离在外,也顾不得我们 b)无法考虑:任务紧急,顾不得这许多了

【动趋】顾//上 照管到,来得(不)及:顾上这头,顾不上那头|这事我还没顾上呢|时间太紧,顾不上吃饭了

顾得(不)过来 能(不能)全照管到:这一大堆行李,我一个人简直顾不过来

怪　guài

〔动〕责怪;责备。可带'过'。必带名词宾语或兼语。

　　这要～他|我从来没有～过你|这事不能～老韩;～我没说清楚|是我错～了你

动结 怪//着(zháo)　你怪不着老薛,是小刘忘了通知你了

动趋 怪//上　这可怪不上我,我根本没去

怪//到　是我弄错了,怪不到他头上

〔形〕奇怪;不正常。

　　～人|～事|～现象|～样子|～得很|这事情很～,谁也不明白

〔副〕表示有相当高的程度。用于口语。后边必须用'的'。

　a) 怪+形+的。

　　～不容易的|～脏的|慢着点儿走,地下～滑的|他心里～难受的|这孩子长得～可爱的|他～亲热地说:'别客气,到这儿就是到了家了'|～聪明的一个小姑娘,手也勤,嘴也巧

　b) 怪+动+的。动词主要是表示心理状态的。

　　～惦记[他]的|～心疼的|～担心的|～想他的|湖面闪着光,几只白鹅悠闲地游着,～有诗意的|这个人～有意思的|这孩子～招人喜欢的|×～感谢的(很感谢)|×～希望他来的(很希望他来)

　c) 怪+不+形/动+的。

　　说去又不去了,这样～不好的|这话说得～不好听的|他～不耐烦地挥了挥手|我心里～不高兴的|～沉不住气的|～说不出口的|～过意不去的

比较 怪:挺　1)'怪'的感情色彩比'挺'更重一些。

2)'怪'能修饰的形容词、动词比'挺'少,如'坏、对、耐烦、普遍、卑鄙、支持、拥护、说明(问题)、能够、愿意'都不能受'怪'的修饰,但可受'挺'修饰。能加'很'的形容词一般也能加'挺'。

3)'怪…'的后边一般要用'的','挺'可以不用。

怪不得　guài·bu·de

〔动〕不能责怪。必带名词宾语。

　　这是我弄错了，～他|这场球没打出水平，～场地，～天气，只怪咱们自己

〔副〕表示醒悟(明白了原因，不再觉得奇怪)。前后常有表明原因的语句。

　　下雪了，～这么冷！|～吐尔逊汉语说得这么好，原来他在北京住过三年|我说他怎么那么高兴，原来试验成功了，～！

关系　guān·xì

〔名〕1. 事物之间相互影响、相互作用的状态；人或事物之间某种性质的联系。

　　要处理好工作和学习的～|不会休息的人就不会工作，你得认清两者的～|我和他是朋友～

2. 指某种影响或重要性。常作'有'、'没有'、'没'的宾语。

　　我真怕这件事对她有影响，可她总说没～|面试时，主考老师对你的第一印象很重要，你不要认为没有～

3. 泛指原因和条件。

　　由于经费～，这项研究工作暂时停止|主要是语言不通的～，他最初在美国工作遇到不少困难

4. 表示某种关系的书面材料。

　　你的工资～还没有转过来|他的组织～仍在原单位

〔动〕关联、牵涉，表明某事对另一事有直接影响。'关系'后常带'着'、'到'，再带宾语。

　　这～着国家的尊严|这场比赛～到我们能不能进入决赛

注意　'关系到'如果用于具有正反两个方面的某一件事，与之有关联的另一件事也应具有正反两个方面。如：

　　他俩能不能参加我们的课题组，关系到我们这个课题能不能

按期完成|这件事处理得好不好,直接关系到我们今后能不能
合作的大问题

关于 guānyú

〔介〕表示涉及的事物。

　a) 关于+名。

　　最近看了一些～国际问题的材料|～牛郎星和织女星,民间有
　　个美丽的传说|～运输问题,我想再说几句|他写的小说不少,
　　有～战争与和平的,也有～农村生活的

　b) 关于+动/小句。

　　～兴修水利,县政府正在全面规划|～学校增加招生名额,你
　　们准备采取什么具体措施?

　c) '关于…的'+名。

　　～节约用煤的建议|～唐山发生地震的消息

比较　关于:对于　　1)表示关联、涉及的事物,用'关于';指出对
象,用'对于'。

　　关于这个问题,我直接跟老王联系|对于这个问题,我们一定
　　要采取积极的态度

两种意思都有的,'关于'、'对于'都可以用。

　　关于(对于)节约用煤的建议,大家都很赞成

　2)'关于…'作状语,只用在主语前;'对于…'作状语,用在主语
前后均可。

　　关于中草药,我知道得很少(ˣ我关于中草药…)|对于中草药,
　　我很感兴趣(=我对于中草药…)

　3)'关于…'可以单独作文章的标题,'对于…'加上名词才能。

　　关于文风问题|关于提高教学质量
　　对于文风问题的看法|对于提高教学质量的几点意见

比较　关于:至于　见'至于'。

　　　　　　　　　　　　　　　240

管　guǎn

〔介〕把。构成'管…叫…'的格式,用来称说人或事物。只用于口语。

> 古人～眼睛叫'目'|他们～我叫老三|大伙儿～他叫'小钢炮'|
> 我们都亲切地～他母亲叫'老妈妈'

〔连〕表示行动不受所举条件的限制,相当于'不管'。'管'后小句的主语一定用'你'或'他'('他'有时候虚指),谓语或者包含肯定和否定两部分,或者是一个疑问代词。下文多用副词'都、也、就'等词呼应。用于口语。

> ～你有事没事,你不能撂下工作就走|～他是谁,不按制度办
> 事就应该批评|～他下不下雨,足球赛都得马上开始

⌊比较⌋ 管:不管　'管'是由反问语气取得否定意义,因而成为'不管'的同义词的。用'管'限制较多,用'不管'限制较少。'不管'后可直接用疑问代词,'管'后要加'他(它)'。

> 不管什么人,不按制度办事就该批评|管他什么人,不按制度
> 办事就该批评!

用'管'时带感情色彩,语气较强烈,用'不管'时语气较缓和。

管保　guǎnbǎo

〔动〕表示有把握,相当于'保证'。必带动词、小句作宾语。多用于口语。

> 他们～亏待不了孩子|我～他们不会让你走|你如果这样表
> 示,～大家都满意

'管保'所涉及的内容多是对正面事实的担保,有时也可说'保管',意思完全相同。如果是不企望发生的事实,一般较少用'管保'。

> ～出不了事故(×～出得了事故)|～误不了车(×～误得了车)|
> ～能得第一(×～不能得第一)

惯 guàn （惯于）

〔动〕1. 习惯。做谓语常带'了'。

住久了就～了|这种方式他已经～了,不容易改变了|用圆珠笔写字我还不～

2. 纵容(多指儿童)。可带'着、过',可带名词宾语。

你太～孩子了|奶奶就～着他|这些毛病都是你妈把你～的|把个女儿～得不成样子

3. 作动结式第二成分,表示习惯。可插入'得、不'。

看～|听～|用～|住～|夜晚走路走～了也没什么可怕的|这么睡我可睡不～|吃～了馒头吃不～米饭

【惯于】习惯于。必带动词宾语。

惯于夜间工作|他惯于干这些讨人嫌的事情|他们惯于在有风浪的水面上划船

惯于 guànyú （见'惯'）

光 guāng

〔副〕限定范围;只,单。

a) 光＋动/形。

我～谈学习问题,不谈其他问题|小孩～笑不说话|别～想玩|我们不需要～说不做的人|不能～看到成绩,看不见缺点|产品～好看不行,还得质量好|～急躁是没有用的

b) 光＋名。

～我们班,报名参加冬季长跑锻炼的就有几十人|～[是]小麦的产量,就达到去年全年的粮食总产量|～他们俩,就抬了八十筐土|～发言的就有十几位|～这点吗? 还有吧? |不～他一个人,还有别人

归 guī

〔动〕1. 属于。必带宾语。

242

土地～国家所有|哥哥走了,他的自行车就～你了

2. 表示动作属于谁的职责。用于兼语句,主语是兼语后动词的受动者。

车辆～你们解决,燃料～我们解决|整个七区都～这个管理所管辖|图片部分～制图组绘制

比较 归:由　介词'由'的意思很多,只有后面名词指施动者时,才跟'归'2用法相近。'归'只用于划分职责的范围,'由'不限于此。用'归'的句子都可以换用'由';但不表示职责划分的时候,只用'由',不用'归'。

专机由(ˣ归)三架战斗机护航|先由(ˣ归)班长致欢迎词,再由(ˣ归)我们演出几个节目

归于　guīyú

〔动〕1. 属于。必带名词宾语(多指抽象事物)。

光荣～伟大的祖国|荣誉～集休|应该把功劳～辛勤指导我们的老师

习用语 归功于　把功劳归于……。

这次试验成功应该归功于全体职工

归罪(归咎)于　把罪过归于……。

自己有错,不应归罪于别人

2. 趋向。必带形容词、不及物动词作宾语。

经过讨论,大家的意见已经～一致|风停了,咆哮的大海也渐渐～平静

鬼　guǐ

〔名〕1. 迷信的人所说人死后的灵魂。

～来了我也不怕|我就不相信世界上有～|谁真看见过～的样子?

2. 对某些有不良行为和嗜好的人带有贬义的称呼或斥骂。多含

有厌恶的感情色彩。

> 你看这个酒～又开始发疯了|这个缺德～干了不少坏事|你真是个胆小～|他们几个赌～凑到一块儿就没正经事|他们俩都是烟～|我心里暗暗骂他'讨厌～'

3. 指不可告人的打算或勾当。常作'搞、有'等的宾语。

> 这个人专门爱搞～|他神色慌张,一看就是心里有～|不知道他又捣什么～

〔形〕1. 不好、糟糕、恶劣。限作定语。多用于口语。多含有抱怨、不满的情绪。

> 这个～地方我一天也不想呆|今天又赶上个～天气|你搞的什么～名堂!

2. 聪明、机灵。多指小孩或动物。常受程度副词修饰或带程度补语。多用于口语。含有喜爱、赞赏的语气。

> 你还真～,幸亏没让他骗着|这个小家伙真～|我家小弟弟可～啦! 很讨人喜欢|那只小花猫～极了

果然 guǒrán （果真）

〔副〕表示事实与所说或所料相符。用在谓语动词、形容词或主语前。

> 经过整顿,生产～上去了|改用新稻种以后,产量～提高了不少|听说这部电影很好,看了之后～不错|试用这种新药之后～病情有了很大好转|我们都认为你不会迟到,～你准时到了

〔连〕假设事实与所说或所料相符,用于假设小句。

> ～你愿意参加,那我们就太高兴了|那儿～像你所说的那么冷,我去的时候可得多带衣服

【果真】同'果然'。表示假设,常用'果真'。

> 果真你愿意教我,那我太高兴了|这个消息果真是事实,那可太好了!

果真 guǒzhēn （见'果然'）

过¹　guò(动);∥。guò(趋)

〔动〕1. 经过(处所)。可带'了、着、过'。可带处所宾语或施事宾语。

> 游行队伍正好从我家门前～|大江大河我们都～了,这小河算什么? |爬雪山～草地,行军十分艰苦|～了这条街就到了|路上正～着车队呢

2. 经过或度过(某段时间)。可带'了、着、过'。可带名词宾语。

> 日子越来越好～了|这种苦日子我们也～过|再～半年,这条水渠就完工了|你回广州～春节吗? |我爷爷正～着幸福的晚年|日子～得真快

3. 超过(某种范围或限度)。可带'了'。可带名词宾语。

> 探望病人的时间已～|～了明天,这张参观券就作废了|我已经年～半百|行程～万里|有～之而无不及(成语)

4. 使经过(某种处理)。可带'了、着、过',可重叠。可带名词宾语。

> 这篇课文我又～了一遍(温习或阅读)|把今天的事在脑子里又～了一下|～～数儿吧|把肉～遍油

可带表示工具的宾语。

> 这几件衣服已经～了好几遍水了|货物正～着秤呢|这豆子要～～筛子

动结 过得(不)了　能(不能)度过:病势很重,看来～得了今天也～不了明天

动趋 过∥上　我们又～上好日子了

〔趋〕1. 动＋过[＋名]。名词一般为受事,间或有施事。动词和'过'中间一般不能加'得、不'。

a) 表示人或事物随动作从某处经过或从一处到另一处。

> 从桥上走～|我接-奖状走下台去|他递～一块热毛巾给我|脑子里闪～了很多想法

b) 表示物体随动作改变方向。常用的动词限于'翻、转、扭、掉、回、侧'等少数几个。

> 他回～头看见了我|他侧～身子一声都不吭|请再翻～一页

c) 表示动作在时间或其他方面超过合适的某一界限。

> 明天早晨六点钟的火车,你可千万别睡～了|他一不留神使～了劲

d) 表示胜过。可以加'得、不'。

> 这一次比～他们了|这次修水库,我们一定要赛～二队|一台机器的生产能力抵得～几十个人|你能说～他? ——我可说不～他|你能跑～我——我怎么跑得～你呢?

2. 动+过+名(处所)。

a) 表示动作从某处经过。

> 走～天安门广场|飞机飞～了秦岭|警察把一位盲人送～了十字路口|我游不～这条河

b) 表示超过合适的处所。动词和'过'中间不能加'得、不'。

> 哟! 我们坐～了站了|咱们光顾说话,已经走～新华书店了

3. 形+过[+名]。表示超过。形容词限于单音节,而且是表示积极意义(长、高、强等)的。

> 向日葵已经长得高～人头了|技术革新的浪潮一浪高～一浪|现在的技术比起以前来,不知要强～多少倍

注意 1 项 a),b) '过'可以轻读,其它各项不轻读。

习用语 信得(不)过 表示很信任(不信任)。

> 大家都信得过你|你信不过我吗?

过² .guo

〔助〕表示动态的助词。1. 用在动词后,表示动作完毕。这种'动+过'也是一种动结式,但不同于一般动结式,中间不能插入'得、不',也没有否定的说法。后面可以带语气助词'了'。

> 吃～饭再去|赶到那儿,第一场已经演～了|等我问～了他再告

诉你

2. 用在动词后,表示过去曾经有这样的事情。动词前可加副词 '曾经'。

> 这本小说我看～|去北京的事他跟我提起～|我们曾经谈～这 个问题|我找～他不止一次|我们走～不少地方,就是没有到 ～桂林

a) 这类'动＋过'都表示过去的事,句子里可以不提时间;如果提 时间,必须用指确定时间的词语。

> 前年我去～长城(ˣ有一年,我去～长城)

b) 否定式是'没[有]＋动＋过'。

> 这本小说我没看～|他一次也没找～我|我没有听人说～这件 事|没敢浪费～一点儿粮食

c) 问话形式。

> 你问～他没有? |你问没问～他? |你问～他吗?

3. 形容词带'过',一般需要说明时间,有同现在相比较的意思。

> 他小时候胖～|前几天冷～一阵,这两天又热起来了

否定式是'没[有]＋形＋过','没[有]'前常加用'从来、过去'等, 形容词前常加用'这么'。

> 这孩子从来没这么安静～|我过去没有看见他这么高兴～

注意 1) 动作性不强的一些动词不能带'过',如:'知道、以为、认 为、在、属于、使得、免得'等。

2) 表示'完毕'的'过'和表示'曾经'的'过'相像而不相同,从否 定式可以看出。

> 吃过饭了——还没吃呢(表'完毕')

> 吃过小米——没吃过小米(表'曾经')

比较 过:了 1) 形式方面。

a) 对'动＋了'和'动＋过'表示否定都用'没[有]',但'过'在否 定式里仍保留,'了'在否定式里不再保留。

> 去过——没去过|去了——没去

247

b) 动词重叠表示尝试,中间可以加'了',不能加'过'。

看了看(ˣ看过看)|尝了尝(ˣ尝过尝)

2) 意义方面。

a) '动+过'表示已有的经验,因此总是与过去的时间相联系;'动+了'表示完成,与过去没有必然的联系,可以用于过去,也可以用于现在和将来。

去年我们游览过长城(表已有的经验,属于过去)|昨天我们游览了长城(表完成,就过去而言)|我们已经游览了长城(表完成,就现在而言)|明天的计划是游览了长城再去参观水库(表完成,就将来而言)

b) '动+过'所表示的动作不延续到现在,'动+了'所表示的动作却可能延续到现在。

他当过班长(现在已经不当了)|他当了班长了(现在还当班长)|这本小说我只看过一半(现在不在看)|这本小说我看了一半了(现在还在看)

c) '动+了'表示有一定结果,'动+过'则不一定。

他学了英语(含有学会的意思)|他学过英语(可能学会,也可能没学会)

比较 过:来着 见'来着'。

过来 guò∥ˑlái(动);∥ˑguò∥ˑlái(趋)

过去 guò∥ˑqù(动);∥ˑguò∥ˑqù(趋)

〔动〕1. '过来'表示从另一地点向说话人(或叙述对象)所在地来;'过去'表示离开或经过说话人(或叙述对象)所在地向另一地点去。可带'了'。可带施事宾语。

他们从对面过来了|车过来了,上车吧|水挺深,你过得来吗?|前面过来了一个人|台风刚过去|车过不去,前面在施工|门口刚过去一辆车

2. 表示通过了某个时期或某种考验。必带'了'。

大风大浪我都过来了,这点小风浪算什么? | 过去那种苦日子
我都过来了,还怕这点苦? | 这一回考试我总算过去了

3. '过去'表示经历完了某段时间。可带'了'。

半年过去了 | 过去好几天了,事情还是没办成 | 又过去了两个
钟头

4. '过去'表示某个时期、某种状态已经消逝。可带'了'。

危险期算是过去了 | 黑暗已经过去,曙光就在前头 | 头有点儿
晕,一会儿就会过去的

5. '过去'表示死亡(婉辞)。必带'了'。

他祖父昨天晚上过去了

注意 除 1 项外,其余各项'过'和'来(去)'中间都不能加'得、不'。

〔趋〕'动+过来'和'动+过去'的分别在于前者表示动作朝着说
话人所在地,后者表示动作离开说话人所在地。

1. 动+过来(过去)[+名]。名词一般为受事,间或有施事。

a) 表示人或事物随动作从一处到另一处。

一群孩子跑过来 | 你跑过来跑过去干什么? | 他走过来,从我
手里把茶杯接了过去 | 你把书给我拿过来 | 护士端过来一杯水 |
乘务员给旅客递过几本杂志去 | 喂,扔根绳子过来! | 锦标赛
奖杯下次我们一定夺得过来 | 河再宽,我们也游得过去 | 迎面
窜过来一匹脱了缰的马 | 天上飞过去几架飞机

b) 表示物体随动作改变方向。名词要放在'过'与'来(去)'之
间。常用的动词限于'翻、转、扭、弯、掉、回、侧'等少数几个。

整整一夜翻过来又翻过去,总是睡不着 | 他转过脸来,我才认
出他是谁 | 他让我回过身去,看着前边 | 这管子弯得过去弯不
过去?

c) '过来'表示回到原来的、正常的或较好的状态。受事一般用
'把'提前。

他醒过来了 | 不少人觉悟过来了 | 医生把他救过来了 | 把坏习
惯改过来了 | 爬到山顶,我们都累得喘不过气来 | 他虽然固执,

但还是劝得过来的

d) '过去'表示失去正常状态。多用于不好的意思。常用的动词限于'晕、昏迷、死'等少数几个。动词和'过去'中间一般不能加'得、不'。

病人昏迷过去了|他死过去了

e) '过去'表示事情通过、动作完毕。

我现在记性不好,什么书都是看过去就忘|这点小事,说过去就算了|他们把我骗过去了|你把一个重要数据忽略过去了|他想瞒我,怎么瞒得过去?

2. 动+得(不)+过来。表示能(不能)周到地完成。常涉及时间、空间、数量等因素。受事一般都放在前边。

这么大的林场,你三天怎么跑得过来|活儿不多,我一个人也干得过来|你给我这么多有趣的书,我都看不过来了|人太多,我恐怕照顾不过来

3. 形+得(不)+过+名[+去]。表示超过。形容词多为表示积极意义的单音词。

这山再高,能高得过喜马拉雅山去吗? |天气再热,也热不过抢险队员的心去|这天再冷,也冷不过三九天去

4. 动+过+名(处所)+来(去)。表示人或事物随动作从某处经过。

汽车开过桥来|孩子们跳过沟来|他把小车推过桥去了|你游得过这条河去吗?

[习用语] 说得过去　比较合情理,勉强可以交代。常用于表示反问、揣测的句子。

你年纪最大,不带个头,说得过去吗? |这么做还说得过去吧! |你这么做才说得过去

说不过去　不合情理,无法交代。

工作这么忙,我再请假,实在说不过去

看得过去　比较合意。

这东西还看得过去,你就买了吧

看不过去　不忍心;不能容忍。

他这样为难,我们都看不过去|这个人胡搅蛮缠,大家都看不过去

过于　guòyú

〔副〕表示程度或数量超过一定的限度。一般可修饰双音节动词、形容词或动词短语。不能出现在主语前。

你的身体不好,不能～劳累|孩子的病能治好,你不要～着急|这件事不能都怪你一个人,不必～责备自己|对这种人不要～亲热|别把问题想得～简单|你不要～感情用事

H

还　hái

〔副〕表示某些语气,有时候兼有连接前后小句的作用。'还'表示的语气大体上可以分成平、扬、抑三类。此外还有一种以表示感情为主的用法。

1. 表示平的语气,不含轻重抑扬的意思。

　　a) 表示动作或状态持续不变;仍然。

　　　　他～在图书馆|老赵～没回来|他们的英雄事迹至今～在人们中间传诵着|天～不很冷|你今后的路～长着呢

　　b) 虽然(尽管、即使)…,…还…。表示动作或状态不因为有某种情况而改变。

　　　　演出虽然已经结束,人们～不愿散去|即使有了一些成绩,也～要继续努力|别看我身体不好,做这个工作～行

　　前一小句可以没有'虽然'等词。

　　　　他已年过七十,精神～那么饱满,步子～那么轻快|离市区远一些,可是交通～挺方便的

2. 表示扬的语气,把事情往大里、高里、重里说。

　　a) 表示程度差别;更加。用于比较句。

　　　　场上的麦子堆得比小山～高|二勇比他哥哥大勇～壮|新车间比旧车间～要大一百平方米|那种微型电池比这颗钮扣～略小一些|他比你～小好几岁呢

　　b) 表示项目、数量增加,范围扩大。一部分例句仍有'仍然'的意思。

　　　　你把他的书包,～有衣服,都给他带去|除了他们三个以外,小组里～有我|旧的矛盾解决了,新的矛盾～会产生|往背后一

看,山底下～有不少游客|这么几个人哪儿够哇,～得再来几个|这个节目八点钟～要重播一次|气象预报说明天风力～要增大,气温～要下降

c) 不但(不仅,不光)…还…。表示进一层。意思跟 b)相近,但语气更重。

不但要把这种病的患者治好,～要在本地区消灭这种疾病|小伙子不仅会开拖拉机,坏了～会修理|光说不行,～得干|我们厂不但增产了,～降低了百分之二十的成本

3. 表示抑的语气,把事情往小里、低里、轻里说。

a) 表示勉强过得去。多修饰褒义形容词。

最近身体怎么样? ——～好,～好|这根绳子～比较结实|这张画儿画得～可以

有时候在形容词前面用动词'算','还'修饰'算'。

～算不错,电话最后打通了|～算好,你没出门,要不然我又找不着你了

b) 表示数量小,时间不到,等等。

人～太少,编不成队|这块布～不够|那年我～只有五岁|～只有九点钟,不算晚|现在～早,可以再等等

c) 还…就…。

～不过五点钟,他就已经起床了|我～上小学的时候,我姐姐就已经上大学了

d) 还 + 没(不到)…就…。

我～没说话,他就说'知道了'|月亮～没升起,孩子们的故事会就开始了|～不到半年,大楼就盖好了

e) 尚且。前一小句用'还',作为陪衬,后一小句作出推论。这类句子也可以不用'还'而用'都'。

小车～通不过,更别提大车了|这些书一个月～看不完,不用说一个星期了

'还'常和'连'合用。

连你～不能跑完一万米呢,我更不行了|连平面几何～没学
过,何况解析几何?

4. 表示感情为主,意思有的可以用前面三项来解释,但那是次要
的。

a) 表示超出预料,有赞叹的语气。

下这么大雨,没想到你～真准时到了|～亏了你们来得早,要
不然,这么些活儿我一个人怎么干得完呢?

b) 表示应该怎样而不怎样,名不副实,有责备或讥讽的语气。

亏你～是大哥呢,也不让着点妹妹!|亏你～上过大学呢,这
个字也不认得

c) 用于反问。

都十二点了,你～说早!|他要能来～不早来啦!|我们吃这
种人的亏～少吗?|这～能假!|这～用问!|～不快进屋去!

比较 还:又　都可以表示动作再一次出现,但'还'主要表示未实
现的动作,'又'主要表示已实现的动作。

他昨天来过,明天还来|洗了一次还想洗一次

他昨天来过,今天又来了|洗了一次又洗一次

还是　hái·shì

〔副〕1. 表示行为、动作或状态保持不变,或不因上文所说的情况
而改变;仍旧;仍然。

a) 用在动、形或主语前。

今天咱们～装运木料|洗完一看～脏,又洗了一遍|这次～他
做向导|跟去年一样,今年～新稻种产量高

动词、形容词前的'还是'可省作'还';主语前的'还是'不能省作
'还'。

b) 虽然(尽管、即使)…,还是…。

虽然走了一些弯路,试验～获得了成功|尽管雪大路滑,我们
～按时到达了

前一小句可以没有'虽然'等词。

多年不见,他～那么年轻|已经立秋了,～那么闷热

2. 表示经过比较、考虑,有所选择,用'还是'引出所选择的一项。

a) 用在动词或主语前。

我看～去颐和园吧,十三陵太远|～你来吧,我在家等你

b) 还是 + 动/小句[+ 的] + 好。表示经过比较,这样较为可取。

～用前一种方案[的]好|想来想去,～亲自去一趟[的]好|我看
～你来办理一下[的]好

〔连〕用于选择。同'或者'。

a) [是]…,还是…。[还是]…,还是…。

你[是]同意～不同意?|[是]坐九路车～坐二十路车,一时拿
不定主意|[还是]先修这个,～先修那个,咱们商量一下|[还
是]老张去,～老刘去?

b) 无论(不论、不管)…还是…,都(总)…。表示不受所说的条
件的影响。

无论上班,～休息他都在琢磨新的设计方案|不管刮风～下
雨,不管冬天～夏天,他都坚持锻炼

害 hài

〔名〕1. 祸害;灾害(多用于构词)。

邻县发生了虫～|近期要防止风～|我们一定要为民除～|对
大自然不合理的利用就会造成公～

2. 有坏处的(与'益'相对)。

这种农药对某些～虫无效|你能分出哪些是益鸟? 哪些是～
鸟吗? |饮酒过量对身体有～

〔动〕1. 使受损害。可带'了、过'。必带名词宾语。可用作兼语。

你这样做～了别人也～了自己|我从来没有～过别人|这家伙
干了不少～人的勾当

害 + 得 + 小句。

～得我们全家不得安宁

2. 杀害。可带'了、过'。可带名词宾语。

他被歹徒～了|这个心狠手辣的家伙～过好几条人命

3. 发生疾病。可带'了、着、过'。必带名词宾语。

～了一场大病|他正～着病呢|我就不相信你没～过病

4. 产生不安的情绪。多与单音节心理动词构成有固定意义的词组。

～羞|～怕|～臊

动结 害苦了　害惨了　害死了

动趋 害 // 上　没想到我也害上了这种怪病

害 // 起来　他最近也害起病来了

好　hǎo

〔形〕1. 优点多的;令人满意的。

a) 修饰名词。可以重叠。

～人|～事|～姑娘|～办法|～脾气|～的歌曲|～的图书馆|～～的天突然下起雨来

b) 作谓语和补语。作谓语可带'了、过、起来'等表示动态。

这本小说很～|质量明显地～了起来|成绩从来没有这么～过|她比我唱得～|这话说得太～了

用疑问形式征求对方意见,有表示商量或不耐烦的语气。

等我一会儿,～吗? (商量)|明天上午我去找你,～不～? (商量)|你们安静一点～不～,吵死了! (不耐烦)

c) 好 + 在。说明为什么好。

他～就～在对人诚恳|这首诗～在什么地方?

d) 还是 + 动/小句[+ 的] + 好。表示二者相比,这样较为可取。

还是咱们一起去[的]～|你还是别答应[的]～|我看还是采纳这个建议[的]～

2. 健康;病愈。可带'了、过、起来'等。

他身体一直很～|昨天还～～的,今天就病倒了|我去年一冬天没有～过|天暖和以后,病就会～起来的|老张,你～吗?(问候)|你～啊,许先生! (问候)

3. 亲爱;友爱;相好。可带‘了、过、起来’等。

> ～朋友|他俩从小就～|刚吵了架,又～起来了|这两个孩子,～了两天,又闹翻了

4. 完成。作动结式第二成分。

> 馒头蒸～了|你的毛衣还没打～,得再过两天|家具做～了,可是还没有上漆

有时动词可以省略,只说‘好了’或‘没好’。

> 馒头[蒸]～了|上衣[做]～了|午饭[做]～了没有? ——还没～

5. 容易。用在动词前面,‘好’的作用类似助动词。

> 这条路还算～走|那篇文章～懂|这问题～解决

6. 表示效果(形象、声音、气味、味道、感觉等)好。用在‘看、听、闻、吃、受、使、玩儿’等动词前面,结合紧密,像一个词。

> ～看|这歌很～听|茉莉花儿真～闻|新买的笔～使着呢! |身上不大～受

跟这个‘好’相对的是‘难’:难看、难听、难闻、难吃、难受。但只有‘好玩儿’,没有‘难玩儿’。

7. 表示某些种语气。单用,类似叹词。

a) 表示同意。

> ～,就依你说的办|劳驾找一下田先生——～,您等一下

b) 表示结束。

> ～,今天就讲到这里|～了,别玩了,该睡了

c) 反话。表示不满或幸灾乐祸。

> ～,这下可糟了! |～啊! 摔倒了吧? 看你还乱跑不乱跑!

〔副〕1. 强调多或久。用在数量词、时间词或形容词‘多、久’前。数词限于‘一、几’。

外头来了～几个人|你怎么才来,让我等了～一阵子|他念了
～几年外语|～多事情我都不知道|过了～久,他才醒过来
2. 表示程度深。多含感叹语气。
　　a) 好+形。
　　　　～深的一口井|～黑的头发|眼睛～大～大的|今天街上～热
　　闹!|你这个人～糊涂!|他昨天晚上～晚才回家
　　b) 好+不+形。限于部分双音节形容词。表示肯定的意思。
　　　　市场上～不热闹(=～热闹)|他哭得～不伤心(=～伤心)
　　但是‘好容易’和‘好不容易’却都表示‘很不容易’,跟上面的例
子相反。
　　　　找了半天,～不容易(好容易)才找到了他
　　c) 好+动。常带动量词。
　　　　原来你在这儿,让我们～找|我们几个～找了一通|前些时候～
　　忙了一阵|挨了～一通骂
〔助动〕可以。用于后一小句,表示前一小句中动作的目的。
　　　　别忘了带伞,下雨～用|多去几个人,有事～商量|你留个电
　　话,到时候我～通知你
〔名〕儿化(hǎor)。1. 指表扬的话或喝采声。
　　　　本想讨个～儿,没想倒挨了顿骂|观众连声叫～儿
2. 问候的话。
　　　　你见着徐老师,别忘了给我捎个～儿

　　　　好比　　hǎobǐ

〔动〕如同,表示比拟。必带名词、动词或小句作宾语。
　　　　他的劝说～治病的灵丹妙药,我思想上一下子轻松多了|这次
　　打击对他来说～生了一场重病,一直难以康复|我在人生的道
　　路上奋力拼搏,～大海中的浪花永不歇息
　　‘好比’之后可以有‘是’,仍表示比拟。
　　　　她那优美的舞姿～[是]随风摆动的杨柳|他坐在那里一动不

动,～[是]一尊雕像|你这样做难度太大,真～[是]蚂蚁啃骨头

好不　hǎobù

〔副〕表示程度深,多含感叹语气,限于修饰某些双音节形容词,多表示肯定。与'好、多么、很'相同。

> 人来人往,～热闹|我为他上大学花费了不少心血,可他一点儿不努力,叫人～伤心|大家一听这话,真像火上加油,～愤慨|她们姐俩一见面～亲热

注意　一般使用'好不'修饰双音形容词,多表示肯定,这样使用的'好不'都可换成'好',意思相同。如'好不热闹'和'好热闹'的意思都是很热闹。但是'好不容易'和'好容易'却都表示否定,都表示'很不容易',跟上面的例子相反。如:

> 好不容易才把他说通(＝好容易才把他说通)

但用作谓语时,只能说'好不容易'。

> 办成这件事好不容易啊(ˣ好容易)

还有一些词语用'好不'修饰之后,语义是游移不定的,根据上下文可以表示肯定(＝好不＋A),也可以表示否定(＝好＋不A)。

> 她吃得饱饱的,喝得足足的,好不自在(＝很自在)|听到大家对我的批评,心中好不自在(＝很不自在)|他一口气说完自己的想法,心中好不痛快(＝很痛快)|他得知自己落选的消息,心中好不痛快(＝很不痛快)

好歹　hǎodǎi　(好赖)

〔名〕1. 好坏。可作主语、宾语。多用于口语。

> 他这个人～不分|这孩子真不懂得～

2. 危险(多指生命危险)。口语里常儿化。一般只作'有'的宾语,作宾语时'好歹'前面多用量词'个'。

> 这孩子要是有个～儿,可怎么向她父母交待? |万一她有个～儿,咱们心里也不安

〔副〕1. 表示不计条件好坏,将就(做某件事)。含有勉强、凑合的意思。多用于口语。

　　这支笔尖儿有点秃,～先凑合用吧|饭菜虽不可口,～能吃饱就行

2. 不管怎样,无论如何。多用于口语。

　　要是老张在身边,～也能出个主意|作为朋友,～会帮你说几句|你答应过的事,～都应该兑现

【好赖】'好赖'除了不表示'危险'义之外,其他用法与'好歹'相当。

　　好多　hǎoduō　(好些)

〔数〕数量多。

a) 好多[＋量]＋名。

　　～人|～话|～问题|～位同志|～种民族服装|～项新技术已经推广

b) 好多[＋量]。用如名词。

　　这里的技术人员～都是他的学生|这些人有～我不认识|晚会上的灯谜,～条我都猜着了|北海公园我去过～次

c) 动＋好多＋动量。动词后常加'了、过'。

　　试验了～次|去过～趟北京|告诉他～遍了

d) 重叠式'好多好多',强调数量多。可用如名词或修饰名词。

　　他说了～～|～～问题都没有研究|来了～～人|听到了～～新鲜事|屋里挂着～～纸花和灯笼

e) 动/形＋好多。表示程度、数量大。

　　改了～|瘦～了|大了～|减少了～|里边还有～呢!|这儿放着～呢!

注意 下例的'好多'是'形＋形',表示程度,不表数量。

　　今天我觉得好多了(＝今天我觉得好得多了)|情况已经好多了(＝情况已经好得多了)

【好些】同'好多'。

好些人|好些书|好些同学|好些位朋友|这些人有好些我不认识|试验了好些次|来了好些好些人|你的表快了好些

注意 下例的'好些'是'好+[一]些',不是数词。

他的病好些了(＝他的病好了一些了)|今天天气比昨天好些(＝比昨天好一些)

好赖 hǎolài (见'好歹')

好像 hǎoxiàng

〔动〕如同,表示比拟。必带名词、动词或小句作宾语。可以受'真'修饰,表示强调。

那优美的风景真～一幅山水画|他的动作十分机械,看上去～机器人|他俩又说又笑,～好久没见面的老朋友|看他那副不知羞耻的样子,真～吃了苍蝇那么恶心

'好像'也可以和'一样'、'似的'搭配使用。

运动员们～离弦的箭[一样],冲上跑道|那颜色鲜亮极了,～一块蓝色的宝石[一样]|他～泄了气的皮球[似的],打不起精神来

〔副〕仿佛,似乎。表示不十分确定的推测判断或感觉。有时用在主语前或主语后意思不变。也可以和'一样'、'似的'搭配使用。

他～只通知了小王一个人(＝～他只通知了小王一个人)|他说得那么真切,～事情就发生在眼前[一样]|到这儿就～到了自己的家[一样]|她～有点儿不舒服[似的]

有时表示某一情况或事物表面如此或某人这样认为,但实际情况或说话人看来并不是如此。

这些问题～挺复杂,实际上并不难解决|从表面上看～也有人拥护他,那只不过是极少数的别有用心的人|这箱东西～挺有份量,其实并不重

261

'好像'有时也可说成'好像是',仍表示不大确定。

这个人我~是在哪儿见过|记不太清楚了,~是他先离开的

好些 hǎoxiē （见'好多'）

好意思 hǎoyì·si

〔动〕不害羞,不怕难为情。可单独作谓语,但更多的用法类似助动词,后面带动词语。只用于反问句和否定句。

a) 用于反问句,有时有责备的意思。

人家求我们支援,我们~拒绝吗?|主人热情挽留,我怎么~立刻就走?|亏他~说出这种话来|看你还~再要!

b) 用于否定句。

他也想说几句,可是不~开口|人家几次三番来请,我也不~再推辞了|老李没~笑出来|我看他有些为难,就没~再追问

c) 单独作谓语。

小红看见生人怪不~的|脸上有点不~|人家一鼓掌我就不~了|小孩让客人们逗得不~起来

好在 hǎozài

〔副〕表示具有某种有利的条件或情况。多用在主语前。

a) 好在+动/小句。

~相互了解,他不会生我的气的|对方提了不少意见,~我早有思想准备|~他懂英语,我们可以直接交谈|她那时常来照看我,~我们住得不远|那里的生活十分艰苦,~我的身体还顶得住

b) 好在…,否则(要不、不然)。

~有他帮忙,否则我更吃不消了|~我的身体棒,要不非感冒不可|~路程比较近,不然拿这么重的东西可够呛

c) 承接上文时如果语义已经明确,表示后果的小句也可以不出

现。

我们要去的地方很远，～借到一辆车[否则够咱们走的]|忽然间下起大雨来，～路边有个可以躲雨的草棚[要不非挨浇不可]

比较 好在:幸亏 '幸亏'是指由于某种偶然出现的有利条件而侥幸避免了不良后果。而'好在'所表示的某种有利条件是本来就存在的。下边的例句中，'好在'和'幸亏'一般不能替换使用。

我每天都要去医院照顾他，好在(ˣ幸亏)离得不远|当时情况十分危急，幸亏(ˣ好在)遇到警察才转危为安

何必 hébì

〔副〕用反问语气表示不必。

a) 何必＋动/形。

路又不远，～坐车呢？|原则问题大家都同意了，又～在个别字句上争论不休？|都是老同学，～客气？

b) 何必＋名[＋动]＋呢。

～明天[动手]呢？今天就可以动手|～他[来安装]呢？我自己来吧！

c) 何必＋呢。

为这点小事儿就不高兴，～呢！|你亲自去？～呢，叫小孩去就行啦！

d) '何必'前可以用'又'加强语气。

这又～呢？|事情已经解决了，又～再提？

比较 何必:何苦 见'何苦'。

何不 hébù

〔副〕为什么不。用反问语气表示应该或可以。

～问问老郑？他去过那儿，对那儿的情况一定很熟悉|你～大胆试一试？|～理直气壮地说呢？|既然不愿意，～早说？|他

明天进城,~托他代办一下?

何尝　hécháng

〔副〕用反问语气表示否定或肯定。用于书面。

a) 用在肯定形式前表示否定。

我~说过这样的话? (＝我没有说过这样的话)|历史的教训
人们~忘记? |在那艰苦的条件下,我们~叫过一声苦?

b) 用在否定形式前表示肯定。

我~不想去? 只是没有工夫(＝我很想去,只是没工夫)|生物
都有新陈代谢,细菌又~不是如此? |你的建议我~没有考
虑? 可是目前还不能实行

c) 很少用在形容词前。

这又~不好呢?

何苦　hékǔ

〔副〕用反问语气表示不值得。

a) 何苦＋动(可用否定式)。句末多带'呢'。

你~为这点鸡毛蒜皮的事跟他吵[呢]? |你~跟他赌气[呢]? |
你又~不去试一试呢?

b) 何苦＋呢。

生孩子的气,~呢? |你这是~呢? 一个人着急有什么用?

|比较| 何苦:何必　都表示无必要、不值得,但'何苦'比'何必'语气
更重些。'何苦'一般都可换成'何必';'何必'不一定能换成'何
苦'。

何苦(何必)在这些小事上伤脑筋? |他根本不会唱歌,你何必
(×何苦)难为他?

何况　hékuàng

〔连〕1. 用反问语气表示比较起来更进一层的意思。用于后一小

句句首,后一小句谓语与前一小句的谓语相同时,不重复。'何况'
前面可以加'更、又',后面可以加'又',前一小句常用'尚且、都'或
'连…都(也)…'呼应。

a) **何况**+名。

他是专门学这一行的都不懂,更～我呢?|再大的困难我们都
克服了,～这么一点儿小事

b) **何况**+动。

在沙漠里行走本来就够艰难的了,～又碰上这么大的风|学好
本民族的语言尚且要花许多力气,～学习另一种语言呢

2. 表示进一步申述理由或追加理由,用法基本上同'况且'。

你去接他一下,这儿不好找,～他又是第一次来

比较 何况:况且 '况且'没有'何况'1项的用法,只同'何况'2项
相当。

何况:而况 见'而况'。

和 hé

〔介〕1. 表示共同,协同;跟。

有事要～群众商量|我～他经常在一起|他～老王见过几面

2. 指示动作的对象;向;对;跟。

我很愿意～大家讲一讲|我～你谈谈,好不好?

3. 表示与某事物有联系。

我～这事没关系|他去不去～你有什么相干?

4. 引进用来比较的对象;跟。

这种肥料～豆饼差不多|他～我弟弟的年龄相同|前面讲的～
这里讲的是一致的|他的手艺简直～他师傅不相上下

〔连〕1. 表示平等的联合关系。连接类别或结构相近的并列成
分。

工人～农民|老师～同学都赞成这么做|他的话是那样明确～
有力|我还要说明～补充几句

a) 连接三项以上时‘和’放在最后两项之间,前面的成分用顿号连接。

> 北京、天津、上海～广州 | 一切事物都有发生、发展～消亡的过程

b) 多项并列成分如果有几个层次,可用‘和’表示一种层次,用顿号或‘与、同、以及、及’表示另一层次。

> 爸爸、妈妈～哥哥、姐姐都不在家 | 要弄清楚理论～实践、政治～经济之间的关系

c) 连接做谓语的动词、形容词时,动、形限于双音节。谓语前或后必有共同的附加成分或连带成分。

> 事情还要进一步调查～了解 | 会议讨论～通过了明年的财务预算 | 泰山的景色十分雄伟～壮丽

2. 表示选择,相当于‘或’。常用于‘无论、不论、不管’后。

> 无论在数量～质量上都有很大的提高 | 不管是现代史～古代史,我们都要好好地研究 | 去～不去,由你自己决定

比较 和:跟:同:与 见‘跟’。

和:以及:及 见‘以及’。

很　hěn

〔副〕 1. 用在形容词前,表示程度高。

> ～好 | ～幸福的生活 | ～仔细地看了一遍 | 表现得～积极 | 情况～严重 | 在～远～远的地方

注意 1) 某些形容词不受‘很’修饰。

> ×～紫 | ×～灰 | ×～广大 | ×～错 | ×～真正 | ×～共同 | ×～永久 | ×～温 | ×～亲爱

2) 形容词的生动形式不受‘很’修饰。

> ×～雪白 | ×～红红的 | ×～白花花的 | ×～酸不溜秋的

3) ‘很+形’修饰名词时一般带‘的’。‘很多’修饰名词时不带‘的’。

~深的井|~热的水|~茂密的森林|~普通的劳动者|~多人|
~多房子|~多问题

4) 单音形容词前常加'很',凑成双音节。

~多人(ˣ多人)|这间屋子~大('这间屋子大'含对比意味,暗
指'另一间屋子小')

2. 用在助动词或动词短语前,表示程度高。

a) <u>很</u>+助动。下列助动词可单独受'很'修饰。

~应该|~应当|~可能

下列助动词必须构成动词短语才能受'很'修饰。

~敢说|~肯干|~会唱|~能讲故事|~能够说服人|~可以
试试

下列助动词即使构成动词短语也不能受'很'修饰。

ˣ~要写|ˣ~应该做|ˣ~得去|ˣ~配说

b) <u>很</u>+动。限于一部分表示情绪、态度、理解、评价、状态的动
词。

~喜欢|~感激|~愿意|~负责|~用功|~成功|大家都~支
持|她们俩~接近|当地的情况我~了解

c) <u>很</u>+动宾短语。某些动词不能单独受'很'修饰,但带宾语后,
整个动宾短语可受'很'修饰。

~伤我的心|~有礼貌|~讲道理|~掌握政策(情况)|~说明
问题|~感兴趣|~有意思(兴趣、可能、必要)|~没劲|~占地
方|~受欢迎(鼓舞、排挤)|~受尊敬(重视、委屈)|~叫我为
难|~使人生气

d) <u>很</u>+带'得、不'的动结式、动趋式。限于少数表示态度、情
绪、感受、评价等的动词语。

~看得起|~看不起[人]|~过意不去|~沉得住气|~拿不定
主意|~靠不住|~合得来|~经不起检查

e) <u>很</u>+动+数量。动词后多带'了、过'。数词限'一、两、几'。

~花了些(点儿)钱|~认识几个人|~费了一番心血|~有两下

子|～去过几回|～找了一阵子

3. 用在'不…'前。

　　～不好|～不坏|～不小(×～不大)|～不轻(×～不重)|～不简
　　单(×～不复杂)|～不仔细(×～不粗心)|～不认真(×～不马
　　虎)|～不赞成(×～不反对)|～不讲理

注意 '不很…'表示程度减弱,与'很不…'不同。

　　很不好(＝很坏)|不很好(＝有点儿坏,但还可以)|很不好受
　　(＝很难受)|不很好受(＝有点儿难受)

4. 用在四字语前。限于一部分描写性的和表示态度、情绪、评价
的成语。

　　～平易近人|～心安理得|～提心吊胆|～耐人寻味|～引人入
　　胜|～孤陋寡闻

5. 用在'得'后,表示程度高。

　　好得～|糟得～|仔细得～|粗心得～|热闹得～|喜欢得～|受
　　欢迎得～|×帮忙得～|×说明问题得～

　　在普通话里,能用在'得很'前的形容词、动词不多。

　　　　恨　hèn

〔动〕怨恨;仇视。可带名词宾语或兼语。

　　我好～哪!|～他不成材|～铁不成钢|我～我自己没把事情
　　办好|大家～得咬牙切齿

　　带宾语后可受程度副词修饰,不带宾语时后面可加'极'字表示
程度。

　　非常～他|特别～他|我最～对工作不负责的人|～极了

动结 **恨透(了)** 　恨透了这种小人

　　恨死(了) 　恨极了:恨死你了

动趋 **恨起来** 　恨起他来咬牙切齿

　　恨得(不)起来 　能(不能)恨:对她就是恨不起来

268

恨不得　hèn·bu·de

〔动〕表示急切地盼望做成某事(多用于实际做不到的事),也说'恨不能'。必带动词作宾语。

　　～插上翅膀飞到爸爸妈妈身边│当时实在把我弄得很窘,～找个地缝钻进去

　　a)'恨不得'和动词宾语之间常用'马上、立刻、即时、赶快、统统、都、就、全'等副词或带'一'的动量词。

　　　　我～马上就见到他│～一口吞下去│～一下子都解决了

　　b)介词短语'对…'一般用在'恨不得'前。

　　　　对朋友他～把心都掏出来

　[比较]　恨不得:巴不得　见'巴不得'。

后　hòu　(后边、后面、后头)

〔方位〕人或事物背向的;次序、时间靠近末尾的。

1. 用如名词。

　　a)单用。和'前'呼应,多是对称的习惯用法。

　　　　前不着村,～不着店│前怕狼,～怕虎│前有大河,～有高山

　　b)介+后。介词限于'向、朝、往、在、由'。

　　　　他朝～看了看│向～转,齐步走! │由～往前数,第三排

　　c)前面可加'最'。

　　　　老孙走在最前头,我走在最～

2. 名+后。

　　a)指处所。

　　　　屋～│大树～│高楼～有一个小花园│书前有序言,书～有附录│背～跟着两个人

　　b)指时间。比某事或某时较晚的。

　　　　新年～│晚饭～│几个月～我又见到了他│这是几年～的事情

3. 动/小句+后。指时间。

269

参观～｜请提意见｜文章写好～，至少要认真读两遍｜同学们离开教室～，老师还要把教室门锁上

4. **后**＋名/数量。类似形容词。

　　a) 指处所或次序。

　　　～门｜～院｜～街｜连～排也坐满了人｜前几个我见过，～几个不认识｜～一封信昨天才收到

　　b) 指时间。限于跟数量短语组合。

　　　～半夜｜～三天｜～半周｜～两年

　a)、b)中如'后'的后边是数量短语('半…'除外)时，前边可加'最'。没有'最'字，'后'与'前'相对，是'两个之中的第二个'的意思；有了'最'字，'最后'与'所有以前的'相对，是'第末了'的意思。

　　　最～几排坐的全是我们单位的人｜能不能打赢这场球，就看最～五分钟了｜这页的最～一行有错字

【后边】 1) 单用比'后'自由。

　　前边已经坐满了，后边还有座位｜他走在前边，后边跟着我们几个｜我在后边怎么追也追不上｜他从后边推了我一下｜后边的人往前边挤，都想看个清楚｜我就坐在老王的后边，你怎么没看见？

　　2) 同'后' 2 项 a)用法，前边可加'的'。

　　3) 同'后' 4 项 a)用法，但不和单音词组合。后边可加'的'。

　　　ˣ后边院｜后边院子｜后边的院子

【后面】【后头】 同'后边'，口语中多用'后头'。

|比较| 后：以后　见'以后'。

　后边　hòu·bian （见'后'）

　后悔　hòuhuǐ

〔动〕事后懊悔。可带'了、过'。可带数量补语。可带动词或小句作宾语。

你以后会～的|他从来没～过|事后我～了半天|～来得太晚|
我～不该跟他吵架|我～我没能及时帮助她|他～自己说话不
检点

可受程度副词修饰。

很～|非常～|十分～|最～的事情|事后有点～

后面 hòu·mian （见'后'）

后头 hòu·tou （见'后'）

忽 hū （见'忽然'）

忽而 hū'ér （见'忽然'）

忽然 hūrán （忽、忽而）

〔副〕表示情况发生得迅速而又出人意料。

a) 忽然＋动/形。

说着说着,～不说了|老陈～大笑起来|也没吃什么药,病～就
好了

b) 可用在主语前,后面可有停顿。

说话之间,～小孟推门进来|～,机器发生了故障

习用语 忽然间:忽然之间 同'忽然'。

我走着走着,忽然间想起了一件事|忽然之间,狂风大作,雷雨
交加

【忽】【忽而】1) 基本同'忽然'。用于书面。'忽'可用在单音节
动词前。

忽见有人飞奔而来|忽听得林中沙沙作响|脸上忽而现出惊恐
的神色

2) 忽…忽…。忽而…忽而…。前后用两个意思相反的形容词,
表示一会这样,一会那样。'忽'后限用单音节,'忽而'后不限。

声音忽高忽低|灯火忽明忽暗|天气忽而冷忽而热|心情忽而

紧张,忽而平静

比较 忽然:突然 见'突然'。

互 hù （见'互相'）

互相 hùxiāng （相互、互）

〔副〕表示甲对乙和乙对甲进行相同的动作或具有相同的关系。

～关心|～影响|大家～在纪念册上签名留念|物质的运动形式都是～依存的,又是～区别的

一般不修饰单个的单音动词。

～拍了拍肩膀(×～拍)|～看了半天(×～看)

【相互】同'互相'。'相互'可修饰个别名词。

相互关心|相互照顾|相互怀疑|相互信任|相互作用|相互关系

【互】同'互相',用于书面。一般修饰单音动词,中间不能加入其他成分。

互谅互让|互通有无|互致问候|比赛双方互赠队旗

修饰双音动词,只用于否定式。

互不信任|互不退让|互不干涉内政

习用语 相互间 相互之间 互相之间 同'互相',但可修饰名词。

相互间的感情|相互间的交往|相互之间并不认识|相互之间的关系十分融洽|互相之间的友谊|两国互相之间交往日益密切

比较 互相:相 见'相'。

化 huà

〔后缀〕表示转变成某种性质或状态。

1. 加在其他成分后面,构成动词。

a) 形＋化。构成及物动词。

丑～别人｜美～校园｜简～汉字｜绿～祖国｜净～废水

b) 名/形/动＋化。构成不及物动词。

钙～(肺结核病灶已经钙～了)｜儿～｜欧～｜大众～｜现代～｜
工业～｜电气～｜水利～｜公式～｜一元～｜知识～｜系统～｜硬
～｜僵～｜腐～｜恶～｜深～｜激～｜老～｜具体～｜简单～｜多样
～｜庸俗～｜尖锐～｜绝对～｜退～｜转～｜自动～｜合作～

c) 一部分‘…化’可加‘为、成、到’，再带宾语。

精神转～为物质｜‘糧’简～为‘粮’｜人类绝对不会再退～到原
始社会去｜你把别人丑～成什么样子了！

2. ｛名/动/形＋化｝＋名。构成名词。

硫～橡胶｜氧～铝｜电～教育｜催～剂｜软～剂

注意 1)有少数可以加程度副词。

很腐化｜很现代化

2) 表示普遍推广某种事物时,可临时在某些名词之后加‘化’。

集装箱化｜园林化

坏 huài

〔名〕坏主意;坏手法。

我知道是谁使的～｜这家伙一肚子～

〔形〕1. 不好的,使人不满意的。

～人｜～事｜～话｜～主意｜～孩子｜～思想｜～习惯｜很～｜特别
～｜～透了｜～极了｜小林脾气～,心眼儿不～

a) 带‘起来、下去’等,表示动态。

这孩子看起来很老实,可是～起来也挺气人的｜天气再～下
去,咱们就走不成了

b) 坏＋在。

他坏就～在为人不诚实｜这事就～在他手里

2. 受到破坏的;变质的;有故障的。很少加程度副词。

～鸡蛋 | 我的牙比前两年～多了 | 这一带的路～得厉害 | 馒头有点～了,别吃了

带'了、过、起来、下去'等,表示动态。

机器～了 | 西红柿～起来可快呢 | 这颗牙再～下去只有拔掉了

3. 作动结式第二成分。

a) 引起不好的变化。

钢笔弄～了 | 这孩子从小叫大人惯～了 | 吃的东西都放～了 | 不要看～了眼睛 | 别担心,摔不～

b) 表示程度深。多用在表示心理状态的动词或形容词的后边。不能插入'得、不'。

乐～了 | 饿～了 | 我可急～了 | 这两天把我忙～了 | 真折腾～了他们几个了

换　huàn

〔动〕1. 以物易物。可带'了、着、过'。可带名词宾语、双宾语。可重叠。

～了不少东西 | 你的玩具可以和我～着玩儿吗? | 我用大米～过鸡蛋 | ～他两本书

换 + 给。

把这本书～给他 | 我～给他一支好笔

2. 变换;更换。可带'了、着、过'。可带名词宾语、兼语。可重叠。

桌布太脏了,该～了 | 他俩刚刚～了座位 | 我正～着衣服呢 | 床单昨天～过了 | ～六号队员上场 | 你应该～～姿势

3. 兑换。可带'了、着、过'。可带名词宾语、双宾语。可重叠。

把一种货币～成另一种货币 | 他正～着钱呢 | 请你帮我～～零钱

换 + 给。

我一次就～给他一千多元零钱 | 我把手里的零钱都～给别人了

274

动结 换错了　换多了　换光了　换完了

换得(不)了(liǎo)　**能(不能)换**：他的房子暂时还换不了

换得(不)着(zháo)　a)**能(不能)换到手**：你现在换得着零钱吗？

　　b)**该不该换**：他让我把这支好笔换给小明，我跟他换得着吗？

换好　换完：衣服还没换好呢

动趋 **换//来**　他用一头牛换来一匹马

换上　换上一层包装纸

换//下来　把3号球员换下来

换//下去　怎么把主力队员换下去了？

换//回来　换回来不少好东西

换得(不)起　有(无)能力交换：八斤大豆才换半斤油，我可换不起

换//开　能(不能)把整钱换成零钱：您能帮我把这张100元钱换开吗？

换//到　他拿两间平房换到一间楼房

　　慌　huāng

〔形〕1. 慌张。

　　心里很～｜沉住气，不要～

2. 动/形＋得＋慌。'慌'轻读。表示情况、状态达到很高的程度。常用在以下词的后边：闷、闲、睏、累、急、渴、愁、咸、闹、烦、干、涩、苦、挤、呛、憋、气、热、堵、难受、憋闷。用于口语。

　　闹得～｜累得～｜饿得～｜乱得～｜闲得～｜难受得～｜憋闷得～｜嘴里干(涩、苦)得～｜这里闹得～，咱们到别处去吧！｜抽烟呛得～

〔动〕由慌张而造成某种状态。必带'神儿、手脚'等个别名词做非受事宾语，表示结果。

　　～了神儿了(慌张而使神色改变)｜～了手脚(慌张而使手脚忙乱)

回¹　huí

〔量〕1. 次。

　a）动＋数＋回。

　　去了一～｜说了两～｜问过好几～

　动词后如有宾语，有两种词序。或是宾语在前（人称代词作宾语时，必须是这种词序）。

　　去过北京一～｜看过他三～｜问了小王两～

　或是宾语在后。

　　去过一～北京｜问过两～小王

　b）数＋回＋动。

　　杭州我一～也没去过｜好几～出门都忘了带雨衣｜别让人一～一～地来催

　c）‘有一回’用在句首，表示过去某个时候。后面可以停顿。

　　有一～，我在路上碰到他

　d）重叠表示不止一次。

　　他来过我们家几回，～～都带礼物来

2. 件。用于事情。前面常用‘这么、那么、怎么’。

　　这是怎么～事？｜原来是这么～事｜看着很像～事儿｜这～事我不知道｜你们俩说的是两～事，不是一～事

3. 章回小说或评书所分的章节。

　　《红楼梦》一共有一百二十～｜我才看到第十一～｜这一～评书讲的是武松打虎

回²　huí（动）；∥。huí（趋）

〔动〕1. 从别处到原来的地方。可带‘了、过’。必带处所宾语。

　　他～上海了｜我今年出来还没～过家呢｜哥哥下午就～学校了

2. 答复，回报。可带‘了、过’。可带双宾语或只带指物的宾语。

　　我已经～过信了｜他～了我一封电报｜他送了礼给我，我得～

276

他一份礼|晚上给他～个电话

动趋 回过　**必带宾语**：他回过头看了看|我回过身子跟他打了个
招呼

回过来(过去)　把头回过来|回过身子去

〔趋〕1. 动＋<u>回</u>[＋名(受事)]。表示人或事物随动作从别处到原
处。

余数已经退～|已将行李送～|收～发出的文件|从邮局取～
一个包裹|车队运～了大批木材|货物运得～运不～？

引申为从不利状态到有利状态。限用于少数动词后。

救～了一条命|捞～一把|现在的比数是一比一,我们刚扳～
一局

2. 动＋<u>回</u>＋名(处所)。表示人或事物随动作从别处到原处。

书报阅后,请放～原处|汽车已经开～车库|你能把他送～家
吗？|把煤运～了工厂|飞机出了故障,今天飞不～北京

有时候在'动＋回'后加'到',意思不变,但中间不能再加'得、
不'。

玩具玩儿过了,要放～到原处

回来　huí∥·lái(动)；∥·huí∥·lái(趋)

回去　huí∥·qù(动)；∥·huí∥·qù(趋)

〔动〕从别处到原来的地方。'回来'表示动作朝着说话人所在地,
'回去'表示动作离开说话人所在地。可带'了、过'。可带施事宾
语。

他刚从天津回来|我回来了才一个钟头|你九点以前回得来回
不来？|我家在峨嵋,已经十多年没回去过了|你今天回不去
了|已经回去了两批人

<u>回</u>＋名(处所)＋来(去)。

哥哥回家来了|代表团回国去了

〔趋〕'动＋回来'和'动＋回去'的分别在于：前者表示动作朝着说

277

话人所在地,后者表示动作离开说话人所在地。

1. 动+回来(回去)[+名]。表示人或事物随动作从别处到原处。名词一般为受事,间或有施事。

他从对岸游回来了|借的东西都还回去没有? |可把你盼回来了|买回来一台微电脑|到了那里就写封信回来|飞回来一只信鸽|叫他送你回去|运回去三件行李|今天还赶得回去赶不回去? |月底前先回去两个人

注意 '接你回来'、'送他回去'等句中的'回来'、'回去'轻读时为趋向动词,重读时为动词。

2. 动+回+名(处所)+来(去)。表示人或事物随动作从别处到原处。

叔叔把我带回北京来了|把箱子拿回家来|到了秋天燕子就飞回南方去|信退回原处去了|太晚了,赶不回去了

会 huì

〔动〕熟习,通晓。可带名词宾语。

他～汉语|你～什么?

〔助动〕1. 懂得怎样做或有能力做某事。可以单独回答问题。否定用'不会'。

他不但～作词,也～谱曲|我根本不～踢足球|以前他不怎么～说普通话,现在～[说]了|你～不～唱这首歌? ——～

2. 善于做某事。前面常加'很、真、最'等。不能单独回答问题。否定用'不会'。

精打细算,～过日子|他很～演戏|你真～说|他这个人哪,最～看风使舵

3. 有可能。通常表示将来的可能性,但也可以表示过去的和现在的。可以单独回答问题。否定用'不会'。

四个现代化的目标一定～实现|不久你就～听到确实消息的|他一定～成功的|他怎么～知道的? |没想到～这么顺利|现

在他不～在家里|他～不～去? ——～

a) 有时可以和'要、肯'连用。

现在还不太清楚,情况～要向什么方向发展|条件如果起了变化,结果也～要发生变化|你叫他别去,他～肯吗?

b) '不会不'表示极大可能,意思接近'一定'。

他知道了,不～不来的|他们以前是同班同学,见了面不～不认识的

⬛比较⬛ 会:能 见'能'。

活 huó

〔动〕 生存,有生命。可带'了、着'。

我还想多～几年呢|爷爷～了一辈子也没见过这种新鲜事|那只小鸟还～着|这样才～得有意义

a) 否定式一般用'没'。'不活了'等于'不想活了'。

这花儿没～|小猫儿生下来没～三天就死了

b) 活+在。

敬爱的周总理永远～在我们心中

⬛动结⬛ 活得(不)了(liǎo) 能(不能)活:没有水,庄稼怎么活得了呢?

活得(不)成 动物没有空气是活不成的

⬛动趋⬛ 活下来 幸免于死(多用于过去):在大家的细心照料下,秧苗总算活下来了

活∥下去 继续活:一定要让它们活下去

〔形〕 1. 有生命的。只修饰名词。

～人|～鸡|～鲫鱼|～老虎

2. 生动活泼。

这一段文章描写得很～|群众口头上的语言是～的

3. 活动;灵活。

～页|～塞|～水|～火山|这抽屉拉不开,好容易才有点～了|

听了这话,他心里也有点～了|几句话就把他说～了

〔副〕非常。

这人～像老周|简直是～受罪!

活动 huó·dòng

〔动〕1. 不牢固;动摇。

沙发的扶手有些～|门牙～得厉害|这树根刨了半天才～了一点儿

2. 运动。可带'了、着、过',可重叠。可带名词宾语。

别老呆在屋里,出去～一会儿|～了一下四肢|刚吃完饭不宜～得过于剧烈|你～～胳膊,看是不是脱臼了|把闸门～了一下|刚才我们出去～过|他不停地～着

3. 从事有目的的社会交往。可带'了、过',可重叠。

书法小组今天下午～|汉语研究会上半年～了两次

4. 特指钻营、行贿、说情等。可带'了、过'。

这事也托人去～过,没有成功|被告曾利用欺骗、贿赂等手段进行～,以达到其目的

|动趋| 活动上　开始活动:惊蛰过后,各种昆虫又活动上了

活动开[了]　一清早小伙子们就在操场上活动开了

活动//开　a)筋骨血脉等能(不能)灵活贯通:这样才能把全身都活动开　b)场地大得足以活动,或小得不足以活动:院子不小,活动得开|这么多人,简直活动不开

活像 huóxiàng

〔动〕1. 表示与比较的对象具有较多的共同点。必带名词宾语。多用于口语。

这孩子长得～他爹|她的动作和神态～她妈妈|小芳说话的声音～阿华姐

2. 表示比拟。必带名词、动词或小句作宾语。多用于口语。

你看他涨红着脸，～一只好斗的公鸡|她的身体极胖，走起路来一摇一晃的，～一只大狗熊|一切都改变得那么快，～在做梦|灵活的小猴子在树枝间跳来跳去，互相追逐着，～小孩子捉迷藏

'活像'之后可以有'是'，仍表示比拟。

远处的山峰，～是一枝笔|他那生硬的样子～是一具成衣店里的木头人儿

'活像'可以与'一样'、'似的'搭配使用。

远处又出现一片房子，～真的一样|他胆小得～兔子见了鹰似的

活跃　huóyuè

〔形〕行动积极活泼；气氛蓬勃热烈。多用于褒义。

a) 可单独作谓语或补语。

市场经济～|学习气氛～|我们班的学习讨论会开得很～|他的思想变得～了

b) 可修饰名词。

～分子|～的气氛|～的边疆贸易

c) 可受程度副词修饰或带程度补语。

他在学校一直很～|学术空气十分～|会场气氛～极了

〔动〕行动积极，使活跃。多用于褒义。可带'了'。可带名词宾语。可重叠。

我们要想办法～学生的课余生活|大力～农村经济，提高农民的生活水平|这样做不仅～了气氛，也调动了大家的积极性|讲个笑话～～

活跃＋在。后加表示处所的成分。

他的身体还没有完全康复，就又～在生产第一线了|我们小分队一直～在附近林区

或　huò　（见'或者'）

或许　huòxǔ　(兴许)

〔副〕表示不很肯定;有可能。多用于书面。

a) 或许+动。

我们俩～去～不去|下午他～来不了|凭你的能力和水平～可以得第一|小张今天没上班,～是生病了

b) 或许+形。

我也说不好什么时候去,～早～晚|这件衣服的大小～合适|我估计他们～能满意

c) 可用在主语前。

～我们这样处理是正确的|～她下午要去医院

【兴许】同'或许'。口语色彩更浓。

兴许老李和我一起去|他兴许什么也不会说的

或则　huòzé

〔连〕1.'或则'用于连接小句或动词短语,可连接两个以至更多,均表示选择关系。

当时我面临两种选择:～去报社当编辑;～去学校当教员|他认为这篇文章～修改,～让别人另写|～两人结伴而行,～各走各的

2.'或则'用于连接两个或两个以上的动词短语,表示几种情况并存,意思相当于'有的…,有的…'。

让他表演不外三个:～叫他唱小调,～叫他讲笑话,～叫他表演小品|我在广东,就目睹了同是青年,而分成两大阵营,～投书告密,～助官捕人的事实(鲁迅)

比较 或则:或者　'或则'多用于较早的书面语,但现代汉语里仍然使用。用法与'或者'连词用法中的1、2大致相当,但大多叠用,很少只用一个'或则'。一般不连接名词。

问张先生或者(×或则)王先生都可以|叫他老杨或者(×或

282

则)大杨都行

或者　huòzhě　（或）

〔副〕也许；或许。多用于书面。

这个办法对于解决问题～能有帮助|你赶快走，～还能搭上末班车

〔连〕1. 表示选择。有时用一个'或者'，有时用'或者…或者…'。

同意～反对|男孩子～女孩子|～放在外面，～放在屋里|～问他～问我都可以

a）下列情况只能用一个'或者'。

连接两个宾语。

问老赵～小张都可以|叫他老杨～杨老大都行

两个成分前共有一个带'的'的修饰语。

数量上的扩大～缩小|指挥的正确～错误|受到表扬的单位～个人

连接两个带'的'的修饰语。

暴躁的～忧郁的性格都不好

b）下列情况一般要用两个'或者'。连接两个小句，主语不同时，'或者'只能在主语前。最后常有表示总结的小句。

～你同意，～你反对，总得表示个态度（＝你～同意，～反对…）|～你来，～我去，都行|～升学，～参加工作，由你自己决定

连接多项成分，可用在每一项成分前，也可只用在最后一项前。

～赞成，～反对，～弃权，你必须选择一项|必须去一个人，你，我，～小程，都行

c）用'无论、不管'后，表示包括所有的情况。

无论城市～乡村，到处都是一片兴旺景象|不管刮风～下雨，他从没缺过勤

2. 表示几种交替的情况。连接动词短语。用几个'或者'，表示

'有的…有的…'。

　　每天清晨都有许多人在公园里锻炼,～跑步,～打拳,～做操

3. 表示等同。

　　人们对整个世界的总的看法叫做世界观,～宇宙观

注意 连接两个单音节宾语时,必须重复动词,才能用'或者'。更简单的说法是不用'或者',直接重复动词。连接多音节宾语不必重复动词。

　　有事找他[或者]找我都可以(ˣ有事找他～我都可以)|有事找老徐[或者]老刘都可以

比较 或者:或则　见'或则'。

　　　或者:要么　见'要么'。

【或】同'或者'。但在某些固定格式(如四字语)中,只能用'或',不用'或者'。用于书面。

　　或快或慢|或前或后|或多或少地增加了收入|人固有一死,或重于泰山,或轻于鸿毛

J

几乎　jīhū

〔副〕1. 表示非常接近;差不多。

  a) **几乎**＋动(往往包含数量词语)。

    高兴得～跳了起来|声音太小,～听不见|～等了两个钟头|～
    有十万人参加长跑活动|～查遍了所有的资料,才找到当时的
    数据|意见～是完全一致

  b) **几乎**＋形(往往包含数量词语)。

    头发～全白了|你比我～高了一头|他的汉语发音很好,～跟
    汉族人一模一样

  c) **几乎**＋名。

    ～每一家都盖了新房|～全体青年都参加了献爱心活动

2. 表示眼看就要发生而结果并未发生;差点儿。用在动词前。

  a) 肯定式多指不希望发生的事,很少指希望发生的事。

    脚下一滑,～摔倒|一个浪头打来,小船～翻了底|事情～就要
    办成了,最后又起了变化

  b) 否定式用否定词'没,没有'时,如指不希望发生的事,意思跟
肯定式相同。

    ～没摔倒＝～摔倒(都表示没摔倒)|船～没翻了底＝船～翻
    了底(都表示没翻底)

  指希望发生的事,意思跟肯定式相反。

    事情～没办成(实际上办成了)|事情～办成了(实际上没办
    成)

比较　几乎:简直　见'简直'。

几乎:差点儿　见'差点儿'。

及　jí

〔连〕表示联合。连接并列的名词性成分。连接三项以上时，‘及’要用在最后一项前。用于书面。

　　a) 连接的词语里，意思重点在‘及’前。

　　　人员、图书、仪器～其他｜主机～备用件｜联合全市的医护人员～社会各界人士，为孤残儿童献爱心｜钢铁、煤炭、石油、电力～其它工业的生产计划完成较好

　　‘及其’等于‘和他(他们)的’。

　　　职工及其家属｜句子的主要成分及其语法功能

　　b) 连接的词语前后并重。

　　　工人、农民～士兵｜一九五六年，我国对个体经济～资本主义经济进行了社会主义改造

　　|比较| 及：以及：和　见‘以及’。

及至　jízhì

〔连〕表示等到出现某种情况。多用于书面，意思相当于口语里的‘等到、直到’，常用于前一小句的句首，可连接名词、动词或小句，用以说明情况发生变化的时间条件。后一小句常用‘还、才’等呼应。

　　　～夜间，火车还没有开出车站｜～到了后山，他才渐渐记起原来那间草屋的位置｜他们一直没有严格的安全检查，～车间出了严重的事故，方才引起注意

　　‘及至’也可用于后一小句，同样表示前一情况发生变化的时间。

　　　B公司表示决不改变原来的条件，～G公司答应赔款｜他说什么也不肯让步，～对方先承认错误

极　jí　(极其　极为)

〔副〕1. 用在形容词(多为单音的)前，表示最高程度。

～好｜～快｜～慢｜～重要｜～平常｜～普通｜～少的例外｜～快地看了一遍｜车子开得～慢

注意 1) 某些形容词不受'极'修饰。

ˣ～斜｜ˣ～密｜ˣ～新｜ˣ～亲爱｜ˣ～永久

2) 形容词的生动形式不受'极'修饰。

ˣ～鲜红｜ˣ～黑黑的｜ˣ～亮闪闪的｜ˣ～苦不唧唧的

3) '极+形'修饰名词时一般带'的'。

～大的空间｜～薄的一层纸｜～普通的装束｜～聪明的孩子

2．用在助动词或动词短语前,表示最高程度。

a) 极+助动。助动词限于'能、肯、会、敢'等少数。

～能说明问题｜～肯学习｜～会烹调｜～敢冒险｜～不愿意去

b) 极+动。'极'的应用范围比'很'小。动词后一般要有宾语,整个动宾短语受'极'修饰。

～有成效｜～耐人寻味｜国家～需要这种钢材｜～不希望这种情况发生｜～受鼓舞

c) 用在带'得、不'的动结式、动趋式之前。'极'的应用范围比'很'小。

～靠得住｜～靠不住｜～过意不去

3．用在'不…'前。'不'后的形容词、动词限于积极意义的双音节词,以及'好、稳、准'等少数单音形容词。

～不安全(ˣ～不危险)｜～不清楚(ˣ～不模糊)｜～不喜欢(ˣ～不讨厌)｜～不好｜～不稳

4．形/动+极+了。常用于口语。

精神好～了｜菠菜新鲜～了｜这话对～了｜屋里收拾得整齐～了｜有意思～了｜我对他的才干简直佩服～了｜这么久不来信,让人惦记～了｜他对你满意～了

【极其】同'极',只修饰多音节形容词、动词。用于书面。

极其安静｜极其贵重｜极其腐朽｜极其重视｜极其感动｜极其厌恶｜态度极其严肃诚恳｜极其艰苦的环境｜极其详尽地介绍了

经验

【极为】 同'极其'。用于书面,语气较庄重。'极为＋形/动'多作谓语。

意义极为深远|这项决定极为正确|对待工作极为认真|上级对此极为重视

极其 jíqí （见'极'）

极为 jíwéi （见'极'）

即 jí

〔动〕表示判断;就是。用于书面。

a) 名＋**即**＋名。有时说成'即是'。

暹罗～今之泰国|周树人～鲁迅|红药水～汞溴红溶液|山后～是我军驻地

b) '**即**…'用作插入语,解释或说明前面的部分。'即'前后多为名词性成分。'即'后的部分较复杂时,也可说成'即是'。

建国的头一年,～一九五〇年,我们乡办了第一所中学|我们一定要发扬已有的优良传统和优良作风,～(即是)群众路线、实事求是、批评和自我批评以及民主集中制的传统和作风

c) 非(不)…**即**…。表示选择,相当于'不是…就是…'。'非…即…'多嵌用单音节词或文言词。

非此～彼|非打～骂

〔副〕用法同'就'。用于书面。1. 表示动作在很短时间内或在某种条件下立即发生;立即,马上。

a) '**即**'前常有表示时间或愿望的词语。

考试结束后,我～赶回家中|服药两三天后～可见效|大雨凌晨～止|此文望～印发|以上问题盼～答复

b) 表示后一事紧接前一事发生,常用'一…**即**…'。

知错～改|一触～发|一拍～合|略一观察～可明了大概|我跟

他一说～妥,没有费很大力气

2. 表示在某种条件下就会有某种结果,含推论意味。

还是面谈为好,如有误会～可当面解释清楚|稍加修改～可使用|呼之～来

3. 加强肯定。

问题症结～在于此

即便 jíbiàn （见'即使'）

即使 jíshǐ （即便）

〔连〕1. 表示假设兼让步;就是。

a) 即使…也[还]…。前后两部分指有关的两件事,前面常表示一种假设情况,后面表示结果或结论不受这种情况的影响。

～下雨也去|～你说错了也不要紧|～条件再好,也还要靠自己努力|他们可能不来帮忙了,～这样,明天也能把麦子割完|理论如果不结合实践,～学得再多,也没有用处|～再晚一小时出发,也还来得及

b) 即使…也[还]…。前后两部分指同一件事,后一部分表示退一步的估计。

～下雨也不会太大|电影票～有也不多了|今年的粮食～不能增产,也还能维持去年的水平

2. 表示一种极端的情况。

即使[是]…也(都)…。前后两部分只是一个主谓结构。前一部分是名词或介词短语(限于'在…,对…跟…')。

～一口水也好|～很细微的情节,我现在都记得清清楚楚|～在隆冬季节,大连港也从不结冰|～跟我没有直接关系,我也要过问

【即便】同'即使'。多用于书面。

比较 即使:哪怕 见'哪怕'。

即使:任凭　见'任凭'

即使:尽管:虽然　1)'即使'表示的情况一般是假设性的,'尽管、虽然'是表示一种事实。

　　即使条件再差,我们也要搞|尽管(虽然)条件很差,我们还是搞了起来

　2)'尽管、虽然'的后面可以用连词'可是、但是、然而'等呼应,'即使'不能。

　　尽管(虽然)很晚了,可是(但是)他还不肯离开|即使再晚,他也不会离开(ˣ…可是他也不会离开)

　　几　　jǐ

〔数〕1. 询问数目。'几'所指的数限于二至九,但可以用在'十、百、千、万、亿'等之前和'十'之后。

　　三加二等于～?|你种了～棵树?|这孩子十～啦?|去了～十个人?|种了～百亩棉花?|来了～千人?|太平天国起义在一八～～年?

2. 表示不定数目。用法同上,后面要有量词。

　　咱们～个一道去|一共只有十～个人|经过～百次上千次的试验才获得成功|已经印了～万份了|来了十～二十个人|他不小了,已经二十～了(只有指年龄时可不用量词)

　a)'好几、几十几百、几千几万…'强调数量大。

　　他好～个月没来信了|有好～百人参加了营火晚会|编辑部每天要处理～十～百封读者来信|缴获的枪总有～千～万支

　b)没有(不)+几+量。表示数量不大。'几'前不能有别的数词。

　　村子很小,没有～户人家|都游泳去了,屋里没剩下～个人|过不了～天就会回来的|麦子都黄了,不～天就能收割了

3. 在具体的上下文中,可以概括确定的数目。

　　商店门口有'顾客之家'～个大字|当时只有老张、老王、小李

和我～个人在场|调查时应注意以下～点:第一…第二…第三
…

习用语 三几　五几　跟'三四'和'五六'的意思差不多。

东西不多,去三几个人就拿回来了|老周上天津去了,要过个
五几天才回来

几时　jǐshí

〔代〕1. 什么时候。

你～回来的? |他～走? |你们～看见他马虎过? |不知～进
来一个人|他们～把我的衣服洗干净了?

2. 任何时候。

你～有空～来|你们～见到他代我问好

比较 几时:多会儿　见'多会儿'。

计　jì

〔名〕计策,办法,计划。多用于成语、熟语。

调虎离山之～|脱身之～|眉头一皱,～上心来|一～不成,又
生一～|百年大～

〔动〕1. 计算。前面常用由'按、以'组成的介词短语。'计'后多不
能再用其他词语。用于书面。

按时～价|以每人一百元～,共约三千余元|长安街上数以千
～的街灯一齐放出了光芒

2. 用于统计或列举。

买进的新书,～中文二百三十种,外文五十七种|寄去衣服一
包,～:毛衣两件、绒衣一套、棉衣一身

'计'后可以有'有',意思不变。

～有毛衣两件、绒衣一套…

注意 '共计'是一个词,类似'总计'。

3. 计较。多用于否定。

仗义直言,不～个人得失

4. 着想,打算。只用于'为…计',放在主语前。

～提高教学质量～,首先必须抓好师资培训工作|为国家利益
～,为个人前途～,青年都不宜早婚

既 jì

〔副〕1. 已经。用于固定格式。

～往不咎|～得利益|～成事实

2. 表示不止这一方面。跟'又、且、也'配合,连接并列成分。

a) 既…又…。表示同时具有两个方面的性质或情况。连接动词
或形容词(结构和音节数目常相同)。

～生动又活泼|锅炉改装以后,～节约了用煤,又减少了人力|
应该做到～会工作又会休息

b) 既…且…。同上,限于连接少数单音节形容词。多用于书
面。

～高且大|～醉且饱|～杂且乱|～深且广

c) 既…也…。后一部分表示进一步补充说明。连接两个结构相
同或相似的词语(音节数也常相同)。

～肯定成绩,也指出缺点|～要有革命干劲,也要有实事求是
的科学态度|他～没来过,我也没去过|他～懂英语,也懂法语

注意 主语不同而谓语相同的小句,不能用'既…又(且、也)…',只
能用'不但…也…'。比较:

他也去了,我也去了|不但他去了,我也去了|×他既去了,我也
去了

〔连〕既然。基本上同'既然'。只用于前一小句主语后。用于书
面。

他～如此坚决,我也不便多说|～要写,就要写好|～来之,则
安之

比较 既:既然 连词'既'不能用在主语前,书面语色彩比'既然'

· 292 ·

重。'既然'可用在主语前或后。'既然'没有'既'的副词用法。

既然他有事,我就不等他了(ˣ既他有事…)

既然　jìrán

〔连〕用于前一小句,提出已成为现实的或已肯定的前提,后一小句根据这个前提推出结论,常用'就、也、还'呼应。

~矛盾已经暴露了,就不应该回避|~你一定要去,我也不反对

a) 前后两小句主语相同时,'既然'一般在主语后。

他~有病,就好好休息吧!|你~来了,就别走了|你~同意我们的意见,那也签个名吧

b) 后一小句的推论可以用问句或反问句表示。

事情~已经这样了,后悔有什么用呢?|~时间还早,何不顺便去看看老冯?

比较 既然:因为　二者都可用于因果关系句中。'既然'句的重点在后面的推断,含主观性。'因为'则是提出实际上的原因,不含主观性。

既然(ˣ因为)派我来,那就是相信我

既然:既　见'既'。

继续　jìxù

〔名〕与某一事有连续关系的另一事。常用在'是'字句中。

这两个过程互相连接,后一过程是前一过程的~

〔动〕(活动)连下去;延长下去;不间断。经常带动词宾语,也可带名词宾语或单独作谓语。

a) 继续+动。

~前进|~奋斗|~工作|~不停|~干下去|~提高质量|把工作~进行下去

b) 继续+名(多表时间)。可带'了'。

这种情况又～了很长一段时间|大雨～了三昼夜|明天还要～
我们的试验

c) 单独作谓语。可带'了'，较少带'着'。

手术还在～着|谈判不能再～了

加以 jiāyǐ

〔动〕表示对某一事物施加某种动作。必带双音节动词宾语。'加
以'是个形式动词，真正表示动作的是后面的动词。后面动词的受
动者常常在前面。

a) 介 + 名 + 加以 + 动。

把整个过程～总结|对于任何问题都要～具体分析|对各项工
作～认真的讨论|根据实际情况～解决

b) 动 + 名 + 加以 + 动。

选取典型经验～推广|有两个问题必须～说明

c) 名 + 助动/副 + 加以 + 动。

这些困难应该～解决|这些缺点必须～克服|大家的建议我们
一定～认真考虑

注意 '加以'前面如用副词，必须是双音节的；单音节副词后面不
能用'加以'，只能用'加'。

不加研究|多加注意

家 jiā

〔后缀〕1. 表示在某种学问的研究中或在某种活动中有成就的人。
构成名词。'家'不轻读。

a) 名 + 家。

政治～|哲学～|数学～|文学～|音乐～|军事～

b) 动/形 + 家。

作～|画～|革命～|教育～|旅行～|作曲～|社会活动～|专
～

2. 经营某种行业的。多见于早期白话。

  农～|船～|店～

3. 专指春秋战国时期的学术流派。

  儒～|法～|道～|墨～

4. 用在指人的名词后边,表示属于那一类人。'家'轻读,常弱化
成 ·jie。

  老人～|闺女～|姑娘～|学生～|小孩子～

  假如 jiǎrú (见'如果')

  假使 jiǎshǐ (见'如果')

  架 jià

〔量〕1. 用于有支架的或支架状的东西。

  两～梯子|井口有一～辘轳|一～葡萄(丝瓜、胡芦、藤萝)

2. 用于某些与支架有关的机械、乐器等。

  一～望远镜(显微镜)|两～照相机|三～钢琴(风琴)|一～纺
  车|一～～飞机接连起飞

  架次 jiàcì

〔量〕表示飞机出动架数的总和。不用在名词前。

  二十～(一架飞机出动二十次,或数架飞机出动次数的总和是
  二十次,或二十架飞机出动一次)|我军出动飞机五百二十～
  |×出动五百二十～飞机

  坚持 jiānchí

〔动〕1. 坚决保持,不放弃。可带'了、着、过'。可带名词、动词、小
句作宾语。宾语限于双音节以上。

  ～原则|～真理,改正错误|～自己的看法|他～要走|他～大
  家一块儿照相|这一点我不～

2. 坚决持续进行。可带'了、着、过'。可带动词宾语。

〜不懈|〜工作|〜跑长跑|〜学外语|他们在机房里已经〜了
一天一夜|他〜着练习书法有十多年了

动结 坚持∥住　他身体不好,时间长了恐怕坚持不住

坚持得(不)了(liǎo)　能(不能)坚持:再走三十里,你坚持得了吗?

动趋 坚持∥下来　连续操作六个小时,怕你坚持不下来

坚持∥下去　每天早晨锻炼半小时,坚持下去必有好处

简直　jiǎnzhí

〔副〕强调完全如此或差不多如此,含夸张语气。

徐先生画的马〜像真的一样|船晃得利害人〜站也站不住|和
前几年相比,体力〜差多了|那年夏天,雨下得〜少极了

a)'简直'后有时可带'地'(不限于书面)。

两条腿疼极了,〜地站不起来|卡车一辆接着一辆,〜地没有
个完|我〜地不知道怎么才好

b)'简直'可用于'是'字句,后面可以是名词,也可以是动词或
形容词。

我对这个工作〜是外行|雪山上也长出了蔬菜,〜是奇迹!|
他不是在走,〜是在跑|〜是胡闹!

c)在'得'字句中'简直'可以放在动词前面,也可以放在'得'字
后面。

他〜听得入了神(听得〜入了神)|他〜忙得喘不过气来(忙得
〜喘不过气来)

比较 简直:几乎　'简直'的意思是'接近完全',近于'等于';'几
乎'只表示'接近',程度上比'简直'稍差些。

嗓子简直不行了,没法唱下去了|嗓子几乎不行了,可总算是
勉强唱完了

间接　jiànjiē

〔形〕需通过第三者发生关系的(与'直接'相对)。多用于书面,不能单独作谓语。

a) 可修饰名词。

那是～关系|多少获得一些～经验|这只是～原因

b) 可修饰动词。

有关他的消息,我只是～知道一点儿|我们费了好大的劲儿,才～打听到你的地址|他～传染上了这种病

c) 是+间接+的。表示对主语的说明。

那时我们之间的联系一直是～的|当时两国之间的贸易活动还只是～的

鉴于　jiànyú

〔介〕表示以某种情况为前提加以考虑。多用于书面。

～群众反映,我们准备马上开展质量大检查|～这种条件,还是别在那儿过夜为好|～你的身份,不宜过早出面

〔连〕察觉到;考虑到。用在表因果关系的复句中偏句的句首,指出正句行为的依据、原因或理由,多用于书面语。

～他多次违反工作纪律,公司决定让他停职反省|～目前市场疲软,咱们也得赶紧想办法给产品找出路|～他的身体还需要恢复一段时间,我们只好请别人先代替他的工作

注意 '鉴于'用在表因果关系的偏句里,只能出现在句首,前边一般不能出现主语。

见　jiàn

〔动〕1. 看见。可带'了、过'。可带名词宾语。一般不单独作谓语。

只～树木不～森林|这几句诗好像在哪儿～过|这种事儿我～

297

得多了

2. 会见；接见。可带'了、过'，可重叠。可带名词宾语。

他要～张主任|这个人你～不～？|明天到我家去,大家～～

3. 接触；遇到。可带'了'。必带名词宾语。

冰～热就融化|胶卷不能～光,～了光就失效了

4. 显现出。必带名词、形容词作宾语。多用于书面。

工作已初～成效|祖国日～繁荣昌盛|他的病开始～好了,你就放心吧!

5. 指明出处或需要参看的地方。必带名词宾语。多用于书面。

鸿门宴的故事～《史记·项羽本纪》|人体的血液循环系统～右图

注意 这里的'见'是'见于'的意思,是被动意义,不是主动意义,不能说'请见《史记·项羽本纪》'。

6. 作动结式第二成分,表示感觉到。多和视觉、听觉、嗅觉等有关。中间可插入'得、不'。

看～|望～|瞧～|瞅～|听～|闻～|梦～

动结 见//着(zháo)　他前天回山东去了,你见不着了

动趋 见//上　我要能跟他见上一面才好

见//到　见到他,替我问个好

习用语 不见　1)没见面。

一年不见,你长这么高了

2)丢失。必带'了'。

钢笔不见了

见不得　不能接触。

汽油见不得火,见火就燃烧

见(不)得人　能(不)让别人看见或知道。多用于否定式。

我没有做过见不得人的事

件¹ jiàn

〔量〕1. 用于衣服(上衣类)。可儿化。

两～上衣(背心、毛衣)|一～大衣(长袍、披风、雨衣)|换～儿衣服(衣裳)|一～一～地叠好|ˣ一～裤子(一条裤子)

2. 用于个体器物(多为类名)。可儿化。

两～东西|一～艺术品(ˣ一～国画)|三～家具(ˣ三～柜子)|几～首饰|十～行李(货物)

3. 用于事情、案子、公文、信函等。

一～大事|一～案子|上午收到三～公文|处理了一百多～群众来信

但'事件、案件、文件、信件'等名词中已有'件'字的,前面不能再用量词'件'。

ˣ两～(两个)文件

件² jiàn

〔后缀〕加在其他成分后面,构成名词。

a) 用于作为更大的事物的一部分的事物。

元～|器～|部～|组～|零～|铸～|构～|制～|配～|备～|标准～

b) 用于成系列的事物等。

案～|事～|文～|稿～|信～|证～|邮～

c) 用于文件。

要～|急～|密～|抄～|附～

d) 用于运输的行李、货物。

大～|小～|快～|慢～

渐渐 jiànjiàn

〔副〕表示程度或数量随时间缓慢地增减。用于书面。

a) **渐渐[地]**＋动。动词后不能带'着、过'。

走了半天，～接近铁路了|歌声～停止了|过了一些日子，我对新环境～地习惯了|由近到远，声音～听不见了

b) **渐渐[地]**＋形。形容词后常带'了、起来、下去'等表示动态。

风～小了|声音～地大了起来|天～地暖和起来|歌声～低了下去|孩子又～地不安静起来

c) '渐渐'有时可用于主语前，必带'地'，有停顿。

～地，我了解了他的脾气|～地，天黑下来了|～地，太阳从山后出来了

将　jiāng　（将将）

〔副〕用于书面。1. 表示动作或情况不久就会发生；将要，快要。

竞赛～分区同时进行|火车～进站了

2. 表示接近某个时间。用于书面。

天～黄昏|时间已～深夜，路上行人稀少|离开杭州不觉已～十年

3. 表示对未来情况的判断，含有'肯定、一定'的意思。

如不刻苦努力，则～一事无成|随着农业生产的发展，农民的收入～不断增加|您的教导～永远铭刻在我们的心中

用于'是'字前。

保持生态平衡，～是我们首先遇到的问题|在我们的社会里，劳动～永远是光荣高尚的

4. 表示勉强达到一定数量；刚刚。

买来的面包～够数儿|这间屋子～能容十个人

〔介〕1. 把。用于书面语。

～科学试验继续进行下去|他～钱和药方交给了我

2. 拿；用。见于成语、熟语。

～功折罪|恩～仇报|～心比心|～鸡蛋碰石头

【将将】同副词'将'4 项用法。

这块布将将够做一件上衣|做出来的饭将将够吃|箱子不大，将将装下几套衣服

将将 jiāngjiāng （见'将'）

交 jiāo

〔动〕1. 交叉。后边常跟'于'，前面有时加'相'。

两条线[相]~于一点

2. 到(某时辰或某节气)。

已~子时|节气~了立冬

3. 结交(朋友)。可带'了、过'。

~了几个好朋友|我没~过这样的朋友

4. 把事物转移给有关方面。可带'了、过'，可重叠。可带名词宾语、双宾语。

徒弟一出师，师傅就可以~班了|~过一张登记表|报告已经~了|先把介绍信~我|他~我几块钱，让我替他买本书|公粮~得很快|~差|~底儿

在'交'后加'给'时，常带双宾语；可以只带指人宾语，不能只带指物宾语。

昨天他~给我一把钥匙(~给我。˟~给一把钥匙)|我~给他两张票|把试卷~给老师了|作业已经~给老师了

5. 分配任务。常带兼语。常在'交'后面加'给'。

这件事~[给]你办吧|住房问题~给行政部门去解决

动趋 交//上　a)我在那儿交上了几个朋友，常在一起讨论各种问题　b)咱们的公粮全合格，都交上了

交//下去(来)　任务已经交下去(来)了

交回　阅后请立即交回

交得(不)起　有(无)能力交付：交不起昂贵的医疗费

〔名〕1. 相交点。

301

春夏之～

2．交往的人；朋友。用于固定格式。

一面之～|布衣之～|忘年之～

交互　jiāohù

〔副〕1．表示彼此关联，彼此对待的关系，基本上相当于'相互'而偏于动作的交替。多用于修饰双音节动词。

运动员们～签名留念|老师把答案写在黑板上，让同学们～批改|我方球员～配合，打得对方乱了阵脚|他们通过～学习，达到～促进的目的

2．表示相互替换、轮流进行某种活动，相当于'交替'。

中小学生的身体正在发育阶段，学习和娱乐必须～进行|他的双手～抓住绳索向楼顶爬去

教　jiāo

〔动〕把知识或技能传给人。可带'了、过'，可重叠。可带名词、动词宾语，可带双宾语。

～书|～数学|～唱歌|他没～过我|我不会，你～～我好吗？|～小学生得要有一套不同于成人的办法|他～语文～得不错

a）可以带双宾语或只带其中之一。

张老师现在～我们化学|张老师现在～我们|张老师现在～化学

b）可带非受事宾语。多指学校。

我～了十年大学|～小学不见得比～中学容易

　或指工具。

他在音乐学院～大提琴和小提琴|他能～好几种中国乐器呢

c）教＋给。指物宾语常用'把'提前。

老师傅把技术都～给了徒弟|他～给我一种新的算法

动结 教对了　教错了　教会了

302

教∥好　法语我没教过,怕教不好

教得(不)了(liǎo)　你教得了化学吗? ——教不了,我一直是教物理的

动趋　教上　先教小学,今年才教上中学的

教出　必带宾语:他一辈子就教出这么几个徒弟

教出来　这孩子已经教出来了

教起来　这个班淘气的孩子多,教起来比较吃力

叫¹　jiào

〔动〕1. 喊叫;吼叫;鸣叫。可带'了、着、过',可重叠。

　　大喊大～|疼得～了起来|鸡～过两遍了|汽笛声～得人耳朵都快聋了!

2. 呼唤;召唤;招呼。可带'了、着、过',可重叠。可带名词宾语。

　　a) 宾语是所叫的人。

　　　小刘,老张～你|把我们～来干什么? |～你～得嗓子都哑了,你怎么没听见?

　　b) 宾语是要求提供的事物。

　　　～了一辆出租汽车|～了三个菜

3. 致使。必带兼语。

　　～人为难|这么晚才得到通知,～我怎么办? (=使我没办法)|厂里～我到上海去一趟

4. 名字是。必带名词宾语。

　　我～国柱|他有个女儿,～张玉兰

5. 称呼。必带双宾语。

　　他～我大姐|大家都～他大老李

动结　叫∥惯　叫∥动　叫∥齐　叫∥醒

动趋　叫∥上　a) 时间太晚,出租汽车叫不上了　b) 叫[上]一辆车送你们走

叫∥上来　记住因而能叫出:见过面,可是名字叫不上来了

叫下　锅炉房已经叫下四十吨煤

叫∥出　必带宾语:这种花儿我叫不出名字

叫∥出来　嗓子哑了,叫不出声来

叫得(不)过来　这么多人的名字我怎么叫得过来呢?

叫起来　a)开始叫:鸟儿叫起来了　b)叫的时候:这种动物叫起来怪可怕的

叫² (教) jiào

〔介〕被。引进动作的施动者,动词前或后要有表示完成、结果的词语,或者动词本身包含此类成分。用于口语。一般写'叫',也有写'教'的。

墨水瓶～弟弟打翻了|小张～我批评了几句

a) 动词后还可再带宾语,但限于以下几种:宾语是主语的一部分或属于主语。

手指～刀子划破了皮|三张票～他拿走了两张

宾语是主语受动作支配而达到的结果。

屋里～你搞成什么样儿了!

主语指处所。

窗口～大树挡住了阳光

动词和宾语组成固定的动宾短语。

我～他将了一军

b) 叫…给+动。跟不加'给'意思相同。

烟盒～我给扔了|小鸡～黄鼠狼给叼去了一只

c)叫…把…+动。叫…把…给+动。'把'字后的名词或属于主语,或是主语的复指成分。

钢笔～我把笔尖摔坏了|相片～小妹妹把它给撕了

〔助〕被。用在动词前,表示被动,少用。

好大的雨,衣服都～淋透了

比较 被:叫²:让　见'让'。

304

叫做　jiàozuò

〔动〕1. 名称是。

这种药～红霉素 | 工业革命也～产业革命 | 通常把中秋节～八月节 | 北京人管蕃茄～西红柿

2. 给事物以名称。

吸墨纸吸水, 灯芯吸油, 都～毛细现象 | 雨后阳光透过空气中的小水点, 反映出七种颜色, ～虹 | 天文学家把银河围绕成的空间～银河系

3. 引成语说明事理。

中国有句谚语, ～'路遥知马力, 日久见人心' | 你这样搞法, ～舍近求远

以上三种用法在口语中也说成'叫'。

较　jiào　（见'比较'）

较为　jiàowéi　（见'比较'）

界　jiè

〔后缀〕构成名词。1. 指界限。

a）名＋<u>界</u>。

边～ | 省～ | 国～ | 地～

b）动＋<u>界</u>。

分～ | 交～ | 临～

2. 指范围。

a）名＋<u>界</u>。

眼～ | 境～

b）动＋<u>界</u>。

射～ | 管～ | 租～

c）方位＋<u>界</u>。

外～

3. 指某一社会领域成员的全体。

a) 名+<u>界</u>。

政～|军～|报～|外交～|新闻～|音乐～|宗教～|知识～|学术～|教育～|体育～|文教～|科技～|语言学～

b) 动+<u>界</u>。

出版～

4. 指大自然的范围或动、植物等的大类别。

自然～|动物～|植物～|生物～|有机～|无机～

借　jiè

〔动〕1. 借入。可带'了、过'。可带双宾语或只带指物的宾语。

我～了他十块钱|我在图书馆～了一本《宋词选》|这本书我～过,前天已经还了|～你的钢笔使一下|自行车让小陈～走了|你把这些东西～来干吗?

2. 借出。可带'了、过'。必须有一定的上下文,才能确定是借出的意义,否则总是理解为借入。

a) 用'给'引进借东西的人,'给…'放在宾语之前或之后。

当时下大雨,亏得他～了一件雨衣给我|我～给你课本,～给你词典,你要好好学习|自行车我已经～给小黄了

b) 其它例句。

图书馆今天不～书(图书馆一般只借出)|我向你借你不～,小英向你借你～不～? |二十块钱够不够了? 要不够,我再～你十块钱

3. 凭借;利用。用于连动句的前项,常带'着'。必带名词、动词宾语。

～题发挥|我～这个机会和大家谈谈|～着回家探亲,顺路到桂林去了一趟

動結 借∥成　借∥着(zháo)

306

[动趋] 借进　必带宾语:从兄弟厂借进两吨原料

借出　必带宾语:今天借出图书三百多册

借∥出来(去)　资料借不出来,只能到那儿去复印|这份图纸可以
借出去吗?

借来　把他设计的图样借来看看

借去　我的车老赵借去了

借∥到　借到一本刚出的《诗刊》|这东西我怕借不到

禁不住　jīn·buzhù

〔动〕 1. 承受不住。可带名词、动词、小句作宾语。

竹竿细了一点,～多大的份量|没有信心和决心,就～考验|再
结实的鞋也～你这么折腾|箱子太沉,这个架子恐怕～

2. 抑制不住;忍不住。必带动词、小句作宾语。主语限于指人。

听他这么一说,大伙儿～笑了起来|～深深地叹了一口气|～鼻
子一酸,泪珠儿滚了下来|一阵冷风吹过,～打了个寒噤

禁得住　jīn·dezhù

〔动〕 承受得住。可带名词、动词、小句作宾语。

再熬两夜我也～|他身体很弱,哪儿～这样的大风|不怕,这东
西～压|这座木桥～卡车通过吗?

[注意] '禁得住'没有与'禁不住'2项相对的用法。

尽管　jǐnguǎn

〔副〕 表示没有条件限制,可以放心去做。后面的动词一般不能用
否定式,不能带'了、着、过'。

你有劲～使|你有什么困难～对我说|你～来住吧,这儿有的是
地方

〔连〕 表示让步;虽然。

a) 后一小句用'但是、可是、然而、可、还是、仍然、却'等呼应。

他～身体不好,可是仍然坚持工作 | ～跟他谈了半天,他还是想不通 | ～大家都赞扬这部影片,然而各人的侧重点却不尽相同

b) '尽管'用于后一小句。多用于书面。

这个问题到现在还没有解决,～已经想了不少办法 | 同志们都坚守岗位,～风雪很大 | 这种句子并不是问句,～句中有疑问词

比较 尽管:不管 '尽管…'表示一种事实,后面不能用表示任指的词语。'不管…'表示一种假设,后面用表示任指或选择的词语。

尽管下这么大的雨,我还是要去 | 不管下多么大的雨,我都要去

尽管:即使:虽然 见'即使'。

尽量 jǐnliàng

〔副〕表示力求达到最大限度。

a) 尽量+动。

只要我能办到的,～办到 | 要～学习对方的长处 | 看得出来,他是在～克制自己

b)尽量+形。

～早一点去 | ～慢些 | 说话写文章都要～简明扼要

进 jìn(动);∥。jìn(趋)

〔动〕1. 从外面到里面。同'出'相对。可带'了、过'。可带处所宾语或施事宾语。

请～ | 工程重地,闲人免～ | ～中央民族大学学习 | 叫他别～那屋子 | 礼堂里又～了一大批人

2. 向前移动。同'退'相对。可带'了'。

向前～ | ～两步,退一步 | 不～则退 | 棋盘上红'车'向前～了一步

308

引申为向前发展。

> 通过这次访问,我们两国的关系又向前~了一步|这一段文章的意思比上面那几段又~了一层

3. 收入,接纳。可带'了、过'。必带施事宾语。

> 昨天商店里刚~了一批货|我们厂又~了一批新工人|我们单位去年没有~过人

动结 进得(不)了 我没带钥匙,进不了屋子

〔趋〕 1. 动+进[+名]。表示人或事物随动作从外面到里面。名词一般为受事,偶尔有施事。名词为施事时,动词和'进'中间不能加'得、不'。

> 买~一批图书|调~不少技术人员|引~国外的新技术|他作风民主,听得~不同的意见|从外边跑~(×跑得进)几个小男孩

2. 动+进+名(处所),表示人或事物随动作进入某处。

> 走~教室|又有许多人住~了新楼|把这几本书也一块儿放~柜子吧|我挤不~会场|这些器材暂时还搬不~仓库

进而 jìn'ér

〔连〕 表示在已有的基础上进一步。用于后一小句。前一小句先说明完成某事。'进而'前面可以用'又、再、才、并'等。

> 新的教学法先在个别班级进行试验,~在全校推广|这项设计完成以后,他们又~致力于另一项工程的设计|我们先在一所学校进行了教学改革试点,并~推广到全市的中学|先学好第一外语,再~学习第二外语|弄懂这个问题之后,才能~研究其他问题

比较 进而:从而 '进而'强调进一步的行动;'从而'除表示进一步的行动外,还跟上文有条件或因果的关系。

> 我们进行了合理的分工,进而建立了岗位责任制|我们进行了合理的分工,从而大大提高了工作效率和产品质量

进来　jìn∥∘lái(动);∥∘jìn∥∘lái(趋)

进去　jìn∥∘qù(动);∥∘jìn∥∘qù(趋)

〔动〕从外面到里面。'进来'表示动作朝着说话人所在地,'进去'表示动作离开说话人所在地。可带'了、过'。

> 请进来吧!│窗户一打开,阳光和新鲜空气都进来了│你先进去,我在外面等一等他们│快叫他进来,外面挺冷的│洞口太小,我进不去

　a) 可带施事宾语。

> 从外面进来了一位维吾尔族姑娘│刚进去一个人,没认出是谁│门开了,进来一股冷风

　b) <u>进</u>+名(处所)+来(去)。

> 外面冷,你进屋来吧│明天我进城去

〔趋〕'动+进来'和'动+进去'的分别在于前者表示动作朝着说话人所在地,后者表示动作离开说话人所在地。

1. 动+<u>进来</u>(进去)[+名]。表示人或事物随动作从外面到里面。'名'为受事或施事。

> 水从洞口流进来│他因为熬夜,两眼都凹进去了│研究所要把有真才实学的人员吸收进来│从外面拿进来两把椅子│他探头进去看了一看│卡车开得进来开不进来? │隔壁房间住进来两位留学生│从窗口飞进来一只燕子│从旁门走进几个人去

　'听进去'引申为愿意接受。

> 我的话他还能听进去│别人的意见他听不进去

2. 动+<u>进</u>+名(处所)+来(去)。表示人或事物随动作进入某处。

> 有个人从外面跑进车间来│先把器材搬进楼去│兔子把树叶衔进洞里去│粮食都已经运进库里来了│还剩下几件仪器装不进箱子去

进行　jìnxíng

〔动〕从事持续性的活动。可带'了',一般不能带'着、过'。可带

动词宾语。

    a）宾语代表所从事的活动。

      ~讨论|~详细的调查|对两种方案~了比较

    b）主语代表所从事的活动。

      会议正在~|工程已经~了三个月了|今后的工作如何~，另行通知|事情~得很顺利

'正在进行'也可以说成'正在进行中'。

[注意] 1）代表所从事的活动的词不能是单音节的。

    ˣ~查|ˣ~比|ˣ~谈

  2）用作宾语的动词不能再带宾语。如果在语义上要求受事，表受事的名词可用介词'对'引进。

    对预算~审查(ˣ~审查预算)|我们要对他~帮助(ˣ我们要~帮助他)

  3）只用于比较正式、庄重的活动，不用于非正式的或短暂的活动。

    ~谈判(ˣ~说话)|~反抗(ˣ~反对)|~干涉

[动趋] 进行∥下去　继续进行：按目前速度进行下去，月底以前就能完成

进行∥到　必带表示处所或程度的名词语：

    进行到底|工作已经进行到了这一步，就应该考虑下一阶段的安排了

[比较] 进行：举行　见'举行'。

经　jīng

〔动〕1. 经过。必带名词宾语。用于书面。

    这次列车~沈阳、长春开往哈尔滨

2. 表示过程或手续。多用于连动句或复句的前一小句。用于书面。

    a）经+动。

现金账～核对无误|～再三催问,他才表示同意|～反复考虑,决定暂缓处理

　　b) 经 + 小句。

计划已～上级批准执行|单据未～主管人员签字,不得付款|房间～他这么一收拾,整齐多了

3. 经历。必带宾语。

～风雨,见世面|我这一辈子可～了不少大事

4. 经受。常跟'住、起'组成动结式。

～住了考验|这点小病,我还～得起|温室里的花草,～不住日晒雨淋

　　经常　jīngcháng　（见'时常'）

　　经过　jīngguò

〔名〕过程;经历。

我方发言人向记者们介绍了达成协议的～|他把谈判的～告诉了大家

〔动〕1. 从某处通过。

　　a) 经过 + 名(处所)。

从北京坐火车到广州要～武汉|本次列车～郑州的时间是六点零五分|往南走～西单才能到宣武门

　　b) 从(打) + 名(处所) + 经过。

再过五分钟还有一趟船从这儿～|晚秋以后一群一群的大雁打上空～

2. 延续。可带'了'。必带时间词语作宾语。

穿过这个山洞整整～了五分钟|～漫长的岁月,地下的古代生物遗体变成了化石|他们到西藏去考察,～一年零五个月才返回北京

3. 经历(活动、事件)。可带'了'。必带名词、动词、小句作宾语。

a) 经过＋名。

　～这次会议，大家的看法一致了｜～这道手续后就可以出境｜～了这次挫折，增长了不少见识

b) 经过＋动。

　～调查，了解了事情的真相｜～了充分酝酿，各个小组都提出了候选人名单｜～仔细讨论之后，我们才做出这一决定

c) 经过＋小句。

　～大家讨论，决定采用第一个设计方案｜体育学校的学员们～教练指导，成绩提高很快｜这是～领导批准的

净　jìng

〔副〕1. 光；只。净＋动词短语。

　～顾着说话，忘了时间了｜前排票已经卖完，～剩下后排的了｜不能～听你一个人的，还要听听别人的意见

2. 总是；老是。净＋动词短语。

　这些日子～刮大风，没个好天｜你太粗心，～写错字｜他这个人呀，～爱开玩笑｜气管炎犯了，晚上～咳嗽

3. 全；都。

　书架上～是科技书刊｜这一带～是稻田｜他说的～是废话

　在口语里，'是'字常常省去不说。'净'后可加'都是'，意思相同。

　书架上～都是科技书刊｜他说的～都是废话

竟　jìng　（竟然）

〔副〕表示出乎意料；居然。

a) 竟＋动。

　他真大意，～忘了地址｜找你半天，～在这儿碰上了｜没想到老刘～答应了

b) 竟＋形。

· 313 ·

～如此简单|速度～快得惊人

【竟然】同'竟'。

这样大的工程,竟然在两年内完成了|他的计算竟然如此准确|我们的设想竟然能够成为现实|问题就在眼前,竟然没有发现!

竟然 jìngrán （见'竟'）

究竟 jiūjìng

〔副〕1. 用于问句,表示进一步追究,有加强语气的作用。多用于书面,口语多用'到底'。

　a) 用在动词、形容词前,也可以用在主语前。

　　问题～在哪里呢? |～室内温度有多高? |这台机器～好用不好用?

　b) 单纯针对主语提问,'究竟'只能用在主语前。

　　～谁干? |～你去还是他去?

　c) 带'吗'的问句,不能用'究竟'。

2. 归根到底;毕竟。有加强语气的作用。多用于含有评价意义的陈述句。

　a) 常用在动词、形容词前。

　　谎言～代替不了事实|孩子～还小,不能像大人那样去要求他

　b) 用于'是'字句。强调事物的特性。

　　她～是农村来的,懂得农活儿|这本书虽然旧,～是珍本|他～是老教师,教学有经验|孩子～是孩子,哭了一会又玩儿去了

救 jiù

〔动〕1. 使脱离危险或灾难。可带'了、过',可重叠。可带名词宾语。

　　～人|～～他吧|亏你～了他|中国的草药～过他的命|病人终

314

于被～活了|把失足落水的小孩～上岸来|小孩掉水里去了，快去～!

可作动词'有、没、得'的宾语。

医生采取了紧急措施，病人才得～|您看这病人还有～没～?

2. 制止或排除危险、灾难、危机等。可带'了、着、过'。必带名词宾语。

～火|～荒|～死扶伤|生产～灾|这些先借给你～～急

动结 救//活　救晚了

动趋 救//出　必带宾语:消防队员把妇女和儿童～出了火海

救//出来　冲进火海，救出几个人来

救//起来　把小孩从水里救起来|救起一个险球来

救//过来　使垂危的病人脱险:经过多方努力，总算救过来了|时间太长了，恐怕救不过来了

就¹　jiù　(便)

〔副〕1. 表示很短时间以内即将发生。

a) 就+动。

我～去|这～走|你等会儿，他马上～回来|足球联赛明天～开始

b) 就+形。

天很快～亮了|我这头痛病一会儿～好|麦子眼看～熟了，赶紧准备收割吧

2. 强调在很久以前已经发生。'就'前必有时间词语或其他副词。

a) 就+动。

他十五岁～参加了工作|早在儿童时期我们～认识了|这问题以前早～研究过了|小黄从小～肯学习

b) 就+形。

事情早～清楚了|他的表现一直～很好

3. 表示两件事紧接着发生。

a) 动+就+动。指两个连续的动作,'就'前必用动词短语,'就'后可用单个动词。

说完～走|说干～干|扭头～跑|放下背包～到地里干活|送他上了火车,我～回来了

b) 动+就+形。形容词表示的是动作的结果。

再加一点～满了|看见你～高兴|看完～明白了

c) 一(刚、才)…就…。

一看～会|一听～明白|天一亮～走|一干起活来～什么都忘了|刚出门～碰上老李|怎么才来～要走?

注意 前后两件事有时属于同一主语,有时属于不同主语。

一看～会|听完～明白了(指同一主语)

一教～会|讲完～明白了(指不同主语)

4. 加强肯定。

a) 就+是(在)。

这儿～是我们学校|他家～在这胡同里头

b) 就+动。'就'重读。表示意志坚决,不容改变。

你不让干,我'～要干|不去,不去,'～不去|我'～不信我学不会

c) 就+动/形。主语重读,'就'轻读,表示主语已符合谓语所提的条件,无须另外寻找。

老'赵～学过法语,你可以问他|你要的书,'我手头～有|'这个花色～好|'这儿～很安静|'那种规格～合适

5. 确定范围;只。

a) 就[+有]+名。

老两口～[有]一个儿子|书架上～[有]那么几本书

b) 就+动+宾。'就'重读,表示动作只适用于宾语,不适用于宾语以外的事物。

老赵'～学过法语(没学过别的外语)|我'～要这个(不要别的)

c) 就+小句。'就'重读,排除主语所指以外的事物。

昨天'～他没来(别人都来了)|'～我一个人去行了(别人都不必

去)

　　d) 就 + 这样。表示没有其他情况。

　　　　～这样，我们来到了延安 | ～这样，他离开了我们

6. 强调数量多寡。

　　a) 就 + 动 + 数量。'就'重读，指说话人认为数量少。动词有时可省。

　　　　他'～要了三张票，没多要 | 老周'～讲了半小时，下边就讨论了 | 去的人不多，我们班'～[去了]两个 | 我'～[有]一本，你别拿走

　　b) 就 + 动 + 数量。'就'轻读，前面的词语重读，指说话人认为数量多。动词有时可省。

　　　　'他～要了三张票，没剩几张了 | 老'周～讲了两小时，别人都没时间谈了 | 去的人不少，'我们班～[去了]七、八个 | 一'天～[跑]两趟车站，够累的 | 咱俩才抬一百斤，人家'一个人～[挑]一百二十斤

　　c) 一 + 动 + 就 + 数量。'就'轻读，动词重读，指说话人认为数量多。

　　　　一'干～半天 | 一'讲～一大篇 | 一'买～好些

　　有时没有数量词，仍然含有数量的意思。

　　　　他就是爱下棋，一下～没完没了

7. 表示承接上文，得出结论。

　　a) 如果(只要、既然、因为、为了等)…就…。

　　　　如果他去，我～不去了 | 只要努力钻研，～能学会 | 他既然不同意，那～算了 | 因为临时有事，～在长沙逗留了两天 | 为了赶时间，～少休息一会儿 | 不是刮风，～是下雨

　　句子较短时，两个小句之间常不用连词，也没有停顿。

　　　　下雨～不去 | 不同意～算了 | 没事～多坐一会儿

　　b) 不 A 就 A。表示'如果不…，就一定不…'。

　　　　他不干～不干，要干就真像个干的样子 | 不说～不说，一说就没完没了

c) A就A[吧]。表示容忍或无所谓。

丢～丢了,着急也没用|大～大点儿,凑合穿吧!|去～去,怕什么?|比赛～比赛吧,输了也没关系

d) 承接对方的话,表示同意。

运输的事～这么办吧!|～这样吧,你先去和他商量商量

【便】同副词'就'2项a),3项,4项a),7项a)的用法,用于书面。

上午九时起程,下午三时便能到达|大雨如不停止,施工便有困难|只要经常锻炼,身体便会好的|不是刮风,便是下雨|要来便来,要去便去

就² jiù

〔介〕1. 引进动作的对象或范围。'就…'可在主语前,有停顿。

～事论事|大家～创作方法进行了热烈的讨论|～手头现有的材料,我们打算先订出一个初步方案来|这部作品～语言看来,不像宋朝的|昆明～气候而论是最适宜不过的|～技巧而言,我们厂的篮球队比你们强|～专业知识来说,我远不如你

2. 表示从某方面论述。多与其他人相比较。

～我来说,再走二十里也行,可是体弱的同志该休息一会儿了|～我们来讲,抗旱是份内的事情,没想到同学们也一大早就赶来帮忙了

3. 挨近;靠近。后面是单音节时,常构成固定的词语;后面是多音节时,'就'后要加'着'。

～地取材|～近入学|出去的时候,～手关一下门|～着桌子写字|～着灯亮儿看书|～着宿舍周围砌了几个花坛

4. 趁着;借着。'就'后多加'着'。

～着这场雨,咱们赶快把苗补齐|小李～着医疗队进村的机会,学了不少医学基本知识

就³ jiù

〔连〕表示假设兼让步;就是;即使。只用于前一小句主语后,动作

动词或形容词前。后一小句常用'也'呼应。用于口语。

> 你～赶到车站也来不及了|你～说得再好听,我也不信|这东
> 西他～拿去了也没用|他～不参加,也没关系|他～不来,我们
> 也有办法|我～再胖,也赶不上你

这里的'就'都可以说成'就是'。

就是[1] jiù·shì

〔副〕1. 单用,表示同意;对。

> ～,～,你说的很对

2. 强调肯定。

a) 就是+动。表示坚决,不可更改,同'就[1]'4项b)的用法。多用于排斥任何条件的句子。

> 不管怎么说,他～不同意|随你怎么劝,我～不愿意

有时用'这样'代替动词。

> 我～这样,你爱怎么办就怎么办吧!

b) 不A就是不A,…。'不'后多为单音节动词。表示'如果不…,就一定不…',同'就[1]'7项b)的用法。

> 他不干～不干,要干就干得很好|不懂～不懂,不要装懂|他不
> 写～不写,一写～一大篇

c) 就是+形/动。强调肯定某种性质或状态,含反驳意味。

> 他的身体～好|他分析得～清楚,道理讲得～透彻|这孩子～
> 招人喜欢|那家伙～让人讨厌

d) 动+就是+动量。强调动作迅速果断。

> 走过去～一脚|对准了靶子～一枪|伸手～两巴掌

e) 一+动+就是+数量。指说话人认为数量多。同'就[1]'6项c)的用法。

> 一坐～半天|一病～半个月|一谈～半个小时|一跳～六米远|
> 一来～好几个人

3. 确定范围,排除其他。

a) 就是 + 名。

我们家～这两间屋子

b) 就是 + 动。

这孩子挺聪明,～有点淘气|这些课程里边他～喜欢数学|～因为我们不认真听取群众意见,才出现了这些问题

c) 就是 + 小句。同'就[1]'5 项 c)的用法。

别人都不这样,～你傻|你们都看上这部电影了,～我没买上票,没看上

d) 就是 + 这样。同'就[1]'5 项 d)的用法。

～这样,小梅终于学会了开车|～这样,我们再也没有见面

就是[2] jiù·shì

〔连〕1. 表示假设兼让步;即使。后面常用'也'呼应。

～遇到天大的困难,我们也要想办法克服|～我不在,也还是会有人接待的|你～说错了,那也没有什么关系|工程量很大,～三、四百人也不够|～三岁孩子也不会干这种莫明其妙的事!

2. 表示一种极端情况;即使。

他们哥儿俩长得一模一样,～家里人有时也分不清|这个孩子～在伤心的时候,也从来不哭

就是了 ·jiu·shi·le

〔助〕1. 用在陈述句末尾,表示不用犹豫、怀疑。

我一定按期完成,你放心～|要知道个究竟,你看下去～|你放心,我认真去做～

2. 用在陈述句末尾,表示如此而已,有把事情往小里说的意味。常跟'不过、只是'等呼应。同'罢了'。

这事谁不知道,我不过不说～|我和他只不过认识～,说不上有什么深交|你可别当真,我只是随便说说～

就是了:得了 见'得了'。

就算 jiùsuàn

〔连〕表示假设的让步,相当于'即使、即便',多用于口语。

a)'就算'与'也、还、总'等呼应,前后两个分句指同一件事情,后一分句表示退一步的估计。

~这道题有点儿难度,也难不到哪儿去|~他不讲理,你也不该发这么大火儿|~他的研究能力不如你,也还是比刚来的那位研究生强|这点儿作业~写两个小时,总不至于写到天黑呀!

b)'就算'与'但是、难道、可是'等配合,后一分句表示强调以让步为前提的转折。

退一步说,~他这篇文章写得不大好,但是也还有些可取的地方|~她有错误,难道主要责任不应该由领导承担吗? |~我没有跟你说过,可是你自己怎么就想不明白呢?

居然 jūrán

〔副〕表示出乎意料。1. 指本来不应该发生的事竟然发生。

事情过了才几天,他~忘了|我们都认为他会去的,可他~不肯去

2. 指本来不可能发生的事竟然发生。

~有这样的事? 我不信|这么大声音,~你没听见|医生都说他的病没有希望治好,可他~好了

3. 指本来不容易做到的事竟然做到。

俩人性格完全不同,~成了好朋友|~所有的困难问题都解决了,真不容易! |他本来是个急性子,这回~也冷静起来了

局限 júxiàn

〔动〕限制在狭小的范围内。常带介词'于'或'在'。

学习不应~于书本知识|这些大科学家从来不把自己~在一

个单一的研究领域里|目前的讨论仍然～在一些抽象原则上

a) 有时候'局限'说成'被局限'。

大家的思路不要被～住

b) 可作宾语。动词限于'有、受、受到'等。

发言不要受～|由于受到自然条件的～，人类还不能大力开发南极

'局限＋性'构成名词。表示受到局限的性质。

手工业生产具有很大的局限性，生产效率不可能很高|由于历史的局限性，当时的人们无法科学地解释这一自然现象

举行　jǔxíng

〔动〕进行。可带'了、过'。

a) 可带名词宾语，限于'集会、仪式'一类。

周末～婚礼|这里～过重要的会议|大会定于三月二十日～|展览会在中山公园～

b) 可带动词宾语，限于'比赛、游行、会谈'一类双音节动词。

～足球比赛|双方～了认真会谈|庆祝游行改在明天～

比较 举行：进行　1）'举行'后面可带名词宾语，'进行'不能。

这里要举行(ˣ进行)一个展览会|明天举行(ˣ进行)毕业典礼

2）某些双音词只能用在'进行'后，不能用在'举行'后。

我们对这件事进行了(ˣ举行了)调查|招生的问题正在进行(ˣ举行)研究

具　jù

〔后缀〕指用具。多加在单音节成分后面，构成名词。

a) 名＋具。

家～|雨～|烟～|茶～|刀～|农～|文～|器～|模～|刃～|面～|刑～

b) 动＋具。

玩～|用～|教～|焊～|量～|餐～|卧～|炊～|渔～

具体到 jùtǐdào

〔动〕联系到特定的人或事物。可带'了'。必带名词宾语,后面必须有后续语句。没有否定式。

保护妇女权益,～我们厂,都应该采取哪些措施?|这班同学的学习成绩一般说来都不错,但～不同的人,成绩也还有一定差别

据 jù

〔介〕依据。

a) 据+名。多用于书面。

～理力争|～实报告|～同名小说改编|～地质勘探的资料,这个煤矿的蕴藏量很丰富

b) 据+动。

～估计,今年小麦的产量比去年要高|～报导,襄渝铁路已经建成通车

c) 据+小句。

他的病～医生说很快就会好的|这问题～我看不难解决|～气象台预报,二十四小时以内台风将在福建沿海登陆|～大会秘书处统计,参加本届运动会的选手共计一千零八十二人

[比较] 据:根据　见'根据'。

据说 jùshuō

〔动〕根据别人说;根据传说(有时是有出处而不愿意说明)。'据说'本身不能有主语,在句中多用作插入语。

a) 用于句首。

～最近要举行国际桥牌邀请赛|那里夏天的气候怎么样?——～很凉爽

b) 用于句中。

这个人～很有学问|这种新药～疗效很好

[比较] 据说:听说　见'听说'。

觉得　jué·de

〔动〕1. 有某种感觉。必带动词、形容词、小句作宾语。

～热|～难受|我～实在走不动了|病人～两腿发麻|他这样客气,我～很不好意思

可带个别名词作宾语,前面要有数量词。

～一阵头晕(恶心)

2. 有某种意见。近于'认为',但语气较轻。必带动词短语或小句作宾语。

我～应该去一趟|大家都～这个计划很全面|我想再找他商量一次,你～怎么样?

决　jué

〔副〕一定、完全。用在否定词'不、无、非、没'等前面,表示坚决否定。作状语。只用于动词语前。

遵守交通规则,～不闯红灯|每个人都应该按规定办事,～无例外|像你这么混日子,～非长久之计|我这样做～没有恶意

[比较] 决:绝　见'绝'。

绝　jué

〔形〕1. 独一无二的;没有人能赶上的。

～技|～活儿|看他的表演,人人称～

2. 穷尽:

别把话说得太～了

〔副〕1. 绝对。用在否定词'不、无、非'等前面,表示完全否定;排除任何例外。作状语。

利用业余时间学习外语的人在我们单位～非少数|他说我另
有图谋,其实～无此事|这种不负责任的决定,我～不同意|那
笔钱～没有讨回的希望

2. 极;最。限用于某些形容词的前面,表示程度深,但不能用在和
这些形容词语意义相反的词语前面。作状语。

他这个比喻堪称～妙|这类活动她～少参加|～大部分同学都
参加过夏令营活动

比较 绝:决 '决'的意思和'绝'〔副〕1 相近,'决'没有'绝'〔副〕2
的意义和用法。

绝对 juéduì

〔形〕无条件的、不受任何限制的(跟'相对'的意思相反);完全。

a) 用在名词前,作定语。

占有～(的)优势|反对～(的)平均主义|没有～(的)真理|～
高度

b) 作谓语。'绝对'前常加'太、很'等程度副词。

你这么说未免太～了|他看问题很～,好像真理永远在他手里|
他说人都活不了一百岁,这也太～了吧

c) 作补语。

话说得过于～,恐怕不太好|这一点你说得太～了

d) 可用在'是…的'格式中。

运动是～的,静止是相对的|不许参观是不～的|纯是相对的,
不纯是～的

〔副〕表示肯定、坚信。

a) 用于肯定句,常和助动词配合使用,作状语。

他既然说来,～会来|不懂装懂的人～要露馅儿的|这～是个误
会

b) 用在动词、形容词前面,作状语。

～服从指挥|～禁止买卖人口|～干净|～正确|在这里休息～

舒服|～没蚊子

c) 排除任何可能性。用于否定词前,加强否定,作状语。

我～不会胡说|伤势不重,～没有生命危险|你不去,他也～不来|路窄人多,行车时你～不能和司机讲话

K

开　kāi(动)；//。kāi(趋)(开来)

〔动〕1. 使关闭着的东西不再关闭；打开。可带‘了、着、过’，可重叠。可带名词宾语。

> ～了门│～着窗户│箱子好像有人～过│我～不了，你帮我～～
> 看│闸门～得太大

2. 打通；开辟。可带‘了、着、过’。可带名词宾语。

> ～路│～山│～矿│小院旁边～了一道小门│我们在这儿～过水
> 渠│把荒地都～了│今年我们～荒～得很多│烟筒口～在南墙
> 上

3. （合拢的东西）舒张；（连接的东西）分离。可带‘了、着、过’。可带名词宾语。

> 七九河～，八九雁来│千年古树～了花│这棵树从来没～过花│
> 衣服～了线│扣子也～了│信封没粘好，又～口了│这花～得真
> 好看

4. 解除（封锁、禁令、限制等）。可带‘了、过’，可重叠。必带宾语（限于少数几个名词）。

> ～戒│～禁│～荤│～斋

5. 发动（机件）或（车、船）离去。可带‘了、着、过’，可重叠，可带名词宾语。

> 我～拖拉机│～汽车～了三年│司机正～着车，你就别跟他闲
> 聊天啦│火车～了│我没～过枪│把汽艇～走了│汽车让小黄给
> ～到郊外去了│汽车～得真快！│本次列车由北京～往长春

6. （队伍）开拔。带宾语限于动趋式。

> 昨天～来了一个师，今天又～走了│队伍～到山里去了

<u>开</u>＋<u>往</u>。

部队已～往前线

7. 开办。可带‘了、着、过’。可带名词宾语。

～医院｜最近又～了三个工厂｜街口～着一家小饭馆｜新商场～得很多

<u>开</u>＋<u>在</u>。

百货店就～在十字路口

8. 开始。可带‘了’。必带名词宾语。

工厂～了工以后,生产一直很忙｜你先发言,～个头吧｜不能～这种先例｜这篇文章～头～得好,结尾差一点

9. 举行(会议等)。可带‘了、着、过’,可重叠。可带名词宾语。

～了个会｜屋里正～着会｜会已经～过了｜没有准备的会不能～｜一定要把这次运动会～好

10. 写出(多指单据、文件等)。可带‘了、着、过’,可重叠。可带名词宾语。

～发票｜～药方｜～清单｜～介绍信｜～了一张收据｜账单～得很清楚

11. (液体)受热而沸腾。可带‘了、着、过’。可带少数名词作宾语。

水～了｜～了一壶水｜水还～着呢!｜屋里闹得像～了锅一样｜饺子汤已经～过三次了

12. 按某种比例分配或评价。前面只能是两个合起来等于十的数目字。

三七～｜二八～｜四六～

通常不说‘五五开’,说‘对半开’。

13. (饭菜等)摆出来吃。可带‘了、着’。可带名词宾语(多指‘饭’)。

～饭了｜先～四桌｜食堂正～着饭呢｜晚饭早～过了

14. 开设,设立。可带‘了、过’。可带名词宾语。

～了五门基础课|去年～过这门课|到银行～个户头

动趋 开∥起来　a) 要下大雨,运动会恐怕开不起来了　b) 小陈开
起飞机来了

开∥开　把门开开|这门关得真紧,怎么也开不开

〔趋〕1. 动+开[+名]。名词限于受事。

　a) 表示人或事物随动作分开。没有宾语时,'开'有时可以换成
'开来',意义不变。

　　幕布已经拉开[来]了|把箱子打开[来]|我好容易把他俩劝开
　　了|翻开课本|推开了门|睁不开眼睛|你解得开解不开?

　b) 表示人或事物随动作离开。

　　请站开一点,留出条路来|要坚守工作岗位,不能随便走开|你
　　躲也躲不开了,还是出去见见他吧|你抛开这件事别去想它吧

　c) 表示事物随动作展开。没有宾语时,'开'有时可以换成'开
来',意义不变。

　　这首动听的民歌很快就传开[来]了|流行性感冒在这里蔓延
　　开[来]了|他抡开铁锤,大干起来|迈开大步朝前走|不打开局
　　面不行

　d) 比喻清楚、开阔。只和'说、想、看'等少数动词组合。'开'不
轻读。

　　还是把事情说开了好|看得远,想得开

　e) 表示动作开始,兼有放开不受约束的意思。动词和'开'中间
不能加'得、不'。

　　一见到亲人他就哭开了|冻得他哆嗦开了|掉开雨点啦|我一
　　听到这个情况,心里就打开了鼓

2. 动+开+数量(长度)。表示物体随动作展开一定距离。动词
和'开'中间不能加'得、不'。

　　运动员队伍拉开一二百米长|这儿裂开了一寸多宽

3. 动+得(不)+开[+数量+名]。表示能(不能)容纳一定数量。
动词多为'坐、站、睡、放、住、铺、划、种'等。

这个运动场站得开几千人|这张桌子十个人哪儿坐得开呀?|
这儿放不开四张床

有时不加'得',也还是表示可能。

这间屋子十个人也住开了|书摆开了,还要不要书架?

比较 动 + 得(不) + 开:动 + 得(不) + 下　都表示容纳一定的数量。区别是后者仅表示刚刚能容纳;前者有平面铺开,彼此有一定距离的意思,空间一般不能太小。因此'这口袋装得下五十斤面',不能说'装得开'。

比较下例中前后的不同用法:

这儿放不开四张床——挤一挤就放下了

开来　//◦kāi◦lái

〔趋〕动 + 开来。见'开'〔趋〕1 项 a),c))。

开始　kāishǐ

〔动〕1. 从头起,从某一点起。可带'了'。可带名词宾语。

从此我们～了新的生活|新的学期～了|二十一世纪快～了
2. 着手进行。可带动词宾语。

一切准备就绪,可以～了|他刚～学习写作|游泳比赛下周～
报名

开外　kāiwài

〔方位〕用在数量词后边,表示实际数量比这个大一些。多用来表示年龄,也可以表示距离。

a) 表示年龄,限于二十以上的成十的数。

这个人大约四十～|他虽然年纪已经七十～了,可是还是很硬
朗

b) 表示距离,限于成十的数或五。

漫天大雾,五步～,什么都看不见|水库不算远,大约在二十米

330

～的树林旁边

看　kàn

〔动〕1. 观看,阅读。可带'了、着、过',可重叠。可带名词、动词、小句作宾语。

　　～球赛|～赛球|～两队赛球|我～过他们下棋|因为太忙,我一本书也没～|给我借本小说～～|他～着～着笑了起来|书叫他～脏了|把目录先～一遍|他～得很仔细

看+在。

　　～在眼里,记在心上

可用'一(两、几)眼'作动量。

　　小王回过头来,～了他两眼|一眼就～明白了

2. 看望。可带'了、过',可重叠。必带名词宾语。

　　下次再来～你|我去年回母校～了～老师|他住院的时候,我去～过他|医院规定,今天不能～病人

3. 诊治(病人接受诊治;医生诊治病人)。可带'了、过',可重叠。可带名词宾语。

　　有些低烧,你到医院～～去|他上午去～病还没回来|我的病叫他～坏了|郑大夫把我的病～好了|老大夫～病～得很仔细

可带表示类别的宾语。

　　～急诊|李大夫今天～门诊|你(指病人)～什么科? ——～内科

4. 观察。可重叠。可带名词、小句作宾语,名词多为抽象意义,小句多为问话形式。不能单独作谓语。

　　～问题要全面|现在不好说,还得再～～|要～情况如何变化再作决定|一定要把方向～准了|这个形势大家～得很清楚

5. 认为。常带动词、小句作宾语,'看'后可有停顿。主语限于第一人称(陈述句)和第二人称(问句)。

　　我～不会下雨,你～呢? |我～,老袁的建议很好|你～他会来

吗?

6. 决定于。必带名词、动词、小句作宾语,常用正反问句做主语,'看'前多用'就、全、要'等词。

> 三年～头年|整个比赛就～这一局了|这件事全～你了|明天能不能去香山,要～下雨不下雨|是否动手术,要～病人退不退烧

7. 小心,注意。用于命令句,提醒对方。可带名词、动词作宾语。不带宾语时,必带'着'。

> 别跑,～车! |～摔着! |过马路时,～着点儿!

动结 看//懂　看//清　看花了眼　看红了眼

看得(不)了(liǎo)　能(不能)看完:这么多资料,你半天看得了吗? |看不了也得看

看//中　感到合意:他在这么多幅画里就看中了这一幅

看//透　识破:大家已经看透了他的心事|这里面的奥妙,谁也看不透

看//惯　看多了已成习惯,不以为奇或不以为非:这种装束我可看不惯|这种服装看惯了也还不错

看穿　识破:一眼就看穿了他的心事

看扁了　低估别人:别把人看扁了!

看//死　把人或事看得一成不变:任何事情都不能看得太死

动趋 **看//上**　感到合意:你想跟他学点手艺,他看得上你吗?

看上去　a)从底下看上去,山亭只能看出个轮廓　b)插入语。从外表估计、打量:他看上去也不过十八、九岁

看//下去　a)从井口看下去,足有几十丈深　b)继续往下看:你先别问,看下去就明白了

看//进去　a)从门外看进去,屋里一个人也没有　b)精神不集中,看书看不进去

看//出　认清;发觉。必带宾语:看出问题|一眼就看出是他

看//出来　认清;发觉:年代太久了,字迹已经看不出来了

看得(不)过来　能(不能)及时看完：资料这么多,他一个人看得过来吗?

看得过去　比较合意：这块地毯还看得过去,就买了吧

看不过去　不能容忍：这太不合理了,大家都看不过去

看得(不)起　重视：他能看得起我吗? | 我就是看不起这种人!

看起来　插入语。揣摩,估计：看起来这件事情还没了结

看 // 开　胸怀宽,不计较：我劝你看开些,不要太死心眼儿

看来　插入语。依据客观情况估计：这事看来他不会反对

〔助〕用在动词(重叠或带动量、时量)后边,表示尝试。

> 你先尝尝～ | 让我想想～ | 大家再动动脑筋～ | 你给我量一下～ | 先喝一点～

【习用语】**看着办**　事先不作规定,根据具体情况办理。

> 需要买点什么,你看着办吧

【注意】'看'和'看见'用法不同：1) '看'表示动作本身,'看见'表示动作的结果,二者不能随便换用。

> 他看了半天,什么也没看见($^{×}$…什么也没看)

 2) '看'是持续性动词,前面可以加'在、正在',表示动作正在进行。'看见'是非持续性动词,不能这么用。

> 我进去的时候,他正在看($^{×}$看见)书

可^1　kě　(可是^2)

〔助动〕1. 表示许可或可能,同'可以'。用于书面,口语中只用于正反对举。

> ～望丰收 | 不～分割 | ～望而不～即 | ～大～小 | ～有～无 | ～去～不去

2. 表示值得。多用于'可+动+的'。

> 我没什么～介绍的了,就说到这儿吧 | 北京～游览的地方不少 | 这个展览会～看的东西真多

〔副〕1. 表示强调语气,程度由轻到重都有。多用于口语。

a) 用于一般陈述句。有时稍有出乎意料的意思。

可 + 动。

　　他～没说过这话 | 这一问～把我给问住了 | 枣儿大不一定甜, ～
　　不能只看外表 | 我～知道他的脾气, 要么不说, 说了一定去做

可 + 不 + 形。

　　他跑得～不快 | 这问题～不简单, 得好好研究一下 | 这些种籽
　　～不寻常, 是从千里之外带来的

b) 用于反问句。

　　都这么说, ～谁见过呢? | 你一个小孩儿～怎么搬得动那么大
　　的石头! | 这么大的地方, ～上哪儿去找他呀?

c) 用于祈使句。强调必须如此, 有时有恳切劝导的意思。后面
一般有'要、能、应该', 句末多有语气助词。

　　咱们～要说话算数的! | 你～不能粗心大意啊!

d) 用于感叹句。句末用语气助词。

　　他汉语说得～好啦! | 这鱼～新鲜呢! | 你这副担子～真不轻
　　啊! | 这～真成了问题了! | 这～是一件大事啊! | 你～回来
　　了, 真把人急坏了 | 这下我～放心了

2. 表示疑问。多见于比较早期的著作, 现在少用。

　　一向～好? | 杭州你～曾去过?

|习用语| **可不是吗　可不是　可不**　表示同意对方的话。

　　咱们该去看看老赵了——可不是吗(可不是、可不), 好久没去
　　了

　　下面句子里的'可不是'和'可不'不是习用语, 是副词'可'的一
般用法。

　　我可不是开玩笑 | 你去跟他商量商量——我可不(＝我可不
　　去)

【可是[2]】同副词'可'。少用于反问句。

　　他可是没说过这话 | 这问题可是不简单 | 说话可是要算数的 |
　　这鱼可是新鲜呢!

可² kě （见'可是¹'）

可³ kě （见'可是'）

〔前缀〕1. 可+动。表示可以，应该。构成形容词。

a) 与表示心理状态的单音节动词组合。

~喜|~悲|~气|~恼|~叹|~怕|~惊|~耻|~恶|~惜|~
疑|~怪|~怜|~爱|很~笑|~恨极了|不怎么~乐

b) 与少数其他单音节动词组合。

~靠|~取|~行

2. 可+名。表示适合。构成形容词。

~意|~口|~身|~体|天气十分~人

可见 kějiàn

〔连〕承接上文，表示可以作出判断结论。用于复句。

既然没有回电，~他已经离开昆明了|连基本公式都弄错了，
~没有认真学|接连来过几个电报，~情况十分紧急

承接长句或段落，常用'由此可见'。

…由此~，只有实践才是检验真理的唯一标准

可能 kěnéng

〔形〕能成为事实的。

a) 修饰名词。限于'范围、条件、情况、机会、事情、事'等少数名
词。修饰'范围、条件'，只能有肯定形式。修饰'事、事情'必带
'的'。

在~[的]范围内帮助解决|在~[的]条件下给予照顾|我看这
是根本不~的事情

前面如有数量修饰语，'可能'后面适用的名词较多，包括许多由
动词转化来的名词。

两种~的结果|唯一~的途径|用一切~的办法来挽救|各种
~的援助(支援)|唯一~的解释(回答、答复)|几种~的选择

b) 作谓语。

他早就知道了? ——这很~|他会同意? ——不大~|他临时
改变计划,这完全~

〔副〕表示估计;也许;或许。

a) 用在动词前。

团结一切~团结的力量|他~知道这事儿|老蔡~住在他亲戚
家|他们~还在半路上呢|问题~得到解决

b) 用在助动词前。

我想他~会同意的|~要下雪了|他~得住院治疗

c) 用在主语前。

~大家还记得这件事|很~他还不知道

'很可能'表示加强肯定估计,可以用在主语前;'不可能'表示否
定估计,用在主语后。

很~他已经到家了|他不~这么快就到家

可是¹ kěshì (可²)

〔连〕表示转折;但是。可用在主语前或主语后。

这篇文章虽然不长,~内容却很丰富|嘴里不说,他心里~想
着呢! |看上去不怎么样,~吃起来挺不错|厦门我虽然住过,
~时间不长

【可²】同'可是'。

我倒愿意,可他又不肯|嘴里不说,心里可想着呢!

可是² kěshì (见'可¹')

可惜 kěxī

〔形〕值得惋惜。

a) 作谓语。主语常是动词语或小句。

这块碎布扔了～,留着还能用|昨天没看这个电影真～|半途而废,实在太～了!

b) 修饰名词。前面多带程度副词,必带'的'。

这是一件十分～的事情(˟一件～的事情)

〔副〕值得惋惜。只用在主语前。

他写的诗不少,～大部分散失了! |～我去晚了一步,他们已经走了|～精装本已经卖完了

可以 kěyǐ

〔助动〕1. 表示可能。能单独回答问题。

这间屋子～住四个人|你明天～再来一趟吗? ——～

a) 表示否定时,通常说'不能',不说'不可以'。

我明天有事,不能来了

b) 能用在主语前。

一个人来不及抄,～两个人抄|两个人抬不动,～三个人抬|～他去,也～你去

2. 有某种用途。能单独回答问题。

棉花～织布,棉籽还～榨油|废纸做成纸浆,～再造纸

表示否定,通常说'不能',不说'不可以'。

木材不经过防腐处理,就不能做枕木|大白菜可以生吃,小白菜不能生吃

3. 表示许可。能单独回答问题。

我～进来吗? ——～|他～去,你也～去|这项工作我没有经验,不过我～试试|颜色太浅了,～再深一些|你们先到车间去参观也～

否定用'不可以'或'不能'。不常用来单独回答问题,回答问题通常说'不行、不成'。

我们决不～因为取得一点点成绩就骄傲起来|颜色不能再深

了|我～跟他谈谈吗？——不行,他正会客呢

4. 值得。不能单独回答问题。前面常加'很、倒',后面的动词常重叠或带动量。

　　这个问题很～研究一番|美术展览倒～看看

　表示否定不说'不可以',说'不值得'。

　　他觉得路远,不值得去,我倒觉得还～去看看

注意 双重否定式是'不可不',意思是必得。'不可以不'很少用。

〔形〕1. 还好;不坏;过得去。只能作谓语和补语,前面常加'还'。

　　这篇文章还～|他篮球打得还～

2. 表示程度相当高(多指说话人所不愿意的);厉害。前面不能加'很',可以加'真'。

　　天气热得真～|这孩子真是调皮得～

　这两项用法都没有否定式。

比较 可以:能　见'能'。

　　肯　kěn

〔助动〕表示愿意、乐意。可以单独回答问题。否定用'不肯'。

　　只要你～下功夫,总可以学会的|怎么追问,他也不～讲下去|

　　～不～来？——～

　a) 单用时,前面不能加'很';与某些动词短语连用,前面可以加'很'。

　　很～动脑筋|很～卖力气|很～干(ˣ很～来)

　b) 与形容词短语连用,多用于反问句和否定句。

　　你～安静一会儿吗？|他对工作向来不～马虎,总是那么严肃认真

　c) 有时可以和'会'连用。

　　把好房子让出来,他们会～吗？|只要你把道理说清楚,我想他们会～的

　d) '不肯不'表示一定要,不等于'肯'。不常用。

劝他别去,可是他不～不去

口　kǒu

〔量〕1. 用于家庭、村庄中的人口。

一家五～|我家有四～人|这个村子有多少～人?

2. 用于牲畜,主要是猪。

一～猪|现有生猪二百～

3. 用于有口或有刃的某些器物。

一～铜钟|两～井|一～箱子|一～宝刀

4. 用于语言和方言。数词限于'一'。

说一～漂亮的北京话|讲一～流利的英语

5. 用于口腔动作次数。

a) 动 + 数 + 口。

被蛇咬了一～|咬了他两～

b) 数 + 口 + 动。数词多用'一'。

一～吞下|一～吃一个饺子|一～一～地吃

快　kuài　(快要)

〔形〕1. 速度高。

～马|～车|他进步很～|你走得太～,我跟不上

2. 赶快。

你～点儿! 怎么老坐着不动? |～来替我拿一下,我拿不住了

3. 灵敏;敏捷。只作谓语。

眼明手～|小英脑子～,理解能力很强

4. 锋利。限用于'刀、剑'。

一把～刀|这把刀很～

〔副〕表示时间上接近;很快就要出现某种情况。一般在句末用
'了'。

a) 快 + 动。

大楼～落成了|国庆节～到了|火车～到站了|这座化肥厂～
建成投产了

b) **快+形**。

饭～熟了|他的病～好了|到了十月底,天气就～冷了

c) **快+数量**。

我们相处～一年了|～九点了,汽车还不来|老大爷,您～七十
了吧?

d) **快+名(时间、节令)**。

～国庆啦,大家都忙着准备文艺节目呢|～半夜了,还在学习|
～立春了,天气要转暖了

e) **'快…'用于表示时间的小句,引起下文。紧接下文时可以不
带'了'**。

一直等到～十二点,我们才走|天～黑他才回到家|认识他～
一年还不知道他住在哪儿|～冬至还这么暖和

f) **'快…的',中间不带'了'**。

～入学的学生们挤满了文具店,选购各种文具|天～亮的时
候,他才离开实验室|～三十岁的人还这么孩子气! |～'五
一'节的时候已经完成了上半年的生产计划

【**快要**】同副词'快',但 c)的数量短语前通常只用'快',不用'快
要'。

快要 kuàiyào (见'快')

块 kuài

〔量〕1. 用于块状或某些片状的东西。

一～砖(肥皂、石头、土疙瘩、图章)|两～糖(肉、蛋糕、小骨头)|
两～手表|几～木板(玻璃、木料、铁板、黑板、招牌、匾)|一～
布(绸子、料子、毯子)|三～手绢儿(头巾)|一～水田(棉花地、
荒地)|一～云彩|一～黑疤

2. 用于金币、银币或纸币,等于'元'。用于口语。

两～钱(银元、金币)|总共花了十五～六(十五元六角)|一～钱一斤|十斤一～钱

况且　kuàngqiě

〔连〕表示进一步申述理由或追加理由。常和'又、也、还'等配合使用。

路不算太远,～还是快车,准能按时赶到|这一带地旷人稀,～你又不知道详细地址,还是打听清楚再去的好|这种录音机音质好,携带方便,～也不贵,可以买一个

比较　况且:何况　见'何况'。

亏　kuī

〔动〕1. 受损失;失去应得的利益;吃亏。可带'了、过'。

～了不少|他从来没～过本|这次～得太厉害了

2. 欠缺,短少。可带'了、过'。可带名词宾语。

身大力不～|大夫说是气血两～|自知～了理,也就不吱声了|～什么就买什么

3. 使吃亏。可带'了、过'。必带名词宾语。多用于否定句。

什么时候～过你? |既不能～了群众,也不能～了集体|你别担心,～不了你

4. 幸而有;多亏。可带'了'。必带名词、小句作宾语。

a) 亏+名。'亏'后一般都带'了'。

今年计划能够提前完成,全～了大家|这回可～了你,不然我会空跑一趟

b) 亏+小句。'亏'后可不带'了'。

～他机灵,才躲过去|～你来了,我们的问题才算解决了|～了那些小树挡着,才没有滑下山坡去

5. 表示不怕难为情。用于讥讽。常见的句式是:'亏+你(他)+

动 + 得…'和'亏 + 你(他) + 还…'。

> 这话～他说得出口 | 这点道理都不懂,～你还是个中学生 | 大栅栏也不知道? ～你还在北京住过

亏得　kuī·de

〔副〕1. 幸亏;多亏。

a) 作为前提条件,用于复句的前一个分句,常常和连词'不然、否则、要不然'等呼应,表示因为有了这个前提条件,才避免了某种不好的情况的出现,前后两个分句的主语如果相同,'亏得'放在主语前后都可以。如果两个分句的主语不同,'亏得'只能放在主语前。

> 你～早走了,不然就赶不上末班车了 | ～你提醒,要不然我就忘了 | 我～今天去了,否则就见不到他了 | ～抢救及时,要不然就危险了

b) 和副词'才'呼应,表示因为有了所说的前提条件,使情况向好的方面转化。

> ～大家热诚相助,才使我渡过了难关

2. 反说表示不满,有轻视和讥讽的意思。后半句和前半句的意思有不在情理之间,出乎意料的意思。

> ～你在北京呆了那么多年,连个东西南北都分不清 | 这种话,～他还说得出口 | 鸡毛蒜皮的小事,～你还记得那么清楚 | ～你那么大块儿,连这么点儿东西都拿不动

L

拉　lā

〔动〕1. 用力使人或物朝自己所在的方向或跟着自己移动。可带
‘了、着、过’，可重叠。可带动量、时量。可带名词宾语。

　　～锯|他～着车走在前面|他以前～过洋车|你帮我～～绳子
　　行吗?

　　a) 拉+了+名+动量。

　　　～了我一把

　　b) 拉+了+时量+名。

　　　～了一天车|～了一会儿锯|～了一下儿绳子|～了一把门帘

　　c) 拉+在(到、向)+处。

　　　他把小王～到一边,悄悄地说了几句话|把那只破船～向岸边

　　d) 把+名+拉+处+来(去)。

　　　你把车～外面去|把孩子～屋里来|小马,你把土箱～门外去

2. 用运输工具载运。可带‘了、着、过’。可带动量、时量。可带名
词宾语。

　　明天到密云县～桃|用大轿车～着他们去八达岭|小李,你的
　　车明天～煤|快过节了,给大家～了点儿黄花鱼|昨天刚～过西
　　红柿|～几趟水泥|～了几天白菜|李师傅往乡下～了三次农
　　药|给他～了半天西瓜

　　a) 拉+给…。

　　　这批钢材～给三二〇一工地|救灾物资三天之内要～给灾民

　　b) 把+名+拉+处+来(去)。

　　　把大家～公园去|把农副产品～城里来|把该运的货～车站去|
　　　是这些师傅把生活日用品～工地来的

3. 牵引乐器的某一部分使乐器发出声音。可带'了、着、过',可重
叠。可带名词宾语。

　　～小提琴|璐璐给大家～了一支舒伯特的曲子|在月光下,他
　　独自～着《二泉映月》|他给梅先生～过二胡|～～手风琴

　　拉＋给…。

　　挑一首抒情的曲子～给大家听听

4. 拖长;使延长。可带'了、着、过',可重叠。可带名词宾语。

　　他说话总爱～长音|～了一会儿扩胸器|双手～着橡皮筋|我也
　　～过面,就是～不好|每天都～～扩胸器

5. 牵累;拉扯。可带'了、着、过',可带名词宾语。

　　好汉做事好汉当,绝不～别人|他犯事以后～了不少人|错误
　　是你犯的,～着我干什么?|这些事都是他一个人承当,没～
　　过别人

6. 拉拢;联络。可带'了、着、过',可重叠。可带名词宾语。

　　他想和我～关系|～了半天近乎|这些人到处～着关系|～我
　　下水(下水指参与坏事)|他从来都是公事公办,没跟人家～过
　　交情|我想和他～～近乎儿

动结 拉//直　拉//走　拉//长　拉//完

拉//好　璐璐小提琴拉得好

拉得(不)动　四匹马也拉不动

拉//着(zháo)　能否拉到:昨天没拉着黄花鱼

拉得(不)了(liǎo)　胳膊没劲儿,拉不了弓

动趋 拉//来　拉来一辆车

拉//去　我的板车让谁拉去了?

拉上　开始拉:下班刚回来就拉上二胡了

拉(不)上来　能不能拉:《二泉映月》我拉不上来了

拉//下来　能不能拉完:再复杂的曲子他也拉得下来

拉起来　开始拉:掌声还没落,他又拉起第二个曲子来了

拉//开　别让他们吵,把他们拉开算了

拉开　他又拉开小提琴了

拉到(里边)去　没想到这件事把我也拉到里边去了

来[1]　lái(动);//。lái(趋)

〔动〕1. 从别的地方到说话人所在的地方。可带'了、过'。

老赵已经～了|他今天～过两次|昨天谁也没～|你～得正是
时候

　a)〔名(处所、时间)+〕来 + 名(施事)。后面的名词前多有数量
词。

　　～客了|～汽车了|家里～了客人|远处～了一条小船|昨天～
过三个人

　b) 名(施事)+ 来 + 名(受事)。后面的名词前多有数量词。

　　他～过两封信|有的班级班长自己～了,有的只～了个代表
(＝派来了一个代表)|我们可以～两个人帮忙,你们能～几个
人?

　c) 名(施事)+ 来 + 名(处所)。

　　老郑明天～北京|我～这儿看看

　d) 来 + 名。用于命令、请求。

　　～人!|快～杯水!|～一碗肉丝面

2.(问题、事情等)发生;来到。

　　问题～了,就得解决|任务～了,要努力完成|这事儿怎么～的?|
你们的支援～得很及时

3. 做某个动作(代替意义具体的动词)。较少带'了、过'。

　　你拿那个,这个我自己～(＝自己拿)|唱得太好了,再～一个
(＝再唱一个)|老头儿这话～得痛快(＝说得痛快)

4. 用在另一动词语前面或后面。

　a) 来 + 动。表示要做某事。不用'来'意思相同。

　　我～说两句(我说两句)|你去打水,我～收拾屋子|尽一切力
量～完成计划|大家想办法～解决

b) 动+来。表示来的目的。

　　我们支援你们～了|他回家探亲～了

[动结] 来 // 成　大雪封山,他来不成了

来得(不)了(liǎo)　他家里有事,来不了啦

[习用语] 越来越…　表示程度随时间发展。

　　越来越好|越来越坏|越来越快|问题越来越严重

〔趋〕1. 动+来[+名]。名词一般指受事,间或指施事。表示动作朝着说话人所在地。

　　一架飞机从远处飞～|到底把你盼～了|他给我送～一部《希腊神话》|我借了几本小说～|那些资料今天拿得～拿不～? |四面八方都传～了喜讯|前面走～一群学生

2. 动+得(不)+来。表示融洽(不融洽)。动词限于'谈、合、处'等少数几个。

　　他们俩很谈得～|这两个人恐怕合不～

　表示有(没有)能力完成某一动作。可带名词宾语。

　　这个歌我唱不～|这道题我做得～|我吃不～这种菜

3. 动₁+来+动₂+去。表示动作的多次重复。'动₁'与'动₂'为同一个词,有时为近义词。有的是习用语。

　　孩子们在操场上跑～跑去|蜜蜂在花丛中飞～飞去|想～想去,也想不出个好办法来|研究～研究去,终于找出原因来了|你说话怎么颠～倒去的? |翻～覆去,怎么也睡不着

4. '看来、说来、想来、听来、算来'做插入语,带有估计或着眼于某一方面的意思。这里的'来'都可改用'起来'。

　　说～话长|这个人看～年纪不小了|他的话听～很有道理|春节想～你们一定过得非常愉快|据我看～,他会同意你的意见的|算～时间已经不短了,快有十年了

[注意] 要把表示'已经发生'的助词'来'(＝来着)与趋向动词的'来'区别开。下边例句用的是助词'来'。

这话我多会儿说来？|你到哪里去来？

来² ·lai

〔助〕表示大概的数目。一般指不到那个数目,有时也指比那个数稍大或稍小。

a）用在数词后,量词前,数词限于十或末位为十的多位数。（不能用十以上的整数。数学上讲,十一、十二都是整数。）

二十～个人|十～天时间|四十～岁|一共一百五十～件行李

b）用在度量衡量词后。数词可以是个位数或多位数。'数＋来＋量'的后面必须有相关的形容词或名词。

七斤～重|五丈～高|二尺～长|三里～地

注意　'十来斤重'和'十斤来重'意思不同。前者可以比十斤多或少一、二斤,后者只能比十斤多或少一、二两。

来³ ·lai （见'来着'）

来⁴ lái （见'以来'）

来不及 lái·bují

〔动〕因时间短促,无法顾到或赶上。后面只能带动词。

时间晚了,～通知他了|今天你～回去了,就在我这儿住一夜吧|要三思而行,将来后悔可就～了

前后可以重复同一动词,要跟'也、都'配合。

看也～看|想都～想|说都～说|研究都～研究

注意　'来不及'和'没来得及'都是'来得及'的否定式。指当前的情况用'来不及',但也可用'还没来得及',意思是这件事还可以补做。指过去的情况用'没来得及',但在连续叙述中也可用'来不及'。

他已经动身,来不及问他了|这件事我还没来得及问他呢|那

天走得急,没来得及告诉你|他一看时间不早,来不及细问,骑上车就走了

来的 lái·de （见'来着'）

来得及 lái·dejí

〔动〕还有时间,能够顾到或赶上。后面只能带动词。前面常用'还、都、也'。

不要着急,还~讲完|这些问题都~处理|~吗? ——~,别着急

注意 见'来不及'。

来着 lái·zhe （来的、来³）

〔助〕用在句末,表示曾经发生过什么事情。用于口语。句中动词不能带'了、过'。

你都忙什么~? |别告诉他我去游泳~|他刚才还在这儿~,怎么一转眼不见了|上个星期你是不是去香山~? |原来我有支这样的钢笔~,后来送给朋友了|你忘了小时候爸爸怎么教育咱们~

【来的】【来³】同'来着'。单用'来'是近代汉语或现代一部分方言的用法。

昨天老师怎么跟你们说来的? |这话我多会儿说来?

比较 来着:过 1)'来着'只用于句末,是肯定全句的语气。'过'只用在动词后,表示动词的时间范畴。

刚才老何找你来着|刚才老何找过你

2)'来着'只用于已经发生的事情,因此没有否定句。'过'可以用于没有发生的事情,因此有否定句。

我没去过兰州|×我没去兰州来着

3)'来着'只能用于句中有'谁、什么'的特指问句,不能用于一般

问句。'过'不限。

> 谁发言来着？|他说什么来着？|[×]他发言来着吗？|[×]他说话没有来着？

> 谁发过言？|他说过什么？|他发过言吗？|他说过话没有？

4) 用'来着'的句子，谓语动词不能用动结式、动趋式，动词前也不能有状态修饰语。'过'不限。

> 我拿书来着|[×]我拿走来着|[×]我拿出去来着|[×]我偷偷地拿来着

> 我拿过书|我拿走过|我拿出去过|我偷偷地拿过

5) 句中如无时间词语，用'来着'的句子一般指不久前发生的事；用'过'的句子可以指遥远的过去。

> 我去天津来着(指几天前)|我去过天津(可以指多年以前)

懒得　lǎn·de

〔动〕不想(做某事)。必带动词宾语。

> ～问人|～动笔|天太热，实在～上街|嗓子疼，连水也～喝|这些闲事，我～管

老¹　lǎo　(老是)

〔副〕1. 一直；再三。

a) 老+动。

> 别～开玩笑，说点儿正经的|～给您添麻烦，真过意不去|多好玩的地方，～去也就没多大意思了|他～呆在家里，也不出去走走|有话好好说，～嚷嚷干嘛？

b) 老+形。

> 小芬的脸蛋儿～这么红|山村的早晨，空气～这么新鲜|他对人～那么亲切，和蔼|这几天胃里～难受|他～闲不住

c) 老+四字语+的。

> ～喜气洋洋的|～红光满面的|～愁眉苦脸的|～嘻嘻哈哈的|你怎么～慢慢腾腾的？

d) 老＋不(没)＋动。强调时间久。

我跟他～没见了|早就想去拜访你,可是～没时间去|这屋子
～不住人,有股霉味儿

2. 老＋形＋的。表示程度高。形容词限于单音节的,表示积极意
义的。

～长的胡子|～大的年纪|河～宽～宽的|胳膊～粗～粗的|太
阳都～高的了,还不起来?

比较 老:总 见'总'。

【老是】同'老'。但没有第2项用法。

老² lǎo

〔前缀〕1. 放在指人或动物的名词前,构成名词。'老'不表示年岁
大。

～虎|～鼠|～鹰|～雕|～百姓

2. 放在单音姓氏前,用作称呼,语气比直呼姓名亲切。

～王|～李|～张|～徐

3. 放在二到十的数字前,表示兄弟的排行。放在'大'前表示排行
第一,放在'么(yāo)'前表示排行最末。

～大|～三|～么

老是 lǎoshì （见'老¹'）

乐得 lèdé

〔动〕表示某种情况恰恰合乎自己的心意,因而乐意做某事。必带
动词、形容词作宾语,多用于复句中的后一小句。没有否定式和疑
问式。

人家一再留他,他也～多住几天|你邀我郊游去,我正～一块儿去
呢|他不来,我～清静

了　　·le

〔助〕¹'了'有两个。'了₁'用在动词后,主要表示动作的完成。如动词有宾语,'了₁'用在宾语前。'了₂'用在句末,主要肯定事态出现了变化或即将出现变化,有成句的作用。如动词有宾语,'了₂'用在宾语后。

1. 动 + 了₁ + 宾。

　　a) 一般表示动作完成。

　　　　我已经问～老汪 | 蔡老师早就看出～问题 | 他接到电话,当时立即通知～小王 | 我买～三张票 | 老陈来～一封信 | 会议通过～关于加强精神文明建设的决定

　　b) 不独立成句,有后续小句时,表示前一动作完成后再发生后一情况,或前一情况是后一情况的假设条件。

　　　　看～电影我就回家了 | 才换～衣服,你又弄脏了! | 你吃～饭再去吧 | 你做完～功课,我才让你替我去办这件事儿

　　c) 句内有时量词语时,也有两种情况。独立成句,表示动作从开始到完成的时间长短(可以是断续相加的时间)。

　　　　他睡～一个钟头(已睡醒) | 这段路我们走～四十分钟(已走完) | 这本书我大概看～四天(已看完。连续看四天或加起来共四天) | 他一共才念～两年大学

这里的时量也可以换成动量或物量(部分量)。

　　　　这课书我念～三遍(没有念第四遍) | 这出戏我[只]看～一半(没有看全)

　　d) 不独立成句,有后续小句时,表示前一动作经历了若干时间之后开始了后一动作或形成某一状态。动词前常加'刚、才'。

　　　　你走～十分钟他就来了 | 才吃～不到半个钟头就吐了 | 她休息～两个月才上班 | 她才唱～一句就唱不下去了 | 我刚看～五分钟书你又来找麻烦了!

这里的时量也可以换成动量或物量(部分量)。

351

这课书我才念～三遍,还背不下来|这出戏我刚看～一半就让人叫走了

e) 动词不表示变化,因而无所谓完成时,不能加'了₁'。如'是、姓、好像、属于、觉得、认为、希望、需要、作为…'。

×他已经属于～老一辈|×我曾经希望～你去的

f) 动词表示经常性动作时,不能加'了₁'。

×我以前每天早上六点钟起～床

g) 宾语为动词时,前面的动词不能加'了₁'。

×他答应～比赛(他答应比赛～)|×他决定～明天动身(他决定明天动身～)

h) 连动句、兼语句中'了₁'一般用在后一动词之后。

我去图书馆借～两本书|刚才他打电话叫～一辆车|昨天请张老师给大家辅导～一次|我已经叫他找来～一份参考材料

连动句强调前一动作完成后才开始后一动作时,兼语句强调前一动作完成时,'了₁'可用在前一动词后。

我们也找～一个旅馆住～一夜|临时组织～一些人去支援五车间|前天请～一位老专家来作～一个报告

i) 有些动词后面的'了₁'表示动作有了结果,跟动词后的'掉'很相似。这类动词有:'忘、丢、关、喝、吃、咽、吞、泼、洒、扔、放、涂、抹、擦、碰、砸、摔、磕、撞、踩、伤、杀、宰、切、冲、卖、还、毁'等。

卖～旧的买新的|扔～一个又一个|这一页我涂～两行

这个意义的'了₁'可以用于命令句和'把'字句。还可以在动词前加助动词。

你饶～他吧!|你可以把它扔～|你应该忘～这件事

2. 动+宾+了₂。肯定事态出现了变化。宾语可以是名词、动词、小句。

刮风～(已经开始刮风)|小明也喜欢跳舞～(已经开始喜欢)|他同意我去～(已经同意)

也常常用来表示事态将有变化,前面常有副词'快'或助动词。

吃饭～(可以或就要吃饭了)|快放假～|要下雨～|你该回家～|现在可以通知他来～

3. 动＋<u>了</u>₁＋宾＋<u>了</u>₂。既表示动作已经完成,又表示事态有了变化(二者本来密切相关)。

　a) 一般用例。

　　我已经写～回信～|这件事情我托～我们组长～|我已经买～车票～|她两个女儿都进～大学～

　b) 句内有时量词语时,只表示动作从开始到目前为止经过的时间,不表示整个动作的完成。这个动作可能要继续下去也可能不继续下去。

　　这本书我看～三天～,[还得两天才能看完/不想看下去了]|我来～两年～,[已经很习惯了/该换换地方了]|他病～好些日子～,[老不见好]|这块地种～三年棉花～,[明年该换种别的了]

这里的时量换成动量或物量,也有类似的意思。

　　已经念～三遍～,[再念两遍就行了/可以不再念了]|已经看～一半～,[何不看完呢?/何必非看完不可呢?]

　c) 动词表示结束性动作时,'<u>了</u>₁'常可省略。

　　他已经报[～]名～|老何已经有[～]对象～|他已经到[～]北京～|去年我就满[～]三十岁～|关[～]收音机～吗?

4. 动＋<u>了</u>(不带宾语)。这里的'了'一般是'<u>了</u>₂'或'<u>了</u>₁₊₂',有时也可能是'<u>了</u>₁'。

　a) 动＋<u>了</u>₂。只表示事态有了变化,不表示动作完成(未完成或无所谓完成)。

　　休息～(已经开始休息)|他又哭～(还在哭)|这道题我会做～

也常常用来表示事态将有变化,前面常有副词'快'或'要、该、可以'等助动词。

　　休息～!(可以休息了,该休息了)|来～! 来～!(我这就来了)|他们要走～|水快开～|衣服快穿破～

　b) 动＋<u>了</u>₁₊₂。表示动作完成并且事态已有改变。前面不能用

353

'快、要'等,可用'已经'。

> 我已经吃～,别给我做饭了|他已经来～,不用打电话了|他把
> 自行车骑走～|这本书借出去～|衣服洗干净～

c) 动 + 了₁。不独立成句,有后续小句,表示这个动作完成后出现另一动作或出现某一状态。

> 我听～很高兴|这张纸可以裁～糊窗户

也可以表示后一情况的假设条件。

> 把衣服穿好～再走|工作做完～心里才踏实|他看见～该多高
> 兴! |你早来～就好了

5. 形 + 了。形容词后面的'了',可以表示一种变化已经完成,出现新的情况,应该算是'了₁₊₂';但如果只着眼于当前的情况,也可以说只是'了₂'。

> 孩子大～,做父母的也就轻松多～|人老～,身体差～|头发白
> ～,皱纹也多～|这地方比以前热闹多～

有的'形 + 了₂'只肯定已经出现的情况,不表示有过什么变化。

> 这个办法最好～|这双鞋太小～|这出戏可好～

有的'形 + 了₂'表示即将出现的情况。

> 一会儿天就亮～|头发快全白～

6. 动词、形容词谓语句内有数量词(不包括直接修饰名词的。多为时量和动量)。有两个类型:(一)只有'了₁',表示动作(变化)从开始到完成时的量;一般不联系现在;动作不再继续;常有后续小句。(二)兼有'了₁'和'了₂',表示到目前为止动作(变化)延续或重复的量;联系现在;动作可以继续;常独立成句;句中常用'已经'。

a) 动/形 + 了₁ + 数量。

> 我在北京只住～半个月|这本书我才看～一半|钟敲～三下,
> 信号灯也亮～三下|这个月只晴～三天|头发白～许多

不独立成句,有后续小句时,表示前一动作经历了若干时间开始了后一动作或形成某一状态。句中常用'刚(才)…就'。

> 我才住～半个月她就催我回家了|刚练～一回他就来捣乱了|

我只唱～一句就忘词儿了|她休息～两个月才上班

有些形容词的例子不表示有什么变化,只表示某一性质偏离标准。

这双鞋大～一号|这件衣服短～点儿

b) 动/形 + 了₁ + 数量 + 了₂。动词(尤其是结束性动词)后面的'了₁'有时可以省略。

我在北京已经住[～]半个月～,[再过几天就要走了]|已经念[～]好几遍～,[再念两遍就可以不念了]|已经晴～三天～|他现在头发白～许多～|这孩子又高～一寸～

结束性动词带时量,表示动作完成后到目前所经历的时间。如果动词的构造是动宾式,'了₁'常常省去。

他来～两年～|他爷爷已经死～几十年～|春节过去[～]半个月～|大会结束[～]好几天～|他们结婚三年～|他出国两次～

c) 动 + 了₁ + 数量 + 宾。

我一共才念～两年大学|我叫～几声老王,没人答应|我说～他几句,就走了(这句的宾语在数量词前)

d) 动 + 了₁ + 数量 + 宾 + 了₂。

我教～二十年书～|我已经说～他好几回～(宾语在前)

e) 动 + 宾 + 动 + 了₁ + 数量。

我教书教～二十年,深知其中甘苦|我排队排～好几次才买到这本书

f) 动 + 宾 + 动 + 了₁ + 数量 + 了₂。

我教书教～二十年～,这种情况还是第一次遇到|我排队都已经排～三次～,可还是没买上

g) 宾 + 动 + 了₁ + 数量 + 了₂。

你英语已经学～三年～,这点儿事情还难得倒你?|冷水澡我已经洗～十年～

7. 名词、数量词加'了₂'。表示已经或将要出现某种新情况。

a) 名＋了₂。隐含着一个表示变化的动词。

　　春天～(＝已经是春天了)│中学生～,还这么淘气?(＝已经当上中学生了)│快月底～,报表该汇总了(＝快到月底了)

b) 数量＋了₂。隐含着动词'有'。

　　半个月～,还没来回信(＝已经有半个月了)│四十岁～(＝已经有四十岁了)│已经一百个～(＝已经有一百个了)│五十斤～,够了(＝已经有五十斤了)

8. 与'了'有关的否定式和疑问式。

a) 否定——没。

否定'了₁',在动词前用'没'。

　　采取～措施——没采取措施│我喝～点儿酒——我没喝酒│吃～饭就去——没吃饭就去了

'了₁'和'了₂'同时出现的时候,否定式常用'没…呢'。

　　买～词典～——还没买词典呢│我已经问～老曹～——我还没问老曹呢

否定表示已出现新情况的'了₂',用'没…[呢]'。

　　休息～——还没休息[呢]│老～——没老

否定表示将出现新情况的'了₂',用'不…[呢]'。

　　我想走～——我还不想走[呢]│他快去上海～——他还不去上海呢

有数量词(物量、动量、时量)的时候,否定整个动作用'一…也(都)没…'。

　　生～三天病——一天病也没生│买～三本小说——一本也没买

只否定数量可以用'没'或其他词语。

　　走～三天[了]——走～没有(不到、不止)三天│我买～三本——我没买三本,只买～一本

否定连动句、兼语句里的'了₁',在第一个动词前面用'没'。

　　打电话叫～一辆车——没打电话叫车│叫他找来～一份材料

——没叫他找材料

用'没'的否定句里的动词后面一般不能再有'了',但与'掉'相似的'了₁'可以有。

　　幸亏没扔～它,今天又用上了

另一种既有'没'又有'了'的句子是先有'没+动',后有'了₂'。

　　好些天没见到张老师～

　b) 否定——<u>不</u>。

有些句子里有'了'又有'不',这有两种情形。一种情形是先有'不'+动,后加'了₂',含有改变原来的计划或倾向因而是新情况的意思。

　　任务紧,明天不休息～|进了工厂了,不上学～

另一种情形是用'不'否定'了₁',但不是实有其事的否定,只是假设的否定,即'如果不…'。这种句子里的'了₁'也可以不说。

　　事情不讲清楚[～]不行|功课不做完[～]心里不踏实

　c) 否定——<u>别</u>。

有些句子里有'了'又有'别',这也有两种情形。一种是'(别+动)+了₂',意思是对方正在做某种动作,叫他停止。一种是'别+(动+了₁)',是叫对方不要做出某种动作(这里的'了₁'接近'掉')。比较:

(别+动)+<u>了₂</u>	别+(动+了₁)
别想～	别忘～
扔够～,别扔～	有用,别扔～
你喝了不少了,别喝～	这酒是给老白的,你别喝～

此外,否定'形+了₂'也可以用'不'。比如有人对你说'我老了',你多半会说'不老,不老'。

　d) 疑问——<u>…没有?</u>

把有'了'字的句子改变成疑问句,一般的原则是在原句后面加'没有',原句里边的'了'都不动。但事实上如果原句有两个'了',通常只留一个,或是'了₁',或是'了₂';如果原句只有一个'了',也往往可以改变位置(除非动词不带别的成分)。

买～词典～——买～词典～没有?(少见)
　　　　　　——买～词典没有?
　　　　　　——买词典～没有?
　　　　　　——[词典]买～没有?

发～通知　——发～通知没有?
　　　　　　——发通知～没有?
　　　　　　——[通知]发～没有?

休息～(休息完了;开始休息了)
　　　　——休息～没有?

〔助〕² 同类并列成分之后带'了',表示列举,相当于'啊'。往往写成'啦'(语音仍然是 le)。

什么菱角～,莲蓬～,荸荠～,藕～,那里应有尽有|花～草～他都喜欢|什么吃～,喝～,玩～,他一概不感兴趣

注意 '了'用于动趋式的情况,见《动趋式复合动词有关句式表》。

比较 了:过　见'过'。

类 似　lèisì

〔动〕 所比较的两项大致相像。作谓语。可带名词性和非名词性宾语。

这道题和书中的例题～|太原的柳巷～北京的大栅栏|这种动物的生活习性～水獭|他刚才说的话～开玩笑

类似+于,引进相比较的事项。

这里的气候～于昆明|这里的街道格局～于西安

〔形〕 大致相像的。

a) 作谓语。用于两个事物相比。用在'和(跟、与)+名'之后。可受程度副词修饰。

这次洪水和50年前的那次洪水有些～|这里住宅的格局与北

358

京的四合院非常～|两座庙宇的建筑风格相～

b) 放在名词前,修饰名词。

～事件不能再发生|避免～情况发生|～的现象还不少|不要再犯～的错误

离　lí

〔动〕1. 分离;离开。可带'了、过'。必带名词宾语。

～职回乡|已经～了婚了|他长这么大没～过家|拳不～手,曲不～口,非勤学苦练不可

2. 缺少。必带'了'。必带名词宾语。'离＋名'用于句首,有假设的意思。

～了钢铁,工业就不能发展|～了眼镜,我简直跟瞎子一样|别以为～了你就不行

3. 距离;相距。可带'着'。必带非受事宾语。

a) 表示处所。带名词宾语。

～学校不远了|他俩只～着两三步|天津～北京近,石家庄～北京远|天津～北京一百二十公里

b) 表示时间。带名词、动词作宾语。

～中秋只有两天了|～开车还有两小时|～出发不到十分钟了

c) 表示目的。带名词宾语。

我们的工作～实际需要还差得远|我的成绩～老师的要求还有距离

动结 离得(不)了(liǎo)　能(不能)离开;能(不能)缺少：a)孩子才两岁,哪儿离得了大人?　b)我的英语还不行,～不了字典

里　lǐ　(里边、里面、里头)

〔方位〕在一定界限以内。1. 用如名词。

a) 单用。限于少数固定格式。

～应外合|由表及～|人群～三层,外三层,围得水泄不通

b) 介＋里。介词限于'往、朝、从、由、向'。

　　往～走｜朝～看｜从～到外｜由～往外推

2．名＋里。

　a) 指处所。

　　城～｜树林～｜房间～有人

　b) 指时间。

　　夜～｜假期～｜上个月～他来过一次

　c) 指范围。

　　话～有话｜他的发言～有这方面的内容｜主席团成员～有老周

　d) 跟表示机构的单音节名词组合,既可指该机构,又可指该机构所在的处所。跟'家'组合,可指家里的人,也可指处所。

　　向县～(指机构)汇报情况｜从县～(指处所)来｜厂～(指机构)要我马上去厂～(指处所)一趟｜他住在机关～(指处所)｜家～(指人)来信了,叫你回去｜我从家～(指处所)来

　e) 跟某些表示人体部分的名词组合,有实指和虚指两种意义。

　　手～拿着一封信(实指)｜手～收集了一些资料(虚指)｜嘴～含着药片(实指)｜嘴～不说,心～有数(虚指)

3．形＋里。表示方向、方面。限于一些单音节形容词。

　　朝斜～拉｜往好～想｜往少～说,也有七、八次｜横～看,竖～瞧,总觉有点不合适

4．里＋名。类似形容词。名词限于单音节。

　　～圈｜～屋｜～院

【里边】1)基本同'里'1、2项用法。单用较自由。

　　里边有人｜打开抽屉,里边全是画片｜到里边坐｜向厂里边汇报工作｜心里边非常高兴｜里边房间比较小

　一般不和单音词组合。后边可加'的'。

　　＊里边屋｜里边屋子｜里边的屋子

　2) 前面可加'最、更、稍微'等程度副词,比较位置的远近。

　　一进大院门就是我家,稍微里边一点儿是老张家,最里边是老

陈家

【里面】【里头】同'里边'。口语多用'里头'。

里边　lǐ·bian　（见'里'）

里面　lǐmiàn　（见'里'）

里头　lǐ·tou　（见'里'）

理想　lǐxiǎng

〔名〕对未来事物的想象或希望(多指有根据的、合理的,跟空想、幻想不同)。

a) 作主语。

～终于实现了|他的～是当一名艺术家|我的～已成为泡影|我们共同的～是成为对国家有用的人才

b) 作宾语。

每一个人都应该有崇高的～|从小就要树立远大的～|当一名人民教师是我的～|为国家贡献全部力量是他的～

〔形〕符合希望的;使人满意的。可受程度副词或否定副词修饰。

～世界|这是最～的地方|这是通往～境界的必由之路|他是张小姐～中的白马王子|这个设计方案还不很～|如果他们都来参加,那就更～了|这次展览十分～|这项研究工作要是由他来主持那就太～了

a) 作谓语。

今年的销售情况很～|近几年的身体状况不太～

b) 作定语,常带'的'。

北戴河是个比较～的避暑的地方|找个～的学习环境很不容易|这是个～的方案|要完成任务,小李是～的人选

c) 作'感到、觉得、认为'等表示感知的动词的宾语。

不管怎样修改,这项设计他总觉得不太～|这里的条件不错,张总也认为比较～|全班的学习成绩提高了很多,但王老师总

感到还不～

d) 作补语,常用'得'。

今年的研究生招得还比较～|这幅画儿画得还算～|今年期末孩子考得不～

e) 是＋理想＋的。

这个方案是最～的|祥子这个角色由他担任是非常～的

立即　lìjí　(见'立刻')

立刻　lìkè　(立即)

〔副〕表示紧接着某个时候;马上。

a) 立刻＋动。

接到命令～出发|铃声响过,教室里～安静下来|请他～来|听到这句话,同学们～鼓起掌来

b) 立刻＋表示状态变化的形容词。

一提到结婚,他的脸～红了|会场上～活跃起来

注意 '立刻'和'立即'都是副词,语义和用法基本相同。区别在于'立刻'书面语和口语都用,而'立即'多用于书面语。

历来　lìlái　(见'从来')

例如　lìrú

〔动〕举例时用语,表示下面所说的就是前面所说的人或事物的例子。

a) 举例在句子后头,表示列举。

田径运动的项目很多,～赛跑、跳高、跳远、掷铁饼、掷标枪等|有的动物感觉很灵敏,～蝙蝠就能在黑暗中辨别方向|这几年他学会了不少手艺,～修手表、安装收音机等等

b) 举例在句子中间,作插入语。

许多危害人民健康最严重的疾病，～血吸虫病，现在也有办法对付了|参加设计工作的，～张平光、王利华等，都是有经验的工程师|兴修水利，～建筑水库或者开凿运河，都有大量的土方工程

比较 例如:比如 见'比如'。

俩 liǎ （见'两'）

连 lián

〔副〕连续。动词后面常有数量短语。

词儿～写|老张一面听,一面～～点头|我们～发了三封信去催|这个剧～演了五、六十场,很受欢迎

只修饰单音节动词。双音节动词前用'接连、连着、一连'。

接连(连着)演出了一个月|一连整理了三天

〔介〕1. 表示不排除另一有关事物。

～根拔|苹果不用削,～皮吃|干脆～桌子一起搬走

2. 表示包括,算上。

a) 句中必带数量短语。有时动词可省略。

这次～我有十个人|今天是五天|～皮一共十斤

b) '连…'可在主语前,有停顿。

～刚才那一筐,我们一共抬了四筐|～新来的小张,我们才五个人

3. 连…带…。

a) 表示包括前后两项。跟名词或动词组合,可在主语前,可以有停顿。

～人带马都来了|～皮带壳差不多一百斤|～洗澡带理发,总共花了十五元钱|～种子带口粮带储备粮,你们一共留了多少?

b) 表示两种动作同时发生,不分先后。跟两个单音节动词组

363

合,这两个动词性质相近。

　　他~说带唱地表演了一段|孩子们~蹦带跳地跑了进来

4. 表示强调。'连…'后用'都、也、还'等呼应,'连'前还可加'甚至'。

　　a) 连 + 名。

　　　~我都知道了,他当然知道|门前有棵桂花树,~里屋都香了|他~饭也没吃就走了|甚至~荒山野岭上都种满了果树

注意 '连'后的名词可以是主语,也可以是前置宾语或其他成分。因此全句的施事主语或受事宾语省略时,会产生歧义。

　　　连我也不认识=连我也不认识他
　　　　　　　　　=他连我也不认识

　　b) 连 + 动。谓语限于否定式(有时前后是同一动词)。

　　　~下象棋都不会|~看电影也没兴趣|这么大的工程,过去我~见都没见过

　　c) 连 + 小句。小句限于由疑问代词或不定数词构成的。

　　　~他住在哪儿我也忘了问|~这篇文章改动了哪几个字他都记得

　　d) 连 + 数量。数词限于'一',谓语限于否定形式。

　　　最近~一天也没休息|屋里~一个人也没有|你见了他怎么~一声都不吭? |他家我~一次都没去过

　　连忙　liánmáng　（忙）

〔副〕表示人的行为动作迅速或急迫;赶快、急忙。一般只用在陈述句和描写句当中。

　　　看到客人已经坐下,她~端上茶来|他~从床上爬了起来|他~跑过来,紧紧握住了爸爸的手|听到这里,他~点头,表示同意

【忙】用法同'连忙'。

连同　liántóng

〔连〕表示包括在内、算上的意思;连、和。

a) 句中通常有数量短语。

今年～去年下半年,公司赢利一千八百万元|一班全体～二班的部分同学,一共去六十五人|存款～利息共有多少钱? |上月～本月第一个星期,我一共出勤三十二天

b)'连同'可用在主语前,和主语之间有停顿。

～刚才那一碗,他一共吃了三碗|～上月结余,你手里现在有多少钱? |～那几个女同志,我们共来了一百人|～路那边的树,我们一共栽了五百棵树

两　liǎng　(俩)

〔数〕1. 数码2。'两'和'二'的用法区别如下。

a) 个位数在一般量词前用'两'。

～个人|～本书|增加～倍|去了～次|一年零～个月

多位数中的个位数用'二'。

三十二|一百零二次|五千八百六十二元

b) 传统的度量衡单位前'两'、'二'都可用,以用'二'为常。重量单位'两'前只用'二'。

～亩(二亩)|～升(二升)|～尺(二尺)|～丈(二丈)|～斤(二斤)|二两酒(ˣ两两酒)

新兴的度量衡单位前大都用'两'。

～吨|～公里|～英尺|～米(二米)

c) '十'前只用'二';'百'前一般用'二'。

二十|一百二十五|二百五十块(两百五十块)

'千、万、亿'前多用'两',少用'二'。

～千元(二千元)|～万四千八|～亿人民币

多位数中首位以后的'百、千、万'前都用'二'。

四亿二千万|三万二千人|五千二百元

d）序数、小数、分数只能用‘二’。

第二|二哥|二月|零点二|三十六点二|二分之一|三分之二

‘半[儿]’前用‘两’。

分成～半儿

e）当作数字读，和在数学中运用，不连量词，用‘二’。

一，二，三，四|一加一等于二|一元二次方程

2. 指称某些成对的亲属关系。

～夫妻|～弟兄|～姐妹|～兄妹|ˣ～父母

3. 表示双方。多用于书面或固定格式。

～便|～利|～全其美|～相情愿|势不～立|～～相对

4. 表示不定的数目，限于二至九，相当于‘几’。

过～天再说(＝过几天再说)|我说～句(＝我说几句)|你真有
～下子(＝你真有几下子)

【俩】两个。北京口语中‘两个’常合音为‘俩’(liǎ)。

俩人(两个人)|俩馒头(两个馒头)|弟兄俩成绩都很好(弟兄
两个…)

了　liǎo

〔动〕1. 完毕;结束。可带‘了(·le)’。可带名词宾语。

这件事已经～啦|这才～了一桩心事|我们得抓紧把这案子～
了

a）宾语限于‘事情、事儿、心事、活儿、工作、差事、案子、公案’等少
数名词。

b）表示否定用‘没’。

这事儿还没～

用‘不’只限于下列固定格式。

不～～之|这事儿不～不行

2. 作动结式第二成分，必带‘得、不’。

a) 用在动词后,表示对行为实现的可能性作出估计。

吃得(不)~|赢得(不)~|去得(不)~|跑得(不)~|发现得(不)~|这事儿了得~了不~? ——了不~了(·le)!

b) 用在形容词后,表示对性状的变化作出估计,肯定式、否定式都用。

这病好得(不)~|衣服干得(不)~|半小时内饭熟得(不)~

c) 用在形容词后,表示对性状的程度作出估计,一般只用否定式;肯定式只用于问句。

这箱子轻不~|小河的水深不~|真的假不~,假的真不~|走大路远不~多少|这样的衣料还便宜得~?

了不得 liǎo·bu·de (了不起、了得)

〔形〕1. 大大超过寻常;很突出。

a) 修饰名词。必带'的'。

用肉眼发现了一颗新星,这可是一件~的事情

b) 作谓语。前面常用'真'。

他能说好几种方言,懂七、八种外语,真~! |建筑宏伟壮丽,真~!

c) 作补语。

别把这么一件小事看得多么~

d) 作'以为、觉得'等的宾语。

自以为~|学了这一点儿本事就觉得~了?

常用于'有(没、没有)什么…[的]'格式中。

这有什么~的! |那没什么~|有什么~? 失败了再来|这项工作看起来很困难,实际上并没有什么~

2. 表示情况严重,没法收拾。

a) 作谓语。一般用于无主句,常在前面用副词'可'。

~,着火啦! |~啦! 大堤决口了! |可~啦,小赵晕过去了!

前面有说明情况的语句。

您这么大岁数,摔了可～

　　b) 常用于'有(没、没有)什么…[的]'格式中。

　　　我看这没有什么～的,不必大惊小怪|丢了就丢了吧,有什么
　　～,下次注意点儿就是了

3. 表示程度很深。只作补语。

　　　高兴得～|来客多得～|虽然是五月初,天气可已经热得～了

[比较] 了不得:不得了　见'不得了'。

【了不起】同'了不得'1项。

【了得】同'了不得'2项。专用于反问句。

　　　大堤决口了,那还了得!

　　　了不起　liǎo·buqǐ　（见'了不得'）

　　　了得　liǎo·de　（见'了不得'）

　　　临　lín

〔动〕1. 靠近。必带宾语。

　　　背山～水|我家房子～街

2. 到达。必带宾语,用于书面。

　　　亲～其境|双喜～门|亲～现场指挥

〔介〕表示将要发生。'临…'可在主语前。

　　a) 临+动。

　　　～行匆忙,来不及向他告别了|他～走给你留了一张字条|～
　　　散会他才通知我明天八点出发

　　b) 临+动+时(的时候)。临+动+前(之前、以前)。

　　　老张～走的时候要我向你们问好|～出发前,他说了一下旅行
　　　路线|病人～睡之前吃了安眠药

　　　零　líng

〔名〕零头,整数以外的零数。口语中儿化。

年纪七十有～｜总数一百挂～儿｜十块钱全买了书,只剩了点儿～儿

〔形〕零碎,零散,和'整'相对。

～食｜～用｜～售｜～存整取｜～敲碎打｜～卖～买

〔数〕1. 数码0。

五减五等于～｜我在这方面的知识几乎等于～

2. 数的空位。

a) 空在末位。书面写'0',口语除年份和号码外,一般不说出来。

40斤(书面):四十斤(口语)｜一九八〇年｜车号三八五〇

b) 空在多位数中间。书面上有几个空位写几个'0',口语里不管有几个空位,只说一个'零'。

108(书面):一百～八(口语)｜1008(书面):一千～八(口语)｜10008(书面):一万～八(口语)｜10080(书面):一万零八十(口语)

c) 用于重量、长度、时间、年岁。中间没有空位时也可以用'零',有强调零头的意思。

二十斤～一两｜一斤～一两(一斤一两)｜一尺～一寸(一尺一寸)｜五点～一分｜五点～十分(五点十分)｜五点～一刻(五点一刻)｜三分～十五秒(三分十五秒)｜一年～八个月｜一个月～一天｜一岁～五个月(一岁五个月)

d) '半'前不用'零'。

十斤半(ˣ十斤～半)｜五点半(ˣ五点～半)｜一年半(ˣ一年～半)

3. 某些量度的计算起点。

最高气温十摄氏度,最低气温～下四摄氏度｜六十一次京昆直快～点二十分开车

另外 lìngwài

〔指〕指上文所说范围之外的人或事。一般带'的',多用在名词或

数量短语前。

a) 另外+的[＋名]。

你们几个人先坐车走，～的人坐船走|今天先谈这些，～的事情以后再说|就这几间屋子还空着，～的都住人了

b) 另外[＋的]＋数量[＋名]。

总经理到～的几个分公司去看了看|那是～一个问题，这里可以不谈|今天的报纸我们只拿了一份儿，～一份儿不知谁拿去了

〔副〕 表示在上文所说的范围之外。

别着急，我～送你一个|～找人有困难，你就别推辞了|大家～想了个办法

常和'还、再、又'等副词同用。

这件衣服你拿去穿吧，我～还有一件|你～再画一张给他|你再～画一张给他|他们又～找了几个人帮忙|我～又补充了几点意见

〔连〕 此外。可连接小句、句子或段落。

讲义我已经写完，～还附了一篇参考书目|电话上已经告诉他了，～我又写了一封详细的信去|你去通知老魏，请他明天下午三点在家等我，有事跟他商量。～，你顺便叫小朱现在到我这儿来一下。|我打算由重庆沿江而下，经武汉转车回北京。这样可以看看三峡的风景，坐船也比较舒服。～，在武汉还可以逛逛东湖

比较 另外：此外 见'此外'。

留 liú

〔动〕 1. 停留；不移动。

你去，我～下看家|你不能多～几天吗？

a) 留+在。

～在基层|～在这儿|这件事情深深地～在我的记忆中

b) 留+名(处所)。限于少数几个名词。

　　～校|～厂|～农村

2. 保留;遗留;收存。可带'了、着、过'。可带名词宾语。

　　我给你～了两张电影票|他～了一个条儿就走了|把信～着,别
　　撕了|这点钱你～着自己用

　a) 可带兼语。

　　学校～他当会计|他～我吃晚饭

　b) 留+在(给)。

　　把孩子～在这儿,我替你照顾|把方便让给别人,把困难～给自
　　己

3. 留学。必带单音节国名。

　　～美|～日|～英

动结 留∥住　把小田留住|下雨也留不住我

动趋 留∥下　让他去,我留下|留下一个好印象

留∥下来　留下来继续工作|留下来一个伤疤

留∥出　必带宾语:留出小孟的份儿,别的你们分了吧

留∥出来　把人家的票先留出来

留∥起来　a)信你留起来,以后有用　b)留起胡子来了

习用语 留后路　留后步　留后手　留一手　表示留有回旋余地。

　　留神　liúshén

〔动〕1. 小心;注意。多用于防备危险。可带名词、动词、小句作宾
语。常用于命令句,指出可能有危险。

　　他什么时候走的,我可没～|过马路要～|～摔下来! |～开水
　　烫着! |～后面的车撞了你

　'留'和'神'之间可以插入别的成分。'点儿'可以用在'留'和
'神'之间,也可用在'留神'之后。

　　这回我也留了神了|走路留点儿神|下次我也留点儿神|过马路
　　留神点儿

一[个]不留神。

　　一个不留神,手里的蝴蝶飞了

2. 仔细、认真。用于动词前。

　　～一看,原来是他|不～观察就看不出来

留心　liúxīn

〔动〕注意;小心。多用于增长见识。可带'了、过'。可带名词、动词、小句作宾语。常用于命令句。

　　～时事|不要只～自己的事|他一向～儿童读物|上写生课的时候我们要～老师怎么用笔

　'留'和'心'中间可插入别的成分。'点儿'可以用在'留'和'心'之间,也可以用在'留心'之后。

　　留了心|留留心|要留点儿心|要留心点儿|以前没有注意,现在可留上心了

留心上了　开始留心:现在他又留心上集邮了

留心起来(留起心来)　开始留心:经大夫提醒,他对身体也留心起来了

轮　lún

〔动〕一个接替一个做某一动作(动作可以不说出来)。可带'了、过'。

　a) 常带动量。

　　大伙儿挨着～一遍|我～过两回了|值班每月～一次

　b) 带'了、过'后可带名词宾语。

　　这月我～过两次夜班|大会发言上午才～了五个人

　c) 带表示结果的'着(zháo)'后可带名词宾语或兼语。

　　下个节目～着你了|今天～着我们小组做值日

　d) 带表示方式的'着'后可修饰动词。

　　几种不同的作物～着种|两班人～着干活儿

轮 // 着(zháo)　这次没轮着|发言还轮不着你

动趋 轮 // 上　轮到:下个月就轮上我了|这么多人,轮得上你吗?

轮 // 下来　一个月轮下来,我们正好一人值一天班

轮 // 下去　继续轮流:照这样轮下去,直到每人都唱了一遍为止

轮 // 过来　轮流完:估计一个月之内能轮过来

轮 // 到　明天轮到他当会议主席|人太多,一下子哪能轮得到你们
　　呢

论　lùn

〔介〕1. 跟量词组合,表示以某种单位为准。

　　～斤卖|～件计价|～天数计算工资|～钟点儿收费|水果～筐
　　出售

2. 表示根据某个方面来谈。'论…'常在主语前,有停顿;也可在
主语后,其前有停顿。

　a) 论+名。

　　～产量,改良稻种比一般稻种高两成左右|～气候,这里属温
　　带地区|这位先生,～年纪也有四十好几了

　b) 论+动。

　　～干活儿,他数第一|～下棋,你还差得远呢! |这个剧场,～采
　　声和采光都达到了先进水平

习用语 论理　按照通常的道理。下文说出与此不合的结果。

　　论理这个任务应该由我们承担,可是别的班却主动替我们完
　　成了|论理他可以派别人来,不知为什么亲自来了

M

马上　mǎshàng

〔副〕1. 表示即将发生或紧接着某件事情发生。

a) 用在动词、形容词前,后面常带副词'就'。

～集合!│有错就应该～改│回来以后,我们～就向大家传达了│再等会儿,我～就去│听到这个喜讯,全体人员～就欢腾起来了

b) 用在主语前。

～我就去办│～火车就要进站了

c) 用在否定句中。

～还不会走│～还办不了

比较　马上:立刻　'马上'所表示的紧迫性有时幅度较大;而'立刻'没有这种情况,它表示的都是即刻要发生的。因此下面各例的'马上'都不能换用'立刻'。

'五九'都快完了,马上就立春了│人家的进度马上就要超过咱们了,咱们得加劲儿干啊!

吗　.ma

〔助〕表示疑问语气。1. 用在是非问句的末尾。

a) 用肯定的形式发问。

明天走～?│你到过杭州～?│小王,找我有事～?│我送你的那支钢笔,还好使～?│你听明白了～?

b) 用否定的形式发问。比肯定的形式发问显得委婉些。

他不吃辣椒～?│你们不上俱乐部去～?│五婶,你不喜欢看京剧～?

2. 用于反问。带有质问、责备的语气；与副词'难道'等呼应时，语气更为强烈。

a) 形式是肯定的，意思是否定的。

这像话～？｜你们愿意这样稀里糊涂地生活下去～？｜这样的事情能办成～？｜你难道还有什么话说～？

b) 形式是否定的，意思是肯定的。

这些道理不是很明白～？｜这两句话不是前后矛盾～？｜难道你们就没有一点儿办法～？｜你难道不知道我现在很忙～？

有时候虽然不是明显的反问，也略有偏向，不是完全中性的，尤其是用否定的形式发问。

比较 吗：嘛 见'嘛'。

嘛　.ma（嚜）

〔助〕表示某种语气。1. 表示事情本应如此或理由显而易见。

a) 用在陈述句末尾。

人多力量大～｜谁说我迟到了？我早就来了～｜他本来就不愿意去～

b) 用'嘛'的小句前或后用反问句。

有意见就提～，你怎么不提呀？｜他自己要走的～，我有什么办法？｜他不是老李吗？让他进来～｜你怎么连他也不认得了？他就是老梁的儿子～｜队长～，还能不知道？（＝他是队长～，他还能不知道？）

c) 用'嘛'的小句前或后用表示原因或其他说明情况的小句。

你去问他～，他一定知道的｜冷就穿上～，不要冻着了｜人家是工作多年的老编辑了，经验就是丰富～

2. 表示期望、劝阻。

老姜，汽车开慢一点～！｜不让你去，就别去～！

3. 用在句中停顿处，唤起听话人对于下文的注意。

a) 用在主语后，强调主语或用在分句后，有'论到'或'至于说'的意思。

　　科学～，就得讲实事求是|这个问题～，很简单|集体财产～，
大家都应该爱护|他喜欢住在郊外，理由～，主要是因为郊外
空气新鲜

　b) 用在假设小句的末尾。

　　有意见～，大家好好商量|要再添上两台拖拉机～，那就方便
了|这个问题要是回答不出来～，就算了|不让他去～，他又有
意见；让他去～，他又不去了

　c) 用在某些副词、连词和应对语之后。

　　其实～，这种技术也不难学|他确实有急事，所以～，这么晚还
来打扰您|好～，那就快找他去吧|对～，邻居有困难，当然应
该帮助啦

比较 嘛：吗　‘嘛’不表示疑问语气，‘吗’则相反。(但有人不加分
别，一概写作‘吗’。)

【嚜】同‘嘛’。

　　买　mǎi

〔动〕拿钱换东西(跟‘卖’相对)。可带‘了、着、过’。可重叠。带
名词宾语。

　　昨天他～了一套西装|从来没给孩子～过零食|我见他的时
候，他正在商店里～着结婚用的东西呢|帮隔壁的大娘～～粮
食|我上街～～去|他们～了一条狼狗看仓库|我想～一套休
闲装穿|～几条观赏鱼养着

　买＋给…。

　　这是～给妈妈的|那是～给妹妹的礼物

动结 买∥光　买∥够　买∥完　买亏了

买得(不)了(liǎo)　有无财力买：钱不够，现在还买不了房子　需
要不需要买：我家人口少，两天也买不了那么多菜

买∥着(zháo)　摩托车～着了　买得值：这台电冰箱可买着了，便

宜了一百多块钱

买∥成　钱花光了,衣服也买不成了

买(不)得　能不能买:街上摆摊的药可买不得

买∥通　用钱贿赂过来:用不正当手段买通了关系户

动趋　买∥来　买来不少食品

买去　剩下的苹果全让他买去了

买∥下来　能否买到:这个柜子200块钱可买不下来

买∥回来　机器零件肯定买不回来

买得(不)起　有无财力买:高级轿车我买不起

买∥到　空调器买到了

　　卖　mài

〔动〕1. 拿东西换钱(跟'买'相对)。能带'了、着、过'。可重叠。
可带名词性宾语。

　　今天～了不少西瓜|他迁往北京时～过不少家具|我见到他的
　　时候,他正在市场～着菜呢|经常帮他～～东西

a)　卖[＋给]＋名。

　　～给谁不一样|～给古玩店了|把车～给外地人了|～河北了|
　　～海南岛了

b)　卖[＋给]＋双宾语。

　　～他几斤鱼|～给隔壁老张家一张床|～了我几本旧书|～商
　　店几张古画

c)　卖＋数量＋数量('数量＋数量'表示价值)。

　　～一毛钱一斤|～五十块钱两件|～二十四块钱一箱|～一千
　　块一吨

d)　卖＋得…。

　　布～得太便宜了|最近空调～得很快|这次～得亏本了

2. 为了自己的利益出卖祖国或亲友、同事的利益。可带'了、过'。
可带名词性宾语。

～友求荣|～国|～身投靠|他把老朋友都～了

3. 尽量用出来,不吝惜。能带'了、过'。可重叠。可带名词性宾语。不单独作谓语。

这个小伙子干活很～力气|他为朋友～了不少力气|为别人干活,他从来没～过劲儿|今天我也～～力气

4. 故意表现在外面,让人看见。能带'了、过'。可重叠。可带抽象名词宾语。不单独作谓语。

给朋友办事没～过一次好儿|～了半天人情,事情也没办成|他这样做,不就是想在你面前～～好儿吗?

动结 卖//完　卖//光　卖//没　卖贵了　卖贱了

卖得(不)了　能否卖出:这种旧货卖不了大价钱　能否卖完:这批货一个月也卖不了

卖//成　他送来的那批货一件也没卖成

卖得(不)动　能否卖出去:去年还是热门货,今年就卖不动了

卖(不)得　能否出售:国家的文物可卖不得

动趋 卖//出去　青菜今天全卖出去了

卖起来　经理到柜台亲自卖起货来

卖//到　最高价卖到一百块一斤

卖到…去　我们这里产的水果有许多卖到北京去了

满　mǎn

〔形〕1. 全部充实;达到容量的极点。

a) 修饰名词。

那一～杯是我的|那两～缸水是刚挑的|坐了～屋子人|～仓的稻谷

b) 作谓语。前面可以加程度副词。可带'了、过'。

杯里的酒太～了|粮仓特别～,一点儿也放不下了|车里～～的,没有一点儿空隙|碗里～了,再也盛不下了|稍微～了点儿,下次少倒点儿|电视普及以后,这家电影院的观众就没～过

378

c) 作动结式的第二成分,中间可加'得、不'。

　　书架上放～了,有的书只好放在箱子里|车一时还装不～|口袋装得～吗? |屋里坐～了人

d) 重叠后可修饰动词,修饰名词比重叠前更自由。

　　～～地装了一车|～～地斟了一杯酒|～～的一车水果|～～的一箱衣服

e) 构成'<u>是</u>+<u>满</u>+<u>的</u>'格式。

　　暖壶是～的|我们来到农村,见到家家的粮仓都是挺～的|每一只箱子都是～的

2. 全。不单独使用。

a) 修饰名词。

　　～屋子都是书|～身都是泥|～地都是垃圾|～目苍郁|～坑～谷

b) 修饰动词。

　　～打～算,每人平均年收入也不过两千块|～不在乎

〔动〕 1. 使满。可带名词宾语。

　　给他～上了一杯酒

2. 达到一定期限。可带'了'。可带数量补语。

　　假期已～|明天就～了二十岁|到现在他调来还不～一年

动趋 满∥上　把面前的酒杯都给满上

　　满足　mǎnzú

〔动〕 1. 使要求等得以实现。可带'了、过'。常带'要求、需要'等词作宾语。

　　技术室～了小许的要求,批准他参加试验小组|要大力支援农业,～农民的需要

2. 感到已经足够。可带'了、过'。不带宾语。可受程度副词修饰。

　　能有这样的工作条件,我已经很～了|只要能这样,大家就非

常～了|这个人,从来也没有～过! |观众对当前的电影并不
～,希望能看到更多更好的影片

3. **满足 + 于**。表示对某事感到已经足够。必带表示抽象事物的
名词宾语。

不应该～于已经达到的水平,应该不断提高|学习不能～于一
知半解

近年来有省略这个'于'的。

我们决不～已有的成绩,我们要不断进步

慢　màn

〔形〕1. 速度低;走路、做事等费的时间长(跟'快'相对)。

a) 作谓语。可带补语。单独作谓语时,通常与下一分句的形容
词形成对比,如'慢'与'快'相对。

汽车～,火车快|坐火车太～,还是坐飞机好|老张办事太～,
经常耽误事|他的动作非常～,让别人看着着急|汽车～得利
害

b) 作定语。

～车|～性子|那辆特别～的旧车堵在前面|开得最～的那辆
汽车是小刘的

c) 作补语,可带'得'。

走～点儿|讲得很～|小黄抄稿子抄得太～|在崎岖不平的山路
上汽车开得很～

d) 作状语。可重叠。

～走|～跑|你～～儿说|～～地往前挪

e) 和趋向动词'下来'组合,表示进入慢的状态。

车速～下来了

2. 从缓。常和'着、点儿、些'等词搭配。

a) 作谓语。

你先～着,我还有话说|你～点儿,我的话还没说完呢|你先～

些,再带上点儿干粮

b) 作状语。可重叠。

你先～点儿走,让有急事的先走|这事不能着急,得～～地解决|她爱人出了车祸,你先别跟她说,过几天再～～地告诉她

慢说　mànshuō　（见'别说'）

忙　máng

〔形〕事情多,不得空(跟'闲'相对)。

a) 作谓语。

他的工作太～|春节期间,数消防队最～了|董事长最近非常～|每天他都～得不可开交|这几天,大家都～得利害|他们每天确实～极了

b) 作定语。修饰单音节名词时一般不加'的',修饰双音节名词时一般加'的'。

厂长是个大～人|～时,马不停蹄;闲时,无所事事|～(的)时候再加两个人也不够用|秋季是我们最～的季节|这个月是全年最～的月份

c) 可带'了、着、过'。

小王可～了|我们这里的事情太多,每天都～着呢|从来没这样～过

〔动〕急迫不停地、加紧地做。可带'了、着、过'。可重叠,可带名词和非名词性宾语。

白天～工作,晚上～家务,真够辛苦的|最近～了几天稿子|正～着儿子的婚事|我到他家的时候,他正～着刷房呢|谁没为他的事情～过?|放假以后也该～～自己的事了|客人来了以后,她一直～着做饭,根本没顾得上说话|大家又～了一个星期

动结 忙 // 完

381

动趋 忙得(不)过来　能否及时做完(事情)：事情多，人手少，我们

几个人忙不过来

忙起来　进入忙的状态：真要忙起来，连家也顾不上了

忙到　那天，他一直忙到晚上十二点

〔副〕赶快；急忙。见'连忙'。

嗹　.me　（见'嘛'）

没　méi　（见'没有'）

没有　méiyǒu　（没）

〔动〕'有'的否定式。1. 对领有、具有的否定。

我～多余的录音带|他在音乐方面～什么培养前途|电影票早

～了|一时吓得他～了主意

a) '没有＋名'有时可受'很、最、太'等程度副词修饰。

最～意思的是这最后几段|你的话太～道理了

b) '没有＋名'用作连动句前一部分。

我～时间管这些事|你～办法让他也去吗？|我～书看，你给

我找一本吧！|我～什么东西送给你

2. 对存在的否定。句首常用时间、处所词语。不存在的主体一般

在后边。

今天～风|怎么～电了？|外面～人|明天～课|柜子里什么也

～|屋里连一把椅子都～|你说的这种事我们那儿是～的

a) 可带兼语。

～人告诉我这件事|昨天～客人来

'没有'后面的名词是动词的受事。

这儿～什么东西可吃|那些年～好电影看

b) 兼语是表示任指的指代词。

～谁会像你这样处理问题的|～什么人来过我们这里|～什么

事情值得注意的

3. 表示数量不足。没有＋数量。

  这间屋子～十平方米|他走了还～两天呢|跑了～几步就站住
  了

4. 表示不及。用于比较。

  a) 没有＋那么＋形。

  问题～那么严重|这里从来～这么冷过

  b) 没有＋名＋形。

  我弟弟～他聪明|谁都跑得～他快(＝谁都～他跑得快)

  '没有'可以用在动词前。

  ～跑几步就站住了|在北京～住几天|他～说几句话就走了

〔副〕否定动作或状态已经发生。

  a) 没有＋动。

  他去了,我～去|～收到回信,可能他出差了|我～看见你的钢
  笔

  b) 没有＋形。限于表示状态变化的形容词。

  衣服～干|天气还～暖和|我～着急,只是有点担心

  c) 问句有两种形式。

  '动/形＋没有'用于单纯提问,不作推测。

  去了～? |看见～? |讨论～? |衣服干了～?

  反问句'没有＋动/形＋吗'表示怀疑或惊讶,要求证实。

  老王～去。——～去吗? |我们讨论过了,你们～讨论吗?

  d) 可以单独回答问题。

  他走了吗? ——～|你听说～? ——～

【没】同'没有'。口语中多用'没',后面带'了'又有宾语时尤其如
此。但问句末了或单独回答问题都必须用'没有'。

⊡比较⊡ 没有(没):不 1)'没有'用于客观叙述,限于指过去和现
在,不能指将来。'不'用于主观意愿,可指过去、现在和将来。

  以前他没有去过|前天他没有去|今天他没有来(客观叙述)|
  前天请他他不来,现在不请他他更不来了(主观意愿)

2）'不'可用在所有的助动词前，'没有、没'只限于'能、能够、要、肯、敢'等少数几个。下例都不能用'没有、没'。

不会讲｜不该去｜不可以用｜不应该问他｜不愿意走

'不'和'助动＋动'组合，有五种形式。

不能去｜能不去｜不能不去｜能不能去？｜能去不能？

'没有、没'只有一种形式。

没能去

每　měi

〔指〕指全体中的任何个体，用来代表全体。强调个体的共同点。

a）<u>每</u>＋数量。数词是'一'的时候，常常省去。

～[一]个｜～[一]件｜～[一]家｜～[一]年｜～[一]次｜～两周集会一次｜～五米种一棵树

b）<u>每</u>＋<u>一</u>＋名。省去量词，限于数词为'一'。名词多为双音节。多用于书面。

～一事物都有自己的特点｜人的概念的～一差异都是客观矛盾的反映

〔副〕表示同一动作有规律地反复出现。

a）<u>每</u>＋动＋数量。后面必有另一数量相应。

～隔五米种一棵树｜～演出三天，休息一天｜入秋以后～下一场雨，天气就凉一些

b）'每'后是'当、逢、到'等动词，后面不带数量。

～当提起卖菜的老张，街坊们都称赞不止｜～逢春节我们都举行联欢活动｜～到暑假过后，新生就入学了

比较　每：各　见'各'。

们　·men

〔后缀〕用在代词和指人名词的后边，表示多数。

我～｜你～｜他～｜咱～｜人～｜同志～｜工人～｜战士～｜女士～｜

384

先生～

a) 指物名词后边加'们',是拟人的用法,多见于文学作品。

月亮刚出来,满天的星星～眨着眼睛|春天一到,鸟兽鱼虫～
都活跃了起来

有时是一种比喻的手法。

奶奶管我们叫小燕子～

b) 人名加'们'表示'等人'。

雷铁柱～打了一天夯,到晚上才回家|王大爷爱说笑话,一路
上逗得小强～笑个不止

c) 可加在并列的几个成分后面。

弟兄～|老爷爷、老奶奶～的心里乐开了花|大哥哥、大姐姐～
热情地招待我们

d) 名词加'们'后不再受一般数量词修饰,但有时可以受数量形
容词'许多、好些'等的修饰。

好些孩子～在空地上你追我赶地跑着玩

免不得 miǎn·bu·de （见'免不了'）

免不了 miǎn·buliǎo （免不得）

〔动〕不能避免。可带动词、小句作宾语。动词前常用'要、会'等。

老朋友相会,～多谈几句|在前进的道路上,～会遇到一些困
难|如果处理不当,～人家会有意见|这种事儿～

免得 miǎn·de （见'省得'）

勉强 miǎnqiǎng

〔动〕使人做他自己不愿意做的事。可带'过'。常用人称代词作
宾语,可带兼语。多用于否定句。

你不愿意去,我们决不～你|在这件事情上我可没有～过他|

他不来就算了,不要～|不应该～一个人去做他不愿意做的事
情

〔形〕1. 能力不够还努力去做。可重叠。只修饰动词。

> 在这些困难的日子里我们总算～坚持下来了|小张食欲不振,
> 只～吃了一点|对于这样的工作,我还勉勉强强能够对付

2. 不是心甘情愿的。可重叠。作谓语时,主语多是动名词。不修
饰名词,可修饰动词。

> 他的回答实在很～|他笑得很～|他总算勉勉强强地同意了|
> 他不高兴,很～地把我让到屋子里去

3. 凑合,将就达到某种标准。可重叠。作谓语或修饰动词,不修
饰名词。

> 这样的产品算在二等已经很～了|你说的理由都很～|这些原
> 料勉勉强强能用到月底|因为没有合适的人,只好～让我来作

面　miàn

〔量〕1. 用于扁平或能展开的东西。

> 一～镜子|两～铜锣|一～鼓|一～琵琶|一～旗子

2. 指见面的次数。动词限于'见'。

> 我跟他见过一～|很想再见他几～|一～之交

3. 自足量词,本身带名词性,后面不需要名词。可以儿化。

> 这本书有多少～? |一张纸有两～儿|一个立方体有六～

面对　miànduì

〔动〕1. 当面对着。可带'着'。必带名词宾语。

> 我们单位～着海关大楼|在关键时刻,我们更应该～现实|～
> 这突然的打击,他没有一丝一毫的畏惧|敢于～现实的人决不
> 会是懦夫

2. 引申为'在…面前'。表示主语的行为动作是在什么情况下发
生的。必带宾语。性质和用法接近介词。

夏令营的营员们～高山大声叫喊:"我们来了!"|～死亡也毫不畏惧|～地震后悲惨的景象,大家禁不住失声痛哭|隧道工人信心十足,～塌方和漏水也没有丝毫畏难的表现

面临 miànlín

〔动〕面前遇到(问题、形势等);面对,可带'着'。必带宾语。
我们～着十分繁重的任务|大家十分清醒地认识到,我们～着复杂而又严峻的形势|他们～的问题是同行间激烈的竞争|加强管理,提高效益,是每一位管理人员～的任务|他们～仓库里易燃品发生爆炸的危险,可是谁也没有后退

面前 miànqián

〔方位〕面对着的、距离近的地方。1. 用如名词。
走出狭谷,～是一条大河|我觉得头发晕,～直冒金星
2. 名/代 + 面前。名词限于指人的。
我走到他～,他才认出来|一大堆问题摆在我们～|小明急急忙忙跑到爸爸～|ˣ大礼堂～
在 + 名 + 面前。名词可以是抽象意义的。
在事实～,他也不得不相信了|在伟大的社会主义建设事业～,我们要做出应有的贡献|在成绩～,谁也没有理由骄傲自满
3. 面前 + 的 + 名。可以引申为'当前'的意思。
～的这些活儿就够我做的了!

名 míng

〔量〕1. 用于具有某种身份的人。
我们车间有五十多～工人(ˣ五十多～人)|这次参观名额分配如下:教员三十～,行政人员十～,学生每班五～|当一～乐队指挥

387

没有重叠形式。

×一~一~工人(一个一个工人),|×~~都是英雄(个个都是英雄)

2. 表示名次。

这次比赛,我们学校获得了第二~,白河小学是第一~

明明 míngmíng

〔副〕表示显然这样。用'明明'的小句前或后常有反问或表示转折的小句。

哪里是小陈,~是小王|你~知道下午有事,为什么还出去?|他~醒了,却装睡不吭声|这件事~很重要,他却不当一回事

a) 用在主语前。

~他说过这句话,怎么能不认账呢!|~屋里很干净,他还嫌脏!

b) 用在反问的单句中。

这不~是给我出难题吗?(=这不是~给我出难题吗?)

明确 míngquè

〔形〕清晰明白而确定不移。

a) 修饰名词,作定语。一般要加'的'。

~的指导思想|~的主题|非常~的观点|要有~的学习目的|制定了十分~的发展目标

b) 作谓语,主语一般是意义比较抽象的名词。

主管领导的态度很~|办学的方针十分~|我们对学生的要求很~|刚才李先生阐述的观点非常~|大家的奋斗方向比较~

c) 作补语。动词后一般要带'得'。

讲得十分~|任务布置得很~|条例上写得非常~|对学生的要求提得很~

d) 作状语。

～提出了今后五年的科研任务|大家都～表示赞成你的意见|很～地讲了四点要求|非常～地写在了黑板上

e) 可以作表示心理活动动词的宾语。

这份计划我认为很～|我觉得非常～

f) 否定式为‘不＋明确’。

他讲得不～|任务不～没办法干好

〔动〕使清晰明白而确定不移。可带‘了、过’，可重叠。可带名词宾语、动词宾语、小句作宾语。

～前进的方向|～了自己的责任|任务已经～过了,我们在这里就不多讲了|现在大家已经～了应该怎样加工|同学们～了这一课的重点是什么|请王科长给大家～～任务|你给我～一下儿任务

动趋 **明确下来** 先把各自的任务明确下来

明确起来 这几个学生的学习目的逐渐明确起来

莫不是 mòbùshì （见‘莫非’）

莫非 mòfēi （莫不是）

〔副〕1. 表示怀疑或揣测,和口语‘别不是’相当。常和句末的‘不成’呼应。常用于书面语。

已经这么晚了他还不回来,～出事了不成?|眼前这个人,～就是大名鼎鼎的公司总经理?|～家里有事,否则她不会不来

莫非＋是。

昨天谁来电话了呢,～是小王?

2. 表示反诘,意思相当于‘难道’。作状语,可放在主语前,也可放在主语后。

这筐水果谁也不管,～要让它烂掉不成?|只有一两个人反对,～大家就都不干了?|人们～都没有进步?我看是你太主观了|～要让我们亲自登门去请你?你的架子是不是太大了?

389

【莫不是】基本意义和用法跟'莫非'相同。

> 你莫不是不同意吧？｜莫不是要让他跪下来求你不成？我想
> 事情过去就算啦！

|比较| 莫非:难道　都是语气副词。'难道'主要表示反诘,而'莫
非'主要表示怀疑和揣测。

　　莫如　mòrú

〔动〕不如。用于对事物的不同处理方法的比较选择。

　a) '莫如'的前后可以是动词性词组或是小句。

> 去了生气~不去｜登门拜年~打电话问安｜你来~我去｜你一
> 个人唱~大家一起唱

　b) [既然…],莫如…。

> 既然来到家门口,~进去看看｜既然不能坚持工作,~把病养
> 好了再说｜既然已经开了个头,~说个痛快

　c) [与其…],莫如…。

> 与其你去,~他来｜与其请医生,~上医院｜与其租房,~买房

|比较| 莫如:不如　'莫如'只限于对不同处理方法的优劣的比较选
择,因而'莫如'前后一般只能是动词性词组或是小句。'不如'用
法宽些,除用于对不同处理方法的比较选择外,还可以在两个事物
之间进行比较,因而'不如'可带名词宾语。'莫如'没有这个用法。

> 这件衣服不如那件｜我的梨不如你的大

　　某　mǒu

〔指〕不单用。主要作修饰语或放在姓氏后。多用于书面。

1. 指不确定的或不便明确地说出来的人或事物,用在名词前。

　a) 某+名。

> ~人｜~工厂｜解放军~部｜~年｜~月｜~日｜~市｜~处｜~地
> 区｜~事

指人或团体、机构时,可以重叠,但所指仍为单数。

~~人|~~兄|~~同学|~~工厂

b) **某+甲(乙、丙…)**。同时并用时分别指两个以上不确定的人。'某甲'也可以单用,代表未说出姓名的人。

~甲比~乙重 1 公斤,两人体重之和是 125 公斤,问各人体重多少? |~甲,山东青岛人

c) **某+数量+名**。数词限于'一、几'。

~[一]个人|~[一]个时期|~[一]个地方|~几个问题|~种力量|~件事情|~些特点|~几项产品

2. 用在姓氏后,指确定的人或自称。

a) 指别人。不便提名或不知其名。

邻居张~也曾听说此事

b) 自称。旧时谦虚的说法,现在少用。

赴汤蹈火,杨~在所不辞|有我赵~陪同前往,你还不放心?

N

拿　ná

〔动〕1. 用手或用其他方式抓住或搬动。可带‘了、着、过’，可重叠。可带名词宾语。

　　他从我这儿~了几本书去|自己~，别客气|工具不用~了，那儿有|把剪子~过来|手里~着几本书

　a) 拿+来(去)+动。

　　这种草药~来治高血压比较有效|猪皮可以~来制革，猪骨头可以~来制胶|把这些菜籽~去种上

　b) 拿+在…。

　　干嘛老把茶杯~在手上？你喝啊！|常用的~在外头，不用的收在里头

2. 捉拿；攻取。也用于比喻义。

　　~贼|~下全场比赛中关键的一局|这样艰巨的工程半年也就~下来了

3. 刁难；要挟。

　　等咱们掌握了这种技术，他就~不住咱们了|说话算话，到时候你可别~我一把

[动结] 拿//光　拿//错　拿//乱　拿//齐　拿//完

拿得(不)了(liǎo)　这么多东西一个人拿不了

拿得(不)动　这点儿粮食我拿得动

拿//准　准确地掌握：他住哪条街我知道，可是住几号我拿不准

拿//走　取去：那本书他早拿走了|没有借条你拿不走

拿//跑　未经同意而拿走：留神东西别让人拿跑了

拿//住　a)拿紧：拿住，别掉了！|快帮我一把，我快拿不住了　b)

捉拿到:螳螂拿住一只苍蝇

拿//着(zháo) a)拿到:太高了,孩子拿不着 b)捉到:大花猫拿着
一只耗子

动趋 拿//上 拿到:等了好几天才拿上这本书|售票处下班了,车
票上午拿不上了

拿得(不)起 有(无)能力支付:这几个钱还拿得起|我可拿不起这
么多钱

拿//开 拿到一旁:不用的东西全拿开

拿//到 旅游车票已经拿到了|拿不到精密仪器作不了这种试验

〔介〕1. 把;对。后面的动词限于'当、没办法、怎么样、开心、开玩
笑'等少数几个。

他简直是～黑夜当白天,永远不知道疲劳|你别～我当小孩|
我简直～你没办法|你能～他怎么样? |他故意～我开心|别
～他开玩笑

2. 拿+名+来(去)+动。表示从某个方面提出话题。动词限于
'说、讲、看'或'比、比较、衡量、分析、观察、检验'等。

～产品质量来说,最近有了很大的提高|～全年平均成绩来
看,小张比小王好|～这个标准来(去)衡量,差距还不小|～老
眼光来(去)观察新事物,是不行的|就～这一点来(去)做结
论,恐怕站不住脚

哪   nǎ;něi

〔指〕表示疑问或虚指、任指。用在'数量[+名]'前,数词为'一'的
时候常省略。

1. 用于疑问,表示要求在同类事物中加以确指。

我是小张,您是～位呀? |～本书是你的? |老魏～天走? |您
找～一家? |长江流经～几省?

2. 用于虚指,表示不确定的一个。

～天有空我还要找你谈谈

3. 用于任指,表示任何一个,后面常有'都、也'呼应,或者用两个'哪'一前一后呼应。

～种花色都行|这几件衣服～一件也不合适|～样的机器适合咱们山区就买～样的

〔代〕用于疑问,表示要求在同类事物中加以确指。

这里边～是你的? |～是你家?

在连用两个或多个的小句中做主语,前边的谓语动词是否定形式。

大雾弥漫,看不清～是水,～是岸|游客第一次走进迷宫,分不出～是活道,～是死道

〔副〕用于反问,表示否定,用在动词前,等于'哪儿'。不能读 něi。

我不信,～有这样的事? |人们全到地里去了,村里～还找得到他们? |一个铁钉、一段铅丝都是国家的财富,～能随便浪费?

哪 ·na (见'啊')

哪里 nǎ·li (哪儿)

〔代〕1. 问处所。

a) 作主语。

身上～不舒服? |～有这种花色的布料? 告诉我

b) 作宾语。直接用在动词后。

在～? |住～? |现在到了～了? |他上～去了?

c) 用在介词后或直接用在动词前。

从～来? |往～去? |在～住? |这道题错在～? |你～去? |～来的?

d) 修饰名词,多带'的'。

您是～人? |他说的是～的方言? |这是～的产品?

2. 用于虚指。

昨天你没有到～去过吗？|不知从～刮来一阵清风,使他精神
一振|我好像在～看见过这幅画儿

3. 用于任指。

a) 后边常用'都、也'呼应,前面可用'无论、不论、不管'等。

干工作～都一样|无论到～,都不忘学习|我今天要等人,～也
不去

b) 前后两个'哪里'相呼应,表示条件关系。

～有水,～就有生命|县里委托代培的学生,从～来,毕业后还
回～去|～困难就到～去

4. 用于反问。意在否定,没有处所意义。也可换用'怎么',但不
及'哪里'语气坚决。

他～是广东人? 他是福建人|这么些人一辆车～坐得下? |我
～有你劲儿大呀!

5. 单独或重复用在答话里,表示否定。这是一种客气的说法。

同志,麻烦您了! ——～! 这是应该的|你一人干了不
少。——～! ～! 都是大伙儿一起干的

【哪儿】除第5项外同'哪里',用于口语。

哪儿　nǎr　(见'哪里')

哪怕　nǎpà

〔连〕表示假设兼让步。后边多用'都、也、还'等呼应。

～天气不好也要去|～工作到深夜,他都要抽出点时间学习|
～一根铁丝也应该捡起来|～在非常困难的条件下,我们也继
续坚持工作|我们一定尽全力抢救病人,～只有一线希望

[比较] 哪怕:即使　用法基本相同,'哪怕'多用于口语。

哪些　nǎxiē;něixiē

〔指〕'哪'的复数;哪一些。只用于疑问。

395

～人参加比赛? |今天晚上有～节目? |～是借来的工具? |
你到过～地方? |你知道坚持长跑有～好处?

问时间时, 在'哪些'后可加'天、年、日子、月份'等, 不能加'日、
月、星期'等。

～天? |～年? |～日子? (˟～日?)|～月份? (˟～月?)

那 nà

〔指〕1. 指示比较远的人和事物。

a) 用在名词、数量词前。

～孩子|～晚上|～远方的朋友|～广阔的原野|他决定亲自去
找～人|～一群妇女在荷塘里边唱歌边采莲|～幢楼房就是遵
义会议的会址|你看～几棵松树, 长得多挺拔啊! |～一次咱
俩是在苏堤碰见的

b) '那[＋数量]＋名'用在别的词语后, 复指前面的事物。

老黄～个人真是一个善于思考的聪明人|他们～几个班的课
堂纪律都不错|我说的就是日光、空气和水～三种东西

这种句子里用'那'或用'这'意思差不多, 但用'这'比用'那'的
时候多。

名词前有'那'又有领属性修饰语(一般不带'的')时, '那'放在
后面。

他～本书|印刷厂～位同志还没来

名词前有'那'又有非领属性修饰语(一般不带'的')时, '那'放
在前面。

～木头房子|～玻璃窗户|～聪明孩子

2. 那＋一＋动/形。要有后续句。'那'加强语气, 同'那么、那样'。

你～一嚷不要紧, 可把那几个孩子吓坏了|剧场门口～一乱,
他俩就走散了

3. 口语中用在动词、形容词前, 表示夸张, 同'那个'。

他跑得～快呀, 简直像阵风|他闷着头～干啊, 壮小伙子也赛

396

不过他

〔代〕1. 代替比较远的人和事物。

    a) 代替人，限于在'是'字句里作主语。

        ~是谁？——~是我们厂的李师傅|~是我哥哥

    b) 代替事物，常用作主语。

        ~是天安门广场|~都是我们学校的宿舍|~我知道

    除与'这'对举外，作宾语时一般要有下文。

        买~干嘛？|农民们捡~当肥料

    c) 代替事物，用在双音方位词前。

        ~上面写得很清楚|~里面都是古代医书|这些树苗全栽在~
        四周

    d) 用在小句开头，复指前文。

        水渠快修到咱们村了！——~敢情好！|你还没说你的学习
        成绩呢，~是他最关心的|讲到这件事，~可真有年头了

这种句子里用'那'或用'这'意思差不多，但用'这'比用'那'的
时候多。

2. 与'这'对举，表示众多事物，不确指某人或某事物。

    这也不错，~也挺好，不知挑哪个好了|看看这，看看~，真有
    说不出的高兴|这一句，~一句，说起来没完

3. 等于'那些'。

    ~是我的几个堂兄弟|你看，~都是去年放养的鲫鱼

4. 引进表后果的小句，起连接作用。同'那么'。

    你要是不肯一点一滴从小事做起，~就什么事也做不成|他要
    不来给我们当翻译，~我们就得另外找人了

    那点儿 nàdiǎnr （见'那么点儿'）

    那个 nà·ge；nèi·ge

〔指〕1. 指示比较远的人或事物。

a) 用在名词前。

～人是谁？｜我喜欢～地方｜你还是三年前～样儿

b) '那个＋名'可以放在其他词语后，复指前面的事物。

他～人脾气太倔｜打扑克～玩意儿对他有极大的吸引力

c) 名词前有'那个'，又有领属性修饰语（一般不带'的'）时，'那个'在后。

他～意思是希望你去陪他住几天｜昆明～地方四季如春

名词前有'那个'又有非领属性修饰语时，如果后者是双音节形容词（带'的'或不带'的'），'那个'一般在前。

～特殊的情况｜～热烈的场面｜～精致的牙雕｜～重要问题还没讨论｜～调皮小孩儿跑到哪儿去了？

如果修饰语是动词短语或表示比较的形容词短语（必带'的'），在不强调区别性时，'那个'在前；在强调区别性时，'那个'在后。

～打电话的人是谁？｜～大点的茶杯是我自己的（不强调区别）

戴眼镜儿的～人姓徐，不戴眼镜儿的姓宋｜大点儿的～杯子是我的，小的是王先生的（强调区别）

2. 口语中用在动词、形容词前，表示夸张。

听说要去黄山旅游，大伙儿～高兴啊！｜河水～清啊，小鱼儿、河底的石子儿都看得清清楚楚｜瞧你～嚷嚷，谁听得清你说的什么！

〔代〕1. 代替名词，称事物、情况、原因等。

～你不用担心，我去想办法｜别提～了｜就因为～，他才生这么大的气

2. 与'这个'对举，表示众多事物，不确指某人或某事物。

姑娘们这个穿针，～引线，几天就绣好了一幅花鸟画｜他摸摸这个，动动～，哪样东西都觉得新鲜｜他这个～地买了一大堆东西回来

3. 做谓语，代替某种不愿意明白说出的形容词。

你刚才的态度真有点太～了|老陈呢,人倒是好人,就是脾气
～一点

那会儿　nàhuìr;nèihuìr

〔代〕称过去或将来的某个时间。

a) 做状语,用在动词前。

你～还是个小学生呢|～当农民,现在当工人|等毕业以后,他
～该可以独立生活了

b) 用在主语前。

～我还小,不懂事|再过几年我们老了,～你们在各方面就要
负起责任来了

c) 做主语。

～是解放前,跟现在可不一样

d) 修饰名词,带'的'。

～的事至今我还记得很多

e) 用在其它词语后面,使所说的时间更明确。

上班～|晚饭～|傍晚～下了一阵小雨|我结婚～你还在幼儿
园呢

那里　nà·li　(那儿)

〔代〕称较远的处所。

a) 做主语、宾语。

～是天安门广场|～长着许多高大的松树|～有呼伦和贝尔两
个大湖|～热,这里凉快|～谁也没去过|我们参观过～好几次
了|请注意看那边,北京猿人的遗址就在～

b) 直接放在人称代词或名词后,使非处所词成为处所词。

我哥哥～|老张～|宝塔～风景好|我们～有五台联合收割机|
你～有狄更斯的著作吗? |他的眼睛紧紧地盯住舞台～

c) 修饰名词。通常要带'的'。

～的乡亲们对我们热情极了|我家在胶东,～的水果是有名的

d) 用在介词后。

朝～走五里地就是桥东村|从～跑过来一个小男孩|由～往南就看见孤山了|打～移栽了两棵松树|在～站着|站在～到～去|送到～|向～奔去

【那儿】用法同'那里',多用于口语。尤其是下面两种场合,通常都用'那儿',不用'那里'。

1) 直接用在动词前。

请那儿坐|咱们那儿谈好不好?|那儿写文章呢,你别去捣乱|你老不来信,那儿都快想死你了('那儿'指某人)

2) 打(从、由)…+那儿+起(开始)。表示时间或处所。

打那儿起,我们搞农业科学实验的劲头更高了|由那儿开始,他每天晚上都观察天体的活动|打第一个同学那儿开始,每人报一下自己的姓名|从那起,往南走二百米就有商店

那么　nà·me;nè·me

〔指〕1. 指示程度。

a) 有(像)…+那么+形/动。前面有用来比较的事物。

那两棵枣树有碗口～粗|这种葡萄有糖～甜|我上中学的时候,个子像他现在～高|做起来并不像说的～容易|身板像铁铸的～结实|我如果能像你～经常锻炼,身体就不会像现在这样子了

b) 那么+形/动。前面没有用来比较的事物。如果不是当面用手势比况,'那么'就是虚指,有略带夸张、使语言生动的作用。

真的,就是～大|屋子里的一切都是～干干净净的|既然你～喜欢它,就送给你吧

有时'那么'不表示比拟的程度,只强调说话人的感叹语气,类似'多么'。

北京的秋天,天空～晴朗! 阳光～明亮! |果然下雪了,下得

400

~大!

c) '那么'的强调作用同样适用于积极意义的形容词(大、高、多…)和消极意义的形容词(小、低、少…)。但如句子里有'只、就、才'等副词,'那么'加积极意义的形容词跟加相应的消极意义的形容词的意义没什么两样:'只有那么大'等于'[只有]那么小'。

d) 那么 + 形/动[+ 的] + 名。

　　~好的稻种|~深的水|~热的茶|~高的个儿|~肥的衬衫|~浅显的道理|~漂亮的裙子|~感动人的场面

'大、长、多、短'等单音节形容词之后有时可以省'的'。

　　~大[的]岁数|~大[的]力气|~大[的]份量|~短[的]时间完成了|~多[的]工作|我~长[的]时间没见着你了|他走了~大[的]功夫了,想必已经到了

e) 否定式可以用'没[有]',也可以用'不'。后面的动词限于表示心理活动的。用'没[有]',是对 a)的否定。

　　没~高|没~困难|没~复杂|没~喜欢|这种葡萄没有糖~甜|这段路没有去天津~远

用'不',是对 b)的否定。形容词前面可以有程度副语,后面可以有补语;b)没有这种用法。

　　不~累|不~酸|不~高兴|屋子里不~干净|问题不~太严重(ˣ问题是~太严重)|底肥不是~足极了(ˣ底肥是~足极了)|路不是~难走得了不得

2. 指示方式。

a) 那么 + 动。

　　像青蛙一样在地上~跳|夜深了,他还在书桌前~坐着,不愿离开|我也想~学习几年

b) 那么 + 一 + 动。'那么'加强语气。

　　头~一扬就走了|胸脯~一挺就迎上去了|双手~一按,越墙而过|他~一犹豫,结果没赶上车

c) 动 + 那么 + 动量。'那么'强调动量。

比划了～一下|看了～一眼|我就去过～两次

3. 指示数量。强调数量之多或少,或无所强调,可从上下文知道,可参 1 项 c)的说明。

> 估计到终点站得走～五、六个钟头|我们农场今年一胎两羔的母羊有～好几十只(以上均指多)|这个厂建厂时只有～一台像样的机器,现在已发展成有几条流水线的大厂了|这些花里,我只喜欢～一种('一'重读)——就是兰花|～点儿面子是肯给的(以上均指少)|他的身上有～一股劲,～一种拼命精神|咱们也要栽上～几种树(以上中性)

〔代〕代替某种动作或方式。这种用法,'那么着'比'那么'多,参见'那么着'。

> ～好不好?|～不行|只许这么,不许～|别～,留神弄坏了|好,就～吧!|我认为～不妥当|这只手表这么就走,～就停

注意 '那么不妥当'有两种意思,一是表示'很不妥当','那么'指示程度。一是表示'某种方式是不妥当的','那么'代替某种方式或动作。同样'那么合适'、'那么麻烦'等都有两种意思。

〔连〕承接上文,引进表结果或判断的小句。

> 既然理解了这项工作的重要意义,～,就让我们全力以赴地干吧|如果海上风不大,～船是一定要起锚的|要是咱们小组决定不了,～就请上级决定

比较 那么:那么着:那样　这三个词的用法异同,跟'这么:这么着:这样'一样,参见'这么'条的 比较 。

那么点儿　nà·mediǎnr　(那点儿)

〔指〕1. 指示较小的数量。修饰名词,带不带'的'均可。

> ～年纪懂这么多事,真不简单|～原料居然生产出这么多东西来|～的事儿还用找人帮忙吗?

2. 指较小的个体。修饰名词多带'的'。

> ～的厂子造出了这么好的机器|～的个儿跑得还真快

〔代〕代替较小数量的事物。

　　～你留着吧|木材只剩～了,明天还得派车去运|～不够,再给
　　点儿

【那点儿】基本同'那么点儿',但修饰名词不能带'的',不能指示较
小的个体。

　　那点儿事一会儿就完|那点儿太少了|就剩那点儿了

注意 '那点儿'另有与数量无关的一种意义,等于'那地方'。(同
样,'这点儿'指'这地方';'哪点儿'指'哪个地方')。'那么(一)点
儿'无此用法。

　　那点儿是我们学校|我每天上班都路过那点儿|窗台那点儿放着
　　一盆花|东郊那点儿又添了许多新工厂

　　　那么些　　nà·mexiē

〔指〕指示较远的一些人或事物,用在名词前,名词前可有量词。
通过上下文,可强调多或强调少,以前者为主,后者多用'那么点儿'
或'那么几+量词'。不强调多或少时,一般用'那些'。

　　～书你看得完吗? |～天不照面,你上哪儿去了? |站台上挤满
　　了～个来欢送的人,敲锣打鼓好不热闹(以上强调多)|壶里才
　　有～水呀|白菜就剩～筐了,再运点儿来吧(以上强调少)

〔代〕代替较远的一些人或事物。做主语、宾语,后面可带量词。
强调多或强调少,情况同上。

　　～人足够了,人多了也难免窝工|场上还有～呢,今天运得出
　　去吗? (以上强调多)|就～? 我看不够|我只有～了,都送你
　　吧(以上强调少)

　　　那么样　　nà·me·yang;nè·me·yang　　(见'那样')

　　　那么着　　nà·me·zhe;nè·me·zhe

〔指〕指示方式。修饰动词。这种用法,用'那么'比'那么着'多。

你～看就看清楚了|～想就越想越错了

〔代〕代替某种动作或情况。这种用法,用'那么着'比'那么'多。

　a) 做主语、宾语。

　　～好不好?|～怕要出错儿|我不喜欢～

　b) 作谓语。

　　行,就～吧!|别～! 人家讨厌

　c) 作为一个小句,复指上文,引起下文。

　　别把我当客人,～,我就不来了|要～,一切都好办了|～,我去
　　找小田,你通知老刘

　比较　那么着:那样:那么　参见'这么'条的 比较 。

　　那些　nàxiē;nèixiē　(那些个)

〔指〕指示比较远的两个以上的人或事物。

　　～人在干吗?|～姑娘都是舞蹈班的新学员|把门口的～东西
　　搬开|我永远忘不了在北京度过的～日子

'那些＋名'复指前面的事物,'那些'和别的修饰语的前后位置,
都和'那个'相同,参见'那个'条。

〔代〕代替名词,做主语、宾语。

　　～都是新入厂的工人|～是什么?|这些我留着,～都给你|我
　　不要这些,我要～|事情早过去了,别再提～了

　注意 '那些'作主语用于提问时,通常指物不指人。例如'那些是
什么?'是问事物。问人的时候不说'那些是谁?',而说'那些人是
谁?'或'那些人是什么人?'

【那些个】同'那些'。用于口语。

　　那些个　nà·xiē·ge;nèi·xiē·ge　(见'那些')

　　那样　nàyàng;nèiyàng　(那么样)

〔指〕1. 指示性状。加'的'修饰名词,名词前有数量词时,'的'可

省。

> ～的机会可不多｜我们也用～的图纸｜哪有～的事情？｜有～一种人｜～几间破房没人要

2. 指示程度和方式。用法同'那么'，参'那么'条。口语多用'那么'，书面多用'那样'。

〔代〕代替某种动作或情况，用作各种句子成分，参'那么着'。

> 这样不好，～才好｜～是对的｜当然应该～｜只有～坚持不懈，才能学好外语｜就～，他把一台废机器修理好了｜你先做示范动作，再讲述一遍，～，他就明白了

【那么样】同'那样'。

比较 那样：那么：那么着 参见'这么'条的 比较 。

那阵儿 nàzhènr；nèizhènr

〔代〕指过去或将来的某个时间。同'那会儿'。也说'那阵子'。

> 我现在才知道～闹头晕是因为血压高｜我上大学～，你还是小学生｜～的女孩儿都梳长辫子｜等到放暑假～，咱们就天天去游泳

乃至 nǎizhì （乃至于）

〔连〕表示强调。一般用在并列的词语、短语或小句的最后一项之前，表示突出最后一项所指的内容。多用于书面语，是现代汉语中经常使用的文言虚词。

> 这起案件引起全市人民～全国人民的震惊｜我国人民的生活水平要普遍达到小康水平，还需要十年～更长的时间｜在城市，在乡村，～最偏僻的山区都广为传颂他的英雄事迹

也可以说'乃至于'。

【乃至于】意思和用法与'乃至'相同。

难 nán

〔形〕1. 做起来费事。跟'容易'相对。

a) 用做谓语,主语可以是名词,但更多的是动词。

这道题～,那道题容易|说起来容易,做起来～|学草书很～|学会这套拳不～

b) 难+动。'难'的作用类似助动词。

这事情～办|他的话～懂|那条路～走|这道题～做|草书～学|他的心情不～想像|这件事我很～插手

跟上面的'难'相对的,可以是'容易',也可以是'好',但有的例子只能用其中之一。

法语难学(＝不好学,不容易学)|这道题不难做(＝好做,容易做)|那条路不难走(＝好走,×容易走)|他的心情不难想像(＝容易想像,×好想像)

加'的'后修饰名词。

这一课里～认的字不多|越是～做的题目越要多做

注意 双音节动词前面用'难'或'难以',要看这个动词是口语里常用的还是主要用于书面。前者多用'难',后者用'难以'。

这种锁难修理|这个人难对付|疼痛难以忍受|其后果难以想像|这个问题暂时还难[以]解决

c) 难+在。说明为什么难。

这件事～在双方都不肯让步|这个棋难就～在只许走两步,不许走三步

d) 在少数动词后作补语。

你把这件事看得太～了|这题出得太～了

e) '难'修饰名词限于极少数单音节名词,并且不能带'的'。

～字|～题|～关|把水引上山是一件～事

修饰双音节名词常用'困难[的]、艰难[的]'等,或者改用'难+动+的'形式。

f) 动+难。只有两个熟语性例子。

不怕～|不应该知～而退,要知～而进

需要用名词的地方用'困难'。

406

克服困难｜把困难留给自己｜困难还是不少

2．表示效果(形象、声音、气味、味道、感觉等)不好。用在'看、听、闻、吃、受'等动词前,结合紧密,像一个词。

这种花色太～看了｜这个话传出去多～听啊！｜身上有点儿～受

注意 跟'难看、难听'等相对的是'好看、好听'等,不是'容易看、容易听'等。

这件衣服难看,那件衣服好看｜中药一般比西药难吃

〔动〕使人感到困难。可带'过',可重叠。必带指人的宾语。

你这是故意～我们｜咱们出个题目～～他｜我几时～过你？

动结 难∥倒　使人因困难而屈服：任何困难也难不倒我们

难∥住　使人处于困难境地：这个谜语真把我难住了

难坏[了]　使人感到十分困难或为难：这下儿可把从来没跳过舞的小宋难坏了

难道　nándào　(难道说)

〔副〕加强反问语气。句末常有'吗'或'不成'。

a) 用于动词前。

你～一直不知道吗？｜我们连死都不怕,～还怕这点困难吗？｜这～是偶然的吗？｜这种事情～见得还少吗？

b) 用于主语前。

～这是偶然的吗？｜～男同志做得到的事,我们女同志就做不到吗？

c) 难道…不成。

～让我们看一下都不成？｜～就这样罢休不成？

【难道说】同'难道'。常用在主语前。

难道说我们就被这点儿困难吓倒啦？｜难道说这些事一件都做不了吗？

难道说　nándàoshuō　（见‘难道’）

难怪　nánguài

〔副〕表示醒悟(明白了原因,不再觉得奇怪)。这里的‘难’有‘不应该’的意思。用‘难怪’的小句的前或后常有说明真相的小句。

　　a) 难怪＋形/动。形容词、动词前常有表示程度的词语。

　　　好几个月没下雨了,～这么旱|这扁豆～这么新鲜,原来是刚从地里摘下来的|他演过许多次了,～演得这么好

　　b) ‘难怪’用于主语前。

　　　他是新调来的,～大家都不认识他|～教室这么干净,他们打扫了一个下午了

注意　用作谓语的‘难怪’是‘难＋怪’,里边的‘怪’是‘责怪’的意思。表示很难责怪,有谅解的意思。前后一般常有说明情况的小句。

　　　这(那)也难怪,刚到一个新地方,哪能一下子就习惯呢?

　　后边可以带宾语。

　　　这也难怪他,因为他不太了解情况|这也很难怪你妹妹,她毕竟还小嘛!

难免　nánmiǎn

〔形〕不容易避免。

　　a) 主要用在动词前,后面常跟‘要、会’。

　　　粗枝大叶,就～把事情搞坏|不努力学习,～要落后|工作中～会有缺点,但成绩还是主要的

　　动词前有时加‘不’,但意思不变,不表示否定。

　　　一个人～不犯一些错误(＝～犯一些错误)|我没有说清楚,～不被人误会(＝～被人误会)

　　b) 可以用在主语前。

朋友之间，～看法有时不一致(＝看法～有时不一致)|你不能
按时完成任务，～大家要批评你(＝大家～要批评你)

c) 单独作谓语通常要放在'是…的'中间，主语常是动词短语、小
句或'这、那'。

由于经验不足，走一些弯路是～的|他跟你初次见面，说话不
多，这也是～的，决不是故意冷淡你

d) 修饰名词时，必带'的'，名词限于'现象、事情、情况'等少数
几个。

这是～的事情|这也是～的现象

比较 难免：不免：未免 见'未免'。

难说 nánshuō

〔动〕不容易说；不好说；不容易判定。'难说'前面所指事物一般
是特指或已经出现的，有疑问的事物放在'难说'后面。可带动词
或小句宾语。可受程度副词'很'修饰。

这场球赛，～谁输谁赢|在这场纠纷里，很～谁对谁错|车是按
时开了，但是很～能不能准时到达|钱已经准备好了，但是很
～准能买到

有疑问部分是选择问、特指问或反复问，可放在'难说'前面。可
带'了'。可受程度副词'很'等修饰。

邀请信已经发了，但是他来不来就很～了|去是可以去，但是
能不能见到他就～了 |在这次事故中，谁负主要责任现在很
～|到底是谁打的第一枪确实很～|他什么时候回来很～|他
参加不参加很～|究竟是谁去现在很～|是我去还是他去现在
很～

难为 nán·wei

〔动〕1. 使人为难。可带'了、过'，可重叠。可带名词性宾语。

他不会唱歌，你就别～他了|我没因为这类事情～过他|关于

409

调工作的事他～了人家半天|我非想办法～～他不可|人家有
困难,你就别～他了

2. 多亏(指做了不容易做的事)。可带'了'。可带名词性宾语。
一个人带好那么多孩子,真～了她|经济那么紧张,家务又那
么重,实在～你了|这次能按时完成任务,真～大家了|这么短
的时间就送来了,真～他了

3. 客套话,用于感谢别人代自己做事。可带名词、小句宾语。可
带'了'。
替我想得那么周到,真～你呀|车票也替我买好了,真～了你|
我不在的时候,～你照顾了我的家|～你为我带来了这么多东
西

难以 nányǐ （难于）

〔副〕不容易;不易于。主要用在动词前。多用于书面语。
资料不够,～下笔|此人品行恶劣,实在～形容|这样的事真叫
人～启齿|事情太复杂,目前还～下结论|此情此景,叫在场的
人们心情～平静

[难于] 有引进比喻对象的用法。例如:
今年的考题难于往年
'难以'没有这种用法。

难于 nányú （见'难以'）

闹 nào

〔形〕喧哗;不安静。可受程度副词修饰。可带'了、着、过'。可带
补语。
我家的孩子白天睡觉晚上～|我的家临街,晚上～得睡不好
觉|这里～得很,实在没法儿工作|这孩子～极了,谁的话都不
听|在都市的一角修了个花园,好处是～中取静|他们俩～着

410

玩呢,没什么事|楼前施工,实在太～了|我嫌商店里～得慌,
一般不愿去|课堂从没这么～过,不知道今天怎么了

可作定语、作宾语。

一直～个不停的孩子不多|他爱～|小孩喜欢～

〔动〕1. 吵;扰乱。可带'了、过'。可带受事和处所宾语。

这孩子真～人|孙悟空大～天宫|听了这些闲话,他回家跟爱
人大～了一场|一些不法分子乘机大～会场|他跟主任～过别
扭

2. 发泄(特指感情发泄)。可带'了、着、过'。可带'情绪、脾气'等
名词性宾语。

几句话不称她的心,她就～脾气了|因为不准外出就～情绪,
这实在不应该|在工作单位他也经常和别人～气|～了几天脾
气|别理他,他正～着脾气呢|在家里刚和老伴～过脾气,所以
说话特别难听

3. 害(病);发生(灾害或不好的事)。可带'了、着、过'。必带名词
性宾语。

前些日子,我～了一场大病|近几年,南方的几个省连续～水
灾|水灾过后又～了蝗虫|最好你别去他家,因为他正～着眼
睛呢|他们俩曾经～过矛盾|他昨天～了一个大笑话。

4. 干;弄;搞。可带'了、过'。可带名词宾语。可带补语。

聚众～事,破坏社会秩序是绝对不允许的|问题～了半天也没
结果|这件事谁也～不明白|用了三个月的时间,才把案情～
清楚|我就～不明白,这种违背社会公德的事情为什么没人管

动结 闹//翻 闹//急 闹//完 闹//清楚 闹//明白 闹//懂

闹得(不)了(liǎo) 案子那么复杂,我一个人可闹不了

闹//着(zháo) 搞到:费了半天劲,才闹着两张票

闹着了 通过努力而获得(幸运):这次你可闹着了,分到了一套三
居室住房|他可闹着了,两个小时钓了五十斤鱼

闹//崩(翻) 关系破裂:两个人闹崩了,谁也不想见谁|别看吵得

很凶,他们肯定闹不崩

〔动趋〕 **闹上** 开始闹:这两个孩子又闹上了

闹得(不)过 要说闹,谁也闹不过他

闹出来 因为一点儿小事,闹出矛盾来了

闹起来 一个孩子闹不起来|不知道什么原因,他又闹起情绪来了|
  闹起水灾来损失太大了

  呢 ·ne

〔助〕也写作'呐'。1. 表示疑问,用于是非问句以外的问句。

a) 用于特指问句,句中有疑问词'谁、怎么、什么、哪'等。

  你问谁～? |我怎么一点儿也不知道～? |老魏究竟说了些什
  么～? |你到哪儿去了～?

在一定的上下文里,'呢'前边可以只有一个名词性成分。有的
是问'在哪儿?'。

  我的帽子～? |老高～? 好多人都在等他|你们都回来了,小
  卫～?

有的是问'…怎么样?'

  后来～? |我明天回上海,你～?

b) 用在选择问句的两个(或三个)项目的后边。有时候末了一
项不用'呢'。前后两项之间常用'还是'连接。

  明天是你去～,还是我去～? |你对这件事情是赞成～? 还是
  反对～? |对群众生活是热情关怀～,还是漠不关心?

下面例句里选择的项目是一件事情的肯定和否定两面,不用'还
是'连接。

  这样说对不对～? |你认[得]不认得他～? |他肯来不肯～? |
  食堂办起来没有～?

c) 用于反问,常与'哪里、怎么、何必'呼应。

  没有平地,哪里会有高山～? |我告诉你有什么用处～? |我
  怎么不记得～? |你们何必大惊小怪～?

2. 指明事实而略带夸张。

a) 可+形+呢。

这塘里的鱼可大～|今天可冷～|王府井可热闹～

b) 才+动+呢。

老师,北京才好～|我倒没什么,你们才辛苦～|晚场电影八点
才开始～

c) 还+动+呢。

他还会做诗～|亏你还是个大学生～,连这个都不懂

3. 用在叙述句的末尾,表示持续的状态。常和'正、正在、在[那里]'或'着'等相搭配。

他睡觉～|他们都在干活儿～|他正在房檐下站着～|我正念叨
着你～|外边下着雨～

4. 用在句中停顿处。

a) 用在主语之后,含有'至于'或'要说'的意思。多用于列举或
对举。

我们几个都喜欢体育运动:老马～,喜欢篮球,小张～,喜欢足
球,我～,就喜欢打羽毛球|如今～,可不比往常了|伤是治好
了,身体～,还有些虚弱

b) 用在假设小句的末尾。

你要是非走不可～,我也不留你|你要是饿了～,就自己做点
吃|这件事,办～,就得办好,不办～,索性搁下来

c) 用在其它成分之后。

其实～,他不来也好|明天～,我又要出门|这次去杭州,没有
游西湖,一来～,时间实在太紧,二来～,西湖我已经去过多次
了

注意 '哩'(·li)是方言,跟'呢'2项和3项的用法相同。

内　nèi

〔方位〕内部;里。1. 用如名词。限于书面和少数固定格式。

413

a) 单用。

请勿入～|～外有别|寄上图书一箱,～附清单

b) 介＋<u>内</u>。

由～而外|对～政策|所有的数字都要计算在～

2．名＋<u>内</u>。

a) 指处所。名词多为单音节。

室～|校～|市～交通|厂～设备|剧场～禁止吸烟

b) 指时间。

本月～组织一次郊游|最近几天～,气温将下降八到十度

c) 指范围。名词多为单音节。

校～通讯|军～生活|校～活动|在学术团体～应该经常开展
各种讨论

3．<u>内</u>＋名/动。类似形容词,只用于构词。

～室|～河|～分泌|～出血

能　　néng　（能够）

〔助动〕1．表示有能力或有条件做某事。可以单独回答问题。否
定用'不能'。

我们今天～做的事,有许多是过去做不到的|他的腿伤好多
了,～慢慢儿走几步了|因为缺教员,暂时还不～开课|这些困
难你～不～克服? ——～,一定～!

'能'前还可以用'没'。

他的这个愿望始终没～实现

2．表示善于做某事,前面可以加'很'。很少单独回答问题,否定
用'不能'。

我们三个人里,数他最～写|这个人真是～说会道|他很～团
结周围的人

3．表示有某种用途。可以单独回答问题。否定用'不能'。

橘子皮还～做药|大蒜～杀菌|芹菜叶子也～吃|这支毛笔～

画画儿吗?

4. 表示有可能。很少单独回答问题。否定用'不能'。

　　天这么晚了,他~来吗? 我看他不~来了|这件事他~不知道吗? |满天星星,哪~下雨?

　　a) 常与表示可能的'得'同用。

　　只要认真读下去,就~读得懂

　　b) 可以用在'应该'后面,也可以用在'愿意'前面。

　　这本书写得比较通俗,你应该~懂|搬到这么远的地方,他们~愿意吗?

　　c) '不能不'表示必须、应该。不等于'能'。

　　因为大家不了解情况,我不~不说明一下|为了提高效率,我们不~不改变原来的计划|这件事他不~不知道吧?

5. 表示情理上许可。多用于疑问或否定。表示肯定用'可以'。

　　我可以告诉你这道题该怎么做,可是不~告诉你答案|我们不是发起单位,这个会~参加吗? |我们~看着他们有困难不帮助吗? |不~只考虑个人,要多想集体

6. 表示环境上许可,多用于疑问或否定。表示肯定用'可以'。

　　公园里的花怎么~随便摘呢|这儿~不~抽烟? ——那儿可以抽烟,这儿不~|你~不~快点儿? |这衣服不~再瘦了,再瘦就没法穿了

【能够】同'能'1, 2, 3 项,多用于书面。'能'4, 5, 6 项很少用'能够'。×你看能够不能够下雪?

⬚比较⬚ 能:会 1) 初次学会某种动作或技术,可以用'能'也可以用'会',但以用'会'为常。恢复某种能力,只能用'能',不能用'会'。

　　以前他不会游泳,经过练习,现在会(能)游了|他会(能)开这台机器了|我病好了,能(×会)劳动了

　　2) 表示具备某种能力,可以用'能'也可以用'会';表示达到某种效率,只能用'能',不能用'会'。

　　小李能(会)刻钢板,一小时能(×会)刻一千多字

3) 表示有可能(见 4 项),可以用'能'也可以用'会'。

　　下这么大雨,他能(会)来吗? |早晨有雾,今天大概能(会)放

　　晴了

这类句子,北方口语多用'能',别的方言多用'会'。

能:可以　1)　'能'以表示能力为主,'可以'以表示可能性为主;

'可以'有时也表示有能力做某事,但不能表示善于做某事。

　　他很能(ˣ可以)吃,一顿可以吃四大碗饭|他很能(ˣ可以)写,

　　一写就是一大篇

2)　'能'可以表示有某种客观的可能性,'可以'不行。

　　这么晚他还能(ˣ可以)来吗?

3)　'能'可以和'愿意'连用,'可以'不行。

　　你不让他报名,他能(ˣ可以)愿意吗?

4)　'不能不'常用,'不可以不'很少用,'不可不'用于书面。

5)　小句、动词短语作主语,'可以'能做谓语,'能'不行。

　　这本书你送给他也可以|这样分析也是可以的(ˣ也是能的)

　　能够　nénggòu　(见'能')

　　你　nǐ

〔代〕1. 称对方(一个人)。

　　我好像见过～|～在哪儿工作?

a)　表示领属关系时,在'你'后加'的'。

　　这是～的计算机|画展上有好几幅都是～的作品|～的要求我

　　不能答应|这要看～的表现如何

但在下列场合,口语常不加'的':在亲属或有亲密关系的人的名

称前。

　　～姐姐|～师傅|～同学

在'家、家里、这里、那里'以及方位词前('这里、那里'前必不

加)。

~家里有几口人？|～这里有昨天的报纸吗？|～那儿还有多少？|～前头是谁？～旁边是谁？

在'这(那)＋数量词'前。

~这件衣服是新做的？|～那三本书我明天还你

b) 跟对方的名字或表示对方身份的名词连用，'你'在前或在后。带感情色彩。

~老张真是有办法|～这个人怎么这么不讲理！|这就全在于小组长～了

2. 工厂、社队、机关、学校等相互间称对方，名词限于单音节。只用于书面，口语用'你们'。

这一任务由～厂承担|这次数学比赛请～校选派三名学生参加|你们学校参加不参加？

3. 泛指任何人。

~要想做好工作，～就得好好学习|～如果故步自封，骄傲自满，～就永远不会进步|他的苦干精神叫～不能不佩服

有时实际上指'我'。

这个人不喜欢讲话，～问他十句，他才答～一句

4. '你'和'我'，'你'和'他'，'你'和'我'和'他'用在平行的语句里。

a) 都做主语或都做宾语。表示许多人参加。

大家～一句，我一句，议论纷纷|～一言，我一语，发言很热烈|分～一把，分他一把，一会儿就分完了|～也来，我也来，他也来，弄得主人应接不暇

b) 交互做主语和宾语，表示许多人相互怎么样。

三个人～看着我，我看着～，都不说话|～推给他，他推给～，谁都不愿意接受

你们　nǐ·men

〔代〕称对方的若干人或包括对方在内的若干人。

417

～都是先进工作者|借书证已经发给～了

a) 表示领属关系时,在'你们'后加'的'。

～的书|～的责任|～的意见|～的顾虑

但在对方的亲属名称和跟对方有关的人、团体、处所的名称前,口语常不加'的'。

～奶奶|～姐姐|～二叔|～二姑娘|～主任|～王师傅|～小崔

～厂|～队|～组|～车间|～仓库

在'家、家里、这里、那里'以及方位词前,在'这(那)+数量词'前,用法同'你'1项a)(参看'你'条)。

b) 跟表示'你们'的身份的名词连用,'你们'在前。

～服务员的工作够辛苦的|～理论工作者一定要注意理论联系实际

有时跟指数量短语(连或不连名词)连用。

你回去把～三个人的作业本都拿来|～几位组长考虑一下,看谁负责这项工作最合适

您 nín

〔代〕'你'的敬称。不止一人时,后面加数量词。书面上间或有'您们',口语中不说。

～不是马老师吗?|～家里都好吗?|～几位上哪儿去?|要论年纪,这儿就数老师～最大了

宁 nìng (见'宁可')

宁可 nìngkě (宁肯、宁愿、宁)

〔副〕表示在比较利害得失之后选取一种做法。一般用在动词前,也可以用在主语前。

a) 宁可…也不…。

～我多干点,也不能累着你|作为母亲,～自己吃苦受累,也不

委屈孩子

b) 与其…宁可…。

与其你去，～我去|对待任何工作，与其看得容易些，～看得困难些

c) 宁可…也要…。后一小句表示选取这一做法的目的。

～少睡点儿觉，也要把这篇文章写完|他～自己不睡，也要想法把大伙的生活安排好

d) 其他用例。

我看～小心点儿的好|只要觉得文章里这段话没多大意思，我就～全部删去

【宁肯】【宁愿】同'宁可'。用于所选择的做法主要取决于人的意愿时。不是这种情况就只能用'宁可'。

我们宁愿(宁肯)自己辛苦点儿，也不能让别人受累|宁可(ˣ宁愿)长年无灾情，不可一日不防备

【宁】宁可。用于成语、格言之类。

宁死不屈|宁缺毋滥|宁吃鲜桃一口，不吃烂杏一筐|我们宁要少而精，也不要多而杂

宁肯　nìngkěn　（见'宁可'）

宁愿　nìngyuàn　（见'宁可'）

弄　nòng

〔动〕1. 搞，做。可带'了、着、过'，可重叠。可带名词宾语。

a) 代表其他一些动词的意义，如：

～车(＝修理)|～鱼(＝剖、洗等)|～饭(＝做)|～了不少菜(＝做)|你看把这里～成什么样子了(＝糟踏、破坏)|这件事非～个水落石出不可(＝清查)

b) 弄＋得…。使得。多用于不好的方面。

这孩子把衣服～得这么脏|(这件事)～得老李无话可说|～得

我毫无办法,只好再走一趟|屋子里~得挺干净的(＝收拾得…)。

2. 设法取得。可带'了、过'。后面常带数量词语。

我~来了一辆新车|去~点水来|你给我~两张电影票吧

3. 摆弄,玩弄。可重叠。

在家里~孩子|别~土! |你一天到晚就知道~无线电! |~~花呀草的,也是一种休息

动结 弄惯了 弄错了 弄糊涂了 弄颠倒了 弄//明白

弄//好 a)这个收音机怎么弄也弄不好 b)我早就把饭弄好了

弄//成 a)你的脸怎么弄成这样? b)我怎么也弄不成原来的样子

弄//着(zháo) 弄到:我弄着了一本好书

弄得(不)了(liǎo) 能(不能)照料:这孩子太闹,我弄不了他|这个家我弄不了

动趋 弄//上 他退休之后闲不住,又弄上一个看自行车的工作

弄//出来 塞子掉到瓶子里面了,怎么也弄不出来|他差点儿弄出病来|这件事到现在还弄不出个结果来

弄//起来 开始做。名词宾语放在'起'和'来'中间:他在家里弄起电视机来了

弄//开 把门弄开|瓶盖弄不开

弄得(不)来(＝弄得(不)转) 修理电灯我还弄得来,修理收音机我就弄不来了

努力 nǔlì

〔动〕尽一切能力。可带'了',可重叠。

他很~,在家里自学高等数学|今年没考好,明年再~(再努努力)|完成这项计划要大家共同~|这说明我们~得还不够,还要再努一把力

a) 用在另一动词后。可受程度副词修饰。

他学习很～|他工作十分～

b) 用在动词前。

～工作|～学习|～钻研技术

c) 可用作名词。

我们必须尽一切～来完成这个任务|为了抢救病人,医生作了种种～

O

偶尔　ǒu'ěr

〔副〕间或;有时候。

　　山区人烟稀少,沿途~能见到几处炊烟|他擅长山水画,~也画几张花卉|我们不大往来,昨天~在公园遇见|已经夜深人静,~听见一两声婴儿啼哭

比较 偶尔:偶然　'偶尔'跟'经常'相对,表示次数少。'偶然'跟'必然'相对,表示意外。

偶然　ǒurán

〔形〕不是必然的。

　a) 修饰名词,多带'的'。

　　~现象|~事件|~的事儿|~的巧合|这是~的错误|一个很~的机会

　b) 作谓语时,前面必加程度副词,或用在'是…的'格式中。

　　事情的发生也很~|没想到在船上碰见一个老同学,太~了|这样好的成绩,绝不是~的

〔副〕不是必然地。动词不能是单音节的。

　　~相遇|~想起|~犯了个错误|隧道施工的时候,~在这里发现了一座古墓

比较 偶然:偶尔　见'偶尔'。

P

怕　pà

〔动〕1. 害怕。可带'过'。可带名词、动词、小句作宾语。

老鼠～猫|我～挨骂|我～妈说我|这事儿我不～|下面是悬崖
绝壁,真～人(＝使人害怕)|一个人摸黑走路你～不～?

可受程度副词修饰。

他很～热|我最～小孩儿闹|～得很|～极了

2. 禁受不住。必带动词宾语。

这种蓝布～晒|病人～着凉

3. 表示疑虑;担心。必带动词、形容词、小句作宾语。

他～迟到,六点就动身了|不～慢,就～站|我～人手不够,把
小刘也叫来了|小张～你不知道,要我告诉你一声

4. 表示估计,'我怕'或'怕'用在谓语前,有插入语的性质。

这么大的雨,我～他来不了|这一箱～有五十斤吧

派　pài

〔动〕1. 分配;派遣;委派。

a) 可带双宾语或只带其中的一个。可带'了、着、过'。

我～你们每人一个任务|已经～了两个人了|队长正～着活儿
呢! |他被～到外地去了|你就把我～去吧|哪能～得那么公
平?

b) 可带兼语。可带'了、过'。

已经～了两个人去买了|就～他去值夜班|从来没～过他

c) 派＋给(往)。

把小李～给你当助手|一〇五队已～往秦皇岛

动趋 派//上　这次没派上我

派//下来　任务已经派下来啦

派//下去　早点儿把工作派下去

习用语 派不是　指摘别人的过失。

现在又派我的不是了!

旁　páng　(旁边)

〔形〕其他;另外。只修饰名词。可直接修饰'人',修饰其他名词必带'的'。

这是你的意见,～人对这事怎么看? |除此之外,还有没有～的事情? |～的问题都解决了吗?

〔方位〕近侧;附近。

a) 名+旁。

车～|身～|丛林～|院～、村～、路～都种上了树

b) 旁+名。'旁'类似形容词。少用。

～门|～院

【旁边】意思同方位词'旁',用法有区别。

1) 可以单用。

中间是正式代表,旁边是列席代表|他的话音未落,旁边又站起一个人来抢着发言|急忙往旁边一躲|别走中间,从旁边过去

2) 用在名词后,'旁边'可加'的'。'旁'不能。

池塘旁边(＝池塘旁)|池塘的旁边(˟池塘的旁)

3) '旁边'可加'的'或指数量短语修饰名词。'旁'不能。

旁边的门通后院|旁边的房间没人住('旁的门'、'旁的房间'意思是'其他的门'、'其他的房间','旁'是形容词)旁边那个人好面熟(˟旁那个人好面熟)|旁边这两家是谁? (˟旁这两家是谁)

4) '旁'可以跟不单用的语素组合,'旁边'不能。

桌旁(×桌旁边)|身旁(×身旁边)|枕旁(×枕旁边)

旁边 pángbiān （见'旁'）

跑 pǎo

〔动〕1. 迅速前进。可带'了、着、过'，可重叠。

快~|~了两圈|一边~着一边喊着|他~过一万米|火车~得
真快

a) 可带非受事宾语。表示结果。

这次百米赛跑,他~了第一

表示方式、范围。

四百米接力赛跑,他~最后一棒|他是~中距离的|这些卡车
专~长途

表示施事。

公路上~过去十几辆汽车

b) 跑+在。

小宁~在最前头,我~在最后边儿

2. 为某种事务而奔走。可带'了、过',可重叠。

~了这么多天也没~出个结果来|采购员为了买这种材料~
过多次

可带非受事宾语。表示目的。

~了房子再~设备|他以前~买卖|你去~~零件怎么样? |
把修实验室所要的东西都~来了

表示处所。

~码头|他~上海,我~天津|你~哪条路? 水路还是旱路?

3. 逃走。可带'了、过',可重叠。

别让兔子~了|松鼠~了|~过两次,都给抓回去了

可带非受事宾语。表示施事。

~了和尚~不了庙|笼子里又~了一只鸟

4. 漏;(液体)挥发。可带'了、过'。可带名词宾语。

轮胎～气|我的油箱从来没～过油|这块地～水,不适合种水
稻|瓶子没盖严,汽油～了不少

动结 跑得(不)了(liǎo)   a)别说三千米,一千米我也跑不了   b)
这家伙～不了

动趋 跑//下来   楼上跑下来两个人|**能够跑完**:一万米我实在跑
不下来

跑//出   必带宾语:跑出院子|跑出虎口|这次运动会上,他跑出了
新水平

跑//过   跑过山腰,转眼就不见了|他跑得那么快,我跑不过他

跑//过来   小孩儿跳跳蹦蹦地跑了过来|这么多地方一天跑不过来

跑//开   开始跑:孩子们一出大门就跑开了   跑到一旁:快跑开,
汽车来了   不受限制地跑:路太窄,汽车简直跑不开

配   pèi

〔助动〕有资格;够得上。否定用'不配'。肯定句中'配'前常有副
词'只、才、最'等。主语限于人。多用于口语。

只有这样的人才～称为先进工作者|我～当主角吗? |他～说
这样的话吗? ——他不～!

'配'后不用否定词语。

注意 1) '配'多用于反问句和否定句。

2) 主语是物时,用'能',不用'配'。

这些碎布头儿只能(ˣ配)补补衣服

碰   pèng

〔动〕1. 运动着的物体跟别的物体突然接触。可带'了、着、过'。
可重叠。可带名词宾语。

鸡蛋～石头|不小心～了他一下|头上～了一个包|屋里一片
漆黑,他一不小心就～墙上了|新郎和来宾不断地～着杯|我

426

学骑车也～过人|来! 咱们～～杯

碰 + 在 + 名 + 上。

～在树上了|小宝的头～在桌子角上立刻起了一个大包

2. 碰见;遇到;见。经常和'见、到、着(zháo)'搭配。可带'了、过'。可重叠。可带受事宾语。

两个人约定在哈尔滨～面|上个星期我们～过头儿|一个月只～了一次头儿|经常～～头儿,交流一下信息|今天我在街上～着一个熟人|没想到在北京～到老朋友了|足足有一年的时间没～见过小李了

碰 + 在(到) + 一起。

三十年没见面的老朋友～在一起,真有说不完的话|他们俩～到一起经常吵架|没想到这次我们又～在一起了

3. 试探。可带'过'。可重叠。可带'机会、运气'等宾语。

关于调动的事,得～机会|考试不能～运气,需要平时努力和扎实的基础|我也～过运气,但是都没成功|～～运气,也许能中奖|你去～～,也许有你喜欢的款式

[动结] 碰//碎 碰//伤 碰//倒 碰//见

碰//着(zháo) 骑车要小心,别碰着人|如果碰着机会,你可以跟他说一下|这两天我没碰着他

碰(不)得 这种花娇气,一点儿也碰不得|学习碰不得运气,要靠平时努力

[动趋] 碰//上 脚碰上石头了|我们俩总碰不上面|这种好机会我老是碰不上|他又～上好运了

碰出来 碰出来一片火星

碰起来 在他的提议下,大家举起酒杯碰起杯来|心里没把握,我只好碰起运气来

碰//到 两辆车碰到了一起|昨天我碰到你的老师了|这样的好机会我怎么碰不到?

批　pī

〔量〕用于数量较多的货物、信函、文件或同时行动的人。一般含
有不止一批的意思。

　　昨天来了一～货,今天还要到一～|这～来稿什么时候处理? |
　　厂里来了一～新工人|最近要运来两～彩色电视机,第一～三
　　百台,第二～五百台|一大～青年干部正在成长|艰苦的环境
　　锻炼了一～～的有为青年

⎡比较⎤ 批:群　见'群'。

偏　piān　(偏偏)

〔形〕不正;不居中;不公正。

　a) 修饰名词。不加'的'。

　　～心|～见|～向|汉字的～旁部首

　b) 作谓语、补语。前后常带附加成分。

　　太阳已经～西了|你的看法未免太～|这一笔写得太～了

　c) 偏+于。表示侧重某一方面。

　　他们～于教学,我们～于理论研究

　d) 作动结式第二成分。

　　镜框挂～了|笔画写～了|这一枪打～了一点儿

〔副〕表示故意跟外来要求或客观情况相反。比用'倒、反、却'语
气更坚决。常与'要、不'合用。

　a) 用于两小句中后一小句。

　　不叫我去,我～去|事情没成,你怎么～说成了呢|你爱做的
　　事,～不给你做,你不爱做的,倒非做不可

　有时候,因承接上文或不言而喻,单用'偏'字句。

　　～不告诉你,～不,～不|～去,～不去|我～要走

　b) 用于两小句中前一小句。

　　你们～不走,看他怎么说|老韩～不答应,你有什么办法

【偏偏】1）同副词‘偏’。这项用法以‘偏’为主。

　　不叫他去,他偏偏要去|你为什么偏偏要钻牛角尖?

　2）表示事实跟主观想法恰好相反。

　　好容易找到了他,偏偏又碰上小李拉他去办事|偏偏赶这阵儿
　他在闹病,这事你看怎么办? |我昨天找了你好几次,偏偏你
　都不在家

这项用法以‘偏偏’为主。在动词前可换用‘偏’,在主语前不能
用‘偏’。

　3）表示范围,仅仅;只有。含有不满的口气。

　　小朋友都认真听教师讲课,偏偏他一个人搞小动作|偏偏你知
　道这些道理,我就不知道? |大伙都准备好了,偏偏老杨一个
　人磨磨蹭蹭的

　　偏偏　piānpiān　（见‘偏’）

　　偏巧　piānqiǎo

〔副〕1. 恰巧(多指偶然巧合)。可以直接用在动词前面;也可以放
在第二分句主语的前面。作状语。

　　正想通知他,～在路上碰到了|他想坐一会儿,～有坐位|我正
　找他,～他来了|我们想去看老安,～他要出门|我去给老师拜
　年,～他不在家

2. 同‘偏偏’2)。表示事实和希望或期待的恰好相反。用在动词
或第二主语前,作状语。

　　我找他好几次,～都不在家|好容易找到了他,～他又有急事|
　～赶上月底,你说任务完不成怎么办? |你要的资料,～让老
　李借走了|病人急需输血,～血库没有适合他用的血

　　片　piàn

〔量〕1. 用于平而薄的东西。有时可儿化。

一～树叶｜几～花瓣儿｜一～瓦｜两～面包｜天边飘着两三～白云｜止痛片还有两～儿

2. 用于面积、范围较大的东西，多指地面、水面。数词多用'一'。

一～草地(荒地)｜一～树林｜前面有一～高粱地｜这一～新楼房有好几十幢｜这～菜园子可不小｜那一～地由你们播种｜一～大水｜远处一～红光｜黑压压的一大～人｜大水冲掉了一大～庄稼

3. 用于景象、声音、语言、心意等。数目字限于'一'。名词前常有修饰语。

一～丰收景象(×一～景象)｜一～欢乐的歌声｜家乡一～新气象｜到处是一～欢腾｜四周一～沉寂｜一～胡言乱语｜他可是一～真心(好心)哪！｜辜负了我的一～好心

　　品　pǐn

〔后缀〕构成名词。1. 动/名＋品。表示按原料、性质、用途、制作方法分类的物品。

食～｜果～｜蛋～｜奶～｜药～｜商～｜毒～｜木制～｜豆制～｜印刷～｜展览～｜麻醉～｜调味～｜宣传～｜体育用～｜生活必需～

2. 方位/形/动＋品。表示按质量或规格分类的物品。

上～｜下～｜中～｜极～｜小～｜正～｜次～｜废～｜成～｜半成～

3. 名＋品。表示某种品格、风格。

人～｜书～｜画～｜棋～

　　平　píng

〔形〕1. 表面没有高低凹凸，不倾斜。

a) 作谓语。前面常加副词。

操场很～｜铺上水泥砖以后，院子更～了｜那块地很～，浇水十分方便｜别看是新房，可是地面不～，坑坑洼洼的

b) 作定语。

那是一块～地|山西农村的平房大都是～顶|走出山路,前面
是一片很～的水面|根本找不到绝对～的场地

c) 作补语。

派人把路上的坑洼填～|路面轧得特别～|操场修得很～|桌
面刨得非常～

d) 有时也作状语。

双手～举|盆里装满了水,你们必须～着抬|缝隙太小,手一定
要～着伸进去

e) 可以作'显得、是'等词的宾语。

修整以后,球场显得更～了|广场的地面是那么～|你认为不
～,我觉得挺～了

f) 可带补语。

湖水～得像一面镜子|新修的道路～极了,也宽极了|现在墙
壁比以前～多了

g) 可重叠。重叠后可作谓语(平平＋的)、定语、补语。

广场～～的|柏油路～～的,很好走|～～的空地|～～的屋顶|
衣服熨得～～的|板材刨得～～的

2. 跟别的东西高度相同,不相上下。

a) 作谓语。前面一般不加程度副词修饰。

经过顽强拼搏,现在两队的比分已经～了|东墙再砌两砖,两
面的墙就～了|只差两分,两队的得分就～了|只要他稍微踮
起脚跟,你俩的肩膀就～了

b) 作定语。中间一般不能插入其他成分。

两队打成～局|这几个人的名字最好～列|他和我～辈,只不
过长我几岁

c) 作动结式的补语。

把两面墙砌～以后就收工|两根杠子不平,调～以后才能练习|
男子团体赛现在打－了|现在我和你拉～了,今后井水不犯河
水,各走各的路

3．安定。一般只用于四字格词组当中。

　　风～浪静|心～气和

〔动〕1．使平,可带名词宾语。可带'了、过'。可重叠。

　　～了几亩菜地|开学之前把操场～一下|上个月才～过的路
　　面,一场大雨又给冲得坑坑洼洼|抽时间把院子～～,免得下
　　雨积水|农闲的时候～～地,来年播种就方便多了

2．使与别的东西高度相同。可带名词宾语。

　　差一点就～了全国记录

3．平定;用武力镇压;抑止(怒气)。可带名词宾语。可带'过'。
可重叠。

　　很多年以前,他在那个地方参加过～乱|你先把火气～下去再
　　说|这种情况应该冷处理,先让他～～气再说

动结 **平得(不)了** 这帮学生太小,连操场也平不了

平∥完 再等几天,平完地以后我去看你

动趋 **平∥下去** 我心里的气平不下去,非找机会和他谈清楚不可

　　　　评　　píng

〔动〕1．评论,评定。可带'了、过',可重叠。可带名词、小句作宾
语。

　　～奖|～质量|～茶叶的好坏|今年～劳模,把小周～上了|他
　　们的分数～得很高

　a) [被]+评+为+名。
　　小黄被～为先进生产者|老魏～为一等奖

　b) 带小句作宾语时,多重叠。
　　你们～～谁对|你～～他这话有道理没道理

2．判分。可带'了、过',可重叠。可带双宾语或指事物的宾语。

　　这次作文～不～分? |老师～了我一个优(×老师～了我)|把
　　数学卷子～完了,再～作文|前面两份试卷可能～得不合适

动趋 **评∥上** 这个月他评上了二等奖

凭　píng

〔动〕1. 身体靠着。必带宾语,用于书面。

～窗远望|～栏沉思

2. 依靠,倚仗。必带宾语。

刊物能办好,全～大家的力量

〔介〕表示凭借,依靠,根据。一般跟名词组合,可在主语前,有停顿。

～常识判断|单～这一点还下不了结论|劳动人民～自己的双手创造了物质财富|～闪电的亮光,我就能认出方向

a) 后面名词短语的音节较长时,可加'着'。

～着多年的经验,老艄公顺利地绕过了一个又一个的暗礁|我们就～着这一点线索,打听到了他的地址

b) 凭＋动/小句。少用。

旧社会遇到荒年,穷人经常～吃野菜过日子|光～师傅教是不够的,还要自己动脑筋

习用语　凭什么　用于质问。

你凭什么不让我去? |凭什么他要管咱们的事?

〔连〕任凭;不论。'凭'后必有表示任指的词语。口语色彩较浓。

～乡亲们怎么劝,他都不听|～你跑多快,我也能赶上|～你有多大的本事,离开了群众就一事无成

破　pò

〔动〕1. 完整的东西受到损伤。可带'了'。

鞋～了|玻璃～了|顶棚～了|窗户上～了一块玻璃

a) 可带非受事宾语。表示结果。

袜子～了一个洞|衣服袖子～了一条口子

b) 作动结式的第二成分。

衣服穿～了|划～了手指|磨～了鞋底|膝盖擦～了

有时是夸张的说法,并非真破。

　　嘴都说～了,他也不听|喊～了嗓子也没人答应|一声怪叫就
　　把你们吓～了胆

2. 使损坏;使分裂、劈开。可带'了、过'。

　　～个西瓜吃|把那块板子～开|人家怎么说咱们就怎么做,别
　　～了人家的规矩

常用于固定词语。

　　～釜沉舟|牢不可～|势如～竹|～门而入|乘风～浪|～天荒

3. 整的换成零的。限于和'开、成'构成动结式。

　　把这张五块钱的票子～开好找钱|十块钱～成两个五块的

4. 破除;突破。可带'了',可重叠。可带名词宾语(多表示规定、
习惯、思想、制度等)。

　　不～不立|今天我也～～戒,喝点喜酒|百米赛跑～了纪录

5. 打败,攻下。可带'了、过'。可带名词宾语。

　　大～敌军|两道防线给～了

6. 花费。可带'了、过'。必带名词宾语。

　　～点儿功夫早些来|我自己去买,不能让你～费|索性～点时间
　　亲自跑一趟

7. 豁出去,不顾惜。必带'着'。必带名词宾语(限于'性命、脸
皮')。用作连动句的前一部分。

　　～着性命去救人|我不愿意～着脸皮去求人

8. 使真相显露。可带'了、过',可重叠。可带名词宾语。

　　～案|～谜儿|～密码|盗窃案当天就～了

作动结式的第二成分,动词多为'看、道、揭、说'等。

　　彼此心里明白,不必说～|一语道～真相|阴谋已被揭～|看～
　　了其中的奥秘

动趋 **破上** 花费上。必带宾语:破上几块钱买一支新笔

破//出[去] 花费出。必带宾语。破出几天功夫从头到尾仔细读
一遍

〔形〕1. 受过损伤的;破烂的。

　　～衣服|～手表|这书皮已经很～了|房子年久失修,～得没法
　　住人了

2. 不好的,令人嫌弃的。用于名词前。

　　谁爱看这个～戏|这种～玩艺儿没人要|我就讨厌他那张～嘴

Q

齐 qí

〔形〕1. 整齐,两头齐整或排成一条直线。

　a) 作谓语。

　　队形不～|这头也不太～|他写的字大小不～|只要你们两个
　　向后退半步,整排队伍就～了|这两条线不～

　b) 作补语。

　　架子上的书本摆得挺～|队伍排得特别～|砖码得很～|两条
　　线画得都不～|头发剪得不～

2. 同样;一致。作谓语。

　　人心～,泰山移|步伐特～|服装不～|全室人员的水平比较～|
　　讲课进度不～

3. 完备;全。作谓语、补语。

　　人～了,咱们开会吧|料已经～了,就等施工队了|人来得比较
　　～|东西全备～了|等人到～了,咱们就出发

〔动〕达到同样的高度。可带‘了、过’。可带名词宾语。

　　荒草都～了腰了|向日葵都～房檐了|马路上的水～了台阶了|
　　水深～膝,冰凉刺骨

〔副〕一块儿;同时。

　　大家～动手,一天就收割了二百亩小麦|百花～放,百家争鸣|
　　草原上万马～奔,万众欢腾,一派节日的景象|男女老少～动
　　员,干干净净迎新年|一声令下,万炮～鸣,北京的夜空被礼花
　　映得如同白昼一般|运动员刚一进场,全场立刻鼓号～鸣|爬
　　上山顶,大家～声高喊:‘我们胜利啦!’

〔介〕跟某一点或某一直线取齐。常常和‘着’组合,表示沿着、顺

着的意思。

　　～墙根画一条直线｜～根截断｜～着马路边栽上冬青树｜～着
　　房檐搭个葡萄架｜～着地边儿拦起一道铁丝网

其次　qícì

〔指〕指示次序较后的、次要的人或事物。带'的'修饰名词,名词
前如有数量词,'的'可省。

　　首要的问题已经解决,～的问题就比较好办了｜开头是男子百
　　米蝶泳比赛,～[的]一个项目是女子百米蛙泳

〔代〕代替次序较后的、次要的人或事物。

　　会上老孙先发言,～是小白｜这部影片最大的缺点是缺乏艺术
　　感染力,摄影技术差还在～｜首先改革管理制度,～再考虑人
　　选问题

其实　qíshí

〔副〕表示所说的情况是真实的。用在动词前或主语前。

　a）引出和上文相反的意思,有更正上文的作用。

　　这些花儿看起来像真的一样,～是绢做的｜古人以为天圆地方,
　　～不然｜听口音像北方人,～他是广州人

　b）表示对上文的修正或补充。

　　都说这儿离县城二十里,～只有十五里｜你们只知道他会说汉
　　语,～他的日语也挺好｜我说有家,～我家里就我一个人

其他　qítā

〔指〕指示一定范围以外的人或事物。修饰单音节名词以带'的'
为常,修饰双音节名词以不带'的'为常。

　　先办完这件事,再办～的事｜除了小冯以外,～的人都去了｜我
　　同意老汪的建议,没有～意见｜昨晚的音乐会,小提琴独奏非
　　常好,～节目也不错

修饰代词'一切'不带'的'。

这个问题解决了,～一切都不难解决|先讨论招考办法,～一
切下次再讨论

〔代〕代替一定范围以外的人或事物。

旅游路线已经决定,～另作安排|先拣重要的说,说完了再说
～

文章标题有时用'…及其他'。

其余　qíyú

〔指〕指示剩下的人或事物。带'的'修饰名词,名词前如有数量
词,'的'可省。

老张一马当先,～的人也不落后|北极星我找得着,～的星我
也认得几个|你先走,我跟～几个人后走|这几个提包随身带
走,～的行李全部托运

〔代〕代替剩下的人或事物。

来客当中我只认识两位,～没见过|只有一间屋亮着灯,～都
是黑的|我只认识这几种花,～都不认识|攻其一点,不及～

其中　qízhōng

〔方位〕那里面。指处所、范围。这是个特殊的方位词,只能单用,
不能加在名词的后头。

这一班四十个学生,～有一半是从别的班转来的|这份报告我
已经看过,～提出的问题值得重视|这种草药对胃溃疡有一定
疗效,但是～的道理还不清楚

奇怪　qíguài

〔形〕跟一般不一样的,非常的,特殊的。

a) 修饰名词常带'的'。可以重叠。

～的声音|～的表情|～的事情|一种很～的病|这些奇奇怪怪

的现象目前还无法解释

b) 作谓语、补语时,前面常加副词。

这很～|这就～了|那倒～了|这可是～|那不～|萤火虫很～,
身体能发光|这问题提得很～|他的话说得有点儿～

c) 反问句可用在'有什么'后。否定句可用在'没什么'后。

我有事回来得晚一点,这有什么～? |日食、月食都是自然现
象,有什么可～的? |各有各的爱好,没什么～

〔动〕觉得奇怪。主语限于第一人称或复数第三人称,常带疑问小
句做宾语。

我～他怎么不来|我们都～为什么这点小事就是办不了|大家
都～你为什么突然决定要走|你不同意,我很～

常用作插入语。

～,三九天这么暖和|分别不过三年,真～,他连口音都变了

起　qǐ(动);//。qǐ(趋)

〔动〕1. 起床;起来。可带'了'。

早睡早～身体好|都九点了,你还不～? |这皮球怎么不～了?
(弹不起来)

2. 离开原来的位置。必带名词、动词作宾语或带'开'字。

～身|飞机～飞了|货物已经～运|～开点儿,让我过去

3. 长出(疙瘩、痱子等)。可带'了、过'。必带名词宾语。

一见风,身上就～疙瘩|头上～了个包|天热,小孩子爱～痱子

4. 把收藏、嵌入或里面的东西弄出来。可带'了、着、过'。可带名
词宾语。

把钉子～下来|昨天刚～过猪圈(清除其中的粪便、垃圾)|你
也去～菜窖吗? |～了许多钉子|那几个小伙子正～着猪圈

5. 发生、发挥。可带'了、着、过'。可带名词宾语。

～风了|你是老同志,应该～表率作用|腹泻是药在～着作用|
你别～疑心|中国的面貌～了很大的变化|从来没～过好作用

6. 拟定(草稿、名字)。可带'了、过'。可带名词宾语。

你先～个草稿|～过三次草稿,都不满意|给孩子～名儿了没有?——～了

7. 修建。可带'了'。必带名词宾语。

平地～高楼|他们家新～了三间房

8. 办手续领取(证件)。可带'了、过'。必带名词宾语。

～护照|～个路条|到行李房～了个行李票

9. 从(由、自)…起。表示开始。

从 1995 年 5 月 1 日～实行五天工作日的制度|从明天～我们一块儿练长跑|由这儿～就都是柏油路了|本条例自发布之日～实行

动结 起得(不)了(liǎo) 能(不能)发挥:我在这里也起不了什么作用

动趋 起∥出来 这几个钉子你起得出来吗?|起出来了好些钉子

〔趋〕 1. 动+起+[名]。后面一般都要有名词,一般为受事,多不能提到动词前面去,间或为施事。动词和'起'中间一般不能加'得、不'。

a) 表示人或物体随动作由下向上。动词和'起'中间偶尔可加'得、不'。

搬～石头|举～红旗|我捡～了几块雨花石|他抬～头看了看|他举～超过体重一倍的杠铃|我可抬不～这口箱子|湖面上扬～无数白帆

下面的例句里,'动+起'后面没有名词,但后面要有其他动词短语。

他站～又倒下了|那只鸟才飞～又落下了|他把石头捡～放在口袋里

b) 表示事物随动作出现,兼有持续的意思。

乐队奏～了国歌|点～了一堆堆的篝火|会场里响～了一片掌声

440

c) 表示动作开始。一般与'从…'、'由…'配合;后面不带名词。

一部二十四史从何说～|队伍由这儿排～|这事儿从哪儿谈～呢?

d) 表示动作关涉到某事物。动词限于'说、谈、讲、问、提、回忆'等少数及物动词。

他来信问～你|我想～一个笑话|他没有提～这件事|回忆～童年时代的情景

e) 表示动作完成。

收～你那一套吧!

2. **动**＋**得**(**不**)＋**起**[＋名]。表示有(没有)某种能力或能(不能)经受住。

要降低定价,让大家都买得～|我惹不～你,只好离你远点儿|经得～艰苦斗争的考验

有时表示够(不够)标准。

老张两口子真称得～是模范夫妻

起来 qǐ∥·lái(动);∥·qǐ∥·lái(趋)

〔动〕1. 由坐卧而站立或由躺而坐;起床。可带'了、过'。可带施事宾语。

你该～了|他六点就～了|一上午就这么坐着,没见他～过|别老躺着,～活动活动|快叫他～,有急事商量|才～了一个人,别的都没～|这么早,他起得来起不来?

2. 由静止状态而积极行动。可带'了'。

群众～了,事情就好办了

〔趋〕1. **动**＋**起来**[＋名]。名词一般为受事,间或有施事。

a) 表示人或事物随动作由下向上。

五星红旗升～了|捡～一块石头|抬起头来|我得了关节炎,右胳膊有点儿抬不～|从后排站～一个人

b) 表示动作完成,兼有聚拢或达到一定的目的、结果的意思。

集中～|统一～|火车是一节一节连～的|他藏了～|要把开创精神和求实的态度结合～|我们已经建立～了一批大型工业生产基地|培养起一支高水平的科技队伍来|我想不～了|你们那儿的工作开展得～吗?

c) 表示动作开始,并有继续下去的意思。动词和'起来'中间一般不能加入'得、不'。

欢呼～|说起话来|大伙儿唱起歌来|飞轮旋转～了|一句话把屋子里的人都逗得笑了～|讨论不～

d) 做插入语或句子前一部分,有估计或着眼于某一方面的意思。不能加'得、不'。

看～,这件事他不会同意的|算～,他离开我们已经三年了|这种收音机携带～很方便|这篇文章读～很耐人寻味|论起成本来,这种电视机是最低的|他说起话来,总那么不慌不忙的

2. 形+起来。表示一种状态在开始发展,程度在继续加深。形容词多为积极意义的。

坚强～|紧张～|忙～|他的身体正一天天好～|参加冬季长跑锻炼的人多了～|天气渐渐暖和～|天冷～了,得多加点衣服|我这个人随便吃什么滋补品,也胖不～|他本来就理亏,怎么硬得～?

|比较| 动+起来:动+下去　前者表示动作开始,并有继续进行的意思,强调的是开始;后者表示动作已在进行并将继续进行,强调的是继续。

这个实验室既然已经搞起来了,就要坚持搞下去

有时只表示动作的不同方向,如:太阳升起来又落下去

形+起来:形+下去　1) 前者表示状态开始出现并含有继续发展的意思,强调的是开始;后者表示状态已经存在并将发展下去,强调的是继续。

天热起来了|再这么热下去可怎么得了!

2) '起来'多用于积极意义的形容词,'下去'多用于消极意义的

形容词(也有例外)。

> 好起来:坏下去|胖起来:瘦下去|硬了起来:软了下去|紧张起
> 来:松懈下去|富裕起来:贫困下去|亮起来:暗下去

仅表示状态已经存在时,'下去'限用于消极意义的形容词,如果还表示状态将继续发展时,则不受此限。

> 他已经瘦下去(×胖下去)很多了|再这样瘦下去(胖下去)可不
> 行

起码　qǐmǎ

〔形〕最低限度的。前面可以再加副词'最、顶'。

> ～条件|～的知识|最～的需要|修建一万平方米的宿舍,这是
> 最～的

〔副〕最低限度;至少。

a) 起码+动+数量。

> 《红楼梦》我～看过五遍|他在这儿～等了两个钟头|参加数学
> 比赛的～有二百人

b) 起码+数量。

> 这一箱～一百斤(至少有一百斤)|骑车去颐和园～一小时(至
> 少要一小时)|到工地去的车一天～两趟(至少开两趟)

c) 起码+动。

> 他大概误会了我的话,～是没听清楚|这事我不能随便决定,
> ～要取得老陈的同意

d) '起码'用在主语前。

> 别人听说没听说我不知道,～我没听说|～你能说几句日常用
> 的汉语吧?

e) 前面可加'最、顶',后面常用'也'呼应。

> 塔顶离地面最～也有十丈|今天写信去,顶～也要星期六才能
> 收到回信

岂　qǐ

〔副〕加强反问语气,多用于书面,意思相当于'难道、哪、哪里、怎么'。

a) 用在肯定形式的反问句里,实际表示否定,常跟'是、有、能、敢、容'等词连用。

> 人非完人,～能无过? | 见人落水,～可见死不救? | 如此而已,～有他哉? | 你是权威,我～敢说三道四 | 我国内政～容外国干涉

b) 用在否定形式的反问句里,实际表示肯定。常与'不、不是、非'等否定性词语连用。

> 他做出这样的蠢事,～不等于自暴自弃 | 这样解释～不是自相矛盾? | ～非咄咄怪事? | 你只说他有本事,～不知他人品极坏

习用语　岂但　表示反问语气,意思相当于'不但、不只、不仅'。后一小句常用'就是…也…,即使…也…,连…也…'等与之呼应,表示递进关系。

> 这道题岂但你们学生做不出,就是老师也未必会做 | 关心和支持教育事业是全社会的事,岂但是教育部门一家的事 | 这种产品岂但是国内第一,即使在国际上也是数一数二的

气　qì

〔动〕1. 生气;发怒。

> 又～又急 | 一～之下转身就走了 | ～得眼睛都瞪圆了 | 他正在～头儿上

2. 因…而生气。多用于兼语句。

> 我～他学习太不努力 | 我不～别的,～他事先不通知我一声

3. 使生气。可带'了、过',可重叠。必带名词宾语。

> 故意～了他一下 | 他就是想～～我 | 你别～人了 | 把他～得直

跺脚|小珠让小明给～哭了

4. 宣泄怒气的(言词)。

他不过说了一句～话,你不必太认真

动结 气∥急了 气∥病了 气坏了 气∥跑了

气∥死 a)因生气致死:剧中这个人物是气死的 b)表示极度气
愤:把我气死了!

动趋 气∥出来 因生气而产生某种结果(多为疾病)。必带宾语:
气出一场病来

气不过 气得不能忍受:心里气不过,不免说了他几句

　恰　qià　(见'恰好')

　恰好　qiàhǎo　(恰巧、恰恰、恰)

〔副〕正好在那一点上(指时间、空间、数量等;有不早不晚、不前不
后、不多不少、不…不…的意思)

你要的书我～有|你们来得真巧,今天我～在家|八个人一桌,
十六个人～坐两桌

a) 恰好+数量[+名]。

距离～五十米|不多不少,～十公斤汽油|在青岛住了～一个
月

数量前可加'是、有',意思相同。

距离～是五十米|不多不少,～有十公斤汽油|在青岛住了～
有一个月

b) 恰好+形。

宽度～够|大小～合适|高矮～相同|性格～相反

c) '恰好'用在主语前。

你去上海,～老吴跟你同路|我正要出去,～老程来找我

比较 恰好:正好 见'正好'。

【恰巧】同'恰好',侧重指时间、机会、条件等十分凑巧。

同学们正在争论,老师恰巧走了进来|路上恰巧碰上大雨,淋得一身湿透|我毕业后,恰巧他们厂需要一个技术员,就把我调来了|恰巧今晚老周不在家,让你白跑一趟

【恰恰】1)同'恰好',多用于书面。

前面一棵大树,恰恰挡住了视线|正不知如何是好,恰恰队长赶了回来

2)恰恰[+就]+是,用在正反对比的句子里,加强肯定的语气。

家长对子女的严厉,恰恰是对他们的疼爱,是为了他们将来能够成材|把事情搞糟的不是别人,恰恰就是你自己

【恰】同'恰好',只用于书面。

恰到好处|恰如其分|左边锋疾射入网,恰在此时鸣笛终场

恰恰 qiàqià (见'恰好')

恰巧 qiàqiǎo (见'恰好')

恰如 qiàrú (恰似)

〔动〕正好像。多用于书面。

1. 多用于比喻句。

a)后接名词宾语。

桂林山水～一幅水墨画|他的处境～笼中之鸟|他的话～一阵春风,使人感到温暖

b)后接动词或小句宾语。

磕头～鸡啄米|～风卷残云,一桌酒菜顷刻间吃光了|研究学问好比～逆水行舟,不进则退

c)恰如…一般。

～天女下凡一般|风景～水墨画一般|道理没有说透,～隔靴搔痒一般

2. 也有不用于比喻句的,多用在小句开头,表示正如同的意思。

～古人所说,兼听则明,偏听则暗|事情的结果果然如此,～先

生所见

【恰似】用法同'恰如'1。

恰似　qiàsì　（见'恰如'）

千万　qiānwàn

〔数〕1. 上千上万,形容数量多。

～盏彩灯|～颗星星在夜空闪烁|～朵牡丹竞相开放

有重叠式 AABB,可作谓语。

世界上的物种[有]千千万万|何止千千万万|千千万万个家庭
得到了幸福和安宁

2. 表示确数。

全市人口约一～|电视机厂今年的产值是三～

〔副〕务必。表示恳切叮咛。只用于祈使句。否定句比肯定句用
得多。用于否定句,常跟'别、不可、不能、不要'连用;用于肯定句,
常跟助动词'要'连用。

～不要泄露出去|你～不要露面|～不可大意|～不能动武|～
别听信谣言|这件事你～[要]记在心里|～[要]提高警惕|妈妈
叮嘱小芳过马路～要小心

比较　千万:万万　两者都可作副词,意思相近。但　1)'万万'只
用于否定句,'千万'没有这个限制。

2)'千万'只用于祈使句,'万万'不受这个限制。

3)'万万'的语气比'千万'略强些。

前　qián　（前边、前面、前头、头里）

〔方位〕人或事物面向的;次序、时间靠近开头的。

1. 用如名词。

a) 单用。和'后'呼应,多是对称的习惯用法。

～怕狼,后怕虎|～不着村,后不着店|～有大河,后有高山

447

b) 介+前。介词限于'向、朝、往、在、由'。

他迈开大步向~走去|他朝~看看，又朝后看看|你由~往后数，我由后往~数|要往~看(＝展望未来)，要充满信心

c) 前面可加'最'。

我坐在最~，他坐在最后。

2. 名+前。

a) 指处所。

村~村后都种上了树|人民英雄纪念碑矗立在天安门~|胸~戴着大红花|书桌横放在窗~

b) 指时间。早于某时或某事。

事~你告诉他了吗？|新年~我要回家一趟|几个月~他就去上海了|这个故事发生在五百年~

3. 动/小句+前。指时间。早于发生某动作或某事件的时间。

临出发~，我已通知了他们|正片放映~，先放映纪录片

4. 前+名。类似形容词。

a) 指处所或次序。

~门|~院|~街|我住~楼，他住后楼|这次比赛~三名是哪几个国家？|~几排先走，后边的再等一等

b) 指时间。限于和数量短语组合。

~半年学平面几何，后半年学三角|~半夜他睡得很好，后半夜就差了

'前几天、前几年、前些时候'是对'这几天、这几年、这些时候'而言，后者无须说出来。

~几天我还看见他的|他~几年还偶尔来信，后来就没有消息了

c) 用在一些表示名称和机构的名词前，类似前缀，指从前的。

现在的校长姓刘，~校长姓李|张家口是~察哈尔省省会

【前边】1) 同'前'1项用法。单用较自由。

前边有座位，请到前边坐|前边来了一个人|他在前边跑，我在

后边追|后边没路,得从前边绕过去|我的前边是老方,老方的前边是老郑|他坐在最前边,我坐在最后边|走在队伍最前边的是军乐队

2) 同'前'2项 a)用法。但不能跟不单说的单字组合。

ˣ窗前边|ˣ胸前边|树前边

3) 同'前'4项 a)用法。但不和单音词组合,中间可加'的'。

ˣ前边楼|前边大楼|前边的大楼

【前面】【前头】【头里】同'前边'。'头里'有方言色彩。

比较 前:以前 见'以前'。

前边 qián·bian （见'前'）

前后 qiánhòu

〔方位〕1. 用于空间,指事物的前边和后边。

a) 单用。可重叠。

～相连|～照应|～夹攻|～有三栋楼房|前前后后都是山丘

b) 名+前后。

大楼～|学校～|房屋～都是草地

c) 前后+名。

～次序|～关系|～座位|～车厢都坐满了

2. 用于时间。

a) 单用。指从开始到结束的一段时间。可重叠。

～放映三个小时|～招收了三批学生|～来了好几次电话|这次旅游,前前后后共一个半月

b) 名+前后。指从某一时间稍前到稍后的一段时间。

春节～|清明～|大约一九七〇年～,他来过北京

c) 动/小句+前后。指从某一事件稍前到稍后的一段时间。

结婚～|天亮～|毕业～我们聚会过几次|这是地震发生～的一个真实故事

449

d) 前后＋数量＋名。指一段时间内有几个同类事物。

～两位校长|～三种版本|～几封信都已收到

比较 前后：先后 1)'前后'可用于空间，'先后'不能。

2) 指整段时间，用'前后'不用'先后'；指一段时间内发生事件的顺序，用'先后'不用'前后'。

前后放映三个小时|×先后放映三个小时|春节前后|×春节先后|天亮前后|×天亮先后

老汪、老余先后发言|×老汪、老余前后发言|去年我先后去过桂林和杭州|×去年我前后去过桂林和杭州|我先后找过他两次|×我前后找过他两次

在不指明顺序的例子里，'前后'、'先后'可以通用。

前后招收了三批学生|先后招收了三批学生

3) '先后'只修饰动词，极少修饰名词，'前后'不限。

前后两位校长都姓李|×先后两位校长都姓李

前面 qián·mian （见'前'）

前头 qián·tou （见'前'）

欠[1] qiàn

〔动〕身体一部分稍微向前或向上移动。可带'了、着、过'，可带名词宾语。可带动量词。

他稍微朝前～了一下身子|他～着脚儿朝前张望|我可没～过脚

动结 欠得(不)了(liǎo) 你看这么点儿地方，哪欠得了身呀？|车厢太矮，～不了身

动趋 欠起 他欠起身子，稍微活动了一下

欠[2] qiàn

〔动〕1. 借别人的财物等没有还或应当给人的事物还没有给。可

450

带'了、着、过'。可带名词宾语。可带双宾语。

～债|～账|～人情|他还～着我的钱呢|他～了一身的债|我不～他的|我从来没～过账|～他人情|～人钱财

2．不够;缺乏。不能单独做谓语,可带名词、动词、形容词作宾语。

这篇文章～说服力|～火候|办事～考虑|考虑问题～周到|身体～佳|又～批评你了

动结 欠得(不)了(liǎo)　你过日子要是好好计划,怎么会欠得了账呢?|一年也欠不了这么多钱呀

欠不得　这债可欠不得

动趋 欠下　又欠下一笔债

欠下去　这笔账不能再欠下去了

欠到(…去)　这笔钱要欠到什么时候去呀?

　　且　qiě

〔副〕1．表示暂时、暂且的意思。

我这儿还有些钱,你～用着,不必急着还我|你～安心养病,工作不用操心|他一时回不来,咱们～回去吧|他过会儿就回来,你～等一下儿

2．表示经久的意思,常和语气词'呢'连用。

买支钢笔～使呢|这种布料很结实,～穿呢|他说起话来～没完呢

3．尚且,表示让步。多用于书面。

这道题老师～答不好,怎么让学生做?|任务重,～不说它,问题是时间太紧|自己的表现～不怎么样,更何谈为人师表?

习用语 且不说　先不说,表示让步。

且不说买不起,就是有钱也不能花在这上面|且不说产量大幅度提高,单是品种就增加了不少

〔连〕并且,而且。

a) 连接两个词或短语,表示并列关系。

既高～大|大～全

b) 连接分句,多表示递进关系。

计划很周全,～已经多方协商通过,不宜再作变动|他天生聪慧,～有名师指教,自然学业有成

c) 且…且…。连接两个单音动词,表示两个动作同时进行。

且战且走|且干且学|且弹且唱

亲 qīn （见'亲自'）

亲自 qīnzì （亲）

〔副〕表示强调动作、行为由自己直接进行。修饰动词。

～动手|～拜访|你～去一趟,和他当面谈谈|他～带领我们参观博物馆|保险柜由他～开关,别人从不经手

【亲】副词。意思同'亲自'。

1) 限于修饰某些单音节动词。

亲临指导|亲赴现场|大家好像亲历了过去的苦难

2) 跟表示身体一部分的'口、耳、手、眼'等结合,仍表示强调动作由自己进行。

亲口对我说|亲手种了两棵松树|这是我亲眼看见的

轻易 qīngyì

〔形〕1. 简单容易。

a) 主要作状语,一般加'地'。

就这么～地连丢三局|很～地通过了初试和复试|赢得太～了|胜利不是～得来的|很难～到手|想～取得成功是不可能的

b) 加'的'修饰名词,限于'事'。

这可不是一件～的事|这是件～不过的事

2. 随随便便,不慎重。一般作状语,常跟表示否定的'不、不肯、不

要、不可'等连用。

> 他就这么～地在协议上签了字|没有调查,不要～下结论|他从不～表态|不肯～放弃|这类镇痛药不可～服用

注意 '不'放在'轻易'的前或后,意思一样,一般不加'地'。

> 他～不表态|他不～表态
> ～不调动工作|不～调动工作

情愿　qíngyuàn

〔动〕心里愿意。

　a) 可单独作谓语,可受副词修饰。

> 我没有强迫她,是她～的|这件事我们两相～|帮助山区建设我很～|借钱给他我不～

　b) 可带动词宾语。

> 他自己～到边疆工作|我～为大家多做点儿事情|我～多花点儿钱买件好些的衣服

〔助动〕宁愿;宁肯。一般用在动词前,也可用在主语前。

　a) 情愿…也不…。

> 他～受处分也不写检讨|～牺牲,也不向敌人低头|～我一人受苦,也不连累大家

　b) 情愿…也要…。

> 与其让你为难,～我来出面解决|～自己吃亏,也不让别人受损

请　qǐng

〔动〕1. 请求。

　a) 用于兼语句。

> ～人帮忙|～大家想想办法

　b) 带名词'假'做宾语。可带'了、过',可重叠。

> ～假|我～了三天假|他从来没～过假|你替他～～假

453

2. 邀请;聘请。可带'了、过'。

a) 带名词宾语。可重叠。

~教员|~医生|~了他几次,他就是不肯来|你再去~~他,我想他会来的

b) 用于兼语句。

~他担任顾问|~你参加大会|我~了一位教师教汉语

3. 宴请;招待。可带'了、过'。可带名词宾语或兼语。

~客|~了三位客人|他~过我|他~你看过两次电影

4. 敬辞,用于希望对方做某事。单用或带动词宾语。

~坐|~进|~! 别客气! |您~这边儿来|里边儿~|~准时出席|~勿吸烟

动趋 请得(不)起 有(没有)能力请:请你们几个人看戏,我还请得起

求 qiú

〔动〕 1. 请求。可带'了、着、过',可重叠。

a) 带双宾语或只带指人的宾语。

他从来没有为个人的事~过人|我有件事~~你|我~你一件事

b) 用于兼语句。

我~你帮帮忙|~他别再这么干下去了

2. 要求。必带双音节动词或小句作宾语。

a) 带少数几个动词作宾语。'求'前后无须有附加成分。

~进步|~团结|~生存|~解放

b) 带一般动词、动词短语、小句作宾语。'求'前后要有附加成分,构成双音节。

力~改进|力~控制局势|抓紧工作,以~按时完成计划|文章~其内容充实,语言~其生动活泼

3. 追求;探求;寻求。必带名词宾语。

~知｜~值｜~学问｜~答案

动趋 求∥出　必带宾语：求出答案｜我怎么求不出 x 的值？

求∥出来　求出百分比来｜答案已经求出来了

取决于　qǔjuéyú

〔动〕由某方面或某种情况决定。必带宾语。

a) 宾语是名词。

消费的增长~生产的增长｜粮食产量的提高不仅仅~化肥的用量｜战胜疾病在很大程度上~身体素质和精神状态

b) 宾语是问句形式或包含两个意义对立的词。

生物的存在和发展~它能否适应自然环境｜种子发芽还~空气湿度如何｜放养鱼苗的数量~水库蓄水量的多寡

c) 主语是问句形式或包含两个意义对立的词，宾语是名词短语。

谈判能否成功，不仅~我方，还~对方｜成绩的大小~我们努力的程度

d) 主语和宾语都是问句形式或包含两个意义对立的词。

病好得快还是好得慢~你是否认真疗养｜茶叶质量的好坏~原料的优劣和加工的粗细

去　qù(动)；∥。qù(趋)

〔动〕1. 从说话所在的地方到别的地方。可带'了、过'。

他已经~了｜~过好几趟，都没碰到他｜你~得不是时候

a) 名(处所、时间)＋去＋名(施事)。后面的名词前多有数量词。

昨天已经~了三个人｜刚~了一辆车运行李

b) 名(施事)＋去＋名(受事)。后面的名词前多有数量词。

我给他~过两封信｜我们只~了个代表(＝派去一个代表)

c) 名(施事)＋去＋名(处所)

我~车站接人｜他想~一趟长春

2. 除去。可带'了'，可重叠。可带名词宾语。

～了皮再吃 | 劳动能～百病 | 喝点绿豆汤～～火 | 这一来我们都～了一层顾虑 | 可～了我一块心病

3. 用在另一动词语的前面或后面。

　　a）去+动。表示要做某事。不用'去'时,基本意思不变。

　　　这件事我～办吧 | 你们～研究研究,看该怎么解决 | 你别管,让他自己～想办法

　　b）动+去。动词表示去的目的。

　　　咱们看电影～ | 他上街买东西～了

动结 去//成　他去中国去成了吗? | 飞机票不好买,恐怕去不成

去得(不)了(liǎo)　今天有事,去不了你那儿了

〔趋〕1. 动+去[+名(受事)]。'去'可放在名词(受事)后。一般不能加'得、不'。

　　a）表示人或事物随动作离开说话人所在地。

　　　车队向远方开～ | 一群孩子向河边跑～ | 谁把我的笔拿～了? | 刚派～一个人 | 我们给图书馆送～不少新书 | 他从我这儿借了几本书～ | 我们给幼儿园送了不少玩具～

　　b）表示人或事物随动作离开原来的地方,往往兼有不利于这事物的意思。

　　　那一年,他父母都相继死～ | 疾病夺～了他的生命 | 拍～身上的尘土 | 他从设计室拿～了三份图纸 | 把多余的枝叶剪～

2. 动+去+名(受事,含数量)。表示完成,带有失去的意思。动词限于'用、占、吃、花'等少数几个。

　　这些琐碎事情占～了他不少时间 | 已经用～了好几吨水泥

3. 随(让)+小句+去,有'任凭'的意思。

　　随他说～,别理他 | 让他玩～

4. '看去、听去'表示估计或着眼于某一方面的意思,做插入语,多用于书面(口语多用'看上去、听上去')。

　　他看～还是一个不到二十岁的青年 | 这声音听～像是有人走动

全 quán

〔形〕1. 完备;齐全。作谓语、补语。

品种很～|这套杂志～不～? ——不～,差几本|零件一时还没配～|这一回资料收集得还比较～

2. 全部;整个。修饰名词,不能带'的'。

～中国|～世界|～人类|～书共分八章|这条公路～程五百四十多公里

〔副〕1. 表示所指范围内无例外;都。概括的对象通常放在'全'之前(作主语或用'把'字提前)。常和'都'连用,说成'全都'。

稻子～收完了|这里陈列的～是新出的书刊|孩子们～都很健康|大树把阳光～遮住了|把他说的这些话～都记录下来,就是一篇很好的文章

a) 所概括的对象可以用表示任指的疑问代词。

给谁～可以|怎么说～行|我什么～不要|什么时候～可以来找我

问话时疑问代词用在'全'后。

刚才他～说了些什么? |你把书～借给谁了?

b) 概括的对象前可以用连词'不论、无论、不管'。

不论诗歌还是小说,我～爱读|无论干什么工作,他～很认真|不管大人孩子～喜欢跟他在一起

注意 '不'放在'全'的前或后,意思不同。

他们全不是维族(＝他们没有一个是维族)|他们不全是维族(有维族,还有别的民族)

2. 表示程度上百分之百地。

～新的设备|一心为集体,～不想自己

全部 quánbù

〔名〕各个部分的总和,整个。

457

a) 作宾语或用在'是'后。

　　要看～,不能只看局部|我们要了解所有过程的～|这还不是～,只是一部分

b) 修饰名词,可带'的'。

　　请把～过程说一遍|动员～力量|没收～财产|这是我～的想法|他把～身心放在工作上了

〔副〕表示所有部分都包括在内;全。

　　问题已～查清|考试～结束了|蟑螂～消灭了|～作废|～释放|～出席

注意 副词'全部'的用法比'全'少。'全'单双音节都可以修饰;'全部'通常只修饰双音节。

　　刚才他全($^×$全部)说了些什么? |一心为集体,全($^×$全部)不想自己|我什么全($^×$全部)不要

缺 quē

〔动〕1. 缺乏;短少。可带'了、着、过'。可带名词宾语。

　　～人|～钱|～材料|这一带～水|～吃～穿|～了他办不成事|地里还～着肥呢|公司～过会计

a) 可单独作谓语。前面可加'很'。否定常用'不'。

　　原材料很～|市面上特体服装很～|管理人员很～|家里吃的用的～不～? |我什么也不～

b) 用于存现句。

　　这儿～一把椅子|家里～个帮手|墙上～幅画

2. 残破;残缺。可带'了、着、过'。

a) 缺 + 数量 + 名。

　　这把壶～个把儿|这本书～了两页|这把椅子还～着一条腿呢|这扇窗～过一块玻璃,后来安上了|那件衬衣～一个扣子

b) 做补语。

　　谁把扑克弄～了几张? |这只碗也摔～了一个口儿|他摔～了

一颗牙

　　c）用在'缺口、完好无缺、缺员'等词语中。

3. 该到而未到。宾语限于'课、勤、工、席、编'等少数几个。可带'了、过'。

　　　上星期我～了一堂课|上半年就～过两次勤|每次开会他都没～席过|你的课～得太多了

动结 缺//得(不)了(liǎo)　能(不能)缺：过日子缺得了油盐酱醋吗？|这个月我保证缺不了勤

动趋 缺//起　你怎么又缺起课来了？

注意 '填缺''补缺'中的'缺'是名词,表示空缺、空的职位。

　　　却　què

〔副〕表示转折。

　　　想说～说不出来|应该来的人没有来,不该来的人～来了|人小志气～不小|话不多～很有份量|天气不冷,他～穿着棉袄|他在我面前发脾气～是第一次

　　a）却 + 偏(偏偏)。

　　　我不想去,他～偏叫我去|明明是他不对,～偏不认错|不叫他说,他～偏偏要说

　　b）却 + 反而(反倒)。

　　　老张住得最远,～反而先到了|补药吃了不少,身体～反倒不如从前|小李见大家夸奖他,～反而有点儿不好意思

　　c）虽然(尽管)…却…。

　　　虽然学了三年汉语,听相声～有困难|尽管想了很多办法,～没有一个见效的|漫画虽然要夸张,～还是要真实

　　d）但(是) + 却。

　　　我们已经培养了许多人才,但～不能满足需要|这个编辑部人数不多,但～个个很能干

比较 却:倒 1）'却'表示转折的语气较轻,有责怪意味的'倒'不能换用'却'。

你说得倒($^×$却)容易,你自己试试看

2）'倒'后多用表示积极意义的词语,'却'后不限。

这篇文章论点很新,却($^×$倒)站不住

3）'却'没有'倒'的5、6、7项用法。

确实 quèshí

〔形〕真实可靠。只修饰名词,可重叠。

a）作定语。

~〔的〕情况|~〔的〕消息|~的报导|~的保证|这是个确确实实的消息

b）作谓语和补语。

消息~|这件事~吗?|这是传闻,并不~|事故原因查得~不~?|他讲的情况确确实实|他说得确确实实

〔副〕对客观情况的真实性表示肯定。可用作状语,也可用在句首。可作 AABB 式重叠。

这部电影~不错|这一年他~进步很大|这种药~有效|他~是这样说的|这种场合我~不便表态|~,他的能力是比我强|这种事确确实实发生过(强调真实性)

比较 确实:的确 '的确'只能作副词,不能作形容词。

群 qún

〔量〕用于聚集在一起的人、动物和某些东西。

前面走来两~人:一~学生,一~工人|一~羊(马、牛、狼、狗、蚂蚁、蜜蜂、鸽子)|一~小岛|一~~的鸭子在湖面上游来游去

比较 群:批 '批'含有次数的意思,不表示聚集的意思。

门口聚集了一群人|昨天又来了一批新同学,已经是第四批了

R

然而　rán'ér　（见'但是'）

然后　ránhòu

〔连〕表示一件事情之后接着又发生另一件事情。前句有时用
'先、首先'等。后句有时用'再、又、还'等。
> 先讨论一下，～再作决定│代表团定于今日离京前往上海，～
> 赴广州参观访问│我们准备先在试验田里试种，～再推广到大
> 田│先是刮了几天风，～又下了几天雨

让　ràng

〔动〕1. 在争执或竞赛等情况中，把有利条件给对方，自己吃点亏；
退让。可带'了、着、过'，可重叠。可带名词宾语、双宾语。
> ～步│～价│妹妹小，你～着她点儿│上次下棋，我～过你两个
> '马'，这次又～了你一个'车'│你～～他吧│谁都～他三分│你
> 就～他这一次吧

2. 谦让；请人接受招待。可带'了、着'，可重叠。可带名词宾语。
多用于口语。
> ～座│～茶│你推我～的，谁也不肯先走│一边往屋里～着客
> 人，一边说：'请进'│把客人～了进去

3. 离开原来所在的地方。可带'了'，可重叠。可带名词宾语。
> 给他～了一条路│车来了，大家～一～

4. 转移所有权或使用权。可带'了、过'。可带名词宾语。
> 这套书你打算～人吗？│你能不能～点地方给我？

5. 致使；容许，听任。必带兼语。

461

谁～你把材料送来的？｜来晚了，～您久等了｜别～集体受损
失｜～我仔细想一想｜～他闹去，看他能闹成什么样｜如果～事
情这么发展下去，会出大问题的

常用来表示愿望。多用于书面。

～我们永远在一起！｜～我们继承他们的未竟之业，继续前进
吧！

动结 让不及　来不及躲闪：一时让不及，被自行车撞了

动趋 让∥出　转让出。必带宾语：让出一辆自行车

让∥出去　转让出：那套住房我让出去了

让∥开　快让开！｜看见他来了，马上让开了一条路

〔介〕被。引进动作的施动者，动词前或后一般有表示完成、结果
的词语，或者动词本身包含这种意思。用于口语。

活儿都～他们干完了｜他们的脸～灯光照得通红

a）动词后还可再带宾语，但限于以下几种。

宾语是主语的一部分。

窗户～大风吹坏了一扇

宾语是主语受动作支配达到的结果。

衣服～树枝挂破了一条口子

主语指处所。

地上～人泼了一滩水

动词和宾语组成固定的动宾短语。

我～他将了一军！

b）让…给＋动。跟不加'给'意思相同。

我七岁那年，爸爸～急病夺去了生命

c）让…把…＋动，让…把…给＋动。'把'后的名词或属于主语，
或是主语的复指成分。

我～树枝把衣服挂破了｜好好的一张画儿～墨水把它给染了

比较 让：被：叫² 1）'叫、让'的介词用法基本同'被'。'叫、让'
用于口语。比较正式、庄重、严肃的场合用'被'，不用'叫、让'。

一九八八年,我被中国书法家协会吸收为正式会员|一九三二年我父亲同时被两所大学录取

2) 介词'叫、让'后面是指人的名词时,可能跟动词用法混淆,产生误解;'被'字没有这个问题。

桌子没叫他搬走　　＝没命令他搬走

　　　　　　　　　＝没容许他搬走

　　　　　　　　　＝没被他搬走

我让他说了几句　　＝请他说了几句

　　　　　　　　　＝容许他说了几句

　　　　　　　　　＝被他说了几句

3) '被'经常直接用在动词前,作为表示被动的助词。

被打|被接受|被发现|钱包被偷了|这一点已经被证明了

'叫'很少这样用,'让'没有这种用法。

人次 réncì

〔量〕表示参加同一类活动若干次的人数总和。后面不能跟名词。

观众达到五十万～(一人一次或一人数次前后共五十万次)|参观人数共计一百二十万～|这三天看了这部影片的人大约有五万～

人家 rén·jia

〔代〕1. 泛称说话人和听话人以外的人,和'自己'相对,大致相当于'别人'。

玉梅这姑娘最热心,～的事就是她自己的事|话是说给～听的,文章是写给～看的|这两张图,一张是我们自己设计的,一张是～设计的

2. 称说话人和听话人以外的人,所说的人已见于上文。大致等于'他'或'他们'。

小高正在写工作小结呢,～(指小高)哪儿有时间陪你出去|我

问过好几个大夫,～(指大夫)都说这个病不要紧|这几个片子拍得真是不错,咱们应该好好向～(指制片厂)学习|他这样关心我,我要不努力,怎么对得起～(指他)呢

在名词性成分前加'人家',语气较生动。

～姑娘说话办事总站在理上|～五车间不单生产好,文化体育活动也搞得热火朝天

3. 称说话人自己,等于'我'。稍有不满的情绪。

你跑慢点儿行不行,～跟不上啊! |你让我给你借小说,～借来了,你又不看

注意 口语中'人家'可省说成'人',但句末的'人家'不能。

秀英的入学通知来了,快给人[家]送去|经过评比,人[家]刘光华的算法最好|ˣ用了好多天了,快还人!

认为 rènwéi

〔动〕对人或事物有某种看法,做出某种判断。带动词、形容词、小句作宾语。

我～应该采取第一个方案|这篇文章经修改后,大家都～很好|大家一致～老赵的意见是对的

a) 动词宾语里常有'应该、必须、可以、一定、能、会'等。

我～应该去|大家都～可能成功|他～可以推迟几天

b) 宾语较长时,'认为'后可停顿。

大家都～,在科学上是没有平坦的大道可走的,只有不畏艰险的人才能攀登到科学的顶峰

c) '认为'的宾语可放在主语前,后有停顿。

人类社会总是向前发展的,我～

d) 可以在'认为'前用'这样',代替'认为'后的宾语。

他能翻译好这部小说,我不这样～

比较 认为:以为 见'以为'。

任　rèn　（见‘任凭’）

任何　rènhé

〔形〕不论什么。不作谓语。修饰名词时一般不带‘的’。除‘人、事’外不修饰单音节名词。

未经许可，～人不得入内 | 我们能够战胜～困难 | 兴奋之下，～倦意都没有了 | 他没有～不良嗜好 | 今天不安排～活动 | 不做～表示 | 不管～人、～事，他都不关心

后面常有‘都’或‘也’，跟‘任何’呼应。

～成果，都只有通过艰苦的努力才能获得 | ～困难也吓不倒我们 | ～解释都消除不了他的疑团 | ～国家，～民族都有自己的文化艺术

任凭　rènpíng　（任）

〔动〕听凭；听任。多带第二人称代词作宾语或兼语。

这件事如何处理，～你自己作主 | 要去要留，～你们，反正我的主意不变 | 如果有半点虚假，～你们处理

〔连〕1. 无论；不管。用在主语前，后面多有疑问代词。

～什么样的风浪，也挡不住我们永远向前 | ～你是谁，都不应该违反制度 | ～你三番五次地催他，他就是不动

2. 即使。用在主语前。

～他跑到天涯海角，我们也要找到他 | ～江水冷得钻心，工人们仍然坚持下水操作

【任】动词用法同‘任凭’。用于书面。

任其自然 | 任你选择 | 不能任人摆布

连词用法带方言色彩，不常用。

任他怎么表白，我们也不信

比较　任凭：无论：不管　连词‘任凭’1 项后面一般不用表示选择的

465

并列成分。'无论、不管'后则常用。

 无论(ˣ任凭)会话还是笔译,他的成绩都是优秀

任凭:即使 1) 连词'任凭'2 项后面提出的条件是极端的,'即使'则不限。

 即使(ˣ任凭)条件还不够好,我们也要想办法完成任务|即使(ˣ任凭)我们已经取得了很大的成绩,也不应该骄傲

2)'即使'后面可以是一个介词短语,'任凭'后面不行。

 即使(ˣ任凭)在遇到挫折的时候,他们也从不气馁

 仍 réng (见'仍然')

 仍旧 réngjiù (见'仍然')

 仍然 réngrán (仍旧、仍)

〔副〕1. 表示某种情况持续不变;还。修饰动词、形容词。多用于书面,口语中多用'还是'。

 下班以后他～在考虑工作中的问题|商场里～像往常一样热闹|谈了多次,他～不愿放弃自己的主张

 '仍然'多用于表示转折的后一小句中,前面常有'可是、但是、却'。

 他虽然年过半百,却～精力充沛|老黄在工作中遇到了许多挫折,可是～那样坚定、那样充满信心

2. 恢复原状;又。

 伤愈出院之后,他～担任车间主任|报纸看完后,～放回原处

【仍旧】同'仍然'。

【仍】基本同'仍然'。书面语色彩浓厚。在音节配合上,常要求与后面的词语组成双音节。

 仍在考虑之中(ˣ仍正在…)|仍像往常一样|上述情况,仍当继续研究|仍不灰心

容易　róngyì

〔形〕做起来不费事。跟'难'相对。

a) 用做谓语。主语可以是名词,但更多的是动词。

这件事～|蛙泳比较～|说起来～,做起来难|她一个人照管五个孩子,可不～了|看着简单,实际上没那么～

b) 容易+动。'容易'的作用类似助动词。

汽油～挥发|象棋比较～学|这句话不～懂|青年人～接受新事物

加'的'之后修饰名词。

～做的题先做|～变质的药品要放在冰箱里|～感冒的人要注意天气变化

c) 在少数动词后做补语。

你说得太～了,实际上困难很多|今天的幸福来得不～啊!

d) 修饰名词要带'的'。

～的题先做,难的后做|挖掉一座山可不是一件～的事情

习用语 好容易　好不容易　意思相同,都表示很不容易。修饰动词的时候,两种说法都行。

好[不]容易才见到你,你明天又要走了! |好[不]容易糊成的风筝,才玩儿了一天就让风吹跑了

用做谓语,只能说'好不容易'。

能找到你,好不容易啊! (×好容易啊)|修好这辆车好不容易! (×好容易)

但是在某些动词后做补语,又表示很容易。

说得好[不]容易,你来试试看!

如¹　rú

〔动〕1. 顺从(某种心愿)。可带'了'。必带宾语(限于'愿、意'等)。

这一次能去北京上学,可～了愿了|非要这样做才～他的意

2. 像,如同。必带宾语。

　a) 用于熟语。

　　湖水～镜|心乱～麻|亲～一家|行走～飞|兵败～山倒|泪～
　　雨下|～梦初醒|～狼似虎|～醉～痴|吓得面～土色|数十年
　　～一日|翻山越岭～履平地|～饥似渴地学习|～火～荼

　b) 如 + …的 + 那样(那么) + 形。前面可用'不'否定。后面是
'那样'时,形容词可省或不用。

　　事情并不～他们所想的那样简单|情况并不～你们估计的那
　　么严重|正～以上所说的那样,我们很快就完成了那项工作

书面语中可用'如…所…'、'如所…'。

　　正～以上所述|～前所述|～所周知(多用于公文或正式文件)

3. 及;比得上。只用否定式,见'不如'条。

4. 例如,用于举例。

　　唐朝有很多大诗人,～李白、杜甫、白居易等|洗涤剂在工业上
　　用途也很广,～毛纺厂用它清洗羊毛;又～翻砂时加入洗涤
　　剂,可以大大减轻劳动强度

如[2]　rú　(见'如果')

如此　rúcǐ

〔指〕指上文提到的某种情况。多用于书面。

　a) 作谓语。

　　他总是闲不住,天天～,年年～|要言之有物,写文章～,作报
　　告也～

　b) 用在少数动词或助动词后。

　　朋友之间互相帮助,理当～|他也许会回来吧? 但愿～

　c) 用在'不但、虽然'等后边。

　　他对病人总是那么耐心。不但～,还经常鼓励他们增强信心,

战胜疾病|困难是很多的,虽然～,也要想法完成任务

d) 修饰动词、形容词。

想不到海底世界竟然～有趣|大家对我～关心,～爱护,使我深受感动|他想的跟我们想的竟～的不同|他来得～之快,完全出乎所料

如果 rúguǒ (假如、假使、倘若、如²)

〔连〕1. 表示假设。

a) 用于前一小句,后一小句推断出结论或提出问题,常用'那么、那、则、就、便'呼应。'如果'可以省略。

～有什么问题,可以随时来找我|你～能来,就把图纸一起带来|～小张回来了,叫他到我家来一趟|～你不来,那么谁来?
'如果…'末尾可加助词'的话'。

～来得及的话,我想先去一趟青岛|当时～左边锋能赶上射门的话,肯定能够得分

b) '如果…[的话]'可用于后一小句。'如果'一般不能省略,多用于书面。

我明天再来,～你现在有事|他今天该到了,～昨天动身的话

c) 在对话中承接上文,可以用'如果…呢'单独提问。

最好先征求他的意见。——～他不同意呢? (＝～他不同意,那怎么办?)

d) 后一小句对假设本身作出评价,常用'这、那'做主语,并用'就、便'呼应。

～你再推辞,这(那)就不合适了|～只看到这一面,看不到那一面,那(这)就是片面性

2. '如果[说]…[的话]',说明一种事实或作出一种判断。前一小句衬托后面的小句,加以对比。'如果…'小句不能后置。

～说,十年前他参加工作之初还完全没有经验的话,那么,现在他的工作经验就丰富多了

【假如】【假使】同'如果'。用于书面。

【倘若】基本上同'如果'。没有'如果'2项用法。用于书面。

> 虽是小病,倘若不吃点药,也许会拖成大病的|倘若都不同意,我愿放弃所提建议

【如²】同'如果'。后一小句常用'则'呼应。没有'如果'2项用法。用于书面。

> 以上各点,如有不妥之处,请批评指出|如采用此项新技术,则可提高效率三倍以上|如不能按期离开上海,务请尽早电告

如何　rúhé

〔指〕1. 如何+动。询问方式。多用于书面。

> 这个问题~解决?|下一步~做?|~当一个合格的教师?|这件事你~解释?|这可~是好?

2. 用于虚指。可叠用。

> 他把~选题~铺叙向大家细说了一遍|不要老说自己~~好,别人~~不好|不知~一来,他就变出一条大鱼来

3. 前后两个'如何'相呼应,表示条件关系。

> 他~说我~办|该~办就~办

〔代〕1. 作谓语、宾语、补语,询问状况。多用于书面。

> 近来身体~|实际情况究竟~?|现在感觉~?|你意下~?|你自己做得~?

2. 用于句末,征求意见。口语说'怎么样'。

> 你来写一篇,~?|你来谈谈这个问题~?|我们开个座谈会~?

比较 如何:怎么　1)'如何'多用于书面。

2)'如何'没有指代词'怎么'的第2、3、6三项用法(要用'为何')。

3)作指代词用,'怎么'可用于句首表示惊异,'如何'(或'怎么样')可用于句末征求意见。

S

伤 shāng

〔动〕1. 伤害。可带'了、着、过'。常带名词宾语。

　　老虎～人|躺着看书～眼睛|只～了皮肉,没～骨头

　作动结式第二成分。

　　打～|烧～|碰～|撞～|扭～了踝骨|烫～了右手

2. 伤害(比喻义)。可带'了、过'。必带名词宾语。可受程度副词修饰。

　　～了心|很～感情|太～脑筋(不好处理)|颇～体面|有～风化

3. 因过度而不能忍受或不能继续。只作动结式第二成分,必带'了',前边一般不能加入'得、不'。只有少数动词有这个用法。

　　吃白薯吃～了,再也不想吃了|这几年老在外头跑,简直把我
　　跑～了

〔名〕人或物体受到的损害。

　　他的～不重|花瓶上有一块～

上¹ shàng (上边、上面、上头)

〔方位〕位置高。1. 用如名词。

　a) 单用。和'下'呼应,多是对称的习惯用法。

　　～有天堂,下有苏杭|～不着天,下不着地|～有老,下有小|我
　　家从前是～无片瓦,下无立锥之地

　b) 介＋上。

　　朝～看|向～拉|河水往～涨|从～往下看

2. 名＋上。

　a) 指物体的顶部或表面。

山～|脸～|门～|房子～|桌子～|地～(＝地下)|窗台～摆着几盆月季花|墙～(＝墙顶～)站着一个人|墙～(＝墙面～)挂着一张地图

和某些表示人体部分的名词组合,意思比较虚。

不要把这些小事放在心～|这几天我手～有点儿紧(意思是缺钱用)|这样办,面子～也过得去

b) 指范围。有时是'里'的意思。

书～|报～|世界～|课堂～的秩序一直很好|村～只有十来户人家

c) 指方面。前面常用介词'在、从'。

他在音韵研究～下了很大功夫|事实～问题并不难解决|要真正从思想～解决问题,不能只停留在口头～|他在庄稼活～是个能手|在这个问题～我们的意见完全一致|问题可能就出在这～了|我可没往那～想

前面没有介词时,'上'往往可有可无。

领导[上]已经同意了|他思想[上]早已通了|组织[上]正在研究解决

d) 用在表示年龄的词语后,等于'…的时候'。

我十七岁～来到了北京|他五岁～死了父亲|张大爷六十岁～得了个孙子

3. 上+名。类似形容词。

a) 指处所。

～肢|～风|～游|～半截|《辞海》在书架的最～一层放着

b) 指前一半时间或刚过去的时间。

～半夜|～半个月|～半年|～星期二|～两个月|～一季度|～个世纪

连用两个'上',表示比前一个再往前。

～星期天我在家,～～星期天不在家

c) 指次序靠前的。量词限于'回、次、遍、趟、批、遭'等。

～一次我去你们那儿怎么没看见你？|这一批参观的人比～两
批都多

d）指等级或质量高。限于构词。

～将|～校|～级|～等|～品|～策

后三例强调程度高时，可以说成'最上等，上上等'等。

【上边】1）同'上'1项用法，单用较自由。

上边印着'中华人民共和国制造'几个字|这东西应该放在上
边，不应该放在下边|大家都仰着头看上边的人|上边（指上级
机构）来人了没有？

2）同'上'2项a）的用法，但没有虚化的用法。2项（b），c））有的
也可用'上边'，但以用'上'为常。

【上面】【上头】同'上边'。

上² shàng（动）；//·shàng（趋）

〔动〕1．由低处到高处；由一处到另一处。可带'了'。可带处所宾
语或施事宾语。

～山|我刚才～楼去了|～了车才想起忘了带件毛衣|沿江溯
流而～，船过三峡，两岸奇峰绝壁，极为壮观|车到下一站又～
了几个人

2．向前进。

五号快～，接球！|见困难就～，见荣誉就让

3．加，添，施加。可带'了、着、过'。可带名词宾语。

这台机器该～油了|魏师傅正给卡车～着油呢|今天～了不少
货|每亩地平均～十公斤化肥

4．出场。

上海队的九号～，四号下|这一场戏你从中门～，我从旁门～

5．把一件东西安装在另一件东西上，把一件东西的两部分安装在
一起。可带'了、着'。可带名词宾语。

枪上都～了刺刀|我正～着螺丝呢

473

6. 涂,搽。可带'了、着、过',可重叠。可带名词宾语。

　　～了药再走|刚用铅笔画了个草稿,还没～颜色

7. 登载。可带'了、过'。必带处所宾语。

　　他的名字～过光荣榜|老张的事迹～了报了

8. 拧紧(发条)。可带'了、过',可重叠。可带名词宾语(限'发条、弦')。

　　闹钟已经～过了|这表～了弦没有?|发条～得太紧了

9. 到规定时间开始日常工作或学习等。可带'了、着、过'。可带名词宾语。

　　～班|～了两堂课|语文课还～不～?

10. 达到,够(一定数量或程度)。可带'了、过'。必带'年纪、岁数'或表示数量的宾语。

　　～了年纪|～了岁数|走了～百里路|人数已～了一万|全校学生最多的时候～过两万|不～几天,花就开了

动结 上得(不)了(liǎo)　这堂课你上得了上不了?

动趋 上∥上　把窗户上上|橱门上得上吗?

上∥到　今天的课就上到这里吧|这门课上不到年底就结束了

〔趋〕1. 动+上+[名]。名词一般为受事,间或有施事。

　a) 表示动作有结果,有时兼有合拢的意思。

　　窗户关～了|你把门锁～!|门关不～了

　有时兼有存在或添加于某处的意思。

　　戴～手套|值夜班把我也算～|衣服镶～了一道花边|池塘里已经养～鱼了|在这儿写～年月日|纸太光滑了,不吃墨,写不～字|连走廊也站～人了

　有时兼有达到一定的目的或标准的意思。

　　录音机、电视机我们家也买～了|他们都住～了新房子|他评～了三好学生|我可比不～你|他说不～聪明,可是很用功

　b) 表示动作开始并继续下去,强调的是开始。动词和'上'中间不能加'得、不'。少数形容词也可以有这种用法。

会还没有开,大家就议论～了|孩子们又嚷嚷～了|病人又折腾～了|大家劝你休息一会儿,怎么又看～书了|他俩聊～天了|外边飘～雪花了|最近又忙～了

2. 动+上+数量。表示达到一定的数量。省去'上',不影响全句的意思。少数形容词也可以有这种用法。

这回我要在北京多住～几个月|最近失眠,每天只能睡～三、四个小时|比现在的规模应该再大～两倍|没说～几句话车就开了|走不～半里路就走不动了

3. 动+上+名(处所)。表示人或事物随动作从低处到高处。

雄鹰飞～了蓝天|汽车开～了盘山公路|一口气跑～三楼|跨～马背飞奔而去|中国登山队把五星红旗插～了珠穆朗玛峰顶峰

有些并非从低处到高处,只表示达到一定目的。

考～大学|送～门的东西还不买吗?

上边　　shàng·bian　（见'上¹'）

上来　　shàng∥·lái(动);∥·shàng∥·lái(趋)

上去　　shàng∥·qù(动);∥·shàng∥·qù(趋)

〔动〕'上来'和'上去'的分别在于前者表示动作朝着说话人所在地,后者表示动作离开说话人所在地。

1. 由低处到高处;由一处到另一处。可带'了、过'。

他在楼下,没上来|月亮上来了|我们上去看看|大家都上去跟他握手|他上得来吗? |楼太高,我上不去

　a) 带施事宾语。

从山下上来了几个人|上去一个人瞧瞧

　b) 上+名(处所)+来(去)。

张老师上楼来了|你什么时候上北京来呀? |工人们上山伐木去了|你上哪儿去?

2. 人员、事物从较低部门(层)到较高部门(层)。可带'了'。

下面的意见都已经上来了|他是刚从基层上来的干部|下面的
情况上得来上不来？|提的这些意见上得去吗？

〔趋〕'动＋上来'和'动＋上去'的分别在于前者表示动作朝着说
话人所在地，后者表示动作离开说话人所在地。

1. 动＋上来(上去)＋[名]。名词一般为受事，间或有施事。

  a) 表示人或事物随动作从低处到高处。

跳上来了|把箱子抬上来|钓上来一条鲤鱼|从矿井里爬上一
个人来|快跑上去！|把行李搬上去|从下边扔了一根绳子上
去|跳上去好几个消防队员|河水漫不上来|我们俩抬得上去

  b) 表示人或事物随动作趋近于某处。名词为施事。带名词时，
动词和'上来(上去)'中间一般不能加'得、不'。

参加野营的同学分两路向山顶攀登上来|又围上来一群人|从
这儿爬上去|我爬得上去|他再也追不上来

  c) 表示人员或事物随动作由较低部门(层)到较高部门(层)。

他是刚从基层提拔上来的干部|你是什么时候调上来的？|你
们把意见搜集上来没有？|国家体操队又从广东选拔上来两
名选手|计划已经交上去了|一定要把国民经济搞上去|意见
反映不上去怎么行？

  d) '上去'表示添加或合拢于某处。

又铺了一层桑叶上去|螺丝拧上去了|你把这棵小树也画上去
吧|方法不对，劲儿怎么使得上去呢？

  e) '上来'表示成功地完成某一动作。动词和'上来'中间常加
'得、不'。动词限于'说、唱、学、答、背、回答、叫、念'等少数几个。

念了几遍就背上来了|究竟为什么，我也说不上来|这个问题
你不一定答得上来|这种花你叫得上名字来吗？

2. 形＋上来。表示状态发展，兼有范围逐渐扩大的意思。形容词
限于'热、凉、黑'等少数几个。

暖气片慢慢热上来了|眼看着天一点儿一点儿黑上来了

3. 动 + <u>上</u> + 名(处所) + <u>来</u>(去)。表示人或事物随动作从低处到高处。

　　一群孩子跑上山来 | 河水漫上岸来了 | 一纵身跳上马去

　　有些并非从低处到高处,表示朝着(或离开)说话人所在地。

　　商店把油盐酱醋都送上门来了

　　上面　shàng·mian　（见'上¹'）

　　上头　shàng·tou　（见'上¹'）

　　上下　shàngxià

〔方位〕1. 用于空间,指事物的上部和下部、以上和以下、从上到下。

　a) 单用。

　　这段木头好,～一般粗 | 这种窗帘好看,～都有花边(指事物的上部和下部) | 这一行用斜体字排印,～各空一行 | 我住第五层,～两层也是我们订的房间(指事物以上和以下) | 他把来客～打量了一番 | 浑身～都淋湿了 | 新盖的大楼,～共二十四层(指事物从上到下)

　b) <u>上下</u> + 名。

　　～文 | ～游 | ～空白 | ～宽度 | ～位置

2. 用于数量,指比某一数量稍多或稍少。只用在数量词后。

　　年龄在三十岁～ | 亩产八百斤～

3. 用于人事方面,指上级和下级、上辈和下辈,可重叠。

　　～一条心 | ～要通气 | 家里上上下下都兴高采烈的

〔比较〕 上下:左右　'上下'多指年龄,不能指时间、距离,'左右'不限。

　　晚上九点左右(ˣ九点上下) | 长度大约一百米左右(ˣ一百米上下)

　　　　　　　　· 477 ·

尚且　shàngqiě

〔连〕用在前一小句的谓语动词前面，提出某种明显的事例作比况，后一小句对程度上有差别的同类事例作出当然的结论。

a) 后一小句是推论。

我阅读唐诗宋词～有困难，诗经、楚辞就更看不懂了|他的英语很好，文学作品～能翻译，一般函件当然不成问题

b) 后一小句是反问。常用'何况'呼应。

思路要清楚，条理要分明；说话～如此，何况写论文？|言教不如身教，自己的言行～不一致，如何能教育子女？|这种现象科学家～无法解释，我怎么知道呢？

c) 后一小句对已发生的事实作出评判。

如此重大的事情连厂长～不能个人决定，他竟然违背原则，擅自作主！|父亲对我们讲话～采取商量口吻，你在我面前居然如此放肆！

稍　shāo　（见'稍微'）

稍稍　shāoshāo　（见'稍微'）

稍微　shāowēi　（稍稍、稍）

〔副〕表示数量不多或程度不深。也写作'稍为'。

a) 稍微＋动。动词常重叠，或前面有副词'一'，或后面有'一点儿、一些、一下'。

这桌子可不可以～挪动挪动？|厂长马上就来，请你～等一等|只要～一松劲就会落后|我想～休息一下|汤里～放了一点盐

b) 稍微＋形＋一点儿(一些)。

他比你～高点儿|你来得～晚了一点儿|我的心情～平静了一些

c) 稍微＋不＋形/动。限于'留神、注意、小心'等。

汉语的虚词比较复杂，～不注意就可能用错|路很滑，～不小
心就会摔倒|最近感冒流行，～一不留神就可能感染

　　d）稍微＋有点儿＋动/形。

　　　学习～有点儿吃力|对于新的环境～有点儿不习惯|脸色～有
　　点儿苍白|晚上～有点儿疲倦

【稍稍】同'稍微'。

【稍】同'稍微'。用于书面。

　　1）多修饰单音节形容词、动词，后面没有'一点儿、一些、一下'等
词语。

　　　雨已稍停|来客请稍等|路程稍远|光线稍暗|稍一不慎，即将
　　招致失败

　　2）可以用在少数单音节方位词前。

　　　稍前|稍后|稍左|稍右

　　　烧　shāo

〔动〕1. 燃烧；使燃烧。可带'了、着、过'，可重叠。可带名词宾语。

　　　～煤|～柴|～煤气|信已经～了|那片森林一连～了四五天|
　　炉子里的火～得正旺

2. 用火加热使物体起变化或成形。可带'了、着、过'，可重叠。可
带名词宾语。

　　a）宾语表示对象。

　　　～水|～肉|～菜

　　b）宾语表示结果。

　　　～火|～砖|～炭|我～过石灰

　　c）宾语表示处所。

　　　～窑|～炕|～炉子|他～了几年锅炉，有些经验

3. 体温升高，发烧。可带'了、着、过'。

　　　孩子连～了两天|现在还～着呢|脸蛋儿～得通红

4. 因肥料使用不当植物受到损害。可带'了'。可带名词宾语。

小心~了庄稼|这几棵苗全~了|上的肥料太多,把根儿都~坏了

动结 烧∥死　烧∥掉　烧∥焦

动趋 烧下去　a)剩下的这些煤可以接着烧下去　b)再烧下去,身体可吃不消了

烧∥出　必带宾语:这些木柴能烧出多少斤炭?

烧∥出来　一天可烧不出这么多石灰来|连着烧了几天,嘴唇都烧出泡来了

烧起　必带宾语:宿营地烧起了一堆堆的篝火|架起锅灶烧起了热水

烧∥起来　快去救火,稻草烧起来了|烧起火来,暖和暖和|昨天刚退烧,今天又烧了起来

〔名〕高于正常的体温。

这孩子发~了|昨天发了一天高~,今天退~了|现在~还没退

少　shǎo

〔形〕1. 数量小。

a) 不修饰名词。'少数、少量'是词,不是'少+名词'。

b) 作谓语和补语。

这儿人很~,比较安静|钱~也能办事|~得不能再~了|你呀,说得多,做得~!

c) 修饰动词。

~说废话|病刚好,~活动|~放盐,太咸不好吃|明年要多种粳稻,~种籼稻,|~花钱,多办事|你~来这一套!

2. 比原来的数目有所减少;数量上不足。

a) 用在动词前。动词后有数量词。

你就~说几句吧|~吃了一碗饭|这个字~写了一笔

b) 作动结式第二成分。

这种药吃～了不见效|今天穿～了,有点儿冷|饭做～了,恐怕不够吃

〔动〕1. 表示不足的幅度。可带'了、过'。后面带数量词。

这本旧书～了两页|他管账管得好,从来没～过一分钱|该来的都来了,一个不～

2. 欠。必带双宾语。

我还～他五毛钱呢

可以有如下的变式。

一分钱也不～你的

3. 丢;遗失。可带'了、过'。可带名词宾语。

家里没～任何东西|打开提包一看,～了一件毛衣

动结 少得(不)了(liǎo) a)能(不能)缺少:改装机器的事还少得了你吗? b)可(不可)避免:以后有事少不了麻烦你

少不得 少不了:办这种事一定少不得你|天气特别冷,少不得要多烧点煤

舍不得　shě·bu·de

〔动〕1. 不忍分离。可带名词、动词作宾语。

远离故乡,我心里真有点儿～|两个人你～我,我～你|相处久了,～离开

2. 因爱惜而不忍抛弃或使用。可带名词、动词作宾语。

～钱买东西|这块花手绢小芳一直～用|把它扔了我可～

注意 '舍不得'的肯定式是'舍得'。'舍得'没有'舍不得'用得多,常用于问句和对比句里。

你舍得把这个送给他吗? |你舍得,我可舍不得

深　shēn

〔形〕1. 从上到下或从外到里的距离大(与'浅'相对)。

a) 作定语、谓语、状语、补语等。可受程度副词修饰。可重叠。

～水|～井|很～的峡谷|湖水很～|山洞不～|～耕|电缆要～
埋|根扎得很～|埋得～～的

b) 深+了[+数量]。表示'变深'。

已经很～了|水库一放水就～了|～了许多|～了一尺

表示超过了预期的深度。

小孩游泳水～了|这盘子～了些

c) 表示深度。有'深+数量'和'数量+深'两种形式。

这屋子宽一丈,～一丈四|河水有三尺～

2. 深奥。可受程度副词修饰。

a) 作定语、谓语、补语等。

很～的道理|这本书很～|教材编得太～|教授讲得太～,学生
听不懂

b) 深+了[数量]。表示过于深奥。

教材编～了|考题出得～了些|这本书～了点儿,小孩读不懂

3. 深刻;深入。

a) 作定语、谓语、状语、补语等。

很～的含义|很～的影响|矛盾很～|印象很～|～谈|他们俩
谈得很～

b) 深+了[数量]。

矛盾太～了|道理讲得比原来～了些|印象～了许多

c) 重叠式作状语,可加'地'。

您的话深深[地]打动了我的心|这个故事深深[地]感动了我

4. (感情)厚;(关系)密切。

a) 作定语、谓语、补语等。

很～的感情|很～的交往|他们俩交情很～|关系处得相当～

b) 重叠式作定语和状语。

请接受我深深的敬意|他在心里深深地爱着她

5. (颜色)浓。

a) 作定语、谓语、补语、状语等。

～[的]颜色|～红|～绿|这件衣服的色儿太～|底色涂得太～
不好

b) 深＋了[＋数量]。表示颜色变浓或超过预期的浓度。

这一下颜色～了|颜色又～了点儿|颜色～了不行

c) 重叠式作补语和状语。

底色涂得深深的|深深地涂上一层色儿

6. 距离开始的时间很久。作谓语和定语。

夜已经很～了|年～日久|～夜|～秋

〔副〕很；十分。表示程度深。作状语。可重叠。

～知|～信|～表同情|～感遗憾|～有体会|～～地感到内疚|
～～地表示感谢|～～[地]吸引了我

什么　shén·me

〔指〕1. 表示疑问。加在指物或指人的名词前，问事物的性质或人
的职务、身份等。

这是～地方？|你有～要紧事？|～时候啦？|他喜欢～工作？|
你找～人？|她是你～人？|你们这儿需要～人员？|这出戏里
你担任～角色？

'什么'加在名词前，后面不带'的'（与'谁'的用法不同）。'什么
人'和'谁'不同，'什么人'是不客气的问话。

2. 指示不肯定的事物或人。省去'什么'意思不变，但语气比较直
率。

a) 加在名词前，用于是非问句。

在本地你有～亲戚吗？|你最近看过～新片子没有？|附近盖
了～新房子没有？|你读过他的～作品吗？

b) 加在名词前，用于否定句。

甭说～客气话了，有困难就提出来吧|我的故事讲出来也没～
新鲜的|你去办这件事，我没有～不放心的|跟大家在一起，我
从来不感觉～孤单

c) 加在名词前,用于肯定句。

他们正在谈论～事情|窗户外头好像有～声音

3. 表示否定。

这是～玩意儿! 一用就坏了! |你说的是～话! 一点道理都不讲!

a) 引述别人的话,加'什么',表示不同意。

～'不知道',昨天我还提醒你来着|～'你'呀'我'的,何必分得这么清楚|看～电视,还不赶快做功课|还散～步呀,你看看都几点了

b) 有+什么+形[+的]。表示不以为然。

这事有～难办|听听音乐有～要紧|说两句话有～不好意思的|白开水有～不好喝的

4. 表示任指。

a) 用于'都、也'前,表示在所说的范围内无例外。

只要大家齐心协力,～困难都能解决|紫檀比～木头都珍贵|我工作的时候,～人也不见|他～嗜好也没有

b) 两个'什么'前后照应,表示前者决定后者。

你想去～地方就去～地方|～地方种～庄稼,要根据自然条件而定|准备了～节目就演～节目

5. 用于列举。

a) 用在几个并列成分前。

～缝缝补补,洗洗涮涮,都是奶奶的事儿|～花儿呀草呀,种了一院子

b) '什么'加'的'用在一个成分或几个并列成分后,等于'等等'。用于口语。

他不喜欢下棋～的,就爱打篮球|桌子上摆着一碟菜,还有酒杯、酒壶～的|货架子上放满了白菜、萝卜、柿子椒～的

〔代〕 1. 表示疑问。问事物。

a) 做主语,限于'是'字句。

~是你的理想？｜~是你最急需的？｜~是最可贵的？｜~是
微波？

b) 做宾语。

你找~？｜你想~呢？｜你买了些~？｜你想看~？｜(电话里)
~？你大声点儿，我听不见

2．代替不肯定的事物。一般只做宾语。

a) 用于是非问句。

你想不想吃点儿~？(是问吃不吃，不是问吃什么)｜还有~没
有？赶快抓紧时间说｜最近你看过~没有？听说出了几本新
小说

b) 用于否定句。

没有~，甭客气｜见了面就全明白了，我就不说~了｜天气太
热，用不着穿~

c) 用于肯定句。

我想吃点儿~｜她手里好像攥着个~｜他们聚在一起像是在议
论~呢

3．表示否定。

a) 用在动词后。表示不满等。

你跑~，还有事跟你说呢！｜你在这儿乱翻~！｜他整天瞎嚷嚷
~！｜挤~！按次序来｜你知道~！

b) 用在形容词后。

重~！才一百来斤｜一点儿小事罢了，麻烦~！｜年轻~啊，我
都五十了

4．表示任指。用在'都、也'前，表示在所说范围内无例外。

休息的时候，最好~都不想｜这孩子~都不怕｜这种金属比~
都硬｜他在家里，~也不管｜紧闭着嘴，~也不说

5．'什么'独用，表示惊讶。

~！都九点了，咱们得马上动身了｜~！你已经五十八岁了，
真看不出来

485

甚而　shèn'ér　（见'甚至'）

甚而至于　shèn'érzhìyú　（见'甚至'）

甚至　shènzhì　（甚至于、甚而至于、甚而）

〔副〕强调突出的事例。后面常用'都、也'配合。有时可以放在主语前。

　　这块大石头～四、五个小伙子也搬不动|他胖多了,～有的人都说他变样了

〔连〕1.放在并列的名词、形容词、动词、介词短语、小句的最后一项之前,突出这一项。

　　那时候,他们还受着封建制度～奴隶制度的束缚|在城市,在农村,～在偏僻的山区,到处都流传着这个动人的故事

2.'甚至'用在第二小句,前一小句用'不但…'。

　　这个地方以前不但没有水浇地,～吃的水也得从几十里外挑来|我们这儿,不但大人,～连六七岁的小孩儿都会游泳

【甚至于】【甚而至于】同'甚至'。

【甚而】基本上同'甚至'。用于书面。

　　时间久了,我甚而连他的名字都忘了

甚至于　shènzhìyú　（见'甚至'）

生¹　shēng

〔动〕1.生育;生长。可带'了、着、过'。可带名词宾语。

　　～孩子|～了一头小牛犊|她～了没有? |～根|盆里～着豆芽|米里没～过虫子

2.产生;发生。可带'了、着、过'。

　　～了不少锈|他正～着病呢,别打扰他|他从没～过病|头上～疖子|这个人专门爱～是非|从明天开始～效

3. 使柴、煤等燃烧。可带'了、着、过'。宾语限于'火、炉子'等。

　　这个炉子不好用,～了半天也没～着(zháo)|～炉子|屋里～着
　　火|河边～起了篝火|从来没～过炉子

动结 生满　生完

生∥着(zháo)　能(否)点燃:炉子生着了吗?|你怎么连个火都生
　　不着

生得(不)了(liǎo)　能(不能)生:大熊猫都这么老了,还生得了吗?|
　　我生不了病

动趋 生上　怎么又生上病了?

生下　生下一对儿双胞胎

生出　生出一个新芽

生起来　把火炉子生起来

〔形〕活的,有生命力的。只用在一些固定词语中。

　　～物|～龙活虎|～气勃勃

〔名〕1. 生存;生命。用在固定词语中。

　　贪～怕死|起死回～|舍～忘死|丧～

2. 生计。用在固定词语中。

　　谋～|营～

3. 生平。用在固定词语中。

　　一～一世|今～今世

　　生² 　shēng

〔形〕1. 果实没有成熟(跟'熟'相对)。多作定语和谓语。

　　～柿子|～[的]瓜|这瓜我觉得不～|这西瓜也太～了

2. (食物)没有煮过或煮得不够。可作定语、谓语、状语、补语。

　　饭～了|我不吃～鱼|～吃瓜果要洗净|花生米炒～了

3. 没有加工或锻炼过的。只作定语。

　　～铁|～石膏|～土

4. 生疏。可作定语、谓语、补语等。

～人｜～字｜活儿很～，做不快｜人～地不熟｜这么客气反而把关系弄～了

生³　shēng

〔副〕1. 表示程度深，有'非常、很、极'的意思。限于修饰少数消极的形容词。

西北风刮得脸～疼｜这水～冷的，游一会儿就上岸来

2. 表示生硬、勉强的意思。用在固定词语里。

不要～造词语｜不能～搬硬套｜～拉硬拽

3. 表示'坚决'的意思。后面常用'不'。

叫他喝点儿酒暖暖肚，他～不肯喝｜叫他改过来，他～是不改

生怕　shēngpà　（生恐）

〔动〕很怕。表示担心、疑虑。没有否定的用法。

a) 可带动词宾语。

小宝把作业又重看了一遍，～弄错了｜她学习很努力，～落后｜她到医院反复检查，～得了癌症

b) 可带小句宾语。

他吃东西特别小心，～胃病复发｜她～你又批评她｜～坏人跑了，他们在后面紧紧追赶

c) '生怕'不能单独做谓语，不能带'了、着、过'，也不能带名词宾语和时量宾语。

ˣ山洞里黑乎乎的，他～｜ˣ他～父亲严厉的目光｜ˣ～了一阵子

〔副〕恐怕。兼有估计和担心两种意思。

这些瓜～都长虫了｜这个要求～他不会同意｜～她今天不会来了

【生恐】同'生怕'的动词用法。多用于书面。

生恐　shēngkǒng　（见'生怕'）

488

省得 shěng·de （免得、以免）

〔连〕表示避免发生某种不希望发生的情况。多用于后一小句开头，主语往往不说出来。

　　自己的事尽量自己做，～麻烦别人｜把水龙头开小一点儿，～浪费｜有事可以打电话来，～你来回跑

【免得】 同'省得'。

　　任务完成后要及时和厂里联系，免得同志们担心｜你最好提醒他一下，免得他忘了

【以免】 基本上同'省得'。后面不能用基本形式的动词、形容词。多用于书面。

　　应该及时总结教训，以免再发生类似问题｜大脑炎流行季节，小孩少到公共场所去，以免传染疾病

剩 shèng

〔动〕1. 从某个数里减去一部分以后留下一部分；剩余。可带'了、过'。可带名词、数量词、小句作宾语。

　　我没～钱，他～了四块钱｜大家都走了，只～了他一个人在那儿站着｜别的事都做完了，就～信没写了｜全拿去吧，别～｜我自己一本也没～｜除了寄走的，～得不多

　a) 宾语多带数量词。

　　文具盒里还～了两枝铅笔｜大部分人都走了，只～他们几个人

　b) 可直接修饰少数名词。

　　～饭｜～菜｜～货｜ˣ～钱

2. 除此以外没有别的。必带少数动词作宾语。'剩'前用'只、净、就'等，句末多用'了'。

　　他一句话也说不出来，就～了哭｜到了山顶，只～喘气了

　⃞动结 剩得(不)了(liǎo)　会(不会)剩：就是一下子卖不完，也剩不了多少

489

动趋 剩∥下　离春节还剩下几天？｜再过一会儿，一个也剩不下｜剩下的都归我

剩下来　剩下来的都是次品

胜¹　shèng

〔动〕1. 胜利；打败（别人）。可带'了、着、过'。可带名词宾语。

北京队～了｜我方还～着一场球呢｜一次也没～过｜北京队～广东队｜以少～多｜连～三局

可作动结式第二成分。

战～敌人｜我们打～了｜这场球我们又踢～了

作宾语或定语，常用在一些固定词语里。

取～｜不计～负｜打～仗｜稳操～券

注意 带名词宾语时，'北京队大胜联谊队'和'北京队大败联谊队'意思一样。

2. 比另一个优越。后面常带'于、过、似'等。不单独作谓语。

事实～于雄辩｜实际行动～过空洞的言词｜这种酒不是茅台，～似茅台

〔形〕优美的（景物、境界等）。用在一些固定词语里。

～地｜～迹｜～境｜～景｜引人入～

胜²　shèng

〔动〕能够承担或承受。多用于成语或熟语。

～任｜不～枚举｜数不～数

实际　shíjì　（实际上）

〔名〕客观存在的事物或情况。

理论联系～｜～不是这么回事儿｜你也该讲点儿～｜一切从～出发

〔形〕1. 实有的；具体的。

a) 作定语和状语。

谈谈～情况|有～困难|举一个～的例子来说明|应该～调查
一番再作决定|措施必须能～解决问题

b) 作谓语和补语。

你举的这个例子很～|这计划不太～|存在的困难他谈得很～|
讲得稍微～点儿,不要光说空话

2. 合乎事实的。

a) 作定语。

人口增长过快,这是个～问题|这是一种不～的想法

b) 作谓语和补语。

他的话虽然很尖锐,但非常～|脱离开现实问题就不～了|计
划要订得～才能完成

注意 有时'实际'作谓语或补语表示'讲求实际'。

现在的年轻人比我们年轻的时候～多了|农民才～呢! |多次
失败后他才变得～了一点儿

〔副〕其实。表示所说的情况是真实的,含转折义。用在动词或主
语前。

听口音像北方人,实际他是上海人|他说是大学毕业,实际连
高中也没念完

【实际上】用法同'实际'的〔副〕。

实际上　shíjìshàng　（见'实际'）

实行　shíxíng

〔动〕用行动来实现(纲领、政策、计划等)。可带'了、着、过',可带
名词、动词、小句作宾语。

a) 实行+名。

～了新的管理办法|目前正～着新的计划|～过八小时工作制|
～包修制度|～优抚政策

491

b) 实行+动。

　　～按劳分配|～包产到户|～同工同酬|～轮流值班

c) 实行+小句。

　　～经费包干|～文责自负|～人才交流

d) 可用作宾语。

　　这种办法大家都反对～|新的规章制度近期内还不打算～

动结 实行得(不)了(liǎo)　能(不能)实行：这样不切实际的计划根本实行不了

动趋 实行//下去　好的办法要继续实行下去

实行//起来　这些条文实行起来有困难|他们也实行起自产自销来

实行//到　这种办法要实行到哪年哪月为止?

　　　实在　shízài

〔形〕真实,不虚假。

a) 作谓语和补语。

　　老张待人很～|心眼儿～|他这番话说得很～|小李比他哥哥～多了

b) 作定语和状语。

　　他是个～[的]人|他有一身很～的功夫|他很～地说

c) 重叠式为AABB。

　　学点实实在在的本领|他待人实实在在,从不耍滑|实实在在为人家办点儿事|他说得实实在在,没有任何夸张

〔副〕1. 完全正确;的确。强调事情的真实性。

　　大伙待我～太好了|他病了,～坚持不住|我～不知道|这～不是我的错

可以重叠为AABB。

　　这实实在在不是我的错|不是我想隐瞒,我是实实在在不知情

2. 其实。承上文表示转折。

看上去很难,～不难|要价很高,～没那么贵|他说他懂了,～
没有懂

十分　shífēn

〔副〕表示程度高;很。多用于书面。

a) **十分**+形。

～复杂的问题|这些经验都～宝贵|态度～亲切而又严肃

b) **十分**+动。

～喜欢|～感动|～有意思|～伤脑筋|～沉得住气|～过意不
去

比较　十分:非常　见'非常'。

时常　shícháng　(经常)

〔副〕表示事情的发生不止一次,而且时间相隔不久,作状语用。

他工作积极,～受到表扬|他身体很弱,～感冒|这里的夏天～
有台风|我们～交换意见

【经常】副词。常与'时常'通用,'经常'强调一贯性,例如:房子要
经常打扫才不会积满灰尘。另外,'经常'有形容词用法,只作定
语,表示日常的、非临时的。

经常费用|经常工作|经常性

时而　shí'ér

〔副〕表示不定时地重复发生。多用于书面。

a) 作状语。

楼下～有叫卖声传来|～有几只天鹅在湖中栖息|夜空中～有
彗星出现|～飘过来一阵花香

b) 时而…时而…。表示两件不同的事情在一定时间内交替发
生。

病人～清醒～昏迷|～高亢～轻柔的歌声|孩子～老师～阿姨

地叫个不停|老人变得～烦躁～麻木|那盏灯～急速～缓慢地旋转着

时刻 shíkè （时时）

〔名〕时间的某一点。作主宾语。

幸福的～来到了|严守～,准时到会|焰火在规定的～一齐发射|在生命的最后～他安祥地微笑着

〔副〕每时每刻;经常。作状语。

我们～准备着,拿起武器保卫祖国|他～不忘自己的职责|母亲的嘱咐他～记在心里

可以重叠为 AABB。

他时时刻刻提醒自己要谦虚谨慎|时时刻刻记在心里

【时时】副词。时常,不时的意思。有时能与'时刻'通用:

时时不忘自己的职责|时时记在心里

但'时时'没有每时每刻的意思。

医生时时(ˣ时刻)察看病人输血后的反应|这样的事情时时(ˣ时刻)发生

时时 shíshí （见'时刻'）

使 shǐ

〔动〕1. 支使,使唤。可带'过',可重叠。必带指人的名词做宾语。

这些事情都是我自己做,没有～过人|他～人～惯了,自己什么也不会做

2. 用。可带'了、着、过',可重叠。可带名词宾语。

你的笔借我～～|钳子我正～着呢! |我～锹,他～锄|把劲儿都～完了|～拖拉机耕地

3. 致使;让;叫。必带兼语。

他的技术～我佩服|这样才能～群众满意|～落后变为先进,

～先进的更加先进|这话并不～人感到意外

在书面上，'使'有时直接用在动词前。

严格掌握政策，不～发生偏差|保证质量，～合于规定标准

动结 **使得(不)了(liǎo)** **用得(不)完**：做一件上衣使不了这么多
布|这么多纸，我哪儿使得了？

使得 **能够使用**：这枝笔使得使不得？

使不得 a)**不能使用**：情况变了，老办法使不得了 b)**不行；不可
以**：你一个人去可使不得

动趋 **使∥上** 有劲使不上|我们早就使上天然气了

使出 **必带宾语**：使出了浑身的力气也搬不动

使∥出来 劲儿还没使出来|有劲儿使不出来

使起来 看着不起眼，使起来挺好使

使得 shǐ·de

〔动〕1. 引起某种结果；使。必带小句作宾语。

他的一席话～我深为感动|紧张的工作～他更加消瘦了

由于…，使行…。'使得'是无主动词，前面不能有主语。

由于天气突然变化，～班机起飞时间推迟了三个小时

2. 可以使用。否定式是'使不得'。

这录音机～使不得？——～

3. 可以；能行。否定式是'使不得'。

这办法倒～|没人照顾小孩，那可使不得

始终 shǐzhōng

〔副〕表示从头到尾持续不变。

正确的意见我们～支持|从春种到秋收，农村干部～在生产第
一线劳动|我～认为，还可以节省一些人力|开工以后，机器运
转～很正常

常用于否定式。

～不屈服|～不脱离群众|～不明确|～看不见|～没来|～没请过假|～没有丧失信心

比较 始终:一直 1) 用'始终'的句子一般都可换用'一直'。

2) '一直'后的动词可以带时间词语,'始终'后的动词不能。

大雪一直下了三天(˟大雪始终下了三天)|我一直等到十二点(˟我始终等到十二点)|从他走后一直到现在,都没来过信(˟从他走后始终到现在)

3) '一直'可以指将来,'始终'不能。

我打算在这儿一直住下去(˟我打算在这儿始终住下去)

势必 shìbì

〔副〕 根据形势推测必然会怎样。多用于书面。

a) 势必 + 动/形。

原材料涨价～提高成本|人口增长过快～影响生活水平的提高|一出兵,局势～紧张|不严格规章制度～酿成事故|结果～如此

b) 势必 + 助动。限于'会、要、得(děi)'等。

背后议论～会影响团结|包围这个据点,敌人～得派兵增援|看样子你～得亲自去一趟了

比较 势必:必然 1) 用'势必'的地方都可以用'必然',反之不然。'势必'只有'必然'c)、d)的用法。

2) '势必'是形势发展的必然结果,多用于社会生活方面。

水加温到了沸点必然(˟势必)变成水蒸气

是 shì

〔动〕 主要起肯定和联系的作用,并可以表示多种关系。谓语的主要部分在'是'后边。只能用'不'否定。

1. 主 + 是 + 名。主语可以是名词、动词、的字短语、小句。

a) 表示等同。'是'前后两部分一般可以互换,意思不变。

《阿 Q 正传》的作者～鲁迅|鲁迅～《阿 Q 正传》的作者|他最佩服的～你|你～他最佩服的|现在半斤不～八两了

b) 表示归类。名词表示类属，前后两部分不能互换。

我～北京大学中文系的学生|鲸鱼～哺乳动物|你说的～将来的事|他们俩～好朋友

c) 表示特征或质料。主语限于名词，'是'后面的名词一般要有修饰语。'是'有时可省略。

这小孩[是]黄头发|他[是]山西人|阳历七月～最热的天气|他们队的马～这种枣红色儿的，我们队的也～[枣红色儿的]|人家～丰年，我们～歉年|那两套茶具都～唐山瓷|围墙不～砖墙，而～密密的柏树

d) 表示存在。主语一般为处所词语。'是'类似'有'。

山坡上全～栗子树|靠墙～一排书架|他满身～泥|遍地～鲜花|屋里屋外全～人|这叫杜鹃花，一到春天，这儿遍地都～(名词已见于前，'是'后不再用)

有'净'时，'是'可省略。

身上净[是]泥|山上净[是]酸枣树

e) 表示领有。主语限于名词，'是'类似'有'，可省略。

这张桌子[是]三条腿|我们[是]一个儿子，一个女儿|老王[是]一只胳臂

f) 表示其他关系。

人～铁，饭～钢(比况)|角色就这么定吧，你～大春，她～喜儿(扮演)|他还～一身农民打扮，跟原先一样(衣着)|一份客饭～五块钱(费用)|火车从北京开出～早上五点(时间)|我们两个村子，一个～河东，一个～河西(位置。必须两个小句并列)|民主和科学～社会发展的总趋势(评价)|以前手提肩扛，现在～水运陆运一起上(手段。必须两个小句并列)

g) 主＋是＋动＋的＋宾。肯定某种已实现的情况。'是'可省略。

我[是]昨天买的票|他[是]用凉水洗的脸|我们～看的话剧，不
　　～看的电影

2. 主＋是＋…的。以下 a, b, c 三项多数可以理解为'的'后省掉一
个名词(可是事实上多不说出来)。

　　a) 主＋是＋名＋的。表示领属、质料。
　　　这本书～谁的? (＝谁的书)|《琵琶行》～白居易的(＝白居易
　　　的作品)|这房子～木头的(＝木头的房子)

　　b) 主＋是＋动/形＋的。表示归类。
　　　我～教书的(＝教书的人)|那个骑自行车的不～送信的(＝送
　　　信的人)|马路两边～看热闹的(＝看热闹的人)|这批货～新
　　　出厂的(＝新出厂的产品)|今天做的都～好吃的(＝好吃的食
　　　品)|衣服～旧的(＝旧的衣服)|这条鱼～新鲜的(＝新鲜的
　　　鱼)

　　c) 主＋是＋小句＋的。表示归类。主语是小句中动词的受事。
　　　这本书～他前年写的(＝他前年写的书)|香蕉～他最爱吃的
　　　(＝他最爱吃的水果)|那封电报～家里发来的(＝家里发来的
　　　电报)

　　d) 主＋是＋动＋的。表示对主语的描写或说明，有加重的语
气。一般不用于否定句。动词前一般有修饰语。'是'常可省略。
　　　我[是]不会开这种拖拉机的|他[是]一定愿意去的|书～有的

　　e) 主＋是＋形＋的。表示对主语的描写或说明，有加重的语气。
一般不用于否定句。形容词前一般有修饰成分，或是重叠形式。
'是'常可省略。
　　　他的手艺[是]很高明的|鱼[是]挺新鲜的|里面外面全[是]闹
　　　哄哄的|天空[是]湛蓝湛蓝的
　　有些句子里的形容词没有修饰成分。
　　　身上虽冷,心里～暖的|他的交往～广的|事先提醒～必要的

　　f) 是＋{小句＋的}。强调小句的主语。动词是结束性的。'是'
前不能添出主语。不用否定式。

～谁告诉你的？｜～我关掉收音机的｜～你把车子摔坏的吗？

3. …的＋是＋名/动/小句。强调谓语。

说的正～你｜批评的就～他｜麻烦的～他生病来不了｜他活着为的～关心别人｜可惜的～把时间全浪费了｜可恨的～在别人困难的时候，他却抱这样的态度｜值得庆幸的～在这次事故中没有伤人

4. 主＋是＋动/形/小句。有时带有申辩口气。

a）表示等同。后面是动词时，主语可以是多种形式；后面是形容词时，主语一般为'这、那'。

我们的任务～守卫大桥（＝守卫大桥～我们的任务）｜她最喜欢的不～当运动员｜这～演戏，不～真的｜这～鲁莽，不～勇敢｜那～大错，不～小错

b）作出解释。有时带申辩口气。'是'有时可省略。

你不表态就～同意｜李大夫看这种病～看一个好一个｜屋子里不～太冷而～太热｜我～逼上梁山，没别的办法｜这眼睛已经画了两回，头一回～太小，第二回～太大｜我～有事，不～偷懒｜他今天～真生病，不～假生病

c）表示原因、目的。'是'后可加'因为、由于、为了'。

字写成这样，～[因为]钢笔不好使｜他犯错误～[因为]平时太骄傲了｜好好的一次郊游搞成这样，都～你！｜开这个会不[为了]走走形式，～要真正解决问题｜我之所以要再三重复这个问题，～想引起大家重视

d）表示肯定。'是'重读时，不能省略，有'的确、实在'的意思。

昨天'是冷，一点不假｜他手艺'是高明，做出来的东西就是不一样｜我们的战士'是很英勇｜没错儿，他'是走了

'是'不重读时，可省略，只表示一般肯定。

我[是]问问，没有别的意思｜一路上，大家[是]又说又笑，毫无倦意｜这么干我[是]一百个拥护，一千个赞成｜他笑得[是]那样甜，那样可爱

形容词不带修饰成分时，'是'一般都重读。

5．主＋是＋介…。常用的介词是'在、冲着、按照、依照、为了'。

我最后一次见到他～在上海｜你这样做～按照谁的意图？｜我
这样做决不～为了我自己方便

6．是＋小句。强调一件事情的真实性。'是'前常用'都、正、就'
等词。

～我们解决了这个难题｜正～劳动群众创造了人类历史｜都～
我不好，把他惯成了这样｜不～我讲错了，～他记错了｜不～衣
服太瘦，～你太胖了

'是'后可以是无主句。

～下雨了，不骗你｜～要换季节了，树上都出芽了

'是'的前面可以有'这、那'做主语，有指点的作用。实质上，有
'这、那'没有'这、那'都一样。

［那］～谁来了？——［那］～小华来了｜［这］～谁这么乱扔西瓜
皮？｜［这］都～我不好，把他惯成了这样

7．'是'前后用相同的词语。

a）A 是 A(1)。用于对举，强调二者不同，不可混为一谈。

我哥～我哥，我～我，两码事儿｜往年～往年，今年～今年，不会
年年一个样儿｜这个人言行不一，说～说，做～做

b）A 是 A(2)。连用。表示'地道'，'不含糊'。

他演得真好，眼神儿～眼神儿，身段～身段，做派～做派｜你想
吃什么就有什么，四川味儿～四川味儿，广东味儿～广东味儿

有时前面有动词，第一个 A 就成了它的宾语。'是'前可加'就'。

这孩子画得好，画老虎～老虎，画大象～大象(＝…画个老虎，
就像个老虎)｜他说话是算数的，说什么就～什么

c）A 是 A(3)。单用。强调事物的客观性。'是'前常用'总、就、
到底'等词。

事实总～事实，那是否认不了的｜不懂就～不懂，不要装懂

还可以在头上加一个'是'，变成两个小句。

～什么问题,就～什么问题,不夸大也不缩小

d) A 是 A(4)。单用。表示让步,有虽然的意思。第二小句常有'但是、可是、就是'等词。

> 亲戚～亲戚,可是原则不能不讲|他们俩吵～吵,但是从来不动真火|东西好～好,就是价钱太贵|他瘦～瘦,可从来不生病

e) A₁ 是 A₂。A₁ 和 A₂ 的中心部分相同。表示让步,有虽然的意思。用于转折句。

> 你呀,心～好心,就是话说得过头了些|听～听清楚了,可是记不住|睡～睡下了,可就是怎么也睡不着|便宜倒～挺便宜,只是颜色不好看|意见嘛,有～有一点,但是不想说|他早走了,赶～赶不上了

f) 动+A+<u>是</u>+A。A 是数量词。多表示不能勉强。

> 走一步～一步,慢慢来|种一块～一块,总比不种强|过一天～一天这种混日子思想可不对呀! |给多少～多少,决不计较

也可以有积极的意义,表示稳扎稳打。

> 走一步～一步,离目的地近一步|种一棵～一棵,十年以后你瞧!

8. <u>是</u>+名,…。'是'是'凡是'的意思,用于前一小句,表示条件,后续小句表示结果,常用'就'连接。名词只有一两个音节时,后面无停顿。

> ～学生都应该学习|～青草都可以做饲料吗? |～什么种子,就开出什么花|～什么样的老师,就教出什么样的学生

下面这个例子,句式有些变化,意思也稍有不同。

> ～什么就说什么,不要有顾虑

9. 疑问与应答。

a) 是非问句有下列形式。

> 你～工人[吗]? |你不～工人吗? |你～工人不～? |你～不～工人? |你～明天去游泳[吗]? |你～不～明天去游泳? |你明天去游泳～不～? |～不～你明天去游泳?

501

b) 选择问句的格式是：'还是…还是…?' '是…还是…?' '…还是…?' '是…是…?'

今天谁去？还～你去还～小王去？|你现在～学英语还～学法语？|你的表走得快还～慢？|这件事～真～假,谁也搞不清

c) 回答是非问句,用'是[的]'或者'不是'。

你是司机吗？——～|你是新来的吗？～的|那是图书馆吗？——不～|你是不是去游泳？——不～

d) 回答选择问句,要重复问句的一部分,一般不连'是'字。

你现在～学英语还～学法语？——学英语|你的表走得快还～慢？——快

有时也用完整的'是'字句回答：

你～上海人还～苏州人？——我～苏州人

回答也可能超出问句的范围。

你现在～学英语还～学法语？——学日语|你的表走得快还～慢？——不快也不慢

e) 除回答'是'字问句外,'是'还可以用于其他应对,如回答不用'是'字的问句或接过对方的话茬儿说。

你明白了吧？——～,明白了|你为什么要离开呢？——～啊,我当初要是不走该多好!

表示否定用'不',除回答'是'字问句外不用'不是'。

你就走吗？——不,我还要住几天|你要去找他！——不,我不去

习用语 有的是　表示数量很多。

钱有的是,但是不能乱用|我们村里有的是壮劳力

多的是　同'有的是'。

像他这样的技术能手还多的是!

一是一,二是二　表示认真,不马虎。

他处理任何问题,都一是一,二是二,绝不马虎

502

丁是丁,卯是卯　同'一是一,二是二'。

是否　shìfǒu

〔副〕是不是。用于书面。

a) 用于问句。'是否'一般在动词前,有时也可用在主语前。句末可以用'呢'。

你的身体~比以前好些了?|他~也来参加?|~他也来参加?|这个结论~有科学根据呢?

b) 用在宾语小句或主语小句,全句不是问句。

我不知道他~同意我们的意见|他~已经认识到并~愿意改正错误,我还不清楚|这个意见~正确,还需要通过实践来检验

注意　'是不是'后面可带名词性成分,'是否'不能。

是不是他?|ˣ是否他?

似的　shì·de

〔助〕用在名词、代词、动词后面,表示比喻或说明情况相似。书面语。有时写成'是的'。前面常用'像、仿佛、好像'等词。

a) 名 + 似的。

小张一阵风~跑回来|人群海潮~涌了过来|他的话像利刀~刺伤了我的心|碎纸飞得雪片~|他们像老朋友~交谈着|这种材料像棉花~又白又软|一个个淋得像落汤鸡~

b) 代 + 似的。一般表示相似,不表示比喻。虚指疑问代词'什么'加'似的'有比喻义,一般作补语。除疑问代词外,前面要用'像'。

你怎像他~满口脏话|他也像我~常开夜车|你看他目中无人的样子,[像]谁~|你看他急得[像]什么~|珍珍高兴得什么~,连饭也顾不得吃了

c) 动/形 + 似的。主要表示情况相似,好像这样,实际上并不是

这样或不一定这样。

　　他像喝醉了酒～跌跌撞撞|哥儿俩都着了魔～|他十分痛苦～
　　闭上了眼睛|他惊恐万状,好像就要大祸临头～|他仿佛刚醒
　　过来～

注意　如果'似的'附在一个单音节词(前面没用'像')后面,当中一
般要加'也'字。

　　他飞也～跑过来|鸟儿一展翅箭也～飞去了

首先　shǒuxiān

〔副〕1. 时间上最先,最早。修饰动词。

　　参军他～报名|开会他～发言|～到达工地|～要办的事情

2. 摆在首位。常用于列举事项。后面常与'其次、第二、然后'等
搭配。

a) 首先 + 动。

　　他～是个科学家,其次才是个文学家|这本书适宜广大教师阅
　　读,～适宜文科教师阅读|批评是针对我们的,～是针对我的,
　　然后才是你们

b) 用于句首。后面常与'第二、其次'等呼应。

　　～,要品德好,第二,要有才能|～,事实还不清楚,其次,证据
　　还不充分

手　shǒu

〔后缀〕指有某种专长或掌握某种技术的人。构成名词。

a) 名 + 手。

　　水～|舵～|机枪～|坦克～|拖拉机～|多面～

b) 形 + 手。

　　好～|副～|老～

c) 动 + 手。

　　选～|打～|能～|射击～|操作～|吹鼓～

受　shòu

〔动〕1. 接受。可带'了、过'。可带名词、动词、小句作宾语。

～礼|～气|新华社～权发表声明|～了夸奖|～过多次表扬|
我们组～老王领导|他一定是～了坏人指使

后面是'欢迎、鼓舞、感动、称赞、教育、启发'等时，'受'前可用'很'修饰。

听了这个消息，大伙都很～鼓舞|这种新产品很～群众欢迎

2. 遭受。可带'了、着、过'。可带名词、动词作宾语。可用于兼语句。

～灾|～罪|～歧视|财产～了一些损失|～人埋怨|他～了老师批评

动结 受得(不)了(liǎo)　能(不能)忍受或禁受:风沙太大,出去受不了

受得(不)住　同上:病人太虚弱,动手术恐怕受不住

动趋 受得(不)起　能(不能)禁受:既要受得起表扬,也要受得起批评|你怎么一点儿委曲也受不起?

受到　商店送菜上门,受到群众欢迎

数　shǔ

〔动〕1. 查点数目或顺序。可带'了、着、过',可重叠。可带名词宾语。

小明～着天上的星星,怎么～也～不清|行李我～过了,大小二十三件|你～～,有几张单据? |从东往西～,第四个门就是他家|你把来信～一～,记个总数|你～得很准,一点不差

2. 指出名次最前的或程度最突出的。

a) 数+序数。

要说吹笛子,小刘～第一|小陈的成绩,在班上不～第一,也～第二

505

b) 数＋名。'数'前常加'要'。

这几种动物中,最有趣的要~小松鼠,爬在树上眼睛直转|小华想,最可爱的要~熊猫了

c) 数＋小句。

论年龄,~我大;论个子,要~老周最高|英语~他好|吹笛子~小刘第一|这几个孩子里头,要~小芳最有出息|在班里,成绩~他最差

注意 '数＋名＋序数'可以改变为'名＋数＋序数',意思相同。

吹笛子~小刘第一＝吹笛子小刘~第一

如'数'后是'名＋动/形',其中的名词不能移至'数'前。

要~小芳最有出息(×小芳要~最有出息)

但其中的动词、形容词加'的'后可移至'数'前作主语,意思相同。

要~小芳最有出息＝最有出息的要~小芳

动结 数错了　数少了

数//清　草原上一群群数不清的牛羊|你说,天上的星星数得清吗?

数好　数完:查汉字笔画索引,要先数好字的笔画,再按起笔顺序查找

数得(不)着(zháo)　比较(不)突出:班里他是数得着的篮球选手|论下围棋,可数不着我

动趋 **数下来**　从最初的母本数下来,这是第五代杂交品种

数//下去　继续数:小张耐心地、一页一页地数下去|心里烦燥,数不下去了

数//出来　列举出来:他把知道的事情一件一件都数了出来

数得(不)过来　能(不能)数出结果:经常来的就这么几个人,扳着指头也数得过来(表示很少)|小红刚学数数儿,到'十'以上就数不过来了

506

双 shuāng

〔形〕1. 对称为两个的;两种的。一般修饰单音节名词,不能带'的'。偶尔修饰动词。

　　~手|~脚|~人床|~方谈判|~季稻|粮食、棉花~丰收

2. 偶数的。修饰单音节名词。

　　~数|~号

3. 加倍的。修饰单音节名词。

　　~料|~份儿

〔量〕用于左右对称的某些肢体、器官或成对使用的东西(多半是穿戴在肢体上的)。

　　一~手(脚、眼睛)|一~鞋|两~袜子|还要一~筷子

注意 由相同的两部分连在一起的单件物品不能用'双'。

　　一条裤子(×一双裤子)|一副眼镜(×一双眼镜)|一把剪刀(×一双剪刀)

比较 双:对[1] 1) 跟肢体、器官无关的东西不能用'双',只能用'对'。

　　一对金鱼(×一双金鱼)|一对花瓶(×一双花瓶)|一对矛盾(×一双矛盾)

2) '眼睛、翅膀'既可用'双'也可用'对'。

　　一双(对)眼睛|一双(对)翅膀

3) '对'有名词用法(儿化),'双'没有。

　　这两只手套可以配成一对儿(×配成一双)。

谁 shuí;shéi

〔代〕1. 问人。可以指一个人也可以指不止一个人。

a) 做主语。

　　~是你们的班长?|刚才~来找我了?|你们当中~见过陨石?|昨天晚上~没关灯就走了?

b) 做宾语。

　　你们知道他是～?｜这么多人只能去一个,你打算选～?｜这
　　次去庐山游览的都有～?

c) 修饰名词,通常带'的';用在亲属称谓前,可不带'的'。

　　这是～的意见?｜～的书?｜比一比～的贡献大?｜他是～
　　[的]哥哥?——我哥哥

2. 指不能肯定的人,包括不知道的人,无须或无法说出姓名的人。

　　在院子里你没碰见～吗?｜不问～是～非就乱批评是不对的｜
　　今天没有～给你打电话｜会场里好像有～在抽烟

3. 任指,表示任何人。

a) 用在'也、都'前,或'不论、无论、不管'后,表示在所说的范围
内无例外。

　　～也不知道他哪儿去了｜全组十个人,干起活儿来～都不甘落
　　后｜～也不知道雨是什么时候下起来的,～也不知道是什么时
　　候停的｜不论(无论、不管)～都得遵守制度

b) 两个'谁'前后照应,指相同的人。

　　～先到～买票｜大家看～符合条件,就选～当厂长｜～想好了
　　～回答我的问题

有时第二个'谁'可改用'他'。

　　～能力强,就让他做班长｜大家看～符合条件,就选他当车间
　　主任

c) 两个'谁'指不同的人。多用于否定句。

　　他们俩～也不比～差｜他们几个人过去～也不认识～

【习用语】谁知道　表示出乎意料之外。等于'不料'。

　　看样子他并不强壮,谁知道却得了举重冠军

　　顺　　shùn

〔形〕方向相同;有条理。

　　～水｜风是～风,帆船疾驰而下｜文章内容不错,只是字句不～

508

〔动〕1. 使方向相同;使有秩序,有条理。常用重叠形式。

把这些竹竿～一～,不要横七竖八的|书架上的书全乱了,得～一～|这一段文字还要～～

2. 顺从;依从。必带'着'。必带宾语。

别什么都～着他

3. 适合;顺利。大都与单音节名词构成固定的动宾短语。

看着～眼|吃着很～口|工作很～手|这事儿办得不～他的心

〔介〕表示经过的路线。常带'着'。

～墙爬|～河边走|～着大路一直往东|雨水～着帽沿直流

a) 后面是较长的名词短语时,必加'着'。

～着一排红砖大楼走到头,就是我们学校|雪橇～着冰雪覆盖的山坡飞快地滑行

b) 后面是单音节名词时,大都构成固定的词语。

～口而出|～手关门|～路去看看老刘

注意 '顺口'、'顺手'都有两种意思,比较以上动词用法第3项。'顺路去看老刘'的'顺'是介词,'要先去你家再去找老刘就不顺路了'里的'顺'是动词。

比较 顺:沿 '沿'可用于抽象意义的途径,'顺'不能。

沿着改革的方向前进!

说　shuō

〔动〕1. 用言语表达意思。可带'了、着、过',可重叠。可带名词、动词、形容词、小句作宾语。

我已经～过了,不～了|你也～～|他～得很有道理|你还～不～? 你不～我～

a) 宾语为'话'或某种性质的话。

～话|～实话|～空话|～大话|～真心话|～俏皮话|～漂亮话|～话算话|从来没～过一句假话|～了这话可是要兑现的|一边儿～着话,一边儿收拾东西

509

b) 宾语为语言、方言。表示用这种语言、方言说话。

～英语｜～日语｜～外语｜～普通话｜～上海话

c) 宾语指所说的人或事物。

～一件事｜～一个故事｜～一段相声｜～几个笑话｜正～着你，你就来了｜我们在～老陈，没～你

d) 宾语指所说的内容。

我～去，他～不去｜他～太甜了，不好吃｜老李～小黄已经考上大学了｜气象预报～，明天有六七级大风｜联合公报～，两国政府将进一步加强科学技术合作

e) 说＋在(给)。

这话简直～在我的心坎儿上了｜咱们先把话～在头里，往后可不能翻悔｜有什么好消息，～给我们听听

习用语 说是　表示转述别人的话：说是同学，不知道他们是哪儿的同学｜他要请几天假，说是有急事要回家一趟

说的是　表示同意对方的话；对：她可是个好姑娘——说的是呀！

我说呢　表示恍然，忽有所悟：我说呢，他好像有什么事儿，原来是这样！

2. 责备；批评。可带'了、着、过'，可重叠。必带名词宾语。

我已经～过他了｜爸爸～了他几句｜你明知道他这么做不对，也不～～他｜把他～了一顿｜他正～着她呢，你别过去

动结 说//清　说//明白　说//清楚

说不得　不能说；说不出口：这种话可说不得！

动趋 说//上　还没说上两句话，火车就开了｜问他的人太多，我一句话也说不上

说得(不)上　a)根据熟悉程度而能(不能)说：我跟他认识多年了，在他面前还说得上话｜他是哪个学校毕业的我可说不上｜这东西说不上是好是坏　b)够得上(够不上)程度。必带动词、形容词作宾语：我跟他认识，可说不上熟悉

说//上来　跑得直喘气，一句话也说不上来

说∥下去　继续说：我听着,你接着说下去

说∥出　必带宾语：话一说出口,他就觉得不太妥当|亏你说得出
　　这样的话!

说∥出来　有什么想法就直截了当地说出来|你怎么说出这种糊
　　涂话来!

说∥出去　告诉别人;张扬：这件事你可别说出去

说回来　退一步说：话又说回来了,就是你接到电报马上动身,也
　　来不及了

说起　说起这事儿,我还有意见呢!

说起来　他说起话来声音有些沙哑|怎么又说起这件事情来了?

说开　a)开始说：他又滔滔不绝地说开了　b)把意见谈清楚：有什
　　么话当面说开了好,别存在心里

说到　上次说到刘备三请诸葛亮,今天接着往下说|句句话都说到
　　我心坎上了

　　私下　sīxià　(私自)

〔副〕1. 背地里,不公开。作状语。也说'私下里'。

　a) 用在动词前。

　　咱们~商量一下|他~跟我说过|有话当面说,不要~乱说|他
　　想~里解决,我看不行

　b) 用在主语前。常说'私下里'。

　　~里他跟我透露了真情|~里他俩交情很深|~里他常常暗自
　　叹息

2. 自己进行,不通过有关部门或群众的。一般只用在动词前。

　　是打官司还是~调解?|这件事咱们~了结了吧|买卖外汇不
　　能~进行|这笔钱他们~分了,那怎么成?

【私自】跟'私下'的第2项用法接近。'私自'有自己进行的事不合
法纪或规章制度的意思。

　　他不该~收下现金|这是公物,不能~拿走|我国法律规定不

511

能～携带枪支

私自 sīzì （见‘私下’）

丝毫 sīháo

〔量〕表示极少量。一般修饰抽象名词或双音节动词。只用于否定句。

　　不受～[的]影响|不出～[的]差错|没有～[的]防备|不见～踪影|不许有～[的]改变|没有～[的]松动|不能有～[的]大意

〔副〕极少或很少;一点儿。只用于否定句。

　　a) <u>丝毫</u>+动。

　　财产～不受损失|～不能说明问题|～不受影响|～不见动静|～不隐瞒

　　b) <u>丝毫</u>+形。

　　我的表走得很准,～不快|办事～不马虎|～不差

|比较| 丝毫:一点儿　1)‘丝毫’只用于否定式,‘一点儿’不受此限。

2)‘丝毫’一般不修饰具体名词,‘一点儿’不受此限。

　　没一点儿(×丝毫的)水

死 sǐ

〔动〕1. 失去生命;死亡。可带‘了’。

　　他母亲～了|这棵桃树～了|为人民利益而～,就比泰山还重

　　a) 代表死去的人或物的名词可以放在‘死’的后面,或介词‘把’的后面。

　　村里～了一条牛|我七岁就～了父亲|她去年把个独生子～了,非常伤心

　　b) <u>死</u>+于;<u>死</u>+在。后面可用时间词、处所词。用‘于’限于书面。

　　生于一九〇三年,～于一九七八年|因病～于广州|他父亲～

在海外

2. 比喻消失,消除,不再活动,没有出路等。可带'了'。可带名词宾语。

> 心还没～|还没～心|你就～了这条心吧|拉丁语是一种已经～了的语言|你这棋已经～了

动结 死掉 死得(不)了(liǎo)

动趋 死过去 昏迷过去:痛得死过去了,好一会才苏醒过来

死去 已死:怀念死去的亲人

〔形〕1. 已死的。只修饰名词。

> ～人|～狗|～老虎

2. 不活动,不流通,不发展,走不通的。只修饰名词。

> ～火山|一潭～水|～胡同|～路一条|～面(指不发酵的面)

3. 不可调和的。只修饰名词。

> ～敌|～对头

4. 死板,固定,不灵活。

> ～结|～心眼儿|～功夫|～记硬背|～盯着我干嘛?|你的脑筋太～了|不要把问题看得太～

5. 拼死。只修饰单音节动词。

> ～战|～守|～拼恶斗

6. 坚决。只修饰否定式动词。

> ～不承认|～不认输|～不开腔|～不认错

7. 作动结式第二成分。

a) 表示死亡。可插入'得、不'。

> 打～|杀～|烧～|病～|饿～|庄稼全给糟蹋～了

b) 表示不活动,不可改移,丧失作用等。多数可插入'得、不'。

> 水沟已经填～了|要把漏洞堵～|后窗已经钉～,打不开了|开会的时间要定～|别把话说～了

c) 表示达到极点。不能插入'得、不'。句末多带助词'了'。

> 忙～了|闹～了|高兴～了|笑～人了|气～我了|恨～他了

注意 某些例子可以有 a),c)两种意思。

他爹是在旧社会做长工,活活地累死的(=因累而死)|一口气游了一千米,累死了(=累极了)|这盆花儿干死了(因干而死)|嘴里干死了(=干极了)

习用语 **要死** 表示达到极点,用在'得'字句里作补语。

忙得要死|急得要死|恨得要死|高兴得要死

该死 表示愤恨或厌恶。

该死的孩子,又把屋里搞得乱七八糟的! |真该死,把钥匙锁在屋子里了

送 sòng

〔动〕1. 运送;传送。可带'了、过'。可带名词宾语。

～货上门|给他～了个信儿|今天～了两车煤进城|把小孩儿～走|把东西～到他家里去

a) 送+给。

把报表～给老陈汇总|文件～给秘书室|～文件给秘书室

b) 送+往。

钢筋～往一〇五工地|名单已经～往学校

2. 赠送。可带'了、过'。可带双宾语或其中之一。

我～你一首诗|钢笔我～小华了|舅舅把手表～我了

指人的宾语也可以用'给'引进。

我～给他一首诗|钢笔我～给小华了|舅舅把手表～给我了|我～了一套茶具给他。

3. 送别;陪离去的人一起走。可带'了、过',可重叠。可带名词宾语。

大娘要走,你去～～她|～了客人回来,已经十一点了|他把我一直～到了家

可带兼语。

～他上火车|我要～小孩进幼儿园

送∥走　送多了　送少了

送∥上　送上拙作两篇,请指教

送下　这种丸药要用黄酒送下

送∥到　电报已经送到了|把这封信送到他家里

算　suàn

〔动〕 1. 计算。可带'了、着、过',可重叠。可带名词宾语。

~账|~钱|~了几道算术题|多难的题他也会~|已经把房钱
~清了|这笔账咱们得跟他~|他一题~得快

有时'算'是收钱的意思。可带双宾语或只带指钱的宾语。

只~茶叶钱,不~水钱|光~你们的车费,别的全免了|这个~
五块钱吧|这点东西~了我十八块钱

2. 计算进去。可带名词宾语。

~上我,一共是十个人|他没参加,不能把他··在里边|不~利
润,光成本是五块

3. 推算,推测。可带名词、小句作宾语。

~命|~卦|能掐会~|我~准了你今天要来,专门给你准备了
一瓶茅台

4. 算做,当做。后面可用'是'。

a) 算+名。

我~什么模范,比人家差远了|谁做的~谁的|这一大堆就~
两斤吧|这点外伤不~回事|老王应该~是一个好人|从今天
起,咱们~是一家人啦

b) 算+动。

有板有眼才~是唱|怎么能说偷书不~偷呢? |这件事总~办
得不错|这回~是弄明白了|你~是打听对了,你问的这个人
我很熟

c) 算+形。

年纪虽然大了,身体还~结实|这里不~太冷|杜鹃鸟在四川

不～稀奇|鲥鱼才～是又鲜又嫩呢!

　　d) 算+小句。

　　　　今天～我请客,你们都别客气|～我糊涂,竟自忘了送送他|这
　　　　回可～你们走运,没碰上下雨

5. 就+算[是]+小句。表示让步,即使。

　　　　就～是你很细心,恐怕有时候也不免要出点差错|就～你事先
　　　　知道,又有什么用呢?|就～下上三天雨,那又有什么关系呢?

6. 算数,有效力。宾语限于'话、数'等少数几个。

　　　　说话～话|说一句～一句|不能说了不～|大伙儿决定了～,不
　　　　能听一个人的

7. 算+小句。表示比较起来最突出。

　　　　我们班里,～他年纪最小|周围几百里,～这一带土地最肥

8. 算+了。作罢。

　　　　你是真想去呢,还是说说就～了?|我看～了吧,别往下说了

动结 算//好　算//清　算//清楚

算得(不)了(liǎo)　能(不能)算作:这点小毛病算不了什么

动趋 算上　加上:算上你也不过八个人

算得(不)上　能(不能)算作:他算得上一个人才

算//上来　计算出结果:那道四则应用题到底让我算上来了

算下来　计算完:一个月收支算下来略有盈余

算//出　计算出结果。必带宾语:算不出结果

算//出来　这题我算出来了

算起来　a)开始并继续计算:他又算起账来了　b)从事计算:他算
　　起账来真是一清二楚

算[起]来　只用于句首:算起来在这儿已经住了二十五天了|算来
　　还不到立春,怎么就这么暖和?

　　虽　suī　(见'虽然')

516 ·

虽然　suīrán　（虽、虽说、虽说是）

〔连〕表示让步，承认甲事为事实，但乙事并不因此而不成立。

a）用在前一小句，可在主语前或主语后。后一小句常用'但是、可是、还是、仍然、可、却'等呼应。

～他说确有其事，但是我不相信｜我～很喜欢诗词，可是不会写｜～是盛夏季节，山上还是很凉爽｜这孩子～年龄不大，懂得的事情可不少｜事情本身～不是什么大事情，但是因为带有普遍性，所以还是值得重视

b）'虽然'用于后一小句，必在主语前。前一小句不能用'但是、可是'。多用于书面。

太原尚无回信，～我方已经三次去电催问｜我仍然主张尽快动手术，～保守疗法也有一定疗效

【虽】同'虽然'。只能用在主语后。多用于书面。

事情虽小，影响却极大

【虽说】【虽说是】同'虽然'。用于口语。

虽说他有些不愿意，可还是去了｜虽说是房间小一点，可是挺干净

比较　虽然：尽管：即使　见'即使'。

虽然：固然　见'固然'。

虽说　suīshuō　（见'虽然'）

虽说是　suīshuōshì　（见'虽然'）

随　suí

〔动〕1. 跟随。常带'着'。必带名词宾语。

他们已经～大伙儿一起走了｜～着经济建设高潮的到来，必将出现文化建设的高潮

2. 任凭，由着。必带名词宾语。多用于无主句，前边多用动词语

或小句。

> 去不去～你|他愿意要哪本,～他|这几样～你挑|不要理他,
> ～他说去|五块钱一张票,～你坐多少站

随便　suíbiàn

〔形〕1. 不在范围、数量等方面加限制。

> 咱们～谈谈|买什么,买多少,你～|你～吃～拿|你参加不参
> 加～|不能～表态|这种谈话方式很～

　对某人的行为不加限制可说成'随某人[的]便'。

> 参加不参加随你[的]便|谈不谈,谈什么,都随赵教授的便

2. 怎么方便就怎么做,不多考虑。

> 婚姻大事,你也太～了|到我家～一点儿,不要太拘谨|我说话
> 很～,请你不要见怪|上课时怎么能～走出走进|别在书架上
> ～乱翻

　可以重叠为 AABB,前面常用'这么、那么'。

> 跟别人谈话他总是那么随随便便|开玩笑也要有分寸,哪能这
> 么随随便便|正式场合不许这么随随便便|他这种随随便便的
> 态度要改一改

〔连〕无论;不管。必带名词宾语或小句作宾语。用于口语。表示
在任何情形下都不会改变。句子里常有表示选择关系的并列成
分。句中常用'也、都、总'等词呼应。

> 真也好,假也好,～你说什么,我一概不信|～你去还是不去,
> 她都不在意|芭蕾舞也好,民族舞也好,～什么舞蹈他都爱看|
> 有不懂的地方,～什么时候来问我都可以|～你怎么批评他也
> 不生气

随后　suíhòu　(随即)

〔副〕表示一件事情跟着另一件事情发生。后面常跟'就、又、也、
再、才'等连用。

a) 随后 + 动。

你先走一步,我～就到|先解决他的事,你的事～再说|他唱了两支歌,～又表演了口技|我送生病的同学上了医院,～才来上课的|～发生的事情出乎意料|张院长～也发表了意见

b) 用在前后两个分句之间,多与'又'呼应。

五月十日坐火车到达重庆,～,他又乘船沿长江而下|北方的旱情刚缓解,～,南方又发生水灾

【随即】表示一事紧跟另一事之后发生,等于'随后就'。常跟'一、刚'搭配使用。

他一听到发令枪响,～往跑道终点冲去|灯光一熄灭,电影～开演|我刚躺下,电话铃～响起

随即 suíjí （见'随后'）

随时 suíshí

〔副〕1. 表示在任何时间里。

a) 随时 + 动。

电路抢修,～停车|～都有生命危险|大火中几个油桶～都会发生爆炸

b) '随时'可以在主语前后,助动词前后移位。

有事你～都可以来电话(～你都可以来电话)|出租车～可以叫到(可以～叫到)|出门在外要～注意卫生(～要注意卫生)|他的病～会出危险(会～出危险)

2. 表示在可能和必要的情况下。

你有事可以～跟我通电话|～通报工程进度|对好人好事要～给以表扬和奖励

习用语 随时随地　任何时间和任何地方。

这孩子随时随地离不开人|登山队员随时随地和大本营保持联系

所　suǒ

〔助〕用在及物动词之前,使'所+动'成为名词性短语。多用于书面。

1. 名+所+动。

a) 加'的'修饰名词。被修饰的名词在意念上是前面动词的受事。

我～认识的人|他～了解的情况|他是广大观众～熟悉的一位老演员|本厂～生产的'冰山'牌涤纶已经远销国外

b) 加'的'代替名词。

我～知道的就是这些(＝我～知道的事情)|他～说的未必确实(＝他～说的话)|实验结果同我们～预期的完全一致|现代科学的飞跃发展,是前人～梦想不到的

以上两项,口语里可以不用'所',意思相同。

c) 不加'的'代替名词。

据我～知(＝我所知道的情况)|果然不出我们～料|不为人～知|尽我～能

2. 所+动。

a) 加'的'修饰名词。

～谈的道理|～用的方法|～需的费用|～产生的结果|～耗费的燃料

b) 加'的'代替名词

他～谈的不过是些生活琐事|～用的还是老方法|～考虑的正是这一点

c) 不加'的'代替名词。动词限于单音节,多用于固定词语。

～见～闻|～知不多|～论甚详|各取～需|～剩无几|这正是问题～在|每月～得大约多少?

3. 为+名+所+动。

a) 表示被动。

为好奇心～驱使|为表面现象～蒙蔽|结论已为实践～证明

　b) 不表示被动。

　　这一点为前人～未知|这部作品早为观众～熟悉

4. '所+动'作'有'或'无'的宾语。

　a) 有+所+动。

　　若有～思|有～发明|有～创造|有～准备|产量每年都有～增加

　b) 无+所+动。

　　无～作为|无～不包|无～不知|无～不为|无～准备|无～用心

$\boxed{习用语}$ 闻所未闻　为所欲为　各有所长　大失所望　众所周知
无所不用其极　所答非所问

　所谓　suǒwèi

〔形〕1. 通常所说的。多用于提出需要解释的词语,接着加以解释。可修饰名词、动词、小句。不作谓语。

　　～'阳春白雪',就是指那些高深的、不够通俗的文学艺术|这就是～'一夫当关,万人莫开'的地方

2. 用于引述别人的词语,含有不承认的意思。所引词语多加引号。

　　古人的～'天下'实在小得很|如果过分强调个人的～'兴趣',那就不合适了|难道这就是～'革新'?

　所以　suǒyǐ

〔连〕在因果关系的语句中表示结果或结论。

　a) 用在后一小句的开头。前一小句常用'因为、由于'呼应。

　　因为猫头鹰是益鸟,～要好好保护它|由于临行匆忙,～来不及通知你了|这里气候凉爽,风景优美,～夏天游人很多

　b) …[之]所以…,是因为(是由于)…。突出原因或理由。用于

书面。

这部小说之～语言生动,是由于作者深入生活,熟悉群众语言的缘故|我们[之]～赞成,是因为它反映了群众的迫切愿望|案情[之]～能很快弄清楚,是因为在现场发现了一个重要的物证

在一句的头上的时候,用'其所以'。

其～大受欢迎,是因为故事情节感人至深

|比较| 所以:因此:因而 1)'所以'可以同'因为'或'由于'配合,'因此、因而'一般只能同'由于'配合。

2)'因此、因而'没有 b)的用法。

所有 suǒyǒu

〔形〕全部;一切。只修饰名词。

～的人都来了|～问题都解决了|教室里～的眼睛都盯着新来的老师|我们这里～图书仪器你都可以使用

|比较| 所有:一切 1)'所有'是形容词,'一切'有指别词的用法,都可以修饰名词。'所有'修饰名词可以带'的',也可以不带。'一切'只能直接修饰名词,不能带'的'。

所有[的]问题|一切问题

2)'所有'着重指一定范围内某种事物的全部数量,'一切'必指某种事物所包含的全部类别。

所有的困难都解决了(指特定的数量)|一切困难都不怕(指各种各样的困难)

3)'一切'只能修饰可以分类的事物,不能修饰不能分类的事物。'所有'不受此限。

一切生物都有生有死|×一切桃花都开了|一切流体都没有固定的形状|×一切开水都喝完了

所有生物都有生有死|山上所有桃花都开了|所有流体都没有固定的形状|所有开水都喝完了

T

它　tā　（它们）

〔代〕1. 书面上用来称人以外的事物,口语中与'他、她'无分别。

煤炭是燃料,又是重要的工业原料,很多工业离不开～|有个东西在黑影里蹲着,我也看不清～到底是猫还是狗

第一次说到一个物件时只能用'这、那',不能用'它'。我们可以指着一个人问:'他是谁?'但指着一样东西只能问:'这是什么?'或'那是什么?'

'它'一般用于单数事物,有时也用于复数。

这些画报我不看了,你把～拿去吧

2. 虚指。多写作'他'。

今年先种～几亩试验田,取得经验再逐步推广|这件事一定要搞～个一清二楚|打～一个冷不防

【它们】'它'的复数,称不止一个事物。只用于书面。

猿、猴子、猩猩这些动物,虽然是高等动物,但它们都不会制造工具|钢笔、铅笔、橡皮、尺子、讲义夹、笔记本等等都是学习用具,我们把它们叫做文具

它们　tā·men　（见'它'）

他（她）　tā

〔代〕1. 称自己和对方以外的第三者,单数。书面上男性用'他',女性用'她'。在性别不明或无必要区分时,一概用'他'。

他刚参加工作,请多帮助他|她是儿童医院的大夫|浓雾中看不清他是男是女|一个人如果不学习,他就永远不会进步

a) 表示领属关系时,在'他'后加'的'。

～的大衣是灰的|墙上是～的照片|这是～的特长|要注意～的情绪

但在下列场合,口语常不加'的':在亲属或有亲密关系的人的名称前。

～哥|～丈夫|～同事

在'家、家里、这里、那里'以及方位词前('这里、那里'前必不加)。

～家是新搬来的|～那里可能有节目单|钥匙在～那儿呢

在'这(那)+数量词'前。

～这几句话可是真心话|他就爱卖弄～那两句英语

b) 跟这个人的名字或表示他的身份的名词连用,'他'在前或后。带感情色彩。

这事儿成与不成就看～老张了|郑刚～也提前到了

2. '你'和'他'用在平行的语句里,表示许多人共同或相互(参见'你'4项)。

你也唱,～也唱,大伙儿都唱。

3. 别的事物,别的方面,别的地方。只用于书面。

毫无～求|留作～用|如此而已,岂有～哉|此人已经～调

〔指〕另外的。用于书面。是古汉语残留用法。

～乡遇故知|～日再来看望|事必躬亲,不假手～人

他们(她们) tā·men

〔代〕称自己和对方以外的若干人。

他们是足球场上的新手|她们都是女飞行员

有男有女时,书面上用'他们'。(有人写'他(她)们',没有必要,也没法儿念。)

他们夫妇都积极要求进步|他们班有十九个男同学,二十个女同学

a) 表示领属关系时,在'他们'后加'的'。

　　～的猫|～的音乐会|～的兴趣|～的活动

但在亲属的名称和跟有关的人、团体、处所的名称前,口语中加'的'不加'的'数量不相上下。

　　～[的]母亲|～[的]奶奶|～[的]二姐|～[的]邻居|～[的]经理|～[的]班长|～[的]王老师|～[的]托儿所|～[的]厂子|～厂|～[的]学校

在'家、家里、这里、那里'以及方位词前,在'这(那)+数量词'前,用法同'他'1项a)(参看'他'条)。

b) 跟人名或表示身份的名词连用,'他们'在前或在后。

　　～弟兄都喜欢音乐|～湖南人是喜欢吃辣的|赵师傅、钱师傅～都下班走了|二姨、表姐～在里边说着话呢

有时'他们'前面只有一个名字,'他们'就有'和另外一些人'的意思。

　　小三儿～到河边儿看赛船去了

有时跟指数量短语(连名词或不连名词)连用。

　　～俩(liǎ)都回欧洲去了|～三位科学家都是国际知名的

　　台　tái

〔量〕1. 用于某些机器。

　　一～车床|两～拖拉机(插秧机)|三～发电机(收音机、电视机、发报机、计算机)|要使每一～机械设备都能充分发挥它的作用|一～一～的抽水机正运往农村|上回运来的车床,～～都合格

2. 舞台上一次完整的演出叫一台(可以由几个节目组成)。

　　一～话剧|看了一～歌舞|两～戏对唱

比较　台:出¹　'出'只能用于戏曲,一个独立演出的剧目叫一出。'台'可用于歌舞、戏剧等。一台戏可以只有一出戏,也可以有几出小戏,还可以由不同剧种的几个节目组成。

525

太　tài

〔副〕1. 表示程度过头。多用于不如意的事情。句末常带'了'。

a）太+形。

~大了|文章不能~长|~薄的纸不行|写得~简单了|车开得~快了

b）太+动。

你~相信他了|您~夸奖了|他~坚持己见了

2. 表示程度高。

a）太+形/动。多用于赞叹。形容词、动词大多是褒义的。句末常带'了'。

~好了！|最近我~忙，去不了你那里|我~感激你了|哥儿俩长得~像了|你来得~及时了！|这件事~让人高兴了！|这本小说~吸引人了

b）太+不+形/动。加强否定程度。形容词、动词大多是褒义或中性的。

~不好了|~不虚心|你风格~不高了|你~不照顾他了|~不讲道理了|~不应该了

c）不+太+形/动。减弱否定程度，含婉转语气。

不~好(比说'不好'语气轻)|不~满意(＝有点不满意)|不~解决问题|这件事你做得不~合适吧|他不~愿意住在这儿

倘若　tǎngruò（见'如果'）

趟　tàng

〔量〕1. 用于一往一来的动作，一往一来为一趟。

a）动+数+趟。

去了一~|跑了两~

b）动词带宾语时，宾语经常放在后边。

运了两~煤|昨天进了[一]~城|想回[一]~家

宾语是处所词语时,也可以放在前边。

他想回家一～|他打算去天津一～|ˣ运煤一～

c) 数 + 趟 + 动。

这一～来,是专给你们送好消息的|左一～右一～地(指次数多)跑火车站

2. 用于来往开行的列车,一往或一来为一趟。

刚开出一～列车|一下子到了好几～车,站台上挤满了旅客|坐上了最后一～火车

3. 指武术一套或一段动作的过程。

练了一～拳|玩了一～剑

套 tào

〔量〕用于搭配成组的事物。

a) 用于器物。

两～衣服|一～茶具(家具、机器、模子)|三～课本(唱片、画片)|好几～桌椅(锣鼓)|一～房间|一整～设备|全～《鲁迅选集》|画片一～十张,每～五元|玻璃柜里陈列着一——一～的邮票

b) 用于机构、制度、方法、本领、语言等。

一～机构|两～班子(人马)|一～章程|有好几～办法|他有一～本领(技术、经验)|你这～把戏,我们早就识破了|讲了一大～为人处事的道理

c) [这、那] + 一套。表示有某种本领、方法。多含褒义或贬义。

修理钟表他很有一～|真看不出,你还有这么一～(以上含褒义)|现在不兴这一～了|另搞一～|别来这一～|嘴里一～,心里一～,这样不好|我不听你那一～(以上含贬义)

特别 tèbié

〔形〕不一般;与众不同。

a) 修饰名词。多不带'的'。

～快车｜～会议｜老许有一种～[的]本领,见一面就能记住对方的名字｜她也没有什么～的地方

b) 作谓语。

犀牛的样子怪～的｜这个人的名字可～了｜他的脾气很～｜任何人都不应该～

〔副〕1. 非常;与一般不同。修饰形容词或动词短语。

他今天早上起得～早｜节日的早晨,天安门显得～壮丽｜这部影片～使我喜欢｜这个节目～吸引观众

2. 特地;着重。修饰动词。

下课的时候,老师～让我留下来｜把这个问题～提出来是应该的｜这些我是～为你准备的｜应该～指出,节约用水任何时候都必须注意

3. 从同类事物中提出某一事物加以说明;尤其。'特别'后面多加'是'。前面可以是类名,也可以是列举同类事物。

a) 特别[是] + 名。

工业,～是重工业,在发展生产中非常重要｜广大工人,～是青年工人,学习科学技术的积极性很高｜古典小说中他最喜欢的是《水浒传》,《儒林外史》,～是《红楼梦》

b) 特别[是] + 动/小句。

他非常喜欢文艺作品,～喜欢近代的｜因为增加了新的技术设备,～是群众的积极性调动起来了,生产很快就搞上去了

'特别是'引进的小句,其中的谓语如果与前面小句的谓语相同,可以省去。

老师们喜欢他,～是教语文的老师们[更加喜欢他]｜大家玩得很痛快,～是小红她们｜孩子们喜欢吴大伯,～是那些喜欢听故事的孩子

特地 tèdì (特意)

〔副〕表示专门为了某一件事情。一般用在连动句第一个动词前。

528

他～打来电话表示问候│这些好吃的东西都是～为你准备的│
听说你病了，他～来看你│为了这件事，他～去了一趟上海

【特意】同'特地'。

特为　tèwèi

〔副〕专门为了某件事；特地。

他亲自出马～来请你，没想到你不愿意见他│这些都是现成
的，不是～给你准备的

特意　tèyì　（见'特地'）

替　tì

〔动〕代替。可带'了、过'，可重叠。可带名词宾语。

你歇歇，我～你干会儿│有事你就走吧，我～你值班│张师傅家
里有急事，你去～他吧！

动结　替得(不)了(liǎo)　能(不能)代替：谁也替不了谁│你怎么替
得了我呢？

动趋　替下　必带宾语：三号上场，替下五号

替∥下来　他身体不好，快去把他替下来

替∥回来　先叫小周去替回他来再说

〔介〕为；给。跟名词组合。

大家都～你高兴│我们要设身处地地～他想想│他倒真～你找
到了这份材料│你能～小王也画一张像吗？│全班同学都～他
送行

条　tiáo

〔量〕1. 用于长条形的东西。

一～街(路、公路、铁路)│一～河(江、沟、渠、小溪)│一～山脉│
一～裤子(裙子)│两～绳子(带子、鞭子、电线)│在纸上画了三
～线│几～口袋(麻袋)│一～床单(毯子、被子、被面、被里)│一

～毛巾(围巾、头巾)|一～枪|一～鱼(蛇、龙、毛毛虫、蚕)|一
～牛(狗、毛驴)|一～黄瓜(丝瓜)|一～尾巴|两～腿走路|两
～胳臂|一～锁链|一～板凳|一～好汉(汉子)|一～大路通北
京|一～肥皂|纸上画满了一～一～的线

引申用于人体。

一一人命|一～好嗓子|要跟群众一～心,不要两～心

2. 用于某些抽象事物。

一一计策(妙计)|一～正确路线|两～意见(建议)|十～罪状|
只有一～出路|这一版共有九～新闻(消息)|操作规程一共有
五～|对群众所提的意见应该～～有交代|措施要一～一～落
实

听　tīng

〔动〕1. 用耳朵接受声音。可带'了、着、过',可重叠。可带名词、
动词、小句作宾语。

～电话|～弹琴|～了一会儿相声|我没～过这样好的音乐|别
闹,～她唱|这一句我没～清|打开收音机～～|把话～完再发
表意见|～音乐～得出了神|～,好像有人敲门|你～着,我在
给你讲呢!

2. 听从。可带'了、过'。可带名词、动词、小句作宾语。

说得对,我就～;不对,我就不～|你要～了我的话,哪儿会有今
天|你从来也没～过我一句话|～我的话,别去了|老了,胳膊
腿儿不～使唤了|工地上一切都～老郑指挥

3. 听凭。用于少数熟语。

～便(=听凭自便)|～其自然|～之任之

动结 听∥见　听∥懂　听∥清　听∥清楚　听∥明白

动趋 听∥下去　继续听:他啰唆了半天,我实在听不下去了

听∥进去　愿意听从:我劝了他很久,他就是听不进去

听∥出　必带宾语:这句话我没听出有什么特殊的意思|我听不出

他有外地口音

听//出来 这两个元音的区别我听不出来

听起来 a) 开始听:小杨打开收音机,听起音乐来 b) 通过听,得到某种印象:这个话听起来倒也有些道理

听来 听到:这事我是从老周那儿听来的

听去 朝着有声音的方向听:仔细听去,树林里有轻微的沙沙声

听//到 听到一个新的消息|你成天在家里坐着,这些事你哪儿听得到呢?

听说 tīngshuō

〔动〕听别人说。可带'了、过'。可带名词、小句作宾语。

　a) 作谓语。

　　你～过张国维这个人没有?|孩子们都～过孙悟空大闹天宫的故事|这事我已经～了

　b) 作插入语,等于'我听别人说'。

　　用在句首。

　　～他已经去成都了|～老李这两天就要来这里

　　用在句中。

　　老许这个人～很能干(=～老许这个人很能干)|展览会～已经结束了

[比较] 听说:据说 '据说'只有'听说'的第二种用法。

停 tíng

〔动〕1. 停止。可带'了、过',可重叠。

　　雨～了|工作一分钟也没～过|大风刚一～,船队就出海了|蟋蟀叫个不～

　a) 停+名。表示'使…停止'。

　　～战|～火|赶快～车|考试之前,有一段时间～课复习

　b) 停+动。类似一个词,动词限于'办、开'等少数几个。

这个学校已经～办了三年了|那一台旧机器早已经～开了|天气太坏，班机～飞了

c) 不＋停＋地。修饰动词。

不～地前进|不～地说|不～地走来走去

2．停留。可带'了、过'，可重叠。

在桂林～了两天|这次去广州，中途想在武汉～～再走|这些小站都只～一分钟

3．停放；停泊。可带'了、着、过'，后可再带名词，指停放物。

轮船在港口已经～了三天了|门口～着一辆轿车|码头上～了不少轮船|刚才这里～过不少车

[动趋] 停//下来 把工作先停下来|司机停下车来检修|一时半晌停不下来

挺 tǐng

〔副〕表示程度相当高，但比'很'的程度低。用于口语。'挺'所修饰的形容词、动词后面常带'的'。

a) 挺＋形[＋的]。

分量～轻[的]|衣服～干净[的]|～大的个儿|讲得～生动[的]|～兴奋地走了进来

b) 挺＋动[＋的]。

～喜欢我|对我们～照顾|～赞成[这个计划]|他～想去|他写得～有意思[的]|一位～爱说笑的司机|老张～关心我们[的]|这孩子～讨人喜欢[的]|你倒～会说[的]|这个同学～能吃苦[的]|～顾全大局|～沉得住气

c) 挺＋不＋形/动。应用有限制，能用于 a) 和 b) 的很多不能用于 c)。

～不平[的]|～不好的|～不安全[的]|～不高兴地看着他|谈得～不痛快|～不自在的样子|～不懂事的孩子|他对这件事～不满意|×～不干净|×～不关心|×～不能吃苦|×～不会说

532

挺:怪 见'怪'。

通常 tōngcháng

〔形〕一般;平常。

 a) 修饰名词。

在～情况下,火车是不会晚点的|最～的研究方法是进行比较|
先拟提纲,后写初稿,这是最～的写作步骤

 b) 通常+动词短语。

周末他～是去父母家|～要由三个人担保|谈恋爱男孩子～比
女孩子主动一些

 c) 通常+小句。

～我们单位每星期四开碰头会|～他早晨六点半起床

比较 通常:常常 '通常'多指带有规律性的动作行为,'常常'多
指在不长的时间内不止一次出现某种动作行为。例如:

我们通常星期四下午开碰头会(×我们常常星期四下午开碰头
会)

他工作积极,常常受到表扬(×通常受到表扬)

通共 tōnggòng （统共）

〔副〕表示数量的总和,相当于总共;一共。用在主语后。'通共'
后面一定有数量词与之配合使用。

我们公司全年的广告费～五十万元|课题组～有七个人|他一
天～也吃不了几两饭|我们村～七百来人

【统共】同'通共'。

通过 tōngguò

〔动〕1. 从一端或一侧到另一端或另一侧。可带'了、过'。可带处
所宾语。

火车～大桥向南奔去|翻修路面,汽车不能～

2. 议案等经过法定人数的同意而成立。

　　大会～了三项决议|提案已经～

〔介〕引进动作的媒介或手段。'通过…'可用在主语前,有停顿。

　a) 通过+名。

　　～不同的渠道了解情况|我们～译员交谈了半小时|～什么方
　　式我才能见到他? |向您并～您向贵国人民表示良好的祝愿

　b) 通过+动。后有停顿。

　　～学习,加深了认识|～摆事实,讲道理,问题进一步明确了

　c) 通过+小句。

　　～老张介绍,我认识了他|植物～阳光照射,把水和二氧化碳
　　合成有机物质

　　通知　tōngzhī

〔动〕把该办或该知道的事情告诉人家。可带'了、过'。可带名
词、小句作宾语,可带双宾语。

　　我已经事先～了他|你～过哪些人? |我～一件事|我～你们
　　一个好消息|赶快广播～全县明晨有霜冻|把各家都～到|～
　　得太晚了

　a) 指事宾语较长时,前边可以停顿;如果是小句作宾语,小句前
必有停顿。

　　学校～,八月十五日在大操场开全校大会|合唱团～各团员,
　　明天晚上七点到团里集合|办公室～,班车五点半开

　b) 带兼语。

　　～他们赶快派车

　c) 通知+说。

　　县里派人～说,师范学校八月里招收第一期学生|你昨天不是
　　～说那个会不开了吗?

　d) 通知+给。

　　请把你们的地址～给我|咱们的行踪必须不断～给家里

动趋 通知∥下去　赶紧把出发的时间通知下去

通知∥过来　能(不能)通知遍:人太多,我通知不过来

通知起来　通知时:住得太分散,通知起来很麻烦

通知∥到　已经通知到我这儿了|时间还富余,这几个人通知得到

〔名〕通知事情的文字或口信。

　　昨天接到一个～|黑板上出了个～|～已经及时发出去了

　　同　tóng

〔动〕1. 相同。肯定式必带名词宾语。

　　～岁|～类|～一个时期|哥俩儿性格不～

2. 跟所指事物相同。必带名词宾语。

　　～上|～前|'外头'的用法～'外边'

3. 共同;协同。多用于书面。

　　三人～行|～来北京|～甘苦,共患难|我们在中学‑过三年学

〔介〕1. 表示共同,协同;跟。

　　我去年～小王住在一起|我们～当地科研机构协作,取得了很

　　大的成绩。

2. 引进动作的对象;向;跟。

　　他上午已经～我告别了|～坏人坏事做斗争

3. 表示与某事有无联系。

　　我～这件事情无关|这事～他有些牵连

4. 引进用来比较的对象;跟。

　　～去年相比,产量增加了百分之二十|湖面～明镜一样清澈|

　　学汉语～学任何语言一样,要多听,多说

〔连〕表示平等的联合关系,连接名词、代词。用法同连词'和'。

　　化肥～农药已运到|我、小张、小李～小王都住在学校

比较 同:跟:和:与　见'跟'。

同时 tóngshí

〔副〕表示动作行为在同一个时间发生。

a) 作状语,用在动词前,主语是表示不止一个的名词性成分。

我和她～到达终点|母女俩～走出家门|他们仨～参加的工作|
这两个技术员～被录用了

b) 用于'在……同时'格式中,整个格式在句中作状语。'在'可
以省略。

在提高的～也要搞好普及工作|在抓数量的～一定要注意质量|
在吃药的～也要注意休息|肯定成绩的～,也指出了缺点和错
误

习用语 与此同时 表示和某事同一时间发生。

与此同时,还发生了三次交通事故|与此同时,他还采访了王
教授

〔连〕表示进一层;并且。

a) 与'也、又'等配合使用。'同时'用于后一小句,前后两个小句
是并列关系。

他是一位严师,～又是一位慈父|他是医生,～也是病人,他是
一直抱病工作的|他是作曲者,～也是演唱者

b) 与'不但……也(又、还)'等配合使用,前后两个小句是递进
关系。

文章不但列举了大量材料,～还作了精辟的分析|打太极拳不
但能强身,～也能治病|他不但热爱本门专业,～也搞些业余
的文学创作

同样 tóngyàng

〔形〕1. 相同;一样;没有差别。只做修饰语,不做谓语。

a) 修饰名词,一般要带'的'。

两部小说采用～的题材,表现手法却很不一样|咱俩干～的活

儿|这是～的道理,难道还不明白?

名词前有数量词时,'的'字可省。

～[的]一件事儿,各有各的看法|～[的]几句话,他说出来比我有分量

b) 修饰动词,一般不带'地'。

这个原则对你们～适用|这两件事情性质不同,不能～处理

2. 跟前面所说的相同。用在小句和小句之间,承接上文,类似连词,后有停顿。

第一车间超额完成计划百分之十,～,第三车间也超额完成计划百分之十|教材内容是全新的,～,教学方法也跟过去的很不一样

统共 tǒnggòng (见'通共')

通 tòng

〔量〕1. 遍。用于演奏某些乐器的动作。

打了三～鼓|唢呐已经吹过两～

2. 番。多用于贬义的言语行为。数词多用'一'。

a) 动+数+通。

胡说一～|乱讲了一～|奉承了一～|闹了一～

b) 动+数+通+名。

发了一～牢骚|发表了一～谬论|借机大做了一～文章|挨了一～骂

头[1] tóu

〔量〕1. 用于某些牲畜。

一～牛(驴、骡子、羊、猪)|好几～牲口

2. 用于大蒜。

一～蒜

3. 用于亲事。数词限于'一'。

537

那一～亲事怎么样了?

头² tóu

〔形〕最前的。多用于数量词前。

  a) 头+数量+[名]。

  ~[一]个|~两节[课]|~十辆[车]|~几排坐的都是优秀学生
  代表

  '头等'是一个形容词,也说'一等',常与'二等、三等、次等'同
  用。

  头等人才|头等大事|头等重要的任务|头等奖是金牌,二等奖
  是银牌

  b) 头+时量。

  ~几天有点不习惯,过些日子就好了|~两个星期集中学习语
  音|~一年实习,第二年开始正式工作

  c) 直接修饰名词。

  ~奖|今天出~榜

注意 '头天、头个星期、头个月、头年'有两个意思:'第一'和'刚过
去的'。后者有方言色彩。

  我们回国后,头个月(=第一个月)住在上海,以后就到了北京|
  头个月(=上个月)你上那儿去了?

头³ ·tou

〔后缀〕加在名词、动词、形容词性成分后面,构成名词。

1. 名+头。

  馒~|石~|木~|舌~|罐~|砖~(不读轻声)|窝~(不读轻
  声)

2. 动/形+头。多表示抽象事物。可以儿化。

  念~[儿]|准~[儿]|尝到甜~[儿]|吃到不少苦~[儿]

  有些动词加'头'构成抽象名词,表示有做该动作的价值。一律

儿化。

　　吃～儿｜玩～儿｜听～儿｜嚼～儿｜这个戏有个看～儿

3. 方位＋头。构成方位词。

　　上～｜下～｜前～｜后～｜里～｜外～

注意 '左、右、内、中、旁'后边不能用后缀'头'。'东头儿、西头儿、南头儿、北头儿'中的'头儿'的意思是终端,不读轻声。

　　头里　tóu·li　（见'前'）

　　透　tòu

〔动〕1. 渗透；穿过。可带'了',可重叠。可带名词宾语。

　　屋里～风｜风雨不～｜打开窗户～～空气｜血从绷带上～了出来｜爱克斯光能～过肌体检查病变｜研究问题要善于～过现象找出本质

　　作动结式第二成分。可插入'得、不'。

　　全身都被雨浇～了｜这个手钻钻不～这种钢板

2. 泄露。私下里说。可带'了、过'。可带名词宾语,多指消息、情况等。

　　听到什么给我～个信儿｜一点情况也没～出来｜只听他～了一句半句的,详细情况还不清楚

3. 显露。用于少数熟语。

　　白里～红｜软里～硬

〔形〕1. 透彻；清楚。多在'得'字句中作补语,前面可加程度副词；或者作动结式第二成分,可插入'得、不'。

　　跟他说话,问题一点就～｜道理讲得很～｜摸～了他的脾气｜这人我看～了｜猜不～他在想什么｜话说～了,事情就好办了｜吃～文件的精神(＝领会清楚…)

2. 表示彻底。作动结式第二成分,因人的主观力量而使动作取得或不能取得结果时,动结式可插入'得、不'。否则不能插入'得、不'。

雨下～了|煤还没烧～|煤矸石烧不～|衣服湿～了|天已经黑
～了|庄稼还没熟～

3. 表示程度极深。用在动词、形容词和少数否定式动宾短语之
后。多用于贬义。必带'了'，不能插入'得、不'。

情况糟～了|这家伙坏～了|把他恨～了|我简直火～了|事情
麻烦～了|这孩子不懂事～了

突 然　tūrán

〔形〕表示情况发生得急促而且出人意料。可以受'很、太、十分、
非常、特别'等修饰。

a) 突然[＋的]＋名。
～事变|～事件|～情况|～的事故|有准备就不怕发生～的变
化

b) 做谓语，前面常有'很、不'等，或后面用'极了、得很'。
事情很～|事情并不～|这场冰雹～极了|事情的变化～得很

c) 动＋得＋突然。'突然'前边常有其他成分。
情况来得～|他问得有点～|病得太～了

d) '突然'有时可做少数动词的宾语。
感觉～|感到(觉得)～|并不认为～|不算～

〔副〕表示急促而且出人意料。所修饰的动词、形容词的前或后要
有其他成分。有时后边可加'地'。

他跑着跑着～停住了|心里～[地]一沉|汽车～[地]来了个急
转弯|～[地]喊了一声|电灯～亮起来了

a) 用在主语前，后面常有停顿。
～，人们都站了起来|我们都睡下了，～电话响了

b) '不＋动'、'没有＋名'之前可以用'突然'，'没有＋动'前不
能用。

收音机～不响了|～没有一点响声了|˟～没有响了

习用语　突然间　同'突然'。更加强调情况发生的那一瞬间，多用

于主语前。

突然间,天空响起了一阵春雷|黑暗中,突然间发现远处有一点灯光

比较 突然:忽然 1)'忽然'同副词'突然',一般可以换用,但'突然'比'忽然'更强调情况发生得迅速和出人意料。

2)'忽然'很少用在主语前。

推 tuī

〔动〕1. 向外用力使物体或物体的某一部分顺着用力的方向移动。可带名词宾语。可带'了、着、过'。可重叠、可带补语。

~车|~磨|请帮我~一下门|~了两天磨,胳膊都累肿了|他~了孩子一个大跟头|他~了我一把|~着小车送货来了|人多的时候,只能~着自行车走|我在农村~过碾子|你用力~~才能推得动|我~了~,没推动|这扇门怎么~不开|不小心把车子~到沟里去了

2. 磨或碾。可带名词宾语。名词宾语一般为粮食类食品。可带'了、着、过'。可重叠。可带补语。

用碾子~玉米|~了十斤黄豆|王大妈正~着麦子呢|我在农村~过麦子|得空把那袋麦子~~|把麦子~成面粉

3. 用工具削、剪或铲。可带名词宾语。可带'了、着、过'。可重叠。

~头|~推子|~刨子|~了一个光头|他给孩子~着头呢|我也~过寸头|你帮我~~头

4. 使事情开展。一般用于'把'字句,构成'把+名+推+向…'格式。

把扶贫工作~向深入|把技术革新活动~向新高潮

5. 推+出。提供数量大或质量高的产品。

电视台下周将~出一部四十集连续剧|本公司即将~出更新换代的制冷机械

541

6. 推委、推托。可以单独作谓语。可带'了、过'。可带补语。

把责任都往别人身上～是不对的|那件事我～了半天才推掉|这种工作我已经～过几次了|他把责任都～在我身上了|把孩子～给了老人

习用语 推三阻四

7. 推迟。多与'往后'配合使用。

a) 可以带名词、数量宾语。可重叠。

时间只能提前,不能往后～|往后～假期|个人的事再～两天|探亲的事可以再往后～一下|咱们的婚事再往后～～

b) 推+的+名。

会期往后～的次数太多了|～的时间太长了

c) 推+了/过+数量。

竣工日期～了一个月|小李的婚期～过三次

d) 带补语。

研讨会～在下个月了|手术～到下午两点才开始做

8. 推选,推举。带名词宾语,小句宾语。可带'了、过'。

选三好学生,大家一致～王莹|职工都～李先生担任经理|刘先生被～为董事长|工人中～了三位代表

9. 让给别人;辞让。常做构词成分,如'推让、推辞'等。

一个位子两个人～来～去,谁也不好意思坐|工作互相抢,荣誉互相～|这是你们应该得到的荣誉,就别互相～了

动结 推翻 别把车推翻了|推翻三座大山

推得(不)了(liǎo) 这一车东西我推得了|磨太小,推不了这么多麦子

推细 把玉米推细点儿

推坏 他头一回学理发,把我的头推坏了

推掉 我把各种名誉头衔都推掉了

动趋 推上 把车推上坡儿|他自己推上豆子了|今天人太多,我没有推上头

542

推∥上来　把车推上来

推∥上去　把沙土从坡下推上去

推∥下来　把石头从山坡儿上推下来｜推下来很多麸子

推∥进去　把东西推进仓库里去

推出　新推出的一台地方戏

推出来　我们公司推出来十名代表

推∥出去　请帮我把自行车推出去

推∥回来　今天他推回来一辆新自行车

推∥回去　先把煤推回家去

推∥过来　沙子推过来了｜用小车推过来一筐石头

推∥过去　除草机慢慢地推过去

推起　他推起车子就走了

推∥来　推来一车砖

W

哇 ·wa （见'啊'）

外 wài （外边、外面、外头）

〔方位〕超出某个界限。1. 用如名词。

　a) 单用。限于少数熟语。

　　出门在～|古今中～|内～有别|～强中干|人群里三层、～三

　　层，围得水泄不通

　b) 介＋外。

　　往～走|朝～拉|对～开放|从～向里推

2. 名＋外。

　a) 指处所。

　　城～|大门～|村～是一片竹林

　b) 指范围。

　　会～交谈|课～活动|党～人士|编～人员

　c) 除…外。

　　中国除汉族～，还有五十多个兄弟民族

3. 数量＋外。指距离。

　　走出三十里～|离门口五十米～是一个鱼塘

4. 外＋名。类似形容词。

　　～国|～地|～省|～县|～屋|～单位

【外边】1) 同'外'1 项和 2 项 a)，单用较自由。

　　外边很冷|外边有人敲门|往外边走|在外边上学|围墙外边就

　　是大街

　2) 指物体表面。

外边捆了两道绳子|铁管外边涂了一层红漆

3) 与'里'对举,表示离中心位置远。前面可加'最、稍微'等程度副词。

他在里圈儿,老刘站得稍微外边一点儿,我在最外边儿

【外面】【外头】同'外边'。

外边　wài·bian　(见'外')

外面　wài·mian　(见'外')

外头　wài·tou　(见'外')

玩儿　wánr

〔动〕口语中儿化。1. 玩耍。可带'了、着、过',可重叠。可带宾语。

我们在颐和园~了一天|他想去杭州~~|去年我去青岛~过|这孩子~得忘了回家了

a) 玩+名。

不要让孩子~火柴|小孩儿都喜欢~土

b) 玩+动/小句。宾语多为游戏的名称。

~捉迷藏|~堆雪人|~老鹰捉小鸡

c) 动[+名]+玩。前面的动作是'玩'的内容。

逗孩子~|堆雪人~|孩子们在里屋搭积木~呢|他闹着~,你倒当真了

2. 从事某种娱乐活动(运动、乐器等)。可带'了、着、过',可重叠。可带名词宾语。

~扑克牌|篮球我没~过|退休以后,他也~~~鸟啊鱼啊什么的|从前春节期间南方讲究~龙灯,北方喜欢~高跷

3. 使用(不正当的手段)。限于少数固定的宾语。

你又在~什么花招儿!|靠~手段处世为人,是行不通的|别~邪的!

4. 用作应酬话。

有空请到我家来～(并非真玩儿,是来作客)

[动结] **玩儿得(不)转** 能(不能)对付:最近生产上出了不少问题,他有点玩儿不转了

[动趋] **玩儿上** a)开始玩儿:这孩子不做功课,怎么又玩儿上了?

b)爱好上。必带宾语:你怎么又玩儿上半导体了?

玩开 a)开始玩儿:刚打完架,这会儿又玩儿开了|这些孩子前些天玩儿弹弓,这些天又玩儿开小足球了 b)某种玩法得到推广:打桥牌在我们那儿早玩儿开了

万万 wànwàn

〔副〕绝对;无论如何。只用于否定句中,表示极强烈的否定或禁止的语气,常与'没、不、不可、不能'等词语配合使用。

这件事我们～没有预料到|小孩子～不能养成说假话的习惯|传闲话可～要不得|～想不到我会得这种病|～不可掉以轻心|～不能伤了她的心

〔数〕1. 一万个万;亿。和一到十组合,作主语、宾语、定语。

四～同胞团结起来|我们有十～人口|他们公司的财产有一～

2. 和'千千'连用,表示数量大。可作谓语、宾语、定语。

好人好事千千～|这样的英雄,我们有千千～|新中国是千千～先烈流血奋斗建成的

[比较] **万万:千万** 见'千万'。

万一 wànyī

〔名〕指可能性极小的不利情况。

以防～|不怕一万,就怕～

〔副〕表示发生的可能性极小。用于不希望发生的事。

你最好多带几件衣服,以免～天气变冷|河堤还要加固,防止～发生意外|你倒想得挺美,～他不来呢?

〔连〕表示可能性极小的假设(多表示不希望发生的事)。

> ～计算错误,就会影响整个工程|～他不能及时赶到,怎么办?|
> ～下雨,还去不去?

可以跟其他表示假设的连词连用。

> 即使～发生意外,也不要手忙脚乱|要是～住不上旅馆,你可
> 以去找小刘

在对话中,可以用'万一…呢'提问。

> ～他不同意呢?(＝～他不同意,那怎么办?)

往 wǎng

〔动〕去。

> 人来人～|一同前～|一个～东,一个～西。

〔介〕1.表示动作的方向。跟处所词语组成介词短语,用在动词
前。

> ～东边走|～南边飞

2.组成介词短语,用在动词后。动词限于'开、通、迁、送、寄、运、
派、飞、逃'等少数几个。

> 车队开～拉萨|公路通～山区|本店迁～路南二〇一号营业|
> 大庆石油源源不断地运～全国各地

3.往+形/动+里。形容词、动词限于少数几个单音节的。口语色
彩较浓。也读 wàng。

> 白杨树喜欢～高里长|这一箱东西～少里说也有五十斤|打蛇
> 要～死里打

往往 wǎngwǎng

〔副〕表示某种情况经常出现。

> 小刘～学习到深夜|这里大都是原始森林,～四五十里不见人
> 烟|煤层下面～是不透水的粘土层|短文～比长篇大论效果更
> 好

比较 往往:常常　1）'往往'是对于到目前为止出现的情况的总结,有一定的规律性,不用于主观意愿。'常常'单纯指动作的重复,不一定有规律性,可以用于主观意愿。因此,'常常'可用于将来的事情,'往往'不能。

　　请你常常来|我一定常常来|他希望常常去

　　这几句里的'常常'都不能换成'往往'。

　　2）用'往往'的句子要指明与动作有关的情况、条件或结果,'常常'没有这种限制。

　　每逢节日或星期天,我们往往到厂矿去演出(ˣ我们往往演出)|我们常常演出|小刘往往一个人上街(ˣ小刘往往上街)|小刘常常上街

　　忘　wàng　（忘记）

〔动〕忘记。可带'了、过'。可带名词、动词、小句作宾语。

　　～了一件事|～跟他们说了|哪件事也没～过|一辈子也不会～|我～了他是哪一天来的了|偏偏把他给～了|～得一干二净

　　a）在肯定句里,带名词、小句作宾语时,'忘'后必带'了';带动词作宾语时,口语里'忘'后可不带'了',但句末必带'了'。

　　我～了他的名字|刚才～了说,现在告诉你吧|～了通知他了|～通知他了|我～了他姓什么了|你～了我们那天一起看篮球赛了?

在熟语中不带'了'。

　　得意～形|～恩负义

　　b）忘+在。

　　把钥匙～在家里了|作业本～在学校了

　　c）提问时不用A不A,用A没A。

　　他的电话号码你～没～?（ˣ…～不～）

动结 忘得(不)了(liǎo)　这事我一辈子也忘不了

忘没了 过去学过一点拉丁文,早忘没了

【忘记】基本上同'忘'。 1)'忘记'多用于书面,'忘'多用于口语。

2)'忘'后常带'了','忘记'后常不带'了'。

3)'忘'可用于'得'字句,'忘记'不大这么用。

忘记 wàngjì (见'忘')

往 (望) wàng

〔介〕表示动作的方向。跟方位词、处所词组合,用在动词前。一般写'往',也有写'望'的。

～前看|～外走|～上拉|水～低处流|～报社寄稿件|～我这儿瞧|麦田从村口一直～东延伸,望不到头

a)往 + 下。表示动作的方向。

～下跳|～下扔|从三千公尺高空～下滑翔

表示动作的继续。

～下说|～下写|时间不早了,你快～下准备吧!

b)往 + 后。表示动作的方向。

～后靠|～后退一下

表示从今以后。

～后要听老师的话|～后日子越过越好啦!

'往后'因为常用,已凝固成一个词。

|比较| 往:朝 '往'的基本意义是移动,'朝'的基本意义是面对。

1)面对某个方向移动,既可用'往',也可用'朝'。

汽车往(朝)南开|往(朝)前看

2)只有面对、没有移动的意思,只能用'朝';只有移动、没有面对的意思,只能用'往'。

大门朝南开|ˣ大门往南开

往报社寄稿件|ˣ朝报社寄稿件

3)'往'必须跟表示方位、处所的词语组合,不能直接跟指人或

物的名词组合;'朝'不限。

> 朝我这儿看(＝朝我看)|朝野猪身上打了一枪(＝朝野猪打了一枪

> 往我这儿看(ˣ往我看)|往野猪身上打了一枪(ˣ往野猪打了一枪)

为 wéi

〔动〕原是古代常用词,现在多用于书面。

1. 做。多用于四字语。

> 我一定尽力而～|事在人～|敢作敢～|切莫～非作歹

有＋所＋为。

> 我们要在次要的方面有所不～,然后才可以在主要的方面有所～

2. 充当;作为;算作。必带宾语。用在兼语句中作第二动词或用在另一动词的后边。

> 拜他～师|选他～出席全国科学大会的代表|他前年当选～人民代表|当时的盛况有诗～证

以…为…

> 班上以他的个子～最高|以先进人物～榜样|北方以面食～主|以团结～重|并不是说任何文章都以短～好|山的高以珠穆朗玛峰～最

3. 变成;成为。必带宾语。用在兼语句中作第二动词或用在另一动词的后边。

> 化消极因素～积极因素|变沙漠～良田|改重庆市～直辖市|大家都转忧～喜|在一定条件下,主要矛盾可以转化～非主要矛盾|由于劳动和直立行走,类人猿最终进化～人

4. 是。只用于书面。

> 鲁迅～浙江绍兴人|北京～中国首都|学习期限～三年|建筑总面积～一万三千平方米|他在大会上作了题～《如何改进外

语教学》的发言|龙门石窟被称～石刻艺术宝库

5. 在比较句中作谓语动词。后面形容词多为单音节。

　　他真正做到了关心群众比关心自己～重|他的成绩比同班同
　　学～优|甲方的损失比乙方～小|我看还是这样～好|在这一
　　点上他比他哥哥更～突出

6. 类似后缀。某些单音节副词、形容词带上'为'字共同修饰双音
节形容词、动词。

　　两人关系甚～亲密|意义更～深远|心中极～不满|这个故事
　　在民间早已广～流传|收入大～增加|广～宣传|深～感动|颇
　　～得意|甚～特殊|极～遥远

〔介〕被。用于书面。为＋名＋所＋动。

　　～风雪所阻|～歌声所吸引|这一论点已～无数事实所证明|
　　看问题要看本质,不要～表面现象所迷惑

为止　wéizhǐ

〔动〕截止;终止(多用于时间、进度等)。必须与'到……'配合使
用。

　　抚恤金给到孩子参加工作～|统计数据到 1993 年年底～|这
　　件事就到此～,以后别再提了|到目前～,我们还没有发现工
　　程质量问题

唯恐　wéikǒng

〔动〕只怕。必带动词、小句作宾语。

　　～落后于别人|他～对我们照顾得不周|有些人就是～天下不
　　乱|他～到时候任务完成不了,这些天想方设法往前赶

为　wèi

〔介〕1. 引进动作的受益者;给。

　　a) 为＋名。

～人民服务|～报社写文章|我在这儿一切都好,不用～我担心|请～我向主人表示谢意

b) 为+动/小句。

这次试验～新产品的研制找到了新的途径|电视大学～职工业余进修提供了良好条件

2. 表示原因、目的。可加'了、着'。'为了…'、'为着…'可在主语前,有停顿。

a) 为+名。

大家都～这件事高兴|～人类的和平进步作贡献

b) 为+动/小句。

～避免差错,最好再检查一遍|～了职工能安心工作,机关办起了托儿所|～了培育下一代,我愿意终身从事教育工作|～着适应生产力的发展,企业的经营管理方法需要相应地改革

c) 为+动/形+起见。用在主语前,有停顿。'为'不能加'了、着'。'为'后不能用名词。

～慎重起见,再让技术员来检验一下|～方便读者起见,书末还附了一个年代表

d) 为…而…。'为'不能加'了、着'。

～开设新课程而积极备课|～人民而死,虽死犹荣|～开发新的油田而努力

e) 为了…而…。前后用意义相反的两个动词,表示转折。'为'后必加'了'。

～了前进而后退,～了向正面而向侧面,～了走直路而走弯路,这是许多事物在发展过程中所不可避免的现象

为什么　wèishén·me

〔副〕询问原因或目的。

a) 为什么+动/形。

552

~哭了? |~不说话? |孩子~总爱生病? |她~那么烦燥? |
今年夏天~这么热?

b) **为什么** + 小句。

~小王这几天老迟到? |~你又没完成作业? |~他最近经常
萎靡不振?

c) '为什么'还可以用在句尾。

你这是~? |小李今天没来上班, ~? |你为什么不去? ——
不~

注意 '为什么 + 不'用反问的语气表示应该或可以, 含有劝告的意
思; '为什么 + 没'用反问的语气表示不应该如此, 含有指责的意
思。

你为什么不亲自去一趟? |你为什么不多睡一会儿? |你为什
么没去上班? |你为什么没完成作业?

未必 wèibì

〔副〕不一定; 不见得。'未必'用于主语后, 动词前。

a) **未必** + 动/形。全句委婉地表示否定义。可以单独回答问题。
你的话他~听|下午小李~在家|这个季节荔枝~上市了|这
篇文章你~看得懂|这样的预测~准确|他说的话~可靠|这
个消息他肯定知道————~

b) **未必** + 不/没 + 动/形。全句委婉地表示肯定义。
老师~不知道|他的话~没有道理|丢这么多钱, 他~不着急|
她~没那个意思

比较 未必: 不必 见'不必'。

未曾 wèicéng

〔副〕表示从前没有过某些行为或情况。多用于书面。'未曾 +
动', 动词后可以带'过'。

县志上~记载|他们虽然~相见, 但彼此都知道对方的名字|父

亲病危的时候,孩子们～离开一步|这样的事情,我～经历过|三十年来这里～发生过水灾

未尝 wèicháng （未始）

〔副〕1. 从来没有过的。用在主语后,修饰动词或动词性词组。

他们～见面|我～参加他们的婚礼|整个暑假小李～到过一次我家|他～到过此地

2. 不是、并非。用在否定词前构成双重否定。整个句式口气比较委婉。'未尝'用于主语后。

他～不知道这件事,只不过从来不说就是了|他这样做～不是好意,咱们应该理解他|张先生的话～没有道理|我～不想上大学|这样做也～不可

【未始】用法同'未尝'2,多用于书面。

未免 wèimiǎn

〔副〕表示不以为然,意在否定,但语气比较委婉。常跟程度副词'太、过分、过于、不大、不够、有点、有些…'以及数量词'一点、一些'合用。

a) 未免+形。

内容不错,只是篇幅～太长|情况很复杂,你的想法～过分简单|这房间～小了一点|你也～太激动了吧

b) 未免+动。

这事～欠考虑|同志们～过分夸奖了|老陈～太不会表达了,根本没有把问题讲清楚

c) 未免+动+得…;动+得+未免…。

原料～用得多了一些(＝用得～多了一些)|你～把他说得太好了(＝说得～太好了)|这些手续～规定得过分繁琐(＝规定得～过分繁琐)

比较 未免:不免:难免 '未免'表示对某种过分的情况不以为然,

554

侧重在评价。'不免、难免'则表示客观上不容易避免。因此'未免'不能同'不免、难免'互相换用。

未始　wèishǐ　（见'未尝'）

问　wèn

〔动〕1. 有不了解的事请人解答。可带'了、着、过',可重叠。可带双宾语或其中之一。指事物的宾语可以是名词或疑问小句。

我～你一件事|他～你呢|我～个问题|一边～着,一边在小本子上记着|买东西之前先～～价|他～我什么时候动身|他～你小黄还来不来|老胡～行不行|他被～得张口结舌,回答不上来

2. 审讯;判刑。可带'了、过'。可带名词宾语。

唯你是～|～了罪|正在～案

3. 管;干预。不单用。多用于否定。

不闻不～|只顾数量,不～质量不行|不～能力大小,都可以有所贡献

动结　问明　问//明白　问//清楚

问好　我已经问好了,旅馆就在前边

动趋　问//出　必带宾语:我看问不出什么结果

问//出来　这事儿已经问出来了

问起　他在病中还问起组里的工作

问起来　这是他的事儿,怎么问起我来了?

问到　问得真仔细,各方面都问到了

〔介〕向;跟。后面的动词主要是表示取得意义的。

～老张借本小说|你没～他借过钱? |你～我要,我～谁要去?

习用语　问路　向别人打听要去的地方的路线。

到一个生地方,要勤问路,才不至于走错路

问…好　表示关切。是一种客气的套语。

向伯父问好|代我问大家好

555

问题 wèntí

〔名〕1. 要求回答或解释的题目。

a) 作主语、宾语。

他提的～很多|这个～由财政部长来回答|聪明的孩子爱提～|从不同的角度来考虑～

b) 带定语。

法官提出的～|他答复了我的～|三个～|一大堆～

c) 问题＋的。作修饰性成分。

～的数量|～的主要方面|～的提出总有一定的根据。

2. 须要研究讨论并加以解决的矛盾、疑难。

a) 作主语、宾语。

～相当棘手|～成堆|妇女～是这次大会的主题|光靠吃药解决不了～|控制人口是主要～|充分就业是一个世界性的～

b) 带定语。

儿童～|道德～|住房～|生活～|作风～|棘手的～

c) 问题＋的。作修饰成分。

～的本质|～的性质|～的暴露|～的出现

3. 关键;重要之点。

a) 作主语、宾语。

～是能不能深入实际去做工作|～在于你对她是不是真心实意|这才是关键性的～|这篇文章没有抓住主要～|绕来绕去到底还是个资金的～

b) 带定语。

主要～|关键的～|实质的～|本质的～

c) 问题＋的。作修饰成分。

～的症结|～的关键

4. 事故或意外。

a) 作主语、宾语。

~终于暴露出来了|意想不到的~发生了|电线老化引起的~|
手术中出了~|他的心脏又出~了

b) 带定语。

严重的~|大~

c) 问题＋的。作修饰成分。

~的出现完全是因为责任心不强。

我　wǒ

〔代〕1. 称自己。

~不认识他，他是谁？|晚上你来找~吧

a) 表示领属关系时，在'我'后加'的'。

~的钥匙|~的书|这是~的行李|我有~的爱好|这是~的建
议

但在下列场合，口语常不加'的'：在亲属或有亲密关系的人的名
称前(参看'我们'1 项 a))。

~哥哥|~邻居|~同学

在'家、家里、这里、那里'以及方位词前('这里、那里'前必不
加)。

你走过~家怎么不进来坐坐？|~这里很安静|~那儿还有没
用完的纸，回头给你送来|~背后那个人老咳嗽

在'这(那)＋数量词'前。

~这个玩具是花了一个星期工夫才做得的|~那点本事你还
不知道！|~那个孩子够我操心的

b) 跟自己的名字或表示自己身份的名词连用，'我'在前或在
后。带感情色彩。

~张华坚决服从组织分配|孩子出了错儿，~做父亲的也有责
任|你做得对，大叔~赞成

2. 工厂、机关、学校等对外称自己，名词限于单音节。只用于书
面，口语用'我们'。

~校已迁往和平街三号,来信请寄新址|这是~厂新产品|~
厂不做这路活儿

也用于对本单位成员。

~校新生一律于九月五日至七日报到|~厂职工出入大门应
出示工作证

3. 指'我方',常用于敌我相持的场合。限于书面。

敌疲~打|走私集团已全部被~活捉

4. '你'和'我'或'你'和'我'和'他'用在平行的语句里,表示许多
人共同或相互(参见'你'4项)。

你打扫这间,~打扫那间,一会儿就都打扫干净了|你也想唱,
~也想唱,他也想唱,好多人都想唱|这几个人你让~,~让
你,让个没完

我们　wǒ·men

〔代〕1. 称包括自己在内的若干人(参看'咱们' 注意)

~大家一起干|任务已经交代给~了|~的一切工作都要对人
民负责

a) 表示领属关系时,在'我们'后加'的'。

~的环境|~的成绩|~的友谊

但在跟自己有关系的人、团体、处所的名称前,口语常不加'的'。

~张老师|~班主任|~总务科长|~队长|~通信员|~学校|
~教室|~厂|~组

在亲属名称前,用'我们'或'我',加'的'或不加'的',情况不一。

我奶奶|我妈|我[的]母亲|我[的]姐姐|我[们][的]二叔|我
[们][家]老二(第二个孩子)

在'家、家里、这里、那里'以及方位词前,在'这(那)+数量词'
前,用法同'我'1项 a)(参看'我'条)。

b) 跟表示'我们'的身份的名词连用,'我们'在前。

~新工人没经验,不能跟你们老工人比|~人民教师肩负的责

任是很重的|～两国人民在历史上早就友好往来了

有时跟指数量短语(连或不连名词)连用。

～三个对你们五个|～这几个人还去不去?

2. 指'我'。

a) 带感情色彩。用于口语。

～那口子(指夫或妻)最近又出差去了|你这么不讲理,让～怎么办?

b) 不能或不宜用个人口吻说话,例如在报告或科学论文中。

这就是～对地质工作者提出的要求|本文只谈十年前的成果,近年来的新发展～准备另文介绍

3. 指'你们'或'你'。比用'你们'或'你'更亲切。

(领导人讲)我相信,～每个青年同志一定不会辜负老一辈对～的期望|(老师对一个学生说)你要记住,～是学生,～的主要任务是学习

无 wú

〔前缀〕a) |无+名|+名。构成名词。

～产者|～产阶级|～底洞|～缝钢管|～轨电车|～花果|～机盐|～名指|～脊椎动物

b) |无+名|+动。构成名词。

～痛分娩|～效分蘖|～形损耗|～性杂交|～条件刺激|～效劳动

'无条件'可以修饰动词。

我～条件同意

无非 wúfēi

〔副〕只;不过;不外乎。指明范围。把事情往小里、轻里说,句末常用'罢了,而已'。也可以说成'无非是'。

她们～谈了谈孩子教育问题|他～想买一台家用电脑|我的话

～是给你提个醒,听不听就在你自己了|我来～是想安慰安慰你|说了半天～闲聊而已|业余时间～下象棋,看小说罢了|～你不同意罢了|他～说了几句怪话而已,也没什么了不起的

无论 wúlùn (不论)

〔连〕用于有表示任指的疑问代词或有表示选择关系的并列成分的句子里,表示在任何条件下结果或结论都不会改变。后边有'都'或'也'呼应。

  a) '无论'引进的是一个小句。前后两小句的主语相同时,主语可以在前句或在后句。

大伙儿～有什么事,都愿意找他|～做什么工作,他都非常认真|～困难有多么大,也吓不倒他们|～是工厂还是农村,到处都呈现出一片欣欣向荣的景象|群众的意见～正确与否,领导都应该认真听取

  b) '无论'引进的是短语。

～哪一门功课都要好好学习|～在什么情况下我们都要坚持原则|～大事还是小事,大家都愿意找他商量|～成与不成,后天一定给你回话|这条意见,～对你、对我,都是很重要的

习用语 无论如何 在任何条件下;一定。

这问题无论如何要赶快解决|无论如何你也不能不管

比较 无论:不管:任凭 见'任凭'。
无论:不论:不管 见'不管'。

【不论】同'无论'。

无所谓 wúsuǒwèi

〔动〕1. 没有什么可以叫做;说不上。必带名词、动词、形容词作宾语。

没有上,～下,没有下,～上|都是一家人,～你的、我的|这里的天气全年都差不多,～春夏秋冬

'无所谓'后面的宾语可以是 A 不 A。A 也可以是名词。

这种花色只是一般，～好看不好看|搞研究工作～假期不假期

2. 不在乎，没什么关系。可以单独回答问题。可以修饰名词。

去不去，我～|别的倒～|供水问题得马上解决|袜子小点儿～，鞋小了可不行|放不放假，我都～|我住哪一间都～|你的意见呢？──～|他这个人，对什么都抱着～的态度

无须 wúxū

〔副〕不必，用不着。对'必须'的否定。用于动词前或主语前。

这件事已经十分清楚，～再讨论了|这点小事～找领导|～你多嘴

'无须'也常常说成'无须乎'。

行政琐事～乎你操心，我会妥善安排的

比较 无须：甭：不必 1）'无须'不能单用，'甭、不必'可以单用。

2）'无须'可用于主语前，'不必、甭'不能。

物 wù

〔后缀〕表示事物的较大类别。构成名词。

a) 名＋物。

人～|事～|药～|矿～|器～|衣～|文～|景～|谷～|财～|赃～|礼～|絮状～|环状～

b) 形＋物。

怪～|静～|古～|公～|有机～|无机～

c) 动＋物。

动～|玩～|植～|食～|猎～|遗～|刊～|障碍～|附属～|化合～|分解～|凝聚～|碳化～|放射性散落～

误 wù

〔动〕1. 耽误。可带'了、过'。可带名词、动词作宾语。

～了事|～了两天|我没～过一次工|生产学习两不～|农业生产的季节性很强,别把农时～了|事情都让你给～了|快走吧,别～了参观|他家离学校虽远,可从来没～过上课

误＋在。

事情就～在他身上。

2. 损害。可带名词宾语。多用于某些习用语。

～人子弟|聪明反被聪明～|～人不浅|切勿自～

动结 误得(不)了(liǎo) 会(不会)耽误:误得了事吗? ——误不了

动趋 误得(不)起 能(不能)承受因耽误而引起的后果:生产是大事,哪个生产队也误不起

〔副〕1. 表示因认识不清而弄错。

～吃了毒蘑菇|把哥哥～认为弟弟了|我～以为他是来找我的,其实不是

2. 表示不是故意。

～伤了好人

X

喜欢　xǐ·huan

〔动〕1. 愉快,高兴。可重叠。

你找到了失散多年的亲人,我们都替你～|她～得一句话也说不出来|快告诉我,让我也～～

2. 对人或事物有好感。可带宾语。

a)喜欢+名。可带'过'。可受程度副词修饰。

他～数学,我～文学|这些玩具我都不～|我什么时候～过这样的衣料呢?|我特别～北京的秋天|这种式样她一定很～

b)喜欢+动/形。可受程度副词修饰。

他～去,就让他去吧|我最～打乒乓球|他这个人就～热闹|我就～干脆利落,不～拖拖拉拉的

c)可带兼语。兼语后面的动词、形容词表示喜欢的原因。

我～你老实|我～他肯努力学习|我～这篇文章写得简练、生动

在主语前面用'把'字,'喜欢'有使动意义。

瞧把你～得这个样儿|把他～得什么似的

动趋 喜欢上　开始感到兴趣:你是搞工程的,怎么也喜欢上文学了?

下¹　xià　(下边、下面、下头)

〔方位〕指位置低。1. 用如名词。

a)单用。和'上'呼应,多是对称的习惯用法。

上不着天,～不着地|上有天堂,～有苏杭(苏州和杭州)|上有父母,～有儿女

563

b) 介 + 下。

往~看|他把帽沿向~拉了拉|自~而上地开展批评

2. 名 + 下。

a) 指处所。

楼~|车~|窗~|在月光~散步|坐在树~乘凉|小鸡藏在母
鸡的翅膀~

b) 个别数词加'下',指几个处所或方面,后面经常跟'里'。

往四~里看了看|一家人分几~里住,很不方便|他们两~里
说不到一块儿去

c) 用在指节令的词之后。

节~|快到年~啦,得给孩子买件新衣服

d) 其他。

连地~(=地上)都坐满了人|他手~还有多少人?|这件事眼
~还不能作结论|有意见应该当面提出,不要私~议论|他是
去年才从乡~搬到城里的

3. 下 + 名。类似形容词。

a) 指处所。

~腹|~游|~半段|你要的那本书,在书架的最~一层放着

b) 指后一半时间或即将来到的时间。

~半夜|~半个月|~半年|~星期三|~两个月|~一年|~一
季度|~个世纪

可以连用两个'下',表示比后一个再靠后。

~星期三开始大考,~~星期三放寒假

c) 指次序靠后的。限于和数量短语组合。

这是小王,~一个是小张,再~一个是小李|这一批去参观的
人已经够数了,你们等~一批吧|~一趟车是几点钟到达?

d) 指等次或品级低。限于构词。

~等|~级|~策|~品

可以加'最',可以连用两个'下'。

最~等|最~策|~~等|~~策

4. 在+名[+之]+下。指条件。名词前要有修饰语,限指抽象事物。

在非常困难的条件~,他们还是出色地完成了任务|在全班同学的帮助之~,他进步很快|在先进生产者的带动~,工作有了很大的起色

【下边】1)同'下'1项用法,单用较自由。

你别只看上边,不看下边|下边什么也没有|你成天呆在上边,怎么能了解到下边(指下级机构)的情况呢?|从下边爬上一个人来

2)同'下'2项a)的用法,前边可加'的'。

书[的]下边|车[的]下边

3)同'下'3项c)的用法,后边可加'的',还可以单用。

这是小王,下边[的]一个是小张,再下边[的]一个是小李|这个问题我下边还要谈

【下面】【下头】同'下边'。

下² xià

〔量〕1. 用于动作次数。可以儿化。

a)动+数+下。

钟敲了三~|树枝摆动了几~

动词带宾语时,有两种词序。代词和指人名词在前。

推了我一~|打了孩子几~

其他名词在后。

拍了一~大腿|摇了两~头|敲了几~门

b)动+一下。表示一次短促的动作。

等一~,我就来|给我看一~|你去问一~老陈|你帮~忙吧!

c)数+下+动。表示快速。数词多用'一',也可以说成'一下子'。

三～两～就做完了|一～把我问住了|一～子想不起来了|那
几棵树一～子就叫台风刮倒了

2. 表示本领、技能。数词限于'两、几'。'下'后可加'子'或儿化。

他还真有两～儿|我就会这么几～子|想不到他还有几～子

下³　xià(动);∥°xià(趋)

〔动〕 1. 由高处到低处。可带'了、过'。可带处所宾语或施事宾语。

～山|～船|他今天还没～过楼|从重庆乘船,顺流而～,两天
就可到武汉|这一站只～了两个人

2. (雨、雪)降落。可带'了、着、过'。可带施事宾语。

～了雨就凉快了|去冬～过几场大雪

3. (向下)发布、投递。可带'了、过'。可带名词宾语。

～了一道命令|我们早～过通知了

4. 进入(处所)。可带'了、过'。必带处所宾语。

他～乡去了|厂长～车间了|主任～工地去了

5. 退场。

北京队的五号～,九号上|这一场戏你从右边的旁门～

6. 投入。可带'了、着、过'。可带名词宾语。

～面条|～本钱|棉花昨天刚～了种|在这儿～过几网,没网到
鱼|他在数学方面,功夫可是～得不少

7. 比赛(指棋类)。可带'了、着、过'。可带名词宾语。

～了一盘棋|我没～过国际象棋|他正～着棋呢

投入棋子也叫做'下'。

又在左下角～了一子。

8. 卸除,取下。可带'了、过'。可带名词宾语。

把他的枪～了|～了一扇窗户

9. 做出(结论、决断等)。可带'了、过'。可带名词宾语。

～注解|不要匆忙～结论|给词～了个定义|你怎么能～这样

的狠心|决心～定了|我从来没～过这种结论

10. 使用。可带'了、过'。必带名词宾语。

　　他不敢～笔|这坏蛋竟敢～刀子杀人|从来没～过这样的毒手

11. (动物)生产。可带'了、过'。必带名词宾语。

　　～小猪了|～了两窝兔子|这只母鸡～过几十只蛋

12. 到规定时间结束日常工作或学习等。可带'了'。可带名词宾语。

　　～了班了|你～了课到我办公室来一趟|课早～了

动结 下得(不)了(liǎo)　他怎么下得了这样的狠心!

动趋 下∥下来　把窗户下下来|这扇窗下得下来吗?

下∥起来　a)这雨下得起来下不起来?　　b)他也下起棋来了

下开　开始下:外面下开雪了

〔趋〕1. 动+下[+名]。名词一般为受事,间或有施事。动词和'下'中间大多不能加'得、不'。

　　a) 表示人或事物随动作由高处向低处。

　　　　你坐～|把书包放～|他激动得流～了眼泪|地里播～了种子|树上掉～了几片红叶

　　b) 表示动作完成兼有脱离的意思。

　　　　他从路旁摘～了几朵野花|卸～机器的零件|脱～皮鞋,换上拖鞋

　　有时兼有使结果固定下来的意思。

　　　　发～誓|定～计策|攻～了最后一道难关|打～基础|犯～罪行|留～地址|写～了光辉的诗篇|记者拍～了这个珍贵的镜头|拿不～这个大油田,我们誓不罢休

2. 动+得(不)+下[+数量+名]。表示能(不能)容纳一定的数量。动词多为'坐、站、睡、躺、停、装、容、盛、放、住'等。

　　　　这间屋子八个人也住得～|这盒子装得～装不～三斤糖?|这间大厅坐得～百十来个人

　　有时不加'得',仍然表示可能。

不就二十斤吗？这个口袋装～了|这屋子大，再来几个人也睡
～了

3. 动＋<u>下</u>＋名(处所)。表示人或事物随动作离开高处,到达低
处。名词指高处时,动词和'下'中间可以加'得、不'。

走～楼|滚～山坡|跳～电车|这些木材月底前运得～山运不
～山？

名词指低处时,不能加'得、不'。

跳～水|沉～河底

比较 动＋<u>得</u>(不)＋<u>下</u>:动＋<u>得</u>(不)＋<u>开</u>。 见'开'。

下边 xià·bian （见'下¹'）

下来 xià// ∘lái(动);// ∘xià// ∘lái(趋)

下去 xià// ∘qù(动);// ∘xià// ∘qù(趋)

〔动〕'下来'和'下去'的分别在于前者表示动作朝着说话人所在
地,后者表示动作离开说话人所在地。

1. 由高处到低处。可带'了、过'。

他在楼上没下来|从这儿下去比较安全|积水已经下去了一半|
你下得来下不来？|太高了,我下不去

a) 可带施事宾语。

从楼上下来一个人|对面山上下去了几个人

b) <u>下</u>＋名(处所)＋<u>来</u>(<u>去</u>)。

老杨下山来了|小刚下楼去了

2. 人员、事物从较高部门到较低部门。可带'了、过'。可带名词
宾语。

任务下来了|你亲自下去调查一下|上面下来一道命令

3. 从前线到后方,从前台到后台。可带'了'。可带施事宾语。

演员刚从前台下来|连长受伤下去了|刚从前线下来一个通讯
员

4. '下来'表示收获农作物。

那时候是麦子下来吃麦子,高粱下来吃高粱

5. '下来'表示一段时间终结。

一年下来,他的技术大有提高

6. '下去'表示食物已消化、肿块已平复、情绪已平静等。

我不饿,中午吃的还没下去呢|肿的地方还没下去|肚子还没下去|脸上的疙瘩全下去了|你的气还没下去吗?

〔趋〕'动+下来'和'动+下去'的分别在于前者表示动作朝着说话人所在地,后者表示动作离开说话人所在地。

1. 动+下来(下去)[+名]。名词一般为受事,间或有施事。不带名词时,动词和'下来(下去)'中间可以加'得(不)'。

a) 表示人或事物随动作由高处向低处。

他从楼上走下来|把胳膊放下来|夕阳从地平线上渐渐沉下去了|扔一根绳子下去|掉得下去掉不下去?|山上跑下来一只老虎|田埂上跳下两只青蛙去

b) 表示人员、事物随动作由较高部门(层)到较低部门(层)或使离开原来的职务。

他是上边派下来的|我们的计划批下来了|温度已经降下来了|会议的精神已经传达下去了|把那个车间主任撤下去了

c) '下来'表示动作完成。有时兼有脱离的意思。

把零件卸下来|从本儿上撕下来一张纸|我昨天才脱下棉衣来|这棵小枣树也能打下十几斤枣来|摘几个苹果下来|钉子怎么起不下来?

有时兼有固定的意思。

车停了下来|这个要求他已经答应下来|把你的想法写下来吧|经过讨论,已经定下一个方案来|你可以照着这个图描一份下来|方案定得下来定不下来?

有时仅表示完成。

这篇文言文他到底念下来了|算下来,用这种代用品还是合算

的

　　d)'下来'表示动作从过去继续到现在。

　　　　所有参加长跑的人都坚持下来了|这是古代流传下来的一个
　　　　故事|有几个人坚持不下来,中途退出了

　　e)'下去'表示动作仍然继续进行。句中如有受事,一般放在动
词前边。

　　　　你再讲下去|少了两个人,工作还得搞下去|这小说没意思,我
　　　　不想看下去了|事实还不清楚,再讨论下去也没用|他忍耐不
　　　　下去了

2. 动+下+名(处所)+来(去)。表示人或事物随动作离开高处,
到达低处。名词有时表示高处。

　　　　他们走下飞机来|泉水流下山来|跑下楼去|搬下车去

有时表示低处。

　　　　你跳下水来和我们一块儿游吧! |奋不顾身地跳下河去抢救|
　　　　把它推下山沟去

3. 形+下来(下去)。

　　a)'下去'表示某种状态已经存在并将继续发展,强调继续发展。
形容词多用表示消极意义的。

　　　　坏下去|少下去|冷淡下去|松懈下去|软弱下去|他日夜操劳,
　　　　一天一天地瘦下去了

　　b)'下来'表示某种状态开始出现并继续发展,强调开始出现。
形容词限于表示消极意义的。

　　　　天色渐渐黑下来|碰到困难就软下来,那还行? |声音慢慢低
　　　　了下来

|习用语| 下不来[台]　在人前受窘。

　　　　这样开玩笑,真叫我下不来[台]

|比较| 动+下去:动+起来　见'起来'条。

形+下去:形+起来　见'起来'条。

下面　xià·mian　（见‘下¹’）

下头　xià·tou　（见‘下¹’）

先后　xiānhòu

〔副〕表示一段时期内发生事件的顺序。

a) 先后+动。用于同一主语的不同动作。

去年我～到过昆明、桂林和杭州|这学期我们学校～举办了文
学、语言学和历史学的学术讨论会

用于不同主语的同一动作。

去年我和他～去昆明开会|厂里、家里～来电报催我回去

b) 先后+数量+动。

～三次当选|～两次发言|～几次问我

c) 先后+动+数量。

～当选三次|～问我几次|～发言两次|～发了两次言

d) 先后+动₁+数量+名+动₂。

～有三个人发言|～派出两个小组去调查过

e) 先后+名。少用。

～同学|～同事

比较 先后:前后　见‘前后’。

先前　xiānqián

〔名〕泛指以前或指某个时候以前;早先。

a) 可以用在主语前,也可以用在主语后。

～他学中国历史,后来改学法律了(＝他～学中国历史,后来
改学法律了)|我们家～住在城里(＝～我们家住在城里)|～
我们院子里有好些枣树|～我会,现在都忘了

b) 比+先前+形。

她的身体比～强多了|这孩子比～高了不少|他写的字比～好

看多了

c) 作定语。

～的事你都忘了|～的样子又浮现在眼前|又恢复了～的记忆

嫌　xián

〔动〕不喜欢,不满意。

a) 嫌+名。可带'过'。

你～我,我就走|谁～过他呢? 全是他多心

名词宾语限于指人,指物要用'不喜欢'。

我不喜欢(ˣ嫌)这个电影

b) 嫌+形/动。

为大家服务,不～麻烦|给了那么多,他还～少|我都喘不过气来了,你还～慢|你～闹我不～闹

c) 带兼语。

～小孩闹|～你讲话啰唆|～袖子长|他～这篇文章不够精炼

兼语可以提出来做主语。

袖子[我]～长|这篇文章[他]～不够精炼

现成　xiànchéng

〔形〕已经准备好,不用临时做或找的;原有的。口语中常儿化。

a) 作谓语。

在我家吃吧,饭菜都～,一点不费事|我这里什么东西都～儿,不用现准备|资料～儿,只要稍加整理就行了

b) 是+现成+的。

你要做家具,木料是～的|答案是～儿的,往上一抄就行了|房子是～的,不用另找了

c) 修饰名词性成分。

～儿饭|～儿材料你不用,非要自己去找|～儿的房间|～儿的工具

d) **现成儿 + 的**。具有指代作用,相当于现成儿的东西。作宾语。

> 回家就吃～儿的|他什么都等～儿的

限于　xiànyú

〔介〕引进受限制的某些条件或情况。可以用在主语前,也可以用在主语后。必跟名词组合。

> ～身体条件,我不能参加这次长跑|～年龄,他不能参加老年组|我们～经济实力,决不能勉强去做能力达不到的事|他们～时间,只好提前回去了

〔动〕限定在某一范围之内。必带名词宾语。可受副词修饰。

> 这种习惯用法只～一些广告用语|本公司招聘的仅～五十岁以下的技术人才|今天的问题已经不仅仅～这几个了

相　xiāng

〔副〕1. 互相。修饰动词,'相'和动词中间不能加成分。用于书面。

a) 主要修饰单音节动词。

> 隔岸～对|奔走～告|互不～识|首尾～接|～持不下|彼此以兄弟～称|两个物体～碰|几个数字～加

b) 修饰双音节动词,限于某些熟语。

> 两～情愿|两～配合|不～符合|患难～救助,疾病～扶持

c) 同(和、跟、与)…相 + 动。

> 创作应该同群众的需要～符合|理论与实际～联系|这里的山水和我老家～仿佛|成昆铁路北与宝成线～连,南与贵昆线～接

2. 指一方对另一方的行为、态度。主要修饰单音节动词。

> 实不～瞒(＝…不瞒你)|好言～劝(＝…劝某个人)|拿他当好朋友～待(＝…待他)|还有一些人～随而来(＝…跟随某个人而来)

比较 相：互相　1)‘相’多用于书面,‘互相’不限。

2)‘相’多修饰单音节动词,‘互相’一般不修饰单个的单音节动词。

3)‘相’修饰双音节动词有限制,‘互相’不限。

4)‘互相’没有‘相’的 2 项用法。

　　相当　xiāngdāng

〔形〕1. 用于可对比的两方面,两方面差不多(多指数量、价值、条件等方面说)。

　a) 可以单独作谓语。不受程度副词修饰。

　　他们两个人水平～|我觉得你们俩年龄～,条件也～|两个队的实力～|旗鼓～

　b) 相当＋于……。‘于’有时也可以省去。

　　这部丛书的价钱～于我一个月的工资|这孩子已经十岁了,可是身体发育情况只～于七、八岁的孩子|面积～于一个足球场|他的文化水平～大学本科

2. 适宜、合适。只能作定语,修饰名词。

　　～的人选|～的专业|要挑选一个具有～能力的人担任这一职务|当时我真想不出～的字眼来反驳他

〔副〕1. 用在形容词前,表示程度高,但比‘很’略低。

　　问题～严重|他的论文～不错|他的脾气～倔强|手术～成功|小姑娘说话～快|对这里的情况,他～熟悉

2. 用在动词短语前,表示程度高,但比‘很’略低。

　　他～会说话|我弟弟～用功|小伙子～能吃苦|～有水平

　　相反　xiāngfǎn

〔形〕表示事物互相对立或互相排斥。

　a) 作谓语。

　　这两种意见完全～|我们的目的是为了增强团结,而决不是～|

574

宿命论是同科学完全～的

b) 修饰名词,后面必带'的'。

两种～的看法|向～的方向走去

c) 作插入语,在两个句子中起递进作用。前面可加'恰恰、正好、正、刚好'。

集体的利益和个人的利益从根本上说不但没有矛盾,正～,是紧密地联系在一起的|我父亲非但没有责怪我,恰恰～,还给了我不少鼓励|在具体的工作中不可轻视困难,～,应该重视困难,要认真对待

d) 作插入语,在两个句子中起转折作用。

错过了战机,就可能打败仗,～,抓住了战机,就可能打胜仗

相互 xiānghù （见'互相'）

相同 xiāngtóng

〔形〕彼此一致,没有区别。

a) 作谓语。

他们俩的观点完全～|这两种药的疗效～,都是起镇静作用的|这两个人的经历～|两次考试的内容基本～

b) 跟/和……相同。

弟弟的爱好跟哥哥大致～|我的看法和你基本～|今年的产量跟去年大体～

c) 是+相同+的。

两篇文章的写法不同,但观点是～的|两间屋子的面积是～的|我和他的看法是～的

d) 修饰名词,一般带'的',也可以不带。

～的答案|～的笔迹|～经历的人|以～分数考入北京大学

相应 xiāngyìng

〔形〕互相呼应或照应;相适应。

a) 作谓语。

写文章要注意前后一致,首尾～|内容与形式要～

b) **修饰名词。可以带'的',也可以不带。**

许多国家都在研究和推广太极拳,并成立了很多～的组织|为提高教育水平采取～措施|持有～的态度

c) **修饰动词,可以带'的、地',也可以不带。**

温度升高后,物质内部也会～地变化|工作条件也得到了～的改善|人民生活水平也～提高了

d) **可受副词修饰。**

他的才能和职称极不～|限于条件,他的住房条件和他家的人口一时还很难～

想　xiǎng

〔动〕**1.** 思考。可带'了、着、过',可重叠。可带名词、动词、小句作宾语。

～主意|他心里～着事儿呢|他～了一会儿才回答|我在～下一步棋怎么走|你好好～～这句话有没有道理|我什么也不～|我们～办法帮助他|这种办法一般人～也～不出来|把话～好了再说|他们～得真周到

2. 回想,回忆。可带'了、着、过',可重叠。可带名词、动词、小句作宾语。

～～过去,看看今天,展望将来|～了半天才～起来|你仔细～～他到底说过没有?|他提到的这几个人,我怎么一个也～不起来?

3. 料想、估计。可带小句作宾语。

我～他一定会来的|你～五点前咱们做得完吗?|小华～,妈妈知道了一定很高兴|一会儿可能要下雨,他～|我～,不至于吧|你～没～过他会亲自来?

a) 不能用 A 不 A 提问。

576

b) '没想'表示对已经发生的事没料到。后面常加'到'。

　　没～三月份会这么冷|没～到第一次试验就成功了

4. 希望,打算。必带动词宾语。可受程度副词修饰。

　　我～当探险家|他很～上大学|她也非常～去

5. 想念、惦记,盼望见到。可带'了、着、过'。可带名词宾语。

　　海外侨胞日夜～着祖国|离家这几个月,他谁都不～|～亲人
　　～得要命

　　a) '想+死(苦…)'有使动用法。

　　　你可～死我们了(＝你可叫我们想死你了)|你可把我们～苦
　　　了

　　b) 可受程度副词修饰。

　　　很～他|奶奶可～你了|～极了

6. 记住,不要忘了。必带'着'。可带名词、动词宾语。常用于命
令句。

　　你可～着这件事|到了那里～着给我们写封信|心里～着点儿

动结 想∥好　想∥通　想∥周到　想∥明白　想∥清楚

动趋 想上　看着看着信,他又想上心事了

想∥下去　这个思路很好,可以这么想下去|脑袋都发胀了,想不
　　下去了

想∥出　必带宾语:想不出办法|想出了一条妙计

想∥出来　a)他终于想出来一个主意　b)大娘想女儿都想出病来
　　了

想∥起　回忆有结果,必带宾语:他忽然想起一件事|这人很面熟,
　　可就是想不起他的名字

想起来　想起来也真奇怪,这事儿他居然不知道

想∥起来　a)隔了这么久,还想得起来吗? |我想起来了,是有这
　　么一回事　b)一看到五星红旗,就想起祖国来了

想∥开　不放在心上:小事情要想开点,别老放在心里|他这人非
　　常想不开,芝麻大的一点事也放不下

想来 估计,作插入语:这事想来不大可能

想到 我们在讨论问题,你想到哪里去了?

想 // 到 料到:事先我们就想到这一点了|想不到人来得这么多

向 xiàng

〔动〕正对某个方向。必带宾语。

面～东|这个房间～阳|葵花是～着太阳开的,所以学名叫向日葵

〔介〕1. 跟名词组合,表示动作的方向。

a)'向…'用在动词前。'向'后可加'着',但跟单音节方位词组合不能加。

～前看|～左转|水～低处流|列车～北京奔驰|～着西南飞去|～着前面大声叫喊

b)'向…'用在动词后,限于'走、奔、冲、飞、流、飘、滚、转、倒、驶、通、划、指、射、杀、刺、投、引、推、偏'等少数单音节动词。'向'后可加'了'。

飞～东南|流～大海|小路通～果园|杀～敌后|奔～前方|从胜利走～胜利|目光转～了我

2. 引进动作的对象,跟指人的名词、代词组合,只用在动词前。

～人民负责|～先进工作者学习|～老师借了一本书|你们需要什么,～我们要好了

比较 向:朝 见'朝'。

向来 xiànglái （见'从来'）

项 xiàng

〔量〕1. 多用于分项的事物。

a)用于条令、表格、文件。

一～公报|两～声明|三～决议(决定、规定)|这份表格包括三

～内容|这是第十条第二款第一～的规定|以上各～请予注意|一～一～地仔细填写

b) 用于体育活动。

他是十～运动全能冠军|打破了一～世界记录

c) 用于议程、任务、措施、成果等。

会议有三～议程|完成了两～任务(工作)|采取了几～措施|这是一～最新的研究成果|各～指标都已达到

d) 用于钱款、交易。

一～贷款|一～交易(买卖)|有好几～收入(支出)

e) 其他。

外语教学包括听、说、读、写四～|他生活俭朴,吃穿这两～向来十分简单

像 xiàng

〔动〕 1. 表示两个事物有较多的共同点。可带名词宾语。

他～他哥哥|看样子他～个教师|哥儿俩连说话的声音都～|脸再画胖一点就～了|他说～,可是我越看越不～|这个角色演得不十分～

a) '像'有时用于比拟。

他～[是]一只好斗的公鸡

b) 像+名+一样(这样、那样)+形/动。

他不～你这样聪明,但是～你一样勤奋|～前次一样,还是我们几个人一块儿去|这一次我们没～上次那样坐火车,而是走的水路|人群～潮水一般涌向广场

2. 例如。

～天牛、磕头虫、瓢虫等都是甲虫|我国的大城市很多,～北京、上海、天津、广州、南京等都是

〔副〕 仿佛,好像。可和'似的、一样、一般'搭配。

我～在哪儿见过他[似的],可是想不起来了|刚才～有人往屋

579

里探了一下头[似的]|老人疼我～疼自己的儿子一样

小 xiǎo

〔前缀〕构成名词。

a) **小**＋名。

～孩儿|～字|～报|～传(zhuàn)|～米儿|～豆|～麦|～枣儿|～菜|～路|～脑|～肠|～腿|～人|～费|～提琴|～数儿|～名儿|～灶儿|～意思

b) **小**＋动。

～说|～吃|～卖|～学|～偷儿

c) **小**＋形。

～寒|～暑|～便宜|～丑儿

d) 加在姓氏前面,指年轻人;加在人名前面,指小孩。

～张[儿]|～王[儿]

～华|～强

注意 由于'小…'已经构成一个词,所以在需要的时候还可以在前面加形容词'小'。

小小孩儿|小小说|小小鸡儿|小小偷儿

些 xiē （一些）

〔量〕表示少量事物或性状。前面用数词限于'一',一般省去不说。

a) **些**＋名。

多种～粮食|说了～什么？|作了～重要的补充

'些＋名'不作主语,常用'有些＋名'代替(见下);也不用在介词后,常用'有些＋名'或'某些＋名'代替(见下)。

b) **有**＋**些**。'有些＋名'用作主语。

有～人喜欢跑步,有～人喜欢踢球|有～问题还要研究|天气暖和起来了,有～花儿已经开了

‘有些＋名’用于其他位置。

> 有～人的发言稍微长了一些｜有～化验的结果正常,有～化验
> 的结果又不正常,所以还不能确诊｜据有～人说,这一带山区
> 有老虎

<u>有些</u>＋动/形。

> 有～看不过去｜有～生我的气｜有～危险｜他这几天有～不舒
> 服｜有～有口难言

c) 某＋<u>些</u>。

> 某～人这样看,某～人又那样看,意见很不一致｜某～问题还
> 有待讨论｜某～地区的灾情还真不轻｜根据某～现象来看,案
> 情比较复杂

d) <u>这(那)</u>＋<u>些</u>。用作‘这(那)’的复数。

> 这～东西｜那～事情｜这～年我一直在南方｜那～书我都看过

e) <u>前</u>＋<u>些</u>＋时候(年、日子)。表示一段时间以前。

> 前～时候他曾找过我一次｜前～日子我闹过一场病｜前～年他
> 住在重庆

f) 动/形＋<u>些</u>。表示稍微,常和‘稍微、略微’合用。

> 快～｜留神～｜大声～｜小声～｜要看得远～｜烧稍微退了～｜他
> 比我略微高～

【一些】用法基本同‘些’,口语一般用‘些’,很少用‘一些’。在‘有
些＋动/形’、‘这(那)＋些’、‘前＋些＋时候’等这些格式里边,一般
不用‘一些’。但是表示少量的次数或种类时,一般用‘一些’。

> 他的确做了一些有益于群众的事情｜他担任过一些比较重要
> 的职务

比较 些:点 1) ‘些’可用于可计数的事物,‘点’不大用于可计数
的事物(‘这、那、这么、那么’加‘点’可以)。

> 一些人(×一点人)在下棋,一些人(×一点人)在散步｜这点人那儿
> 够用?

2) ‘些’表示的量不一定很少,‘点’都表示少量。

有点儿事(可能只是一件事)|有些事(不止一件事)

3)'这些(那些)＋名'是单纯的复数(中性),不涉及数量的多或少。'这点＋名'强调少,等于'这么点＋名'。'那点＋名'罕见。(参看相关条目)

4)'有些＋名'常用在句首(作主语)引出某事物而加以说明,'有点＋名'没有这样用法。

有些情况(ˣ有点情况)还不清楚

'有＋些＋名'和'有＋点＋名'都可以用作谓语,可以单独站住或有下文接着加以说明。

这段文字里边有些错误(有点错误)|前边有些孩子在玩足球|我有点事情想找你

写　xiě

〔动〕写字;写作;描写。可带'了、着、过',可重叠。

~了一封信|他擅长~人物的心理活动|他短篇小说也~,长篇小说也~|墙上~着'好好学习,天天向上'八个大字|他~着~着笑了起来|《红楼梦》里每个人物都~得很生动

可带非受事宾语。表示工具。

~狼毫|我喜欢~钢笔,不喜欢~毛笔

表示处所。

~道林纸|老师一边讲,一边~黑板

表示某种字体。

他~魏碑~得不错|~一笔漂亮的小楷

动结　写∥成　写∥惯　写∥清楚　写∥整齐

写∥好　a)这篇文章一定要写好,不能写坏　b)写完:文章写好了吗?|明天写得好吗?

写∥活　写得生动逼真:这个人物叫他写活了

写得(不)了(liǎo)　一天写不了几页|手好了吗?写得了字吗?

动趋　写∥上　在书皮上写上名字|玻璃板太光,写不上字

写//上来　记住并写出:这个字我一时写不上来

写//上去　在报名簿上把我的名字也写上去|纸上有油,字写不上去

写下　必带宾语:战士们用自己的鲜血写下了英雄的篇章

写//下　面积够,可以容纳(写):格子太小,写不下|这么点篇幅能写下这么些内容吗?

写//下来　把你看到的事写下来|想得很多,就是写不下来

写//下去　心情不好,实在写不下去了

写//进去　这个细节也应该写进去|你讲的那个内容写不进去了

写//出　必带宾语:这篇散文写出了作者对生活的热爱|没有真实感情写不出好诗

写//出来　总结报告已经写出来了|这篇文章写出水平来了

写起来　着手写:说起来还容易些,写起来可难了|他写起作文来,可认真呢

新　xīn

〔形〕1. 刚出现的或刚经验到的,跟'旧'或'老'相对。

a) 作谓语。可受程度副词修饰。

服装用料讲究,款式也～|式样很～

b) 修饰名词性成分。可带'的',也可不带。

～产品|～型号|～品牌|～北京|～中国|～的工作岗位|～的社会风气|股市出现了～行情|在几何运算中增加了一个～条件

2. 性质上改变得更好;使变成新的,跟'旧'相对。修饰名词性成分。可带'的',也可以不带。

他已经改造成为一个～人|～的计分标准|～的时代|～风尚|～观点|～社会

3. 没有使用过的,跟'旧'相对。

a) 作谓语。

583

这件外衣不那么～了|这个书包还很～,不必再买～的了

b) 作宾语。动词一般是表示心理活动的动词。

你认为太旧,可我觉得～

c) 修饰名词性成分。可带'的',也可不带。

一套～家具|～房子|～的课桌|～的被褥

d) 受某些副词修饰。

全～的装备|特～的机器|半～的自行车|半～不旧

e) 带补语。

装备～极了|皮鞋～得直发光

4. 指新的人或事物。可以作宾语,作定语。

带来些当地特产,请你们尝尝～|花样翻～|推陈出～|这是近年来出现的一种～气象|改革造就了一代～人|刚入学的～学生

5. 结婚的或结婚不久的。修饰名词性成分。一般情况下不带'的'。

～女婿|～媳妇|～郎官|～嫁娘|一对～人

〔副〕新近;刚。

～参加工作|～分配来的大学生|～上市的水果|～盖了一座大楼|～建的立交桥

兴 xīng

〔动〕1. 创始。常用于'是…的'的中间。多与'式样、花样、方法、规矩、办法'等词搭配。

这种上衣是从上海～起来的|这是谁～的新花样?|这是一种新～的喷漆方法

2. 流行。可带'了、过'。可带名词、动词作宾语。

前几年～长辫子,现在又～短发了|这种帽子眼下不～了|这里的中小学生中间很～打乒乓球

3. 准许。必带动词、小句作宾语。常用于否定句(带'不')。

584

要讲道理,不～打人|打球的时候不～故意犯规|公园的湖里不～钓鱼

兴许 xīngxǔ （见'或许'）

行 xíng

〔形〕1. 能干。只作谓语。可加程度副词'很、真',不能加'最、极、有点儿'。

老张搞起实验来真～|这个小组的成员都很～

2. 可以。多在句尾用'了'。

馒头～了,可以揭锅了|把问题说清楚就～了|做这么多的事,一个人怎么～?

a) 多用动词语或小句作主语。

没有铅丝,用绳子也～|走着去也～|他不来不～

b) 常用于应答或制止。

劳驾,这条胡同穿得过去吗? ——～,穿得过去|～了! ～了! 够喝了,别倒了

醒 xǐng

〔动〕1. 结束睡眠状态。可带'了、过',可重叠。不能用'A不A'提问。

弟弟～了|三点钟～过一次,后来又睡着了|我每天都～得很早|你～～,有人叫门

2. 尚未入睡。必带'着'。不能用'A不A'提问。

我～着呢,进来吧! |早一会儿他还是～着的|他～没～着?

3. 从酒醉、麻醉或昏迷中恢复神志。可带'了、过',可重叠。

酒～了|病人从昏迷中～了过来|吃点水果～～酒

4. 醒悟。常和'过来'组合。

经你这么一指点,我才～过来|半天才～过味儿来

5. 常作动结式的第二成分。

　　喊～|叫～|闹～|吵～|推～|摇～

动趋 醒//过来　他刚睡着,一会儿还醒不过来

醒来 清晨醒来,林中一片杜鹃声

　　性 xìng

〔后缀〕表示事物的某种性质或性能。

1. 构成抽象名词。

　　a) 名+<u>性</u>。

　　　党～|人民～|阶级～|纪律～|科学～|时间～|技术～

　　b) 动/形+<u>性</u>。

　　　弹～|遗传～|计划～|斗争～|创造～|适应～|传染～|放射
　　　～|排他～|耐寒～|可塑～|主观能动～|单向导电～|毒～|
　　　粘～|自觉～|普遍～|优越～|实用～|共～|特殊～|可靠～|
　　　严重～|可能～

2. 构成非谓形容词。'性'后一般可带'的'。

　　a) 名+<u>性</u>。

　　　线～排列|经典～著作|历史～事件|大叶～肺炎|动物～蛋白
　　　质|风湿～心脏病|地区～卫星通讯线路|窦～心律不齐|细菌
　　　～食物中毒|先天～病变

　　b) 动/形+<u>性</u>。

　　　综合～刊物|化脓～脑膜炎|嗜酸～白细胞|硬～规定|流行～
　　　感冒

　　幸而 xìng'ér　(见'幸亏')

　　幸好 xìnghǎo　(见'幸亏')

　　幸亏 xìngkuī　(幸好、幸而)

〔副〕指由于某种有利条件而侥幸避免不良后果。一般用在主语

前。

　　～他眼急手快,拉住了我|洪水来势很猛,～堤坝已经加固,没有造成灾害

　a) 幸亏…,才…。

　　～碰见几个猎人,才把我们带出森林|我们～走这条道,才没碰上老虎

　b) 幸亏…,不然(否则、要不)。

　　～你提醒了我,不然我就忘了|～发现得早,否则就无法挽救了|～带了雨衣,要不全身都得湿透

　c) 承接上文语义已明时,后面的小句可以不出现。

　　没想到明天就出发,～我们早有准备[不然就来不及了]|当时情况十分危急,～你们及时赶来了[才转危为安]

比较 幸亏:好在　见'好在'。

【幸好】同'幸亏'。

　　他不小心摔了下来,幸好下面是块沙地,才没有摔伤

【幸而】同'幸亏'。多用于书面。

　　上文说到孔乙己愈来愈穷,弄到将要讨饭了,幸而写得一笔好字,便替人家抄抄书换一碗饭吃

　　需要　xūyào

〔名〕对事物的要求。

　　我们要了解群众的～|应该适应形势发展的～|既要顾到～,也要顾到可能

〔动〕1. 要求得到;必须有。可带名词宾语。可受程度副词修饰。

　　他～一本词典|这儿正～你|我一样东西也不～|这本书我非常～|目前工地上很～水泥

2. 应该,必须。可带动词、形容词、小句作宾语。用法类似助动词。可构成兼语句。

　　我们～研究一下才能决定|这里也～有人照应|速度～再快一

点|在这紧急关头,特别～冷静|这件事～老张去办一下|我亲自去一次,你看～不～?

|比较| 需要:须要 见'须要'。

须要 xūyào

〔助动〕一定要。不能单独作谓语。宾语限于动词性词语或形容词性词语。

做工作就～认真|养病～安心|这种病～卧床休息|医务工作者～有奉献精神|你跟他谈话～心平气和|这个问题～认真对待

|比较| 须要:需要 '须要'是助动词,只能用在动词或形容词性词语前,不兼有名词性用法;'需要'是动词,兼有名词用法,可带名词、动词、小句作宾语,能作定语。使用时不能混淆。

他需要书架(ˣ他须要书架)|我需要他来帮助(ˣ我须要他来帮助)|这是工作的需要(ˣ这是工作的须要)|这正是他需要的东西(ˣ这正是他须要的东西)

许多 xǔduō

〔数〕数量多。多用于书面。

a) 许多[＋量]＋名。

～人|～城市|～车辆|～书报杂志|～位来宾|～种花色|说了～遍|去了～次

b) 许多[＋量]。用如名词。

他讲的内容,～是我不知道的|各方面的宾客来了～|图案设计看了～种,都不太满意

'许多'前可以用指示词'这、那、这么、那么'。

现在也顾不得这～了,先送病人去医院要紧|一下子就拣了这么～[贝壳]

c) 重叠式有'许多许多'和'许许多多'两种,强调数量多,用如名

词或修饰名词。

> 他讲了许多许多|这样好的电影我看过许许多多|已经有许多许多年了|许许多多的鸽子和气球飞向天空|许许多多的人都围在那里看着

d) 动/形+许多。表示程度或数量变化较大。形容词多为单音节,后面常加'了'。

> 大了～|瘦了～|心里觉得踏实了～|样子改变了～

选   xuǎn

〔动〕1. 挑选。可带'了、过'。可带名词宾语。

> 我～这一种|～几篇登在墙报上|～了半天,一件也没～出来|把颗粒饱满的～出来做种籽

2. 选举。可带'了、过'。

a) 选+名。

> 我～张平|下午开全体会～班里的干部|你们～了室主任了吗?

b) 带兼语。选…当(作)…。

> 我们都～他作组长|会上一致～赵岚当主席

c) 被…选+为。

> 他被～为本届人民代表

动结 选 // 好   选 // 中   选 // 准

动趋 选 // 上   小刘报名参军,已经选上啦|选得上固然好,选不上也没什么

选 // 进来(进去)   把老李选进领导班子里来(去)

选 // 出来   经过充分讨论,代表已经选出来了

Y

呀　·ya　（见‘啊’）

沿　yán

〔名〕边儿。可儿化。

　边～｜前～｜炕～儿

〔介〕表示经过的路线。可加‘着’。

　～河边走｜墙根种一行鸡冠花｜～着公路走不多远，就到了荷花池｜最近我们～着京九路旅行了一趟

　a) 后面的名词短语较长或是抽象意义的词语时，必加‘着’。

　～着泰美化肥厂的围墙一直往前走｜～着历史遗留的足迹前进

　b) 跟单音节名词组合，指处所。多用于‘是’字句、‘有’字句或其他描写句。

　～湖都是垂柳｜～路有不少商店｜～河一带景色如画｜～街张灯结彩，一片节日景象

比较　沿：顺　见‘顺’。

眼看　yǎnkàn

〔动〕1. 指出正在发生的情况。常带‘着’。没有否定式。必带小句作宾语。

　～那只兔子钻进了草地，不见了｜武松～着老虎快断气了，才松了手

2. 坐观(不如意的事情发生或发展)而无所作为。必带‘着’。必带小句作宾语，或与另一动词连用。

天再旱,[我们]也不能～着庄稼干死|这么重要的事情,我怎
么能～着不管?

〔副〕很快,马上。可以放在主语前或后。

　　～天就要黑了,早点儿回去吧|～天气暖和起来了|国庆节～就
　　要到了

样　yàng

〔量〕1. 个体量词。基本意义同‘件’,但较强调与同类事物有所区
别。

　　桌子上摆了四～菜|买了两～家具|你替我带两～东西|这孩
　　子干活,～～都能拿得起来

2. 集合量词,用于内部一致而对外有所区别的若干个体。

　　许多～动物|四～点心配成一盒|汽车的颜色有七、八～|这几
　　～稻种成活率都高|各种商品都有,～～儿俱全

注意 ‘样’和相同的名词组合,在不同的句子里有所不同。

　　桌子上摆了三样菜　　　　(个体量词)
　　食堂里今天有四样菜　　　(集合量词)

比较 样:种　这两个量词的共同点是强调与别的同类事物有区
别,说‘一种’就意味着有别的一种或几种,说‘一样’就意味着有别
的一样或几样,所以有时‘样’和‘种’可以通用。

　　好多样(种)商品|商店里十几样(种)蔬菜

　但是‘种’与‘种’之间的区别着眼在内在的性质或作用,而‘样’
与‘样’之间的区别则偏于表面的、形式的方面。所以有时‘样’和
‘种’不能通用。

　　两样(ˣ种)菜都是豆腐|两种(ˣ样)人|一种(ˣ样)思想

要　yào

〔动〕1. 希望得到或保持。可带名词宾语。

　　我～一支英雄金笔|这本词典我还～,那本我不～了,你拿去

吧

2. 向别人索取。可带'了、过'。可带名词宾语。

昨天我跟老张~了两张票|我已经~了一个菜,你再~一个|
他没跟我~过什么

3. 请求,要求。必带兼语。

他~办公室给他开个介绍信|是你~我先别走的吗?

4. 需要,应该。必带兼语。

这些地方就~你认真考虑|这个柜子~四个人抬才抬得动

〔助动〕 1. 表示做某事的意志。一般不单独回答问题。

他~学游泳|我有话~对他讲|你~看吗? ——~看

a) 表示否定通常不说'不要',说'不想'或'不愿意'。

我不想进去(×我不要进去)|他不愿意和我们一起去

b) 前面可以加'想、打算'等。

他想~来北京参观|你打算~干什么?

2. 须要;应该。

说话、写文章都~简明扼要|借东西~还|水果~洗干净才能
吃|我~不~留下来?

a) 否定用'不要'。多用于禁止或劝阻。

不~浪费水|不~随地吐痰|不~大声喧哗|你可不~瞎说|大
家不~闹|这件事不~声张出去|请他不~多管闲事|你告诉
他,千万不~麻痹大意

这里的'不要'都可以改用'别'。

b) 前面可以加'应该、必须、得(děi)'等。

应该提倡节约,必须~花的钱才花|任何事情总得~先调查研
究再下结论

3. 表示可能。前面可以加'会',句末可以加'的'。

看样子[会]~下雨|不顾实际一味蛮干~失败的|会议大概~
到月底才能结束

表示否定不说'不要',说'不会'。

他这数字是有根据的,不会错。

4. 将要。前面可以加'快、就',句末常加'了'。

他～回来了|麦子眼看就～割完了|他快～毕业了

5. 表示估计,用于比较句。'要'可以用在'比…'的前或后,也可以用在'得'后,意思不变。

他～比我走得快些(＝他比我要走得快些,＝他比我走得要快些)|你比我～了解得多|地是同样的地,在他们那儿产量却～高好多|这两张照片前一张～清楚些

注意 3．4．5.项一般都不问'要不要…',问'是不是要…'。

天是不是要下雨? |今年他是不是要毕业了? |这两张照片前一张是不是要清楚些?

〔连〕 1. 表示假设;要是。用于口语。

a) 连接谓语或小句。

你～能来,那该多好啊! |～明儿个天儿好,上香山玩儿去|～见着小蔡的话,问她收到老李的信没有|小王会通知你的,～临时有事儿的话

b) 要＋名。

这怕什么? ～我就不怕|您倒还记得,～我爸爸早忘了

c) 要＋不是。

～不是你,我哪儿知道|～不是下雨,我们早就出门了|～不是路太远,奶奶本来也想来看看您的

2. 连用两个'要＋就[是]',表示非此即彼,第三个小句表示结论。也说'要么'。

～就是你,～就是我,总得有人管才行|～就去跳舞,～就去听音乐,别处我不去|～就前进,～就后退,没有别的选择

要不　yàobù　（见‘不然’）

要不然　yàobùrán　（见‘不然’）

要么　yào·me

〔连〕表示两种意愿的选择。带有商量的语气。

　　火车票没买到，～乘飞机吧｜打电报说不清，～打电话向他详
细解释一下吧｜今天我还有事，～咱们明天再谈吧｜～你去，～
我去，总而言之咱俩得去一个人

　a)‘要么’单用，放在第二小句的开头。第一小句陈述情况，第二
小句表示说话者的意愿。

　　说好大家聚一聚，可是一直没时间，～元旦大家都去我家吧｜
他们要人要了好几次了，～让小王过去吧｜大家都喊累，～休
息两天吧｜最好咱们两个一起去，～你一个人去也行

　b)两个‘要么’连用，分别放在前两个小句的前面。多表示两种
不同的选择。

　　～你去，～他来，否则你们没法面谈｜～胜，～负，没有和棋的
可能｜～买，～回家，总不能老在商店里瞎遛啊｜～去杭州，～
去桂林，除了这两个地方我哪儿也不去

比较　**要么∶或者**　作为连词，都表示选择关系。在用法上，‘要么’
一般只连接句子；‘或者’除了连接句子外，还可以连接名词性词
语。

　　老马或者小刘，谁来都行｜他每天午饭都要喝点儿汤或饮料
　在语气上，‘要么’比‘或者’要委婉，有商量的语气。

　　要是　yào·shi

〔连〕表示假设；如果。

　a)用于前一小句。

　　～看见《汉英词典》，替我买一本｜～他不去，你去吗？

594

b) '要是…'后可加'的话'。'要是…的话'可用在后一小句。

~有人问的话,说我在老马家|坐船去好,~来得及的话

c) 要是+名。

~别人(＝如果换了别人),这事不一定能办成|老同学聚会真不容易,~去年,咱们还聚不齐呢!

也　yě

〔副〕1. 表示两事相同。'也'用在前后两小句,或只用在后一小句。

a) 主语不同,谓语相同或同义。

你去北京参观访问,我们~去北京参观访问|大人~好,孩子~好,没有不夸她的|来~可以,不来~可以,你总得给我个信儿|我说的话,听~由你,不听~由你|风停了,雨~住了。

有时甲事可以不说出来。

昨天你~去颐和园了?|将来我~去边疆工作

b) 主语相同,谓语不同。

老师~讲课,~提问题|我们~划船,~游泳

c) 主语不同,谓语不同。

天亮了,风~停了|他的个儿~高,力气~大|地~扫了,玻璃~擦了,东西~整理了

d) 主语、动词相同,宾语不同。宾语可前置。

他会车工,~会钳工|馒头我~吃,米饭我~吃|我们~唱中国歌,~唱外国歌|我们中间有南方人,~有北方人

e) 主语、动词相同,动词的附加成分不同。

他前天~来了,昨天~来了|这里的气候我~喜欢,~不喜欢,看怎么说|他有人看着~认真干,没人看着~认真干

2. 表示无论假设成立与否,后果都相同。

a) 虽然(尽管、既然、宁可等)…也…。

虽然已经下起大雨来了,足球赛~要按时举行

有时可以不用连词。

> 你不说我～知道 | 拼命～要拿下大油田 | 跑最后一名～要坚持
> 跑完 | 三十人～没这台打谷机快

这项用法是从'也'的基本用法引申出来的,即:'[你说了我当然知道],你不说我也知道'。

b) '也'前面是表示任指的指代词,有'无论…'的意思。'也'后面多数是否定式。

> 谁～不说话,眼睛都盯着黑板 | 说什么咱们～不能灰心 | 只要
> 大家团结一致,什么困难～能克服 | 怎么扳～扳不动

这项用法也是从'也'的基本用法引申出来的,'谁也不说话'等于'老张也不说话,老李也不说话,…'。

c) '也'的前后重复同一动词,有'纵然'或'无论怎么'的意思('也'后面的动词常为动结式、动趋式或有附带成分)。

> 洗～洗不干净了 | 跑～跑不动了 | 听～没听进去几句

d) 再(最、顶、至等)…也…。

> 一个人再聪明～是有限的 | 再修理～只能这样了 | 最远～就是
> 二十米左右 | 顶多～不过十公里 | 至多～只有五斤 | 至少～有
> 五十人

e) '无论…'的意思还可以隐含在应用某些副词的句子里。

> 他永远～不知道什么是累 | 反正～是晚上了,你们就明天回村
> 吧 | 你大小～是个负责人,怎么一句话不说?

3. 表示'甚至'。加强语气,前面隐含'连'字(参看'连'条)。多用于否定句。

a) 前面是名词。

> 人们都下地干活儿去了,街上人影儿～没有 | 他一心扑在工作
> 上,有时候饭～忘了吃 | 他头～不抬,专心学习

b) 前面是'数量[＋名]',数词限于'一'。

> 一颗粮食～不浪费 | 一张纸～没丢 | 一天假～没请过 | 这儿一点
> 儿～晒不着 | 他那小胳膊小腿儿一会儿～不停

c) 前面是动量,数词限于'一'。

　　树叶一动～不动|一次～没去

动量词与动词同形时,'一'可省。

　　动～不动|看～不看

4. 表示委婉的语气。去掉'也'字,语气就显得直率,甚至生硬。

　　音量～就是这样了,不能再大了|这张画～还拿得出去|我看
　　～只好如此了|～难怪她不高兴,你～太不客气了嘛!|情况
　　～不一定会像你说的那样吧!|你～不是外人,我都告诉你吧|
　　节目倒～不错|写了几次,总～写不好

〔助〕 只用于'…也似的'。用于书面。

　　飞～似的跑了进来|猫～似的悄悄地走过去

[比较] 也:又 1)'也'表示和其他人的动作相等同,'又'表示和自
己以前的动作相等同。

　　[他来了,]你也来了|[昨天你来了,今天]你又来了

2) '又…又…'、'也…也…'表示两种动作、状态同时存在。前
者既可以用动词,也可以用形容词,后者一般只能用动词。

　　又快又好(×也…也…)|又白又胖(×也…也…)|又干净又整齐
　　(×也…也…)|又跑又跳(也…也…)|又学英文又学日文(也…
　　也…)

主语相同时一般用'又…又…',主语不同时一般用'也…也…'。

　　他又会写诗又会写小说,本事大着呢|你也来了,他也来了,可
　　以开始了

也:都 2项b)和3项各例可以用'也',也可以用'都',意思相同。
其他各项'也'不能换成'都'。

　　也罢　yěbà　(也好)

〔助〕 1. 表示容忍或只得如此。

a) 多用于否定句的末尾。

　　他既然没有时间,我们暂时不去见他～|他大概不来了,不来

～|他不同意～,不必勉强

b) 即使…也罢。可用于肯定句。

即使你没有作完～,以后再补吧!|即使你答应了他～,没关系

c) 单用于句首,类似小句。

～,你一定要走,我也不留你了

2. 连用两个(或更多),表示在任何情况下都如此。常与上文中的'不管'、'无论'等和下文中的'都、也'等呼应。

领导干部～,普通工作人员～,都是人民的勤务员|要提高警惕,搞好防汛。不管洪水来～,不来～,我们都有备无患|花～,鸟～,什么也引不起他的兴趣

【也好】同'也罢',但语气较轻。

也好 yěhǎo (见'也罢')

也许 yěxǔ

〔副〕1. 表示猜测或不很肯定。

a) 也许+动。

今天阴天,～会下雨|我明天～去他家一趟|晚饭她～做好了|星期天～加班

b) 也许+形。

今年倒春寒,三月份～更冷|吃了药～就不疼了|汽车开得～太快了,我有些头晕|经过锻炼,他～更成熟了

c) '也许'放在主语前。

～他能考上名牌大学|～他早把大家给忘了|很长时间没回家了,～妈妈的病已经好了|～明天张经理就回来了

2. 语气委婉,说话人有商量的意思。

这种分析方法～更科学些|做母亲的和孩子谈这种事～更好一些|事先和他打一下招呼～是必要的|我看～先把东西买回

来更好|强调学风问题～更有必要|～称他为先生更好|～我们明天去一趟他就满意了

3. '也许'能单独回答问题。后面常带'吧',比不带'吧'委婉些。

你能来吗? ——～吧|小张星期天还出去吗? ——～吧

一 yī

〔数〕最小的整数。1. 用在量词前。

～个|～只|～次|～趟|～种办法|～堆苹果

2. 用在名词前。

a) 这＋一＋名(指抽象事物)。

你说的这～情况很重要|这～事故相当严重|这～办法很解决问题

b) 表动量。

～脚|～刀|看了～眼|打了我～拳头

3. 用在动词、形容词前。

a) 表示动作、变化是突然出现的或者是彻底的;加强语气。

精神为之～振|房间粉刷～新|那马猛然～惊,直立起来|这部电影值得～看|这件事不值得～提

b) 一…就…。前后两个动词不同,表示一种动作或情况出现后紧接着发生另一种动作或情况。可以共一主语,也可以分属两个主语。

～请就来|～说就成|他只要～有空就学习|这个活儿你～学就会|门～推就开|他～解释我就懂了

c) 一…就…。前后两个动词相同,共一主语。表示动作一经发生就达到某种程度,或有某种结果。后一动词常为动结式、动趋式、或带数量短语。

只要～讲就能讲上两个小时|我们在西安～住就住了十年|由于坡陡路滑,～滑就滑出了老远|居然～射就射中了

后一动词常可省略,或者用'是'来代替。

～写就一大篇│～讲就是两个小时

　　d) 一＋动。表示经过某一短暂动作就得出某种结果或结论。

　　我～说，你必定乐意│医生～检查，果然是肺炎│我～想，他回
去一趟也好

一般　yībān

〔形〕1. 一样；同样。

　　a) 修饰少数积极意义的单音节形容词。

　　姐妹俩～高(˟～矮)│两根钢管～长(˟～短)│他和你～大(˟～
小)

　　b) 名/动＋一般。整个短语修饰名词或动词。

　　钢铁～的意志│飞～地向前跑去│那乌鸦也在笔直的树枝间，
缩着头，铁铸～地站着

　　在双音节以上的词语的后边，'一般'可说成'般'。

　　c) 像(如同)…一般。

　　像雷鸣～的掌声│眼睛像秋水～明亮│火箭像流星～地划破了
夜空│掌声如同暴风雨～

2. 普通；通常(跟'特殊'相对)。

　　a) 修饰名词。

　　这是～情况，特殊情况不在此例│～的字典都有音序和部首两
种检字法

　　b) 作谓语。前面可以加程度副词。

　　这篇文章的内容很～，没有什么新见解│他的学习成绩也就是
～而已

　　c) 修饰动词。有时加'地'。

　　他一早出去，～要到天黑才回来│～地说，这种可能性不大│下
午我～在图书馆看书

一边　yībiān　（一旁）

〔方位〕旁边；一侧。可儿化。用如名词。

a）单用。

长沙发上～坐着老黄，～坐着老赵｜大楼的～是个花园，另～是个网球场｜小韩～站着什么话也没说｜男同学站～，女同学站～

b）介＋一边。

我们玩的时候，他在～坐着｜来汽车了，快往～躲躲｜他一下打空，球落到～去了

注意 ‘一边…’有时有两种意思，如‘一边坐着一个小孩’，可以是只在某一边坐着一个；也可以是坐着两个，这一边一个，那一边一个。

〔副〕一边…，一边…。关联副词。表示两种以上的动作同时进行。用在动词前。

孩子们～唱，～跳｜他～说着话，～收拾工具｜他～听电话，～记，～招呼客人坐下

前一小句的‘一边’有时可省略。

小赵沿着河边走着，～想着自己的发言稿｜她说着话，～打着毛衣

注意 ‘一边’中的‘一’可省，省‘一’后，同单音节动词组合时，中间不停顿。

边走边说｜边干边学

‘边’只用于同一主语；‘一边’可以用于不同主语。

我边听边记｜我一边听，一边记｜你一边说，我一边记(ˣ你边说，我边记)

比较 一边：一面：一方面　见‘一方面’。

【一旁】同方位词‘一边’。

院子的～栽了些小树｜他接过去，随手放在～

一带　yīdài

〔名〕1. 加在处所名词后，表示所说的地区及其附近。‘一带’的前

· 601 ·

边有时加'这、那'。

> 一九七六年夏天,唐山、丰南~发生了强烈地震|在我们这里,十里堡~的土地最好|那时,地质勘探队正在山南~的农村里|黑龙江那~,十一月初天气已经很冷了

2. 紧接上文或当面谈话时,可以单说'这一带、那一带'。

> 他是这~出名的猎手|这~,环境十分幽静|他在那~工作过|我会讲他们那~的方言|我们这~今年又获得了大丰收

一旦 yīdàn

〔名〕一天之间,引申为很短的时间内。多用于'毁于'后。

> 这场大火,使博物馆多年珍藏的文物毁于~|山洪暴发使多年建起的大坝毁于~

〔副〕多用于新情况的出现或假设有一天发生新的情况。用在动词前,作状语。后面的分句常用'就'相呼应。

> 相处多年,~离别,怎能不思念呢?|消火栓多年失修,~着火,那损失就大啦|孩子过马路要非常小心,否则,~被车撞着,后悔也来不及了|理论~为群众所掌握,就会产生巨大的物质力量|病人~有什么变化,你就立即通知我|商场没人值班,~失窃,领导就要负主要责任|~山洪暴发,山下的村庄就会受损失

一点儿 yīdiǎnr

〔数量〕1. 表示数量少而不确定。

a) 可作定语、宾语、主语。

> 买了~东西|就剩~菜了|~花生米|拿了~|~也没动|~也不给他|~钢材也没有了|~不给他行吗?|只有~了,大家分掉算了|我的那部分稿子抄完了,你再分给我~|他花钱像流水似的,一千块钱只用了一个月,现在~也没有了|周围~声音也没有|马上就要开工了,可是工地上~钢材也没有

b) 用在形容词后作补语,有表程度轻的意思。

毛衣织得长了～|生活现在好了～也不能乱花钱|要教育孩子把学习基础打得扎实～

c) 重叠后作状语。

他现在只能架着双拐～～地向前挪动|无情的沙漠～～地蚕食着我们的土地

d) 和'(就)这么'、'(就)那么'连用,有强调少的作用。

就这么～东西,够谁吃的?|只有这么～啦,够干什么用的?|就那么～货,能卖几个钱啊!|钱就那么一点儿点儿啦,还能花到月底吗?|就这一点儿点儿东西了,你都拿走吧

2. 和'这么'或'那么'连用,也可表示形体或面积小。

就这么～地,能盖起大楼吗?|我以为有多大呢,原来就这么～|蚂蚁就那么～,竟能拉动比它大好多倍的东西

3. 用在'不、没'的前面,表示完全否定。意思相当于'的确、确实'。有时'一点儿'和'不、没'之间可插入'也、都'等。

刚才老李讲的～不错,应该引起大家的注意|这种保鲜法很好,储存的蔬菜～没烂|他那天不在,这里发生的情况,他～也不知道|我敢保证,那里的东西他～都没动

比较 一点儿:丝毫 见'丝毫'。

一定 yīdìng

〔形〕1. 固定的。只修饰名词,通常要带'的'。

～的成分|～的规章制度|农作物的生长和土壤、水分、日光等都有～的关系

2. 某种程度的;适当的。只修饰名词,必带'的'。

技术已经有了～的提高|我准备在～的场合发表我的意见

〔副〕1. 表示意志的坚决。多用于第一人称;用于第二、三人称时,往往表示要求别人坚决做到。用在动词和助动词'要、得(děi)'前。

我～照办|你明天～来啊! |你～得抽时间去看看他|他～要

去,就让他去吧|领导～要深入群众

‘一定不’限用于第一人称。第二、三人称用‘一定＋别(不要、不能)’。

我～不忘记你的嘱咐|[你]～别忘了! |叫他～别说出去|这种药～不能乱吃

2. 必然,确实无疑。

a) 一定＋动/形。

他～会同意|～能找到|这儿～有人来过|～是记错了|这种材料～结实|他身体～很好|这件事他～不知道|你放心,我～不说|有你帮助,～没问题|他～不能去

b)‘不一定’表示情况不能肯定,但偏于否定。用于叮嘱、协商场合时,含有‘可以不必’的意思。

我不～来(可能不来)|我不～不来(可能要来)|不～好(可能不好)|不～不好(可能不错)|这些书我不～要看|可以口头汇报,不～要写成书面材料|不～开会,个别谈谈就行了

一度　yīdù

〔数量〕一次或一阵。常和‘一年’连用,组成‘一年一度’修饰名词,作定语。

一年～的春节马上就要到了|一年～的升学考试真够教师们忙的|一年～的麦收,既是收获的季节,又是劳累的季节|他们俩有过～交往

〔副〕表示过去发生过。修饰动词,作状语。

他们年轻的时候曾～失学|场上的局势变化莫测,～压着白队打的红队现在已经溃不成军|他们～互不往来

一方面　yīfāngmiàn

〔数量〕一方面…,一方面…。关联词语。连接并列的两种相互关联的事物,或一个事物的两个方面。后一个‘一方面’前面可加

'另'。后面常有副词'又、也、还'。

a) 连接两个小句。

～增加生产,～厉行节约|我们～要肯定成绩,另～也要指出缺点|～,我们要有干劲;另～,我们也必须有实事求是的科学态度

b) 连接两个介词短语。

～由于土质,～还由于气候,使同一品种的植物在不同地区发生不同的变异|一九四七年下半年,华东野战军～在胶东地区,另～在苏北地区发动了强大攻势

比较 一方面:一边:一面 '一方面'侧重表示并存的两个方面,时间可有先后。'一边、一面'侧重表示同时进行的两种动作。

我们打算一方面抓紧基础理论研究,另一方面也抓应用研究|我们一边(一面)抓紧基础理论研究,一边(一面)也抓应用研究

一概 yīgài

〔副〕表示没有例外。'一概'后不能只有一个单音节词。

a) 一概 + 动。

不分好坏,～都要|外文期刊～在第二阅览室|改进工作的建议我们～欢迎|各有各的特点,不能～而论

b) 一概 + 形。少用。

心、肺、血压～正常|这些事情我～不清楚

比较 一概:一律 用于通知、规定时,概括事物,可以通用;概括人,常用'一律'。

过期一概(一律)作废|后勤问题一概(一律)由老赵负责|一律(ˣ一概)凭票入场|演出回来的同志一律(ˣ一概)休息两天

一块儿 yīkuàir

〔名〕同一个处所。用于口语。

他们俩老在～|这两份材料合到～也好|两个人说不到～|我和他在～办公

〔副〕表示在同一地点或合到一处。前边常用介词短语'跟…'。

我们～到上海去|这两个问题最好～研究|不跟他～走

比较 一块儿：一起 见'一起'。

一来　yīlái

〔连〕常用'一来…，二来…'，甚至'三来…四来…'，连接表原因或目的的小句。书面常用'一则…，二则（再则）…'。

我对北京特别有感情，～那里是首都，二来我在那里住过好几年|王先生决定马上就回国，～为了看望久别的亲友，二来准备在当地筹建一所高水平的学校|我决定提前跟他一起走，～路上有个伴儿，二来可以早去早回，三来手头的工作正好结束

一连　yīlián

〔副〕表示同一动作或同一情况接连发生，后面常有表示次数的数量与之配合。

～下了三天雨|他刚才～打了七八个喷嚏|接到北大的录取通知书，小妹高兴得～几夜没睡好觉|我们到他家以后，他～打开了三个西瓜|小李～跑了四、五个商场，才买到洗衣机配件|～讨论了四、五次

'一连'有时在口语中单说成'连'。'连'只修饰单音节动词。'连'可重叠。详见'连'条。

一律　yīlù

〔形〕一个样子。不修饰名词。

千篇～|式样相同，规格～|各地情况不一，不必强求～

〔副〕表示概括全部，没有例外。'一律'后至少要有两个音节。

a) 一律 + 动。

所发文件会后～收回|值勤人员～佩戴臂章|损坏公物～照价
赔偿

b) 一律[＋是]＋名。

到会的少先队员～[是]白衬衫蓝裤子

c) 一律＋形。少用。

国家不分大小,应该～平等

|比较| 一律:一概　见'一概'。

一面　yīmiàn

〔副〕一面…,一面…。关联副词。表示两种以上的动作同时进
行。用在动词前。

～跳着,～唱着|～听,～作笔记|他们～走,～挥舞花环,～欢
呼

前一小句的'一面'有时可以省略。

小洪用心地听着,～记着笔记

|注意| '一面'有时是'数＋量',如下面的例句:

这种布料～是斜纹,～是平纹|说明书上～印的是中文,另～
印的是英文

|比较| 一面:一边:一方面　见'一方面'。

一旁　yīpáng　(见'一边')

一齐　yīqí

〔副〕表示同时。多用于书面。

a) 指不同的主体同时做同一件事。

大家～动手|几十只手～伸了出来,争着跟他握手|大家听我
的口令～拉|他一走进来,在座的人～站了起来

b) 指同一主体同时做几件事。

要分个轻重缓急,不能所有的工作～抓|这些问题可以提出来

607

～研究

比較 一齐:一起　见'一起'。

一起　yìqǐ　(一同)

〔名〕同一个处所。

a) 用于'在、到'等少数动词后。

这些年来,我们一直在～|他始终同父母在～|我们到～不久,
他又调走了

b) 动+在(到)+一起。

大学四年,我们生活在～,学习在～|这些问题应该放在(到)
～来考虑|两件事碰到～了|他们两个人谈不到～(意见不合)

c) 在+一起+动。

我们俩在～工作|我们几个在～住

〔副〕表示在同一地点或合到一处。前边常有'同、跟、和'组成的
介词短语。

我们～工作了八年|他跟农民～劳动了三个月|我不跟他～走|
明天我把词典和学习材料～带给你|他曾和解放军战士～参
加了抗震救灾工作

【一同】同副词'一起'。多用于书面。

我们几个人一同登上了山顶|书和衣服一同寄走了

比較 一起:一齐　'一齐'表示在时间上同时发生的事情,'一起'
则表示在空间上合在一处或在同一地点发生的事情,二者一般不
能互换。

他跟农民一起(×一齐)劳动了三个月|我们跟你一起(×一齐)
走|大家一齐(×一起)鼓起掌来|人和行李一齐(×一起)到达

一起:一块儿　用法相同。'一起'常用于书面,'一块儿'只用于口
语。

一切　yīqiè

〔指〕全部;各种。经常跟'都'呼应。修饰名词通常不带'的'。

要藐视～困难|～空话都是无用的|～手续都办好了

〔代〕泛指一切事物,或与当前问题有关的一切事物。可受其他词语修饰。

这里～都好,请你放心|山谷里的～都那么寂静|所有这～,都使我感到无比温暖

习用语　一切的一切　强调对事物的最大概括。

～的～,他都在所不顾了

比较　一切:所有　见'所有'。

一同　yītóng　（见'一起'）
一些　yīxiē　（见'些'）
一样　yīyàng

〔形〕1. 同样,没有差别。

a) 一样+的+名。
两个村子～的地,～的条件,为什么产量差别这么大？|这两句话没有什么不～的地方

b) 做谓语。
现在男女都～了|我俩的意见很不～|谁去都～

c) 一样+形。
他们俩的汉语说得～好|这两根铁丝不～粗

d) 一样[+可以]+动。表示不受上文所说情况的影响;照样,依然。
我右手虽然受过伤,但是影响不大,～可以干活、写字|没座位站着～看

e) 跟(和、同)…一样。

我跟小田～高|我妹妹长得和我母亲～

2．表示相似。用法跟'似的'相近。

a) 名＋一样＋的＋名。用一种事物比况另一种事物。

旧社会广大劳动人民过着牛马～的生活|下了一夜雪，校园里松树和柏树上堆满了梨花～的积雪

b) 像（好像，如同）…一样；当做（看做）…一样。

像鲜血～的颜色|他跑得真快，好像飞～|她把我们看做自己的亲儿女～

一直　yīzhí

〔副〕1．表示顺着一个方向不变。'一直'后或动词后常带表示方向的词语。

～走，别拐弯|出了北京站口～往西走，就是王府井大街|～顺着河沿往南，有一座小桥|从窗口～望出去，远处是一片森林

2．强调所指的范围。用在'到'前，后面常有'都、全'呼应。

会场里座位上、过道上、～到门口，全挤满了听众|全村从老人～到小孩，都对我们非常热情

3．表示动作持续不断或状态持续不变。

a) 一直＋动/形。'一直'后至少要有两个音节。

雨～下个不停|速度～很快|水位～上升|这件事我～很怀疑|两个人～配合得很好|机器运转情况～正常

b) 一直＋在＋动[＋着]；一直＋动＋着（下去）。

我～在等你|晚饭前他～在做功课|眼睛～盯着门口|老李～在沉思着，一声不响|这样～坚持下去，将来必有成效

c) 一直＋动＋了＋时量/物量。

这个问题～讨论了两个多小时|大雨～延续了三天|～走出七、八里地才天亮

d) 一直＋动＋到…。表示动作结束的时间或达到的处所、程度。

· 610 ·

我们～谈到深夜|《汉语讲座》打算～办到年底|大娘～送我到村口|受寒潮影响,气温将～下降到零度

e) <u>一直</u>+<u>不</u>(没有)+动。表示动作、状态始终没有变化。

病人～不退烧|我～没想到|他～没离开这儿

f) 用'一直'的句子中常用'就'呼应,语气比单用'一直'稍强。

我～就不紧张|从那以后,我们～就没见过面|他的成绩～就很好

⬚比较⬚ 一直:始终 见'始终'。

一直:从来 1) 表示从过去持续到现在时,二者可以通用,但'从来'的语气更重。

他一直(从来)就很随便|我一直(从来)没学过法语

持续的一段时间较短,离现在较近,只能用'一直'。

最近一直(ˣ从来)很热|今天我一直(ˣ从来)没看见他

2)'从来'用于否定句为多,用于肯定句较少,'一直'无此分别。

3) 其他用法两者都不相同。

依 yī (依照)

〔动〕依从;听从。

你就～了我吧!|劝他休息,他怎么也不～|～着你的意思该怎么办?

〔介〕表示依据某种标准。

a) <u>依</u>+<u>名</u>。

～此类推|～次就座|～法惩处

可加'着',但后面是单音节名词时不能加。

～着图样剪裁|这件事就～着你的意思去办

b) <u>依</u>+<u>名</u>+<u>看</u>(说)。表示按照某人的看法。用在主语前,有停顿。

～我看,这问题不难解决|～你说,该怎么办?

【依照】1) 动词用法同'依',必带名词宾语。

我们报销旅差费,向来依照这个规定

　2)介词用法同'依',但不能用在单音节名词前。

依照法律办理(×依照法办理)|依照计划执行

依照　yīzhào　(见'依')

已经　yǐ·jing

〔副〕表示动作、变化完成或达到某种程度。

　a)已经+动。单个单音节动词必带'了'。

他~走了|风~停了|票~买了|门~开了|问题~讨论了|我们~注意了|前两年~处理过一次|事情~结束|问题~解决|我们~同意

　b)已经+形。限于形容词带'了'或'下来、起来、过来'等。

孩子~大了|苹果~红了|心情~平静下来|我~明白过来了

　c)已经+动+数量。

我们~走了八十里地了|温度~下降了六度|亩产~突破一千斤

　d)已经+数量。

你才二十八岁,我都~五十了|~两点了,该走了

　e)用于否定式。

天气~不热了|现在~不能改变计划了

　f)'已经'后有'快、要、差不多'等副词时,指即将完成而尚未完成。

火车~快开了,他才急急忙忙赶到|稍等一会儿,我~要写完了|天~快黑了,咱们走吧!|~差不多两点了,怎么他还不来?

<u>比较</u>　已经:曾经　见'曾经'。

以　yǐ

〔动〕用,拿。文言词。

a) 以…＋动。

~合成橡胶代替天然橡胶｜~一当十

b) 以…为…。等于'把…作为…'或'认为…是…'。

~实现四个现代化为目标｜文娱活动要~不妨碍工作为原则

两个'以…为…'并列,后面的'以'可省。

这个活动以五年级为主,四年级为辅

c) 以…为…。'为'后是形容词,表示比较起来怎么样。

这块地~种花生为宜｜这部短篇小说集里~描写农村的作品
为多

〔介〕1. 以…＋动。

a) 表示凭借;用,拿。

~实际行动支援灾区｜我~老朋友的身份劝你不要这样固执

'以…而论'等于'拿…来说'。

~我个人而论,力量是微小的｜~写文章而论,小郑的能力比
小王更强一些

b) 表示方式;按照,根据。

平均每户~四口人计算｜我们要~高标准来严格要求自己｜客
观规律不~人们意志为转移

c) 表示原因;因为,由于。后面有时用'而'呼应。

安徽祁门~盛产红茶而著名｜我们~这样的英雄而自豪

2. 动＋以…。

a) 动宾＋以…。动词限于表示'给与'一类意义的。'以'字也可
以不用,变为双宾语句,意思相同。用'以',书面色彩较浓。

我们供给他们~大量的急需物资

b) 动＋以…。动词是单音节。

四面围~红墙｜六乘~五等于三十｜请代向朋友们致~衷心的
感谢

注意 '予以、借以、用以、难以'等是一个动词,不必拆开解释。后
面的宾语只能是动词。

予以解决|借以教育大家|用以提高觉悟|难以平息

〔连〕表示目的。用在两个动词短语中间。

应该节约开支～降低生产成本|必须调动一切积极因素，～利于实现四个现代化

注意 介词和连词'以'是文言虚词，用于书面。

以便　yǐbiàn

〔连〕表示使得下文所说的目的容易实现。用于后一小句开头。前后两小句主语相同时，后一小句不出现主语。

我们要努力掌握科学技术知识，～更好地为实现四个现代化服务|你先把材料准备好，～小组开会研究

以后　yǐhòu　（之后）

〔方位〕比现在或某一时间晚的时间。

1. 用如名词。

他去年来过，～再没见过他|等～我再慢慢给你说吧|做事情不能只顾眼前方便，要多为～想想|这件事留在～处理|那么，～呢?

2. 名+以后。名词包括表示时间的数量词。

春秋战国～，秦朝统一了全国|五四运动～，白话文才兴盛起来|五分钟～，他果真来了|一九四九年～，中国人民走上了社会主义道路|从那～，他们学习都很努力

3. 动/小句+以后。

各种意见都应该听，听了～要作分析|起床～，应该到室外活动活动|小赵说完～，大家都笑了起来|这里的工程完成～，我们还要到另一个工地去|他担任厂长～，各方面的工作都很有起色

4. 很久+以后。指比现在或某一时间晚得多的时间。

离开加拿大很久～，我才和他又见了面|那是很久～的事情，

现在谁也无法预料

不久 + 以后。指比现在或某一时间不太晚的时间。

不久～，他又回到了自己的家乡

习用语 **从此以后** 在上文所指时间之后。

从此以后，我们的生活越来越好了

【之后】同'以后'2、3项用法。用于书面。有时可指处所或顺序。

大厅之后，才是饭厅｜仪仗队之后是少先队

比较 以后：后 '后'只有'以后'的2、3项用法。

以及　yǐjí

〔连〕表示联合关系。连接并列的名词、动词、介词短语、小句。多用于书面。

  a）所连接的成分有主次轻重的分别。前面的是主要的。

    拖拉机、收割机、～各种小农具｜本店经销电视机、收音机、录音机、～各种零件

  b）所连接的成分有时间先后的分别。

    老陈、小李～另外两位同志在会上先后发言｜问题是如何产生的，～最后该如何解决，都需要调查研究｜至于分不分组，～如何分组，全由你们自己去考虑

  c）所连接的事物可以分成两类。

    鸡、鸭、鱼、肉、蛋，～糖果、糕点等商品应有尽有｜钢铁、煤炭、石油，～纺织、造纸等工业部门都有很大发展

比较 以及：及：和　1）'及'只能连接名词性成分。

2）'以及'前能停顿，'及'不能。

3）'及'后可以用'其'，'以及'后可以用'其他'。

4）'以及、及'所连接的常常前边是主要的，后边是次要的。

5）'以及'可以连接小句，'及、和'不能。

  他问了我许多问题：那里的气候怎么样，生活过得惯过不惯，以及当地的风俗习惯怎么样，等等

以来　yǐlái　（来⁴）

〔方位〕表示从过去某时直到说话时（或特指的某一时间）为止的一段时间。所组成的短语可以修饰名词或句子。‘以来’前面常用‘从、自、自从’等词。

　　自古～|有生～|有史～|解放～|今年年初～已经出差三次|展览会开幕～,每天要接待几万名观众|勤俭持家,这是我国劳动人民长期～的优良传统|我们厂自从开展技术革新运动～,新的发明创造越来越多

【来⁴】用法基本上同‘以来’,但只用在表示时间段落的词语后。前面不用‘从、自、进入’等词。

　　几天来|三个月来|经过几个月来的努力,这个车间已经建成投产|这个问题,多少年来都没有很好解决

以免　yǐmiǎn　（见‘省得’）

以内　yǐnèi　（之内）

〔方位〕不超出一定界限。不能单用。

1. 名＋以内。名词不能是单音节。

　a) 指处所。

　　学校～|围墙～|会场～,座无虚席

　b) 指时间。

　　今年～|他本月～可能来北京

　c) 指范围。

　　这项工程已经列入计划～|临时工作人员不在编制～

2. 数量＋以内。

　a) 指距离。

　　有效射程在三千米～|方圆百里～,丘陵起伏

　b) 指时间。

要求在一小时～完成│三天～把资料汇总起来

c）指其他数量。

随身行李限制在二十公斤～│写一篇两千字～的通讯│三十人
～可用这辆轿车

【之内】同'以内'。

以前　yǐqián　（之前）

〔方位〕比现在或某一时间早的时间。

1．用如名词。

　　～我们并不认识│你～在哪儿工作？│想起～的困苦生活,他更
　　加热爱新中国│这个地方跟～大不一样了

2．名＋以前。名词包括表示时间的数量词。

　　去年国庆节～我还在上海呢│抗日战争～你在什么地方？│这
　　～,我们从没见过面│十点～我不在家,别来找我

3．动/小句＋以前。

　　解放～│天黑～│你去青岛～一定到我这里来一趟

4．很久(很早)＋以前。指过去很远的时间。

　　很久～,这里还是一片荒地│这是很久很久～的事情了,我已
　　经记不清楚了│很早～,有这么一个美丽的传说

　　不久＋以前。指过去不远的时间。

　　不久～,他来过一趟北京

【之前】同'以前'2、3项用法。用于书面。有时可指处所。

　　大山之前是新建的水库

〔比较〕以前：前　'前'没有'以前'的1、4项用法。

以上　yǐshàng　（之上）

〔方位〕高于或前于某一点。

1．单用。总括上文,用如名词。

　　～是我对这个问题的看法│难道我～的话都不对吗？

2. 名 + <u>以上</u>。名词不能是单音节。

　　云层以下大雨滂沱,云层～却是万里晴空|雪线～终年积雪

3. 数量 + <u>以上</u>。

　　这件事三十岁～的人可能还记得|今年比去年增产百分之十

　　五～|登山队已经到了六千米～的高度|六十分～为及格

注意 '六十分以上'、'三十岁以上'等是否包括'六十分'或'三十岁'在内,有时不明确。需要精确表达时,往往用'六十分及六十分以上'、'满三十周岁'等说法。

【之上】同'以上'2 项用法。

　　以外　yǐwài　(之外)

〔方位〕超出一定界限。不能单用。

1. 名 + <u>以外</u>。名词不能是单音节。

　　a) 指处所。

　　　　大门～|长城～|山海关～

　　b) 指范围。

　　　　预算～的收入|正文～还有两个附录

2. 数量 + <u>以外</u>。

　　a) 指距离。

　　　　一下跳到两米～|不觉已走出十里～

　　b) 指时间。

　　　　免费保管三天,三天～酌收保管费

　　c) 指年龄。

　　　　他恐怕已经四十～了

3. 除[了]…以外。

　　a) <u>除</u>[了] + 名 + <u>以外</u>。

　　　　昨天跟我一起去的,除老王～,还有老张|这事除你我～,只有
　　　　他一人知道

　　b) <u>除</u>[了] + 动/形 + <u>以外</u>。

今天除讲课～，还要给学生辅导|这件衣服除了稍长一点～，
别的都合适。

c) 除[了] + 小句 + 以外。

除老刘来过～，没人来过|这种稻种除了产量高～，抗旱能力
也比较强

【之外】基本同'以外'。指年龄不用'之外'。

以为　yǐwéi

〔动〕对人或事物作出某种论断；认为。带动词、形容词、小句作宾
语。

我～水的温度很合适|他们～，只要能进入半决赛，冠军还是
有可能争取到的

a) 宾语较长时，'以为'后可停顿。

他～，人的资质固然有差别，但主要的还是靠勤奋|我～，要按
不同的规格进行分类评比，才能比出产品质量的高低来

b) 宾语可放在主语前，后有停顿。

这都是天经地义的，他～|一定要在黎明前动身，我～

c) 用'以为'作出的论断往往不符合事实，用另一小句指明真相。

我～有人敲门，其实不是|原来是你，我还～是老王呢|都～你
回贵阳了，原来还没走|你～只有你才行吗？小王比你还行

这样用的'以为'前边可以加'满、很'等少数程度副词。

他满～这次能见到她，谁知又扑了空|我很～自己是对的，结
果还是错了

习用语　自以为是　以为自己的看法很对，不接受别人的意见。

不以为然　不同意，不赞成，认为不对。

比较　以为：认为　都表示作出判断，但'以为'的语气较轻。

1) '以为'多用于与事实不符的论断；'认为'一般只用于正面的
论断。

2) '认为'前边可以用'被'，'以为'前边只能用'让'。

游泳被当地的孩子们认为是一项必不可少的运动|你的态度让别人以为你不同意这样办

以下 yǐxià (之下)

〔方位〕低于或后于某一点。

1. 单用。用如名词。

我就谈这<u>些</u>,～由老陈来谈|～是古汉语里的例子

2. 名+以下。名词不能是单音节。

针刺这个穴位,膝盖～有酸麻的感觉|宜昌～,江面逐渐放宽|总指挥部～的各级领导班子都应健全起来

3. 数量+以下。

气温降到零度～|一公尺～儿童免费乘车|双季稻面积占百分之六十以上,单季稻占百分之四十～

注意 '六十分以下'、'三十岁以下'等是否包括'六十分'或'三十岁'在内,有时不明确。需要精确表达时,往往用'六十分及六十分以下'、'不满三十周岁'等说法。

【之下】同'以下'2项用法。

以至 yǐzhì (以至于)

〔连〕1. 直到。一般表示从小到大,从少到多,从浅到深,从低到高,有时也用于相反的方向。连接的成分不止两项时,用在最后两项之间。

看一遍不懂,就看两遍、三遍、～更多遍|生产效率提高几倍～十几倍|做工作不但要考虑到今年,而且还要考虑到明年,～今后几年|决不允许有任何不重视～限制群众批评的现象发生。

前一部分有时可以用'自、从'呼应。

所谈的内容很广,自人类社会～天地、宇宙,无所不包

2. 表示由于上文所说的情况而产生的结果。

形势发展得这样快,～很多人都感到很难适应|现代科学技术
的发展日新月异,～从前神话、童话中的一些幻想故事,现在
都有可能成为现实

【以至于】同'以至'。

想到十年、二十年以后,以至于更遥远的将来|这篇文章他读
了许多遍,以至于全文都能背下来

比较 以至:以致 见'以致'。

以至于 yǐzhìyú （见'以至'）

以致 yǐzhì

〔连〕致使。表示由于上述原因而造成的结果,大多是不好的或说
话人所不希望的结果。

他的腿受了重伤,～几个月都起不来床|这是她近来老想不
通、～非常苦闷的问题

比较 以致:以至 '以致'基本上同'以至'2项用法,但多用于不好
的或说话人不希望的结果。

意识到 yì·shídào

〔动〕觉察到。这是个动趋式的动词,可带'了'。可带名词、小句
作宾语。

他已经～了问题的严重性|他～一场激烈的争论就要开始了|
病情逐渐恶化,他可能也～了|你们是否～自己是生活在幸福
之中呢?

否定式用'不',也用'没'。

这一点当时我还没～|他还意识不到他将遇到的困难

意味着 yìwèi·zhe

〔动〕必带动词(或动名词)、小句作宾语,主语也多为动词(或动名

词）、小句。多用于书面。

1. 表示，标志着。

科学的发展～人类的进步|人造卫星发射成功～我们在征服宇宙的道路上又跨进了一大步|中年人逐渐发胖不见得是好现象，常常～衰老

2. 含有某种意思；可以理解为。

我们提倡科学研究为生产服务决不～可以放松基础理论的研究

因　yīn　（见'因为'）

因此　yīncǐ　（因而）

〔连〕用于表示结果或结论的小句，前一小句有时用'由于'呼应。可用在主语后。也可以连接两个句子。

我跟他在一起工作许多年了，～很了解他的性格和作风|由于事先作了充分准备，～会议开得很成功|工作方案确定以后，一定要保证贯彻执行。～必须按期检查|雪融化时吸收热量，气温～下降|试验虽然遭受到一些挫折，但是我们并未～丧失信心

【因而】基本上同'因此'，但不连接句子，即不用于句号后。

由于上学期着重抓了课堂教学，因而学习成绩有了显著提高

|比较| 因此，因而：所以　见'所以'。

因而　yīn'ér　（见'因此'）

因为　yīnwèi　（因）

〔介〕表示原因。

a) 用'因为'的短语可以放在主语的后面或前面。

小田～这件事还受到了表扬|～这件事，小田还受到了表扬|

我们～这个问题讨论了一上午｜～天气的关系,飞机不能按时
起飞了

b) 因为…而…。组成一个动词短语,常用在助动词或'不'后
面。

他们并不～工作受了挫折而丧失信心｜植物可以～缺水而枯
死｜我们能～这么点困难而撒手不干吗?

〔连〕表示原因。

a) '因为'用在前一小句,后一小句开头常用'所以',句中常用
'就、才'呼应。前后两小句主语不同时,'因为'在主语前。主语相
同时,主语可在'因为'前,也可在后一小句。

～天气不好,飞机改在明天起飞｜难道～前人没做过,我们就
不能做吗? ｜～事情太多,也～身体不好,所以直到今天才来
看你｜他的伤～治疗及时,所以很快就好了｜～治疗及时,所以
他的伤很快就好了

b) '因为…'在后。

这里无法过江,～水流太急｜昨天我没去找你,～有别的事｜我
要的是世界地图,不是中国地图,～中国地图我已经有了

【因】基本上同'因为'。用于书面。

因病请假｜因故改期｜因缺乏经验而失败

比较 因为:由于 见'由于'。

因为:既然 见'既然'。

应 yīng (见'应该')

应当 yīngdāng (见'应该')

应该 yīnggāi (应当、应)

〔助动〕1. 表示情理上必须如此。可以单独回答问题。否定用'不
应该'。

～清醒地看到,我们的任务还是相当艰巨的｜学习～认真｜遇

事～冷静|太晚了,还～早点儿|不拿群众一针一线,这是我们
的纪律,～这样|我们年纪轻,多干点儿,～不～? ——～

a) 应该 + 小句。

我是队长,出了问题～我来负责|大家的事情～大家办

b) '不应该'用作谓语时,前面常可以加'很','应该'前不常用。

他这样做,很不～|对别人的困难一点不管,确实很不～

2. 估计情况必然如此。

他昨天动身的,今天～到了|这是尼龙的,～比较结实

【应当】同'应该'。

说话、写文章都应当简明扼要|大家的事情应当大家出主意办|
这个目标,经过努力应当可以达到

【应】同'应该、应当'意思相近,用法相似,但有以下几点不同。

1) '应该、应当'可以单独回答问题,'应'不能。

2) '应该、应当'可以用于口语,也可以用于书面。'应'只用于
书面。

3) '应该、应当'后面可以用小句,'应'不能。

4) 在一些四字成语中,只用'应',不用'应该、应当'。

理应如此|罪有应得|应有尽有

比较 应该、应当:该³ '应该、应当、该³'意思相近,用法相似,但有
以下几点不同。

1) '该'可以用于假设句的后一分句,表示情理上的推测。'应
该、应当'不能。

如果你再不回去,老王该(×应该、×应当)说你了

2) '该'可以和'会'连用,'应该、应当'不能。

你这样说,该(×应该)会造成什么影响呢?

3) '该'可以用于'有多…'前,'应该、应当'不能。

他要是还在这儿,该(×应该)有多好啊

4) '该'前可以用'又','应该、应当'不能,只能用'也'。

小心闯了祸,又该(×应该)挨批评了|你也该(应该)出去跑跑

了

影响　yǐngxiǎng

〔名〕对人或事物所起的作用。作主语、宾语。

这种～不是立刻就能看清楚的｜这篇文章很有～｜这对整个工作并没有多大～｜在他的～下，我也学了生物学

〔动〕对思想、行动等产生(好的或坏的)作用。可带'了、着、过'。可带宾语或兼语。

他的模范行为～着周围的同志｜这样做已经～了他的健康｜这些事从来就没有～过我的工作｜别～他复习功课｜二者互相～,互相制约

动结 影响得(不)了(liǎo)　这影响得了学习吗?｜我看影响不了学习

影响得(不)着(zháo)　我们在这儿说话,影响得着他吗?｜影响不着他

动趋 影响到:　灯光不好就会影响到演出效果｜个别字句的更改影响不到文章的主要内容

永　yǒng　(见'永远')

永远　yǒngyuǎn　(永)

〔副〕表示时间悠久,没有终止。指将来。

～怀念｜～前进｜～乐观｜～不停止｜～不向困难低头｜事情非～如此｜人家并不是～落后,不是已经赶上来了?

'永远'可以用在动词'没有'前,但不能用在副词'没有'前。

无原则的争论～没有好处｜'牛郎织女'七夕相会是民间故事,实际上这两颗星～没有相遇的机会｜˟～没有注意(从来没有注意)｜˟～没有收到过(一直没有收到过)

【永】同'永远'。用于书面。

永垂不朽|永放光芒|永不后退|永无止境|永葆青春|在烈火中永生

用　yòng

〔动〕1. 使用。可带'了、着、过',可重叠。可带名词宾语。

你～镐,我～铁锹|买这套设备～了不少钱|你先～,我后～|这种计算机我会～|把手推车都～上了|这把刀子～得刀刃都没有了

a) 用在连动句的前一部分,'用＋名'表示后一动作所凭借的工具、方式或手段。

～开水沏茶|两句话之间应该～句号隔开|同一个题材可以～不同的文学形式来表现

b) 用＋来＋动。

煤可以～来作化学工业的原料|种羊主要～来改良品种|中国人把油烟和松烟～来作墨

c) 用＋作＋名。表示'当作…用'。

在中药里,黄连常～作清热解毒剂|临时把食堂～作会场|把磁碗～作演奏的乐器倒也别有风趣

d) 用＋在(于)…。

上等料～在关键的部分,次等料～在无关紧要的部分|要把精力～在学习上|有些词语只～于外交场合|要把三分之一的时间～于复习

e) 用＋以＋动。表示'用这个来…'。用于书面。

不断开展批评和自我批评,～以增强团结|大力提倡体育运动,～以提高群众的健康水平

2. 吃,喝(敬辞)。

～茶|～烟|请～饭吧

动结 用得(不)了(liǎo)　能(不能)用完:这么多笔记本我一个人用不了

626

用得(不)成　能(不能)达到使用目的:我想用他的车,可是他还没回来,看样子是用不成了

用得(不)着(zháo)　a)有(无)用场:留着吧,到时候用得着　b)有(无)必要(后常跟动词短语或小句):用不着请别人帮忙|用得着我亲自去吗?

动趋 用上　达到目的:这些资料今天才用上

用∥上　他有不少好主意,就是用不上

用∥上去　为了这事,他把力气全用上去了

用∥出来　a)你把你的本领都用出来吧　b)使用过一段时间后变得好用:这台缝纫机刚买来的时候不好用,现在才用出来了

用得(不)起　有(无)能力买来使用:我用不起这样高级的东西

用起来　a)开始用:怎么你又用起泻药来了　b)用的时候:车虽旧,用起来挺好使

用开　开始用:起先用飞马牌的,现在又用开双箭牌的了

用∥开(了)　广泛使用:这种热水器很快就用开了|新换的街道名称始终用不开

尤其　yóuqí

〔副〕表示在全体中或与其他事物比较时特别突出。一般用在句子的后一部分。

a) 尤其+形/动。

多喝酒对身体不好,～影响心脏|青年们表现都挺好,小刚的进步～令人高兴|今年各季度钢产量都比去年同期高,第四季度～显著|想不到老方会去,～没想到你也会去

b) 尤其+是。主要是用来引进同类事物中需要强调的一个。

同志们的意见,～是老张的意见,对我的启发非常大|当了班干部要团结全班同学,～[是]要团结跟自己意见不同的同学
也用于其他方面。

北方的风沙很大,～[是]在春天|要注意饮食卫生,～是生吃

瓜果,一定要洗干净

由 yóu

〔动〕听凭;听任。必带名词宾语或兼语。

信不信～你|他不同意,只好～他|花色很多,～你挑选|没关系,～他说去|别～着性儿乱说

〔介〕1. 引进施动者,跟名词组合。代表受动者的名词或在前作主语,或在动词后作宾语。

运输问题～他们解决|专机～三架战斗机护航,在机场降落|现在～老张介绍详细经过

注意 用作动词,重音在'由'上;用作介词,重音在后面的名词上。比较:

花色很多,'由你挑选(动词,表示不加限制)

花色样式,由'你决定(介词,引进施动者)

2. 表示方式、原因或来源。跟名词、动词组合。

大会代表～民主协商,选举产生|～感冒引起了肺炎|原子核～质子和中子组成

3. 从。

a) 表示处所起点或来源。跟处所词语组合。

～南到北|～会场出来|明晨七时～首都机场起飞|～学生中间选出五名代表参加卫生检查

由…及…。用于书面。

～此及彼|～表及里

b) 表示时间起点。跟时间词语组合。

～早上九点到晚上八点|我们打算～明年开始大面积种植水稻|～十八岁参军算起,整整十八年了

c) 表示发展、变化、范围的起点。跟名词、动词、形容词组合。

～蝌蚪变成青蛙|～不懂到懂|～浅入深,～简到繁|晚霞～殷红变成淡紫|皮棉亩产～八十斤提高到一百二十斤

由…而…。

　　～近而远|～弱而强|～模糊而清晰|～互相争论而取得一致
意见

d) 表示经过的路线、场所。跟处所词语组合。

　　～这条路走近多了|参观美术展览请～东门入场

e) 表示凭借、根据。跟名词组合。

　　～试验结果看,效果很好|～地球应力场的变化探测地震发生
的可能性

习用语　**由此**　从这里。承接上文,加以推论。用于书面。

　　由此可见|由此可知|由此看来|由此得出结论

比较　**由:归**　见'归'。

　　由于　yóuyú

〔介〕表示原因。'由于…'可以出现在'是'后面,也可以放在主语
的前面或后面。

　　生物的演变,社会的发展,主要地不是～外因而是～内因|这
　　次试验的成功,完全是～全体人员的共同努力和密切合作|～
　　工作关系,我在长沙逗留了几天|工程计划～各种原因而有所
　　变动

〔连〕表示原因;因为。后一小句开头除用'所以'外,还可以用'因
此、因而'。用于书面。

　　～教练指导正确,因此大家的游泳成绩提高得相当快|～事情
　　比较复杂,又～各人的观点不同,因而意见不完全一致

比较　**由于:因为**　1) 口语里用'因为',较少用'由于'。

2) 连词'由于'可以同'因此、因而'配合,'因为'不能。

3) 连词'因为'可以用在后一小句,连词'由于'不能。

　　这里无法过江,因为水流太急(ˣ…,由于水流太急)

有 yǒu

〔动〕1. 表示领有,具有。可带'了、过'。否定式为'没有、没'。
我～一部《现代汉语词典》|他～两个孩子|他母亲～病|情况
已经～了变化|我思想上～过一些波动|这种圆珠笔我也～|
你～没有字典? |你～字典没有?

a) 有时可带'着',多见于书面。
他～着艺术家的气质|中国在两千年前就与伊朗等国～着贸
易往来|这二者之间也是～着内在联系的

b) '有+名'可受'很、挺、最'等程度副词修饰,表示评价。
这孩子很～音乐天才|他挺～办法的|这种木头最～用处|他
对历史不但很～兴趣,而且很～研究|他很～两下子

有些名词跟'有'结合,不用程度副词,也能有程度深的意思。
他可是～年纪了|这个人～学问|你比我～经验

c) 有+所+动。动词多为双音节。用于书面。
今年的产品在数量上～所增长,在质量上也～所提高|～所准
备|～所不为才能～所为

d) '有+名'用作连动句前一部分。
我～事到上海去一趟|我～件事跟你商量

当'有'后的名词为'能力、可能、办法、理由、时间'等时,'有+名
+动/小句'大致等于'有+动/小句+的+名'。
～可能我不去广州(＝我～不去广州的可能)|你一定～能力
解决这个问题|我～办法修好这台机器|我现在～充分时间从
事科学研究

'有'后的名词很多是后面动词的受事。
我还～很多事情要做呢|你～活儿干吗? |你还～什么别的问
题要问?

e) 用在单音节动词后面,结合紧凑,类似一个词。
鲁迅先生著～《阿Q正传》、《狂人日记》等许多作品|这家伙怀

～不可告人的目的

2. 表示存在。句首限于用时间词语或处所词语。'有'后面为存在的主体,有时可提到'有'前。否定式为'没有、没'。

> ～风|树上～两只小鸟|这种情形其他地区也[是]～的|屋子里桌子也～,椅子也～,就差几个书架|～人吗? |～人没有? |～没有人?

a) 常用于兼语句的前一部分。

> 屋里～人说话|河面上～几条小船开过来了|百货大楼～这种尼龙伞卖

b) 前面没有处所词,'有'近似'某'或'某些'。

> 你不爱看,～人爱看|～人这么说过|～一天他来的特别早|他～一次提到过这件事

c) 连用两个(或更多)'有',表示几部分,合起来有时可以表示全部。'有'后有时加'的'。

> ～[的]人爱看京剧,～[的]人爱看话剧|～的地方雨大,～的地方雨小|他们～[的]时候上午有课,～[的]时候上下午都有课

d) 用在动词后面,结合紧凑,类似一个词。

> 铜镜上刻～花纹|墙上写～'肃静'两个大字|这种水果含～多种维生素

3. 表示性质、数量达到某种程度。

a) 有…[+ 那么] + 形。用于比较,表示相似。

> 这花开得～碗口那么大|这孩子已经～我[那么]高了|谁～他认得的人那么多?

b) 有 + 数量。表示达到这个数量。

> 他走了～三天了|这块地估计～四十亩|从这里到天安门大概～五公里|这条鱼足足～四斤[重]

有点儿 yǒudiǎnr

〔副〕表示程度不高;稍微。多用于不如意的事情。

a) <u>有点儿</u>＋形/动。形容词、动词多半是消极意义的或贬义的。形容词、动词之前可以加'太'。

> 这个人～糊涂｜他的情绪～紧张｜这个问题提得～太突然｜这个人～面熟｜他～后悔｜我～想去又～不想去｜小王～爱埋怨人｜你这样做，～太说不过去｜～装腔作势｜～骄傲自大｜～小题大作

b) <u>有点儿</u>＋<u>不</u>＋形/动。形容词、动词多半是积极意义的或褒义的。

> 心里～不安｜他今天～不高兴｜天气～不大好｜这个人真～不懂事｜这种做法可～不顾大局｜你这句话～太不讲道理

c) '有点儿'有时与'稍微'连用。

> 我学习稍微～吃力｜稍微～不满意｜老王稍微～生气｜我稍微～后悔

d) '有点儿'可以单独回答问话。

> 你不觉得疼吗？——～｜他是不是后悔了？——～

注意 '有点儿'有时是'动＋量'。

> 碗里有点儿水｜这幅漫画倒有点儿意思｜这要有点儿勇气｜工作有了点儿起色

有些　yǒuxiē

〔代〕有的；有一部分(数量不大)。可作定语和主语。

> 我们当中，～是北京人，～是上海人，其他地方的人很少｜他～旧书想处理掉，你看有没有你需要的｜屋子里～人在看书，～人在写东西｜他手头儿～钱，打算捐助失学儿童｜我们班的同学，～是自费生｜这些书，～实在没意思｜这些字当中，～写得很好，～写得差点儿｜公园里～人在打拳，～人在散步｜家里～东西用不着，拿出去处理掉算啦｜她的衣服很多，就是～式样旧了点儿｜～话你也不要轻信

在'有些'前面加'很'，表示数量大。

他很～财产,可是生活却十分俭朴|他们家以前很～钱,后来由于受灾,家人生病,全折腾光了

〔副〕略微,稍微。表示程度轻。只能放在动词、形容词前,作状语。

当时,我的心情也～不安|那天,我～头疼|心里～怕|分别以后,真的～想|我已经看出来了,他心里～不高兴|事后他也～后悔

又　yòu

〔副〕'又'的用法大致可分三个方面:一,表示相继,与时间有关;二,表示累积,与时间无关;三,表示某些语气。

1. 表示一个动作(状态)重复发生,两个动作(状态)相继发生或反复交替。

a) 前后两小句重复同一动词,主语相同或不同。表示动作第二次出现。

这个人昨天来过,今天～来了|他去年犯过这种病,今年～犯了|哥哥猜错了,弟弟～猜错了,这个谜语可难了|我找过一遍,他～找了一遍,还是没找着|他低着头走过来～走过去

有时候没有前半句,光有后半句,暗含着以前有过这类事或照例该有这类事('又'后常用'该、要')。

今年～是个丰收年|海面上～起雾了|你～生我的气了|冬天一到,我爷爷～该犯气喘病了

b) 一句之内,'又'前后重复同一动词,表示反复多次。

洗了～洗|解释了～解释|讲了一遍～讲一遍|他练了～练,一直练到合乎要求为止

c) '又'前后重复同一'一+量',表示反复多次。

我们一次～一次地试验|一天～一天,不知等了多少天|我们取得了一个～一个胜利|一座～一座的工厂正在修建起来|一群～一群的燕子飞回来了

d) 两小句动词不同,后句用'又',表示两个动作先后相继。

看完了《西游记》上册,~去借下册|秀英让老人坐下以后,~给他端来热茶|刚洗完衣服,他~去忙别的

e) A 又 B,B 又 A。表示两个动作反复交替发生。

装了~拆,拆了~装,直到自己觉得十分满意才罢手|他跑一阵~走一阵,走一阵~跑一阵,提前赶到了工地

2. 表示几个动作、状态、情况累积在一起。

a) '又'用于后几项。

他是个聪明人,~肯努力,所以不到半个月就都学会了|那一天正好是三伏的第一天,~是中午,~没有风,不动也会出汗|吕老师是县里的模范教师,~是人民代表|我想看~不想看,决定不下

b) 每一项都用'又'。

这孩子~会写~会算|山~高,路~滑,困难是不少|他的话~恳切,~说得在理|同一台机器~翻地,~耙土,~下种|这儿的街道我好像~认得~不认得|孩子们~是害怕,~是喜欢

c) 形₁ + 而 + 又 + 形₂。

美观而~大方|使用方便而~安全|投递迅速而~准确

d) '又'前后重复同一形容词,表示程度高。如为单音节形容词,'又'前一定有'而';光有'又'没有'而'只见于歌词。如为双音节形容词,'又'前可加'而'也可不加。

他对待子女真是严而~严|小皮球,圆~圆|希望工作顺利[而]~顺利,这只是一种空想

e) 既 + 形₁/动₁ + 又 + 形₂/动₂。

既有远期目标~有近期目标|既节约成本,~能提高产品质量|既干净~轻便|~经济~实惠

3. 表示语气。

a) 表示转折。常和'可是、但是、却、而、虽然'相配合。

心里有千言万语,[可是]嘴里~说不出来|生活经历虽然并不

一样,但往往～有共同的体会|既怕冷～不愿多穿衣服

b) 加强否定。

他～不会吃人,你怕什么?|事情是明摆着的,人家～不是没长眼睛,难道看不出来?|他怎么会知道的? 我～没告诉他

c) 加强反问。句中用疑问指代词。

下雪～有什么关系? 咱们照常锻炼|这点花招～能骗谁? |这点小事～费得了多大工夫?

4. 整数 + 又 + 零数。'又'表示相加。

一年～五个月|三小时～十五分|三～二分之一(＝3$\frac{1}{2}$)

5. 另外。加在书信或文章的额外补充的话前,后加冒号或逗号。

又:前次所寄之书已收到,勿念。

比较 又:再 见'再'。

又:还 见'还'。

又:也 见'也'。

于 yú

〔介〕用于书面。1. '于…'用于动词后。

a) 表示处所、来源;在;从;自。跟处所词语或一般名词组合。

熊猫产～中国西南山区|黄河发源～青海|一九五八年毕业～北京大学

b) 表示时间;在。

中华人民共和国成立～一九四九年|马克思生～一八一八年

c) 表示方向、目标。后面用名词、动词、形容词。

献身～革命|从事～科学研究|致力～技术革新|工程接近～完成|气候趋向～暖和|集中精力～学习

d) 表示对象;对;向。跟名词组合。

有求～人|忠～职守|不满足～现状|大赛的形势有利～我们|我不大习惯～这种方式|对历史人物要根据当时条件具体分

析,不要苛求～前人

e）表示方面、原因、目的。前面用形容词、动词,后面用动词。

勇～负责|便～计算|敢～承担责任|忙～收集资料|苦～没有
时间|乐～帮助大家

f）表示被动。

限～篇幅(＝为篇幅所限),暂不刊登|篮球友谊赛,主队败～
客队|女子乒乓球单打,张英负～范莉

g）表示比较。用在名词、形容词、动词或数量词之后。

国家利益高～一切|为人民而死,重～泰山|一英尺相当～市
尺九寸|这是我们区别～他们的一个重要标志

2.'于…'用于动词前。

a）表示时间;在。

中国共产党～一九二一年在上海建立|来信～昨日收到|报表
已～三日前呈送上级

b）表示对象;对;向。跟名词组合。

操之过急,～事无益|形势～我们有利|储蓄～公～私都有好
处

c）表示范围;在。跟方位短语组合,用在动词或主语前。

～无意中流露出怀念之情|～攻读专业书籍之外,我也不时阅
读一些文艺作品

　　于是　　yúshì

〔连〕表示后一事承接前一事,后一事往往是由前一事引起的。可
以用在主语后。

在老师的帮助下,同学们决定组织起来,～一个课外学习小组
就这样成立了|大伙儿这么一鼓励,我～又恢复了信心(＝～我
又…)

口语里'于是'常常说成'于是乎'。

与　yǔ

〔介〕跟。用于书面。

~此事有关|~此相同|目前的情况~去年不同|成渝铁路北端~宝成铁路相连|~困难作斗争

〔连〕和。用于书面。用于书名和标题中。

父亲~母亲|人群是何等兴奋~激动|成~不成,在此一举|《教学~研究》|电流~磁场

习用语 与此同时　同时。作插入语,连接小句或句子。

我厂开展了群众性的增产节约运动,与此同时,还广泛组织工人大搞技术革新

比较 与:和:跟:同　见'跟'。

与其　yǔqí

〔连〕表示在比较之后不选择某事而选择另一事。

a) 后一小句用'宁可、宁愿,宁肯'。

对待工作,~看得容易些,宁可看得困难些|~多而质量不好,宁肯少而质量好些

b) 后一小句用'不如、毋宁'。'不如'前可以加'还、倒、真'。'毋宁'用于书面。

~这样等着,不如找点事情做做|~你去,还不如我去|天气这么好,~呆在家里,倒不如出去走走|~临渊羡鱼,毋宁退而结网

c) 与其说…不如(毋宁)说…。表示对客观情况的判断;在说话人看来,后一种说法更正确些。

~说是鼓励,不如说是责备|~说你没学好,倒不如说我没教好|他的学习成绩有所下降,~说老师同学对他帮助不够,不如说他自己努力不够

愈　yù　(见'越')

愈加　yùjiā　(见'越发')

员　yuán

〔后缀〕表示某集体中的成员或从事某种职业、担任某种职务的人。

a) 名+员。

队～|组～|会～|团～|党～|店～|科～|乘务～|勤务～|公
务～|报务～|资料～|材料～|炊事～|列车～

b) 动+员

教～|学～|演～|议～|雇～|随～|检查～|指挥～|战斗～|
警卫～|服务～|保育～|保管～|管理～|实习～|研究～|裁
判～|运动～|飞行～

c) 动+名+员。

办事～|理发～|售货～|记分～|潜水～|守门～

注意 1) 是否用'员'有一定的习惯性。如有'守门员'，而无'看门
员'；有'店员'，而无'铺员'。说'提琴手'、'坦克手'，但不说'提琴
员'、'坦克员'。

2) 有的例子可以不用'员'，意思不变。

司令＝司令～|裁判＝裁判～|记录＝记录～|助理＝助理～|
保管＝保管～

原来　yuánlái

〔形〕没有改变的。不单用作谓语，修饰名词时要加'的'。

还是按～的计划进行|他还住在～的地方|她～的名字叫吴小
莉，现在叫吴宇华|那份图样是～的，这是修改过的

〔副〕1. 以前某一时期；当初。含有现在已经不是这样的意思。

这件衣服和裤子～都挺合适的|我家～有六口人，现在只有母

亲和我两个了|～这个地区的交通很不方便,现在才修起了高速公路|～还有几个人要来参加,因为有事不来了|我现在不是司机,～是

2. 发现从前不知道的情况,含有恍然醒悟的意思。可用在主语前或后。

> 我说是谁,～是你|～他们并没走,我还以为他们走了|这屋里怎么这么安静,～没人

愿意　yuàn·yi

〔动〕表示做某事或发生某种情况符合心意。可带动词、形容词、小句作宾语。不能用'没'否定。用法类似助动词。

> 你～去就去|他～学汉语|我～安静一点儿|人家不～让我们听|我参加,你～不～?|留下是他自己～的,不是别人强迫的|你～大家都去吗?

a) 不能带名词宾语。

> 他～办这件事(×他～这件事)

b) 可受程度副词修饰。

> 我非常～跟你们在一起|看样子,他好像不太～|～得很

c) 前面可用助动词'会、可能、能'。'能'仅用于反问句。

> 我想这么办,你看他会～吗?|我估计,他可能不～|你想想,这样做我能～吗?

约　yuē　(见'大概')

约莫　yuē·mo　(见'大概')

越　yuè　(愈)

〔副〕越 A 越 B。表示在程度上 B 随 A 的变化而变化。

a) A 和 B 的主语不同。

> 你～[是]劝他休息,他～[是]干得起劲|不知怎么回事,你声音

639

～大,我们反而～听不清|大家～讨论,问题就～明确

A 可以叠用几个'越…'。

研究得～细致,讨论得～深入,问题也就解决得～好

b) A 和 B 的主语相同。

我～看～喜欢|风～刮～大|姜～老～辣|文章～啰唆～不能说明问题|～是在情况紧急的时候,～[是]需要冷静

c) 越来越…。表示程度随时间的推移而变化。只能有一个主语。

天气～来～热|声音～来～小|事情～来～有希望|这歌声～来～响亮,也～来～有力

【愈】'愈…愈…'同'越…越…'。多用于书面。

愈演愈烈|风雨愈大,雨中青松愈显得挺拔|听到表扬愈多,愈应谦虚谨慎

越发　yuèfā　(愈加)

〔副〕1. 表示程度进一步增加;更加。用来比较的事物不一定在句中说明。

a) 越发+形。

过了中秋,天气～凉爽了|条件比以前～好了

b) 越发+动。动词要构成短语。

姑娘～长得标致了|往后～没有时间了|如果情况真是这样,那就～值得我们注意了|～沉不住气了|～说不出口了|～看不惯了|再晚就～赶不上了|～讲不清楚了

c) 越发+不+形/动。

～不高兴了|～不老实了|～不懂事了|～不成问题了|～不应该了|～不愿意讲了

2. 越[是]…,越发…。意义和用法基本同'越…越…'。限用于中间有停顿的两个小句。

心里越[是]兴奋,就～说不出话来|越是艰苦的地方,～需要

我们去工作|[×]风越刮～大|[×]时间越早～好

比较 越发:更加　'越发'限用于同一事物的进一步变化;两种事物比较时,不能用'越发',必须用'更、更加'。

　　小刘下乡以后,身体越发(更加)结实了|小刘身体很结实,小
　　张更加([×]越发)结实

【愈加】意义和用法基本同'越发'。多用于书面。

　　听到了这个消息,我们的心情愈加不能平静了|工作愈紧张,
　　心中反而愈加感到愉快

　　云云　yúnyún

〔助〕用于引文或转述的末尾,表示到此结束或以下省略。多用于
书面。

　　他们所谓'和平、友谊'～,完全是骗人的鬼话|而我久生大病,
　　体力衰惫,不能为文,以上～,几同塞责|文件上有批语,大意
　　是既经有关单位研究可行,准予照办～

Z

再　zài

〔副〕1. 表示一个动作(或一种状态)重复或继续。多指未实现的或经常性的动作。

a) 再＋动。'再'前后常用相同的动词。

我们要学习、学习、～学习｜去过了还可以～去｜这次失败了，下次～来｜别急，～坐一会儿｜我还能～见到你吗？｜你敢～赛一场吗？

b) 一…再…。'再'前后用同一个单音节动词，可表示已然。

不能一错～错了｜这事情一拖～拖，到现在还没结束｜人员一换～换，就是固定不下来

c) 用于假设句，后面常用'就、都'等呼应。表示假设的连词可有可无。

你[要是]～哭，小朋友就都不跟你玩儿了｜你[如果]～推辞，大家就有意见了

d) 用于让步的假设句，含有'即使'或'无论怎么'的意思，后面常用'也、还是'呼应。

你～怎么劝，他还是不听｜～等也是这几个人，别等了吧｜[即使]你～解释，他也不会同意的

2. 表示一个动作将要在某一情况下出现。

a) 动作将在某一时间出现。

今天来不及了，明天～回答大家的问题吧｜下午～开会吧，上午先让大家准备准备

b) 动作将在另一动作结束后出现。

好好休息，等伤完全好了之后～参加大赛｜先把问题调查清

楚,[然后]~研究解决的办法|别着急,一个说完,一个~说

3. 用在形容词前,表示程度增加。

　　a) [比…]+再+形。'形'后常有'一些、一点儿'。

　　　难道没有[比这个]~合适一点儿的吗?|还可以写得[比这]~
　　　精练些

　　b) 再+形+[也]没有了(不过了)。等于'没有比…更…'。

　　　你跟我一块儿去吗? 那~好也没有了(不过了)|把军民关系比
　　　作鱼水关系,是~恰当不过了(也没有了)

　　c) 形+得+不能+再+形+了。等于'形+到极点了'。形容词
多为单音节,前后相同。

　　　已经甜得不能~甜了|气球已经大得不能~大了,再吹就要炸
　　　了|他们俩好极了,好得不能~好了!

　　d) 再+形。等于'无论多…'。用于让步的假设。

　　　即使天~冷,风~大,我们也不怕|情况~严重,我们也能想法
　　　对付|~好的笔也禁不起你这么使呀

4. '再'和否定词合用。

　　a) 否定词在前。表示动作不重复或不继续下去。

　　　唱了一个,不~唱了|他走了之后没~来

　　b) 否定词在后,中间有时加'也'。同上,但语气更强,有'永远
不'的意思。

　　　他~也不来了|他~没说什么,掉头就走了|您~[也]别说这
　　　些客气话了,这是我们应该做的

5. 另外,又。

　　a) 再+一个。

　　　超额完成任务的,一个是印染厂,一个是变压器厂,~一个是
　　　齿轮厂

　　b) 再+一次。多用于书面。

　　　我国政府就此事~一次发表声明|这件事~一次说明了一个
　　　真理

c) <u>再</u>+没有;<u>再</u>+还有;<u>再</u>+就是。

只有这一条路通向山顶,此外~没有别的路|我们村今年种了三百亩小麦,~还有四十亩大豆|懂英语的有小王、小李、老张,~就是老孙

习用语 首先…其次…再[其]次… 同'第一…第二…第三…'。

一而再,再而三 反复地。

他一而再,再而三地解释这件事

比较 再:又 在表示动作重复或继续时,'再'用于未实现的,'又'用于已实现的。

再唱一个(待重复)|又唱了一个(已重复)|再躺一会儿(待继续)|又躺了会儿(已继续)

再:才 '再'表示动作尚未实现,但将于某时实现;'才'表示动作已实现,并且强调动作实现得晚。

你明天再来吧(尚未实现)|你怎么今天才来?(动作实现得太晚)|看完了电影再走吧,好不好?(尚未实现)|他看完了电影才走的(动作实现得晚)

再:更 '再'和'更'都表示程度增高,但只有'再'第3项a)可以改用'更',其余都不行。反之,和'比…'合用的'更'不能改用'再';动词前面的'更'和否定词前面的'更'也不能改用'再'。

再:最 见'最'。

再三 zàisān

〔副〕一次又一次。表示频繁重复。用于动词前,作状语。

对方~表示感谢|大家~挽留,可是仍然没把他留住|经过~考虑,我认为还是不去为好|妈妈~嘱咐我要当心身体

有时能说'再三再四'。

队长再三再四地强调了注意事项

在 zài

〔动〕1. 存在。

父母健～|精神永～|那张相片现在还～|祖母已经不～了(表示去世。必带'了')

2. 表示人或事物存在的处所、位置。一般要带宾语。

文件～桌上|小陈～图书馆|老刘不～家

如果处所是已知的,可不带宾语。

老张～吗?——～,请进!|我刚才去了一趟,他没～

3. 在于;决定于。可带名词、动词或小句作宾语。

体育锻炼贵～坚持|这事～你自己|得肠胃病的原因,多半～平时不注意饮食卫生|要学习好,主要～自己努力|学汉语难就难～一些虚词的用法不好掌握

〔副〕正在。

红旗～飘扬|火车～飞奔|时代～前进|风～吼,马～叫,黄河～咆哮

〔介〕跟时间、处所、方位等词语组合。

1. 表示时间。

a) 指一般动作发生的时间,'在…'用在动词、形容词或主语前。

专车～下午三点半到达|我是～到了上海以后才听说的|～当时,问题还不严重

b) 指出现、消失以及某些不明显的动作发生的时间,'在…'用在动词后。单音节动词限于'生、死、定、处、改、放、排'等。

生～一八九九年|处～紧急关头|时间定～后天上午|这事放～以后再谈|参观改～星期四

双音节动词限于'出生、诞生、发生、出现、发现、布置、安排、确定、固定'等。

出生～一九一○年|故事发生～很久以前|运动会安排～四月份|小组讨论固定～每星期五

2. 表示处所

　　a) 指动作发生或事物存在的处所，'在…'用在动词、形容词或主语前。

　　　　～高空飞翔|～黑板上写字|养蚕～南方很普遍|～休息室里，大家谈得很高兴|～草地的中央有一个喷水池，～喷水池的两边是两个精致、美丽的花坛

　　b) 指出生、发生、产生、居留的处所，'在…'可在动词后或前。

　　　　住～东城|出生～北京|生长～广东|竹笋产～南方|事情发生～老张家里

　　　　～东城住|～北京出生|～广东生长|～老张家里发生了一件事

　　c) 指动作达到的处所，'在…'用在动词后。

　　　　跳～水里|掉～地上|看～眼里，记～心上|窗户开～东墙上|一枪打～马肚子上|平躺～床上|阳光照射～水面上|行李寄存～你家|疗养所坐落～半山腰|病人昏倒～地上|全家团聚～一起

　　动词如果带受事宾语，宾语要有数量词，否则要用'把'字句或宾语前置句。

　　　　写一个名字～上头|把名字写～上头|名字写～上头(ˣ写名字～上头)

　　注意　1) 有些句子里边'在…'可在动词前也可在动词后，但意思不同。

　　　　在地上跳(跳的动作就在地上发生)|跳在地上(从别处跳到地上)|在马背上打了一枪(在马背上向别处射击)|一枪打在马背上(枪弹打中了马背)

　　　　2) 动词如带有后附成分，'在…'只能用在动词前面。

　　　　在屋里坐着(ˣ坐着在屋里)|在上面写清楚(ˣ写清楚在上面)

3. 表示范围。

　　a) 用在动词、形容词或主语前。

我们～工作中取得了很大成绩|他～学习上很努力|～这方面,你要多帮助他

　　b) 用在动词后。

参军年龄控制～二十二岁以下|旅客随身行李限制～二十公斤以内|室温保持～二十四到二十六度之间

4. 表示条件。构成'在+动名词短语+下'的格式,用在动词或主语前。

～大家的救助下,把落水儿童救上了岸|～大家的帮助下,小周的进步很快

5. 表示行为的主体。

这种生活～他已经十分习惯了(＝对他来说)|～我看来,问题不难解决(＝依我看)

|注意| '在那里、在这里'等的处所意义有时很不明显,主要表示'正在进行'。

人的身体时时刻刻在那里消耗水分|我在这里想明天的工作怎么安排

|比较| 在:正:正在　见'正在'。

在:当　见'当'。

在乎 zài·hu

〔动〕 1. 在于。必带名词、动词、形容词、小句作宾语。

背景的作用～衬托|进步完全～自己努力|诗之所以为诗,～意境,并不～堆砌词藻

2. 放在心上;介意。可带名词宾语。可受程度副词修饰。多用于否定句或反问句。

我不～这点东西|对这一点,他倒不十分～|难道你还～这几个钱? |人家笑你,你～不～? |你不～,他可是～

|习用语| 满不在乎　完全不放在心上;不认真。

我替他着急,他倒满不在乎|什么事他都满不在乎,所以老是

出差错

在于　zàiyú

〔动〕1. 指出事物的本质所在;正是,就是。必带名词、动词、小句作宾语。主语多为名词短语。

他们的错误就～此|出事故的原因就～他们根本没有把安全生产放在第一位|这个工程的问题不～进度,而～质量

2. 指出关键所在;决定于。必带名词、小句作宾语。主语多是选择性疑问小句。

一年之计～春|去不去～你自己|这件事成功与否就～他了|这次能不能获得冠军就～这最后一盘了

咱们　zán·men

〔代〕1. 称说话人和听话人双方。用于口语。

你在工厂干活儿,我在农村劳动,～都为社会主义建设出力|他们给～写来两封信了,～得给他们写封回信

a) 表示领属关系时,在'咱们'后可加'的'可不加'的'。

～[的]卡车|～[的]行李|这是～[的]电视机|～[的]电话有点毛病

但在人、团体、处所的名称前,常不加'的'。

～县|～厂|～班|～车间|～校园|～球场|～主任|～队长|～王老师|～经理|～小李可是个好样儿的

在'家、家里、这里、那里'以及方位词前,在'这(那)+数量词'前,常不加'的'(参看'我'1项a),'你'1项a))。

b) 跟表示身份的名词连用,'咱们'在前。

～工人有力量|～当领导的要带头|～老年人要做个好榜样

有时跟指数量短语(连或不连名词)连用。

～俩|～三个|～这几个人干得了吗?

2. 指'你'或'你们'。比用'你'或'你们'亲切。

~乖,~不哭(对幼儿)|(对儿童说)谁欺负~了,找他说理去|(对售货员说)同志,~这儿有红旗牌收音机吗?

<u>注意</u> 在北方话里,'咱们'和'我们'有分别,前者包括对方,与'他们'相对,'我们'不包括对方,与'你们'相对。'咱们'已经进入普通话口语,但不是所有说普通话的人都已习惯使用。尤其在比较庄重的场合说话,连本人平常区别'咱们'和'我们'的人也会一概用'我们'。在书面上,'咱们'少见。

遭　zāo

〔动〕遭受。可带'了、着、过'。可带名词、动词作宾语。

~了毒手|~过水灾|那儿现在还~着旱灾呢|别让我~这个罪了|闻一多在昆明惨~暗杀,激起了全国人民的愤怒

可带兼语,'遭'后常用'人、人家'等代词。

~人虐待|~人白眼|别~人家骂|你是~他骗了|水库修好以后,这里再也不~水淹了

<u>动趋</u>　遭到　这种错误主张遭到坚决的反对|一家遭到不幸,大家都来关心

早　zǎo

〔名〕早上,早晨。

从~到晚|~晚温度相差很大|今儿起了一个大~,四点半就出门了

〔形〕1. 时间靠前。

a) 修饰名词。

~稻|~班|~期|他~年在四川任教

b) 修饰动词。

~去~回|日子定了,~点儿告诉我|~点儿吃饭,~些动身|~去晚去都没关系

c) 作谓语。

天还～,再坐会儿|要去,时间就～点儿|不～了,该动手了|这么～,哪儿去呀?

d) 作补语。

起得很～|他来得最～

e) 早晨见面时的套语。

老师～! |同学们～!

2. 较早,更早(跟现在或某一时间比较)。

a) 用在比较句。

你来得比我～|他上大学比我～一年|这里的季节比北京～一个月

b) '早'后有时间数量词。

～两天我还看见他的|他～两个星期来过

c) 直接用在动词后。有'太早了'的意思。

来～了,还没开门|买～了,应该过几天再买,可能有新产品

d) 直接用在动词前。表示假设,含有'现在太晚了'的意思。

你干嘛不～说? |要～去就好了|～知道你要来我就不去了|～知今日,何必当初

〔副〕强调事情的发生离现在已有一段时间。句末常用'了'。

他～来了|我们～知道了|来信～已收到了|你的心思我～看出来了

'早'后常用副词'已、就'等。

他～已不在这儿了|我～就准备好了|要在旧社会,遇到这么大的灾害,我们～就饿死了

早晚　　zǎowǎn

〔名〕早上和晚上。一般用于早、晚同做一样的事情。

他每天～都打太极拳|他一日一餐,～不吃|我～都要读一会儿外语|这种营养液～各服一支

〔副〕相当于'或早或晚'的意思,表示预计的情况必然会出现。常

常同'会、要、得(děi)'连用。

> 他不听别人劝说,～要吃亏的|你一意孤行,～得犯错误|这个
> 小伙子头脑清楚,办事干练,～会有成就的|就这样折腾,买卖
> ～得让他搞黄了|兄弟～要分家

怎么　zěn·me　（怎么着）

〔指〕1. **怎么+动。询问方式。动词不用否定式。**

> 这事我该～去跟他说?|他～学会说广州话的?|棉花是～种
> 出来的? 棉花～纺成棉纱? 棉纱又～织成棉布? 这个过程你
> 知道不知道?

　'怎么+动'有时说成'怎么个+动+法'。

> 棉花是～个种法?|这种笛子～个吹法?

2. **怎么+动/形。询问原因,等于'为什么'。动词、形容词可以用
否定式。**

> 你～来了?|他～这样高兴?|屋里～这么黑?|水～不热?|
> 你～不打打太极拳呢?|小李～没报名?|你～会知道这件
> 事?

　'怎么'可以放在主语前。

> ～他还不出来?|～今天这么冷?

3. **怎么[+一]+量+名。询问性状,意思和'一+量+什么+名'
差不多。量词常用'个、回'。名词多为'人、东西、事'。**

> 大家都想看看新来的老杨是～一个人|这是～[一]回事?|你
> 给我说说,那儿是～[一]个情况?

4. 用于**虚指**。

> 不知道～一来就滑倒了|你没想出～个解决办法吗?|新品种
> ～～好,老品种～～不行,他当着众人详细地做了比较|他把
> ～来～去都告诉了大家(这里的'～来～去'指事情全部经过)|
> 这种花～繁殖、～种、～管理我都知道

5. 用于**任指**。

a) 后面常用'也、都'呼应,前面可用'不论、无论、不管'等。

~让他唱他也不唱|~修都修不好|不论(无论、不管)~困难都得按时赶到预定地点

b) 前后两个'怎么'相呼应。表示条件关系。

上次~做的,这次还~做|该~办就~办

6. 不+怎么+动/形。'怎么'表示一定程度,略同于'很'而较轻。'怎么'的作用在于减弱'不'的力量,语气比较婉转。例如'不怎么冷'没有'不冷'坚决。

他刚学,还不~会唱|今天不~舒服|学会一门技术也并不~难

〔代〕1. '怎么'做谓语。询问状况。句末用'了(啦)'。

你~啦? |参观的事~了? 都安排好了吗? |你是~了? 从来没见你这么高兴过

2. '怎么'用于句首,后有停顿,表示惊异。

~,我离开这里才两年,就新建了这么多高楼! |~,你不认识我了? |~,他又改变主意了?

⟦比较⟧ 怎么:如何 见'如何'。

【怎么着】同'怎么'的代词用法。指别词用法少见,多用'怎么'。

怎么样 zěn·meyàng (见'怎样')

怎么着 zěn·me·zhe (见'怎么')

怎样 zěnyàng (怎么样)

〔指〕1. 询问性质。加'的'修饰名词,名词前有'一+量'时,'的'可省。

~的结构? |~的方法? |请告诉我这是一个~的民族? |下一步应采取~的行动? |橡胶树是~一种树呢?

2. 怎样+动。询问方式。口语中用'怎么'或'怎么样'较多。

你们~消灭虫害? |你在水里是~游的? |这个九层的象牙球

是～雕刻出来的？|螃蟹～走路？

3. 用于虚指。口语多用'怎么'。

不知道他～一变,就变出一盆金鱼来|我没感到～冷|他说那
地方的风景～～好,引得大家都想去

4. 用于任指。口语多用'怎么'。

a) 后面常用'也、都'呼应,前面可用'不论、无论、不管'等。

他非要冒雨回家,～留也留不住|～洗都洗不干净|不论周围
的环境～乱,都不影响他学习

b) 两个'怎样'相呼应,表示条件关系。

我～学来的,我还～教你们|人家～做,你也～做,不就行了
吗?

〔代〕询问状况。

a) 做谓语、补语。

你的身体～? |实际状况究竟～? |准备工作做得～了?

b) 做宾语。

现在感觉～? |以后打算～?

【怎么样】1) 用于询问或虚指、任指。同'怎样'。 2) 代替不说
出来的动作或情况,是委婉的说法。只用于否定句和疑问句。

这篇文章不～(＝不好)|天气还能把咱们～? (＝不能叫咱们
不去)

张　　zhāng

〔量〕1. 用于可张开、可闭拢或卷起的东西。

一～嘴|一～纸(票、画片、卡片、相片、地图)|一～凉席|两～
烙饼|这～弓谁都拉不动

2. 用于平面的或有平面的物体。

三～桌子|两～凳子(沙发、躺椅、床)|～～笑脸迎亲人|一～
～的桌子摆满了大厅

3. 用于某些农具、乐器。

一～步犁(耧)|一～古琴

着　zháo

〔动〕1. 接触。可带'了、过'。必带'地、水、边际'等少数宾语。

　　手上的烫伤一～水就疼|扶着点,我的脚还没～地,～了地你
　　再放手|他说话总是不～边际

2. 感受。可带'了、过'。必带名词、形容词作宾语。

　　～凉了|心里～了慌|别～急|夜里～了风,两肩酸疼

3. 燃烧。可带'了、着、过'。可带宾语'火'。

　　汽油一点就～|～火啦!|小心点,～了火可不是玩的

　　引申用于灯发光。不带宾语。

　　这儿的灯没～|屋里的灯还～着

4. 作动结式第二成分。

　a) 在及物动词后,表示达到目的。可带'了、过',可插入'得、
不'。

　　猜～|打～了|逮不～|找得～|这批材料今天可用～了|我个
　　子高,够得～

　b) 在不及物动词或形容词后,表示产生了结果或影响。可带
'了、过',可插入'得、不'。

　　睡～过|饿～了|累不～|冻～了

　c) 在某些动词后必插入'得、不',构成固定词语。一般只用于问
句和否定式。

　　犯得(不)着|怪得(不)着|数得(不)着|顾得(不着)

照　zhào

〔动〕1. 照射。

　　阳光～在窗台上

2. 反射影像。

　　～镜子|平静的湖面～出了岸边杨柳的倒影

3．摄影。

　　～一张相片｜这张相片没～好

〔介〕1．向；朝。可加‘着’。

　　～靶子打了一枪｜～着这个方向走

2．按；依。

　　a）照＋名。可加‘着’。

　　　～计划执行｜～尺寸剪裁｜就～你说的办｜～着这个进度下去，不出十天就能完成｜～直走(＝～直路走)｜～实说(＝～实话说)

　　b）照＋小句。可加‘着’。

　　　～每年增产百分之十计算｜～着两个人住一间房安排

　　c）照＋名＋看(说)。表示某人具有某种看法。

　　　～我看，原文在这儿漏了一个字｜～你这么一说，我心里也就踏实了

| 习用语 |　照说　照道理说。

　　照说该我去看他的，他倒先来了

〔副〕表示按原件或某种标准做。

　　～办｜～转｜此件～发｜根据文稿～抄一份｜别人的经验不能生硬地～搬

| 比较 |　照：按　1）‘照’不能跟表示期限、时间或其他界限的词组合，下例用‘按’不用‘照’。

　　按期举行｜按时完成｜按月结算｜按季度上报｜按年龄分组｜按地区划分

　　2）‘照’有模仿、临摹的意思，‘按’没有。下例用‘照’不用‘按’。

　　照猫画虎｜照教练的样儿踢球｜照着字帖一笔一笔地写

　　者　zhě

〔后缀〕1．表示有某种信仰、从事某种工作或有某种特性的人。构成名词。

a) 名+者。

笔～|马列主义～|唯物论～|乐观主义～|语文工作～|医务工作～

b) 动/形+者。

记～|读～|编～|译～|作～|侵略～|消费～|文艺工作～|无产～|革命～|胜利～|合格～|老～|弱～|强～|长～

2. 指代事物或人。构成名词。

a) 前/后+者

在这两个条件中,前～是主要的,后～是次要的

b) 数+者。

二～必居其一|三～都很重要

这 zhè

〔指〕 1. 指示比较近的人或事物。

a) 用在名词、数量词前。

～孩子|～几个人|～车结实耐用|～事情好办|我们都同意～三点意见|～一回我赢了

b) 这[+数量]+名。用在别的词语后,复指前面的事物。

他们～几位是新来的|牙雕、玉雕、雕漆～几种展品最吸引观众注意|茶叶～东西最容易染上别的气味|在北京我就认识王平和田中明～两个人

c) 这+一+名。限于双音节抽象名词,复指上文。用于书面。

～一事实|～一分析|～一现象|我国自行设计、自行建造的悬拉索大桥已经不止一座,～一成就是以前根本不能想像的

d) 名词前有‘这’,又有领属性修饰语(一般不带‘的’)时,‘这’放在后面。

我们～一带|屋里～人是谁?

名词前有‘这’,又有非领属性修饰语(一般不带‘的’)时,‘这’放在前面。

〜空酒瓶子｜〜缎子被面

2. 这+一+动/形。'这'加强语气,同'这么、这样'。

　　〜一转眼才几年,你都成大人了｜你〜一说我就明白了｜工作
　　〜一紧张,那些小事儿也就忘了｜你〜一胖,我都认不出来你
　　了｜心里〜一急,本来想说的话也说不出来了

3. 口语中用在动词、形容词前,表示夸张,同'这个'。

　　他干起活儿来〜猛啊,谁也比不上｜看到年轻人的进步,老王〜
　　高兴啊,就别提了｜瞧你〜喊,谁听得清你说的什么?

〔代〕1. 代替比较近的人或事物。

　a) 代替人,限于在'是'字句里作主语。

　　　〜是张同志｜〜是新来的医生

　b) 代替事物,常用作主语。

　　　〜很便宜｜〜倒不错｜〜最受欢迎｜〜是一种新产品｜〜给你｜
　　　〜我知道｜〜不解决问题

　　除与'那'对举外,作宾语时一般要有上下文。

　　　你问〜做什么?｜他们拿〜做原料

　c) 代替事物,用在双音节方位词前。

　　　〜上面有花纹｜〜里面装的是放射性物质｜铃铛挂在〜后面

　d) 用在小句开头,复指前文。

　　　你觉得热,〜是因为你第一次到南方｜先栽苗后浇水,〜也可
　　　以｜你要是能帮我一把,〜就快多了

2. 与'那'对举,表示众多事物,不确指某人或某事物。

　　怕〜怕那｜到了植物园,〜也看,那也看,一双眼睛都忙不过来
　　了｜姐儿俩〜啊那的,说了不少话｜采点儿〜,摘点儿那,一会儿
　　就装满了一小筐｜请〜请那,街坊四邻都请到了

3. 等于'这些'。

　　〜都是一等品｜〜都是平时努力才取得的成绩

4. 口语中指现在,有加强语气的作用,后面常用'就、才、都'等。

　　他〜就来｜〜都几点了,你还不休息?｜凉风一吹,〜才清醒过

来 | 直玩到尽兴之后,～才分手回家

这点儿 zhèdiǎnr （见'这么点儿'）

这个 zhè·ge;zhèi·ge

〔指〕1. 指示比较近的人或事物。

a) 用在名词前。

～孩子真懂事 | ～人就是爱钻研 | ～问题比较复杂 | 当年红军就是在～地方渡过金沙江的 | 小孩儿最喜欢听～故事

b) '这个＋名'用在其他词语后,复指前面的事物。

晚上九点钟～时间不好,改在八点 | 老叶～人就有股傻劲儿 | 绣花～活儿咱可干不了

c) 名词前有'这个'又有领属性修饰语(一般不带'的')时,'这个'在后。

我～女孩儿跟男孩儿一样淘气 | 北京～鼓楼和西安那个鼓楼不大一样

名词前有'这个'又有非领属性修饰语时,如果后者是双音节形容词(带'的'或不带'的'),'这个'一般在前。

～普遍的规律 | ～聪明的小孩儿 | ～奇怪现象目前还无法解释 | ～严重事件必须立即处理

如果修饰语是动词短语或表示程度比较的形容词短语(必带'的'),在不强调区别性时,'这个'在前;在强调区别性时,'这个'在后。

～穿红裙子的女孩儿真可爱 | ～比较大的房间光线很好(不强调区别)

穿红裙子的～女孩儿是小芳,穿绿裙子的是小芬 | 比较大的～房间做书房,比较小的那间做卧室(强调区别)

2. 口语中用在动词、形容词前,表示夸张。

大伙～高兴啊! | 你刚说了两句,她脸上～红啊! | 瞧他～一

路小跑,连气都喘不过来了

〔代〕1. 代替名词,称事物、情况、原因等。

~是我借的|不要玩儿~|~还得问问他才能决定|就因为~,大家今天才特别高兴

2. 与'那个'对举,表示众多事物,不确指某人或某事物。

看看~,又看看那个,不知派谁去才好|他摸摸~,敲敲那个,满心喜欢这些新机器|大伙儿~凑一句,那个凑一句,一封感谢信很快就写好了|你~那个地说些什么呀?

这会儿 zhèhuìr;zhèihuìr

〔代〕1. 现在,目前。

a) 用在动词前。

你~到哪儿去?|老董~才有空跟我说几句话|大伙儿~都在五龙亭玩儿呢

b) 用在主语前。

~你跑来干吗?|~雾已经散了|~人全走了

c) 做主语、宾语。

~不是聊天儿的时候|~已经很晚了|直到~他还没弄明白

d) 修饰名词。带'的'。

~的事这会儿办,不要拖拉

2. 这个时候。有明确的上下文时,指过去或将来的某个时间。

去年~我正在广州|等到后天~你就到家了|~他才看清楚是谁

这里 zhèlǐ (这儿)

〔代〕称较近的处所。

a) 做主语、宾语。

~是职工俱乐部|~陈列着许多出土文物|~冷,还是到屋里去吧|~我不是第一次参观了|你用手扶着~

b) 直接放在人称代词或名词后,使非处所词成为处所词。

我~有一部《唐宋名家词选》|我们~今年又获得了农业大丰收|窗台~阳光充足

c) 修饰名词。通常要带'的'。

~的老师都是师范学院毕业的|~的景致真好! |他曾把~的茶树苗带到北方试种,但是没成功

d) 用在介词后。

朝~走|从~出发|由~往南|打~一直往前|在~坐着|坐在~|到~来|来到~|向~跑来

【这儿】用法同'这里',用于口语。尤其是下面两种场合,通常都用'这儿',不用'这里'。

1) 用在动词前。

你跟我~来|来,~坐|就~谈吧

2) 打(从、由…) + 这儿 + 起(开始)。表示时间或处所。

打~起,他们俩就成了知心朋友|从~开始,一周学一课,不到一年就能学完|由~开始,他坚持锻炼身体,一天也没间断|打~起,往北就进入河北省地界了|这根木头从~开始锯

这么　zhè·me

〔指〕1. 指示程度。

a) 有(像)… + 这么 + 形/动。前面有用来比较的事物。

小莉已经有你~高了|书柜有床~宽,这儿放不下|我的书房也就像你的~大|事情哪儿像你说的~容易? |他就像你~爱管闲事儿

b) 这么 + 形/动。前面没有用来比较的事物。如果不是当面用手势比况,'这么'就是虚指,有略带夸张、使语言生动的作用。

真的,就是~大嘀! 飞得~高|今儿个怎么~热闹? |你~不放心,我只好留下不走了

有时'这么'不表示比拟的程度,只强调说话人的感叹语气,类似

'多么'。

> 这小孩儿的字写得～漂亮！｜山上空气～新鲜！

c)'这么'的强调作用同样适用于积极意义的形容词(大、高、多…)和消极意义的形容词(小、低、少…)。但如句子里有'只、就、才'等副词,'这么'加积极意义的形容词跟加相应的消极意义的形容词的意义没什么两样:'只有这么大'等于'[只有]这么小'。

d) <u>这么</u>+形/动+<u>的</u>+名。

> ～好的人｜～凉的水｜～热的天｜～红的脸蛋儿｜～难的题目｜～
> 鲜美的鲥鱼｜～感动人的歌曲｜～讨人嫌的家伙

'大、长、多'等单音节形容词之后有时可以省'的'。

> ～大[的]岁数｜～大[的]力气｜～短[的]时间完成了～多[的]
> 工作｜～长[的]时间没收到他的信了｜～多[的]人,吵死了！｜
> ～小[的]尺寸没法儿穿

e) 否定式一般用'没[有]',是对 a)的否定,后面的动词限于表示心理活动的。

> 没～高｜没～宽｜没～大｜没～容易｜没～喜欢｜没～动人｜事情
> 没有你说的～难办

2．指示方式。

a) <u>这么</u>+动。

> 这件事就～办吧｜～走,什么时候才能走到？｜你就～认认真
> 真学下去,一定可以学会的

b) <u>这么</u>+一+动词。'这么'加强语气。

> 手～一甩就走了｜腿～一抬就跳过了横竿｜他就～一摆头,什
> 么也没有说

c) 动+<u>这么</u>+动量/时量。'这么'强调动作达到的数量。

> 我就练过～两次,还不熟｜看了～一眼,心里就明白了｜等了～
> 半天了还不见人影儿

3．指示数量。强调数量之多或少,或无所强调,可以从上下文知道,可参 1 项 b)、c)的说明。

都～二十好几了,还说小孩儿话|完成这项工程得～一年多时间|病了～半个多月,耽误了好些事(以上均指多)|～几句话就概括了全部经过,真是言简意赅|小时候才念过～两年书(以上均指少)|就是～回事|是有～两个人来过|有了～几个帮手才轻松了一些(以上呈中性)

〔代〕代替某种动作或方式。这种用法,'这么着'比'这么'多,参看'这么着'。

　　～好不好? |～不行|～不就解决了吗? |别～|好,就～吧! |～也成,那么也成,怎么都成

注意 '这么不干脆'有两种意思。一是表示'很不干脆','这么'指示程度。一是表示'这种方式是不干脆的','这么'代替某种方式或动作。同样,'这么合适'、'这么麻烦'、'这么不好'等都有两种意思。

比较 这么:这么着:这样　1) 作为指别词,'这么'可以指示程度、方式和数量,不能指示性状。'这样'可以指示程度、方式和性状,不能指示数量。'这么着'只能指示方式。'这样'可以修饰名词、动词、形容词、'这么'、'这么着'只能修饰动词、形容词,不能修饰名词。

　　2) 作为代词,三者用法相同。但北京口语多用'这么着',少用'这么'。'这样'口语、书面通用。

　　这么点儿　zhè·mediǎnr　(这点儿)

〔指〕1. 指示较小的数量。也可以说成'这么一点儿'。修饰名词带不带'的'均可。

　　～的事儿,我一个人能做完|～路,走着去就行|～岁数,说出话来可不像个孩子

2. 指示较小的个体。修饰名词,多带'的'。

　　～的小厂产品可不少|～的象牙上刻了那么多山水人物|～的个儿跑得还真快

〔代〕代替数量少的事物。

> 票都分了,就剩下～了|～就够了吗? |我只有～,再多一点儿也没有了|～没多大份量,最多二斤

【这点儿】基本同'这么点儿',但修饰名词不能带'的',不能指示较小的个体。

> 就这点儿事儿,明儿就能完|这点儿不够|我只有这点儿了

注意 '这点儿'另有与数量无关的一种意义,等于'这地方'。(同样,'那点儿'指'那地方';'哪点儿'指'哪个地方'。

> 这点儿人多,咱们到那边儿去坐

这么些　zhè·me·xiē

〔指〕指示比较近的一些人或事物,用在名词前,名词前可以有量词。通过上下文,可强调多或强调少,以前者为主,后者多用'这么点儿'或'这么+几+量词'。不强调多或少时,一般用'这些'。

> ～事一天办不完|～列火车,一时调度不开|～位同志都可以做我的老师(以上强调多)|就～话我都讲不清楚,更别说讲长篇大套的了|说了半天,才请了～个人呀(以上强调少)

〔代〕代替较近的一些人或事物,做主语、宾语,后面可带量词。强调多或强调少,情况同上。

> 屋里哪儿坐得下～位呀? |搁～就太咸了(以上强调多)|一大棵树才开～朵,太少了|这么个大瓶子只装～呀(以上强调少)

这么样　zhè·meyàng　(见'这样')

这么着　zhè·me·zhe

〔指〕指示方式。修饰动词。这种用法,'这么'比'这么着'多。

> 你～说我可不同意|～解决你看妥当不妥当? |你～看书眼睛要看坏的

〔代〕代替某种动作或情况。这种用法,'这么着'比'这么'多。

a) 做主语、宾语。

~好不好？|~更痛快|我喜欢~，你管得着！

b) 做谓语

你总~，事情就不好办了|行，咱们就~吧|别~！小心摔下去|我看得~，你说呢？

c) 作为一个小句，复指上文，引起下文。

他说得对，~才不会出毛病|就~，一所医院办起来了|我读了两遍，又请人讲了一遍，~，我才算懂了|~：一班和二班割麦子，三班到场院干活儿

比较 这么着：这样：这么 见'这么'。

这儿 zhèr （见'这里'）

这些 zhě·xiē；zhèi·xiē （这些个）

〔指〕指示比较近的两个以上的人或事物。

~青年表现都很好|~旅客来自祖国各地|~机器我们山区也用得上|目前我还没有时间研究~问题|把~书放在我的抽屉里

'这些＋名'复指前面的事物，'这些'和别的修饰语的前后位置，都和'这个'相同，参见'这个'条。

〔代〕代替名词，做主语、宾语。

~都是新入学的学生|~就是我的意见|刚才我讲的~不一定对|别说~了|只剩下~了

注意 '这些'做主语用于提问时，通常指物不指人。例如'这些是什么？'是问事物。问人的时候不说'这些是谁？'而说'这些人是谁？'或'这些人是什么人？'

【这些个】同'这些'。用于口语。

这些个 zhě·xiē·ge；zhèi·xiē·ge （见'这些'）

这样 zhèyàng;zhèiyàng （这么样）

〔指〕1. 指示性状。加‘的’修饰名词,名词前有‘一＋量’时,‘的’可省。

　　～的事情经常发生|～的风沙在南方没见过|您看～的图案好不好？|原来他是～一种人|今天要办的有～几件事…

2. 指示程度和方式。多用于书面。口语多用‘这么’。

　　就～处理|应该～认真学习|～看来,时机还不成熟

〔代〕代替某种动作或情况,用作各种句子成分,参‘这么着’。

　　～不好|～是对的|照～去做|好,就～吧！|当然应该～|只有～,才能把工作做好|我读了两遍,又请人讲了一遍,～,我才算懂了

【这么样】同‘这样’。

比较 这样:这么:这么着 见‘这么’。

这阵儿 zhèzhènr;zhèizhènr

〔代〕1. 现在。同‘这会儿’,用得不如‘这会儿’多。

　　他们几个～都去参观了|～你们忙不忙？|～的孩子比我们小时候能干多了

2. 指最近过去的一段时间。也说‘这阵子’。‘这会儿’无此用法。

　　前些日子我总失眠,～好多了|～天气不错,老是晴天

3. 这个时候。有明确的上下文时,指过去或将来的某个时间。

　　前年～,沈阳的雪有二尺厚|明年～我就该毕业了

着 ·zhe

〔助〕表示动态的助词,紧接动词、形容词之后。动词、形容词和‘着’的中间不能加入任何成分。

1. 表示动作正在进行。用在动词后,动词前可加副词‘正、在、正在’,句末常有‘呢’。

人们跳~,唱~|妈妈读~信,脸上露出高兴的神色|雪正下~
呢|他们正看~节目呢|一场热烈的讨论正在进行~

2. 表示状态的持续。可用在动词、形容词后。动词、形容词前一般不加'正、在、正在'。

门开~呢(比较:他正开~门呢)|他穿~一身新衣服(比较:他正穿~衣服呢)|夜深了,屋里的灯却还亮~

3. 用于存在句,表示以某种姿态存在。这里的'动+着'可以表示动作在进行中,但更多的是表示动作产生的状态。

a) 名(处所)+动+着+名(施事)。

门口围~一群人|路旁长椅子上坐~一对老年夫妇|外面下~蒙蒙细雨

b) 名(处所)+动+着+名(受事)。

手上拿~一本汉语词典|墙上挂~一幅水墨画|水渠两旁栽~高高的白杨树

4. 动₁+着+动₂。构成连动式。动₁多为单音节动作动词,有时是一个动词重叠或两个动词连用。动₁与动₂的意义关系有多种。

a) 表示两个动作同时进行,其中有的可以理解为动₁表示动₂的方式。

坐~讲|抿~嘴笑|红~脸说|硬~头皮回答|低~头不作声|冒~大雪上山|说~看了我一眼|拿~掂了掂份量|争~抢~报名|笑~闹~跳进了游泳池

b) 动₁和动₂之间有一种手段和目的的关系。

急~上班|忙~准备出发|藏~不肯拿出来|领~孩子朝外走|赶~羊群往东边去了|这碗菜留~给爸爸吃

c) 动₁正在进行中出现动₂的动作。

想~想~笑了起来|说~说~不觉到了门口了|走~走~天色已经暗了下来

习用语 说(闹)着玩儿 开玩笑。

瞧(看)着办 根据情况办理。

666

走着瞧 以后再见分晓。

5. 形+着+数量。

穿在身上短～一大截|他比我高～两公分呢

6. 动/形+着+点儿。用于命令、提醒等。

过马路看～点儿|这事儿你记～点儿|慢～点儿,别摔了! |机灵
～点儿! |快～点儿! |光圈小～点儿!

着呢 ·zhe·ne

〔助〕用在形容词或类似形容词的短语后,表示肯定某种性质或状
态,略有夸张意味。多用于口语。

珠穆朗玛峰高～|长安街宽～|小伙子结实～|北京烤鸭有名
～|这条路难走～|西湖的景致好看～|这个小姑娘逗人爱～

形容词加'着呢'后,不能再受程度副词修饰,也不能再带表示程
度的补语。

注意 '动+着+呢'表示动作持续,不同于助词'着呢'。

他在屋里坐着呢|他在屋里坐着看书呢

真 zhēn

〔形〕1. 真实。

a) 修饰名词以不带'的'为常。

～人～事|～刀～枪|说～话|一片～心|这才是～功夫|画得
像～的人一样

b) 不能单独做谓语,只能用在'是…的'中间。

这件事是～的|那幅画不是～的,是临摹的|[是]～的,不是假
的

c) 修饰动词、形容词以带'的'为常。

我～的要走,不骗你|他～的不想去|你～的有意见? |事情～
的很顺利|昨天来的～是老李吗?

d) '真的'修饰全句,可用在主语前,后面有停顿。

～的,手术后恢复得比别人都快|～的,我们厂今年提前两个月完成了全年计划

2. 清楚,确实,真切。用于'动+得'后。动词限于'看、听'等少数。

看得很～|没错儿,我听得特别～

〔副〕实在,的确。用来加强肯定。

～不错|～不简单|这个工厂～大|宿舍收拾得～干净|演出～太好了|～让人听了高兴|～能说|～肯干|～该批评|这话～有意思|这办法～解决问题|他～沉得住气|我～过意不去|你～是好脾气|～是一派丰收景象

习用语 **真是** 表示不满意或抱歉。后有停顿。

真是,你这样做太不应该了!|他怎么还不来,真是的|你也真是,何必这么斤斤计较呢!

阵 zhèn

〔量〕1. 用于延续一段时间的动作。可以儿化,有时可带'子'。数词限于'一'。

a) 动/形+**一**+阵。

雨下了一～儿又停了|他等了一～儿就走了|走一～儿歇一～儿|脸上红一～儿白一～儿|我的病好一～儿坏一～儿

b) 动+**一**+阵+名。

刮了一～风|干了一～活儿|说了一～子话

c) **一**+阵+动/形。

雨一～儿紧一～儿松地下个不停|脸上一～儿红一～儿白

2. 用于延续一段时间的事物、现象。主要是风雨、声响、感觉等。有时可儿化。

一～儿冷风|下了几～雨,一～比一～大|响起了一～枪声|一～心酸|一～剧烈的疼痛|一～～热烈的掌声

668

整　zhěng

〔形〕1. 全部在内,没有剩余;完整的。一般不受程度副词修饰。经常同量词或名词组合,共同作句子成分。

a) 可直接修饰名词,作定语。

他最近～天忙碌|只带了五张一百元的～钱|修一台电视机用了～三天的时间|～套设备全运到了

b) 单独作状语或与名词性词语构成复合词。

哪个银行都有零存～取的业务|这几种商品都是～买～卖|这些中间商只是转手买卖,他们的商品都是～进～出,绝不拆整卖零|～批地进货|这里的商品房都是～幢楼～幢楼地出售

c) 用在数量词组后面,表示整数,没有零头儿。

他在山西呆了十年～|现在是九点～|今年赢利一亿～|这棵白菜八斤～

d) 可用在'是＋整＋的'格式中。

只有那几块砖是～的|碗都打碎了,没有一个是～的|端上来的包子没有一个是～的|饺子全煮破了,没有几个是～的

e) 用在固定的四字格中,作宾语。

化～为零|集零为～

2. 整齐;整洁。多作组词成分。单用时多用于否定式。

衣冠不～|仪容不～

〔动〕1. 整理、修理;整顿。多作组词成分。单用时多用于固定的四字成语中。

～旧如新|～装待发

2. 使吃苦头儿。作谓语,可重叠。能带表示人物的名词宾语,能带补语。能带'了、着、过'。

他从没～过人|那帮人～了我两个星期|他们正～着他呢|非得好好～～他不可|～得他家破人亡|旧社会他被～得太惨了|那年月他被～得死去活来

669

动结 整死　整坏　整破

动趋 整上　他们又整上人了

整下去　这么整下去，要出问题的

　　正 zhèng

〔副〕1. 表示动作在进行中或状态在持续中。

　a）正＋动/形＋着＋呢。单音节动词、形容词要带'着'，双音节以上可带可不带。

　　我～等着呢|他～忙着呢|现在～上着课呢|我们～讨论呢|老潘～发言呢|胃里～难受着呢

　双音节动词或短语的前后有介词短语时，单音节动词后面有介词短语时，句末可不加'呢'。

　　他们～在楼上讨论|他俩～在屋里谈话|我去的时候，他～从楼上下来|敌人～往东北方向撤退|问题～摆在我们面前|列车～开往上海

　b）正＋动/形＋着。用于复句中前一小句，表示在某一动作进行中另一动作发生。

　　～走着，听见后头有人叫我|我～看着电视，突然感觉一阵头晕|大伙儿～忙着，客人已经到了

　c）没有否定式(参'正在'条)。

2. 表示巧合,恰好,刚好。

　a）正＋动。

　　你来得真巧,我～要找你|～出门,车就来了|到剧场～赶上开演

　b）正＋形。

　　大小～好|长度～够|时间～合适|年龄～相当

3. 加强肯定的语气。

　　问题～在这里|小刚～像他爸爸一样,心直口快|～如上文所述,实验成功是有把握的|有事和群众商量,～是我们一贯的

670

优良传统|～由于不怕困难,才战胜了困难|～因为如此,所以
不能轻易下结论

比较 正:在:正在　见'正在'。

正好　zhènghǎo

〔副〕表示某种巧合(多指时间、情况、机会条件等)。意思相当于
'恰好、正巧'。

a) 正好+动。

我没想到第二天就见到了她,～当面向她解释了一下|我去王
老师家的时候,～遇到他们俩|你要的那本英语书,我～有一
本

b) 正好+数量[+名]。

他今年～二十[岁]|这根绳子～三十米|不多不少,～五十页

c) 正好+形。

这两个人的爱好～相同|这件衣服我穿着～合适|我的想法和
他的提议～相反

d) 用在主语前。

听说你也乘坐明早去南京的火车,～老张跟你同行|我刚刚进
屋,～老丁来找我

〔形〕表示客观情况与实际需要相符(多指时间、空间、数量等)。
意思相当于'正合适',在句中可充当补语、谓语,有时还可独立成
句,但前边不能加'很',没有否定式。做谓语时,主语多是动词短
语或主谓短语。

你们俩来得～|这把椅子放这儿～|这块布有四米长,做窗帘
～|这双鞋合适吗? ——～

比较 正好:恰好　'恰好'在作副词时,与'正好'的用法相同,但比
'正好'更强调事情的巧合性。'恰好'一般不能作补语或谓语。

671

正在　　zhèngzài

〔副〕表示动作在进行中或状态在持续中。

a) 正在+动/形。

我们～学习｜现在～上课｜同学们～准备考试｜一轮红日～从
地平线上升起｜老张～忙着｜速度～慢下来｜队伍～一天天壮
大起来｜小芳～不高兴,姐姐进来把她带走了

b) 否定式只能用'不是',不能用'不,没有'。

他去的时候,你～发言吧? ——我不是～发言,我已经发过言
了(或:我还没有发言呢)

比较　正:在:正在　表示动作进行或状态持续的意思基本相同。

1)'正'着重指时间,'在'着重指状态,'正在'既指时间又指状
态。

2)'正'后不能用动词的单纯形式,'在、正在'不限。

我们在讨论｜我们正在讨论｜我们正讨论着呢｜×我们正讨论

3)'在'后不能用介词'从','正、正在'不限。

红日正从地平线升起｜红日正在从地平线升起｜×红日在从地
平线升起

4)'在'可表示反复进行或长期持续,'正、正在'不能。

经常在考虑｜一直在等待｜×经常正(正在)注意｜×一直正(正
在)考虑

之¹　　zhī

〔代〕古汉语遗留下来的代词,大致相当于宾语位置上的'他、它'。

1. 代替人或事物。

影片情节十分悲惨,观众无不为～感动｜设法改装拖拉机,使
～适合山区使用｜对于任何胆敢来犯的侵略者,必须坚决、彻
底、干净、全部歼灭～

2. 虚用,不代替实际的事物。限于某些固定词语。

久而久～|我们三个人老孙最年长,老李次～,小孟又次～

习用语 求之不得　当之无愧　等闲视之　战而胜之　取而代之　操之过急　古已有之　听之任之　置之度外

之² zhī

〔助〕古汉语遗留下来的结构助词,用法大致与现代'的'字相当。但有些场合只能用'之'(下面第3项);有些场合虽然也常用'的',但习惯上也往往用'之'(下面第1,2项)。用'之'的词语如果改用'的',往往要调整音节,把'之'后边的单音节改为双音节。

1. 用在修饰语和中心语之间。

赤子～心|光荣～家|大旱～年夺得大丰收|粮食是宝中～宝|公民有受教育和参加政治活动～权利

这里的'之'都相当于'的'。但'之'不能有类似如下'的'的格式。

美丽的、富饶的西双版纳|这个桌子不是木头的

2. 在一个小句的主语的谓语之间加进'之'字,使整个短语变为名词性。

这次技术革新运动范围～广泛,影响～深远,都是前所未有的|各地有发展先后～不同

3. 以下是只用'之'不用'的'的格式。

a) …之一,…之二。

这是亟待解决的问题～一,…这是亟待解决的问题～二|有几个学生的学习成绩最好,其中～一是赵大章

b) …[分]之…。

三分～一|百分～八十|十～八九|十～二、三

c) 动+…之+所+动。

想群众～所想,急群众～所急

d) …之于(＝对于)…。

进化学说～于中国,输入是颇早的|学习～于我们,就像阳光

673

和空气一样重要

e) …之所以…。

鲁迅先生～所以放弃医学，从事文学活动，正是为了唤醒人民，有力地同反动势力作斗争

f) 之流；之类。

秦桧～流的人物，历史上屡见不鲜｜由于弦的振动而发音的乐器叫弦乐器，如琵琶、二胡、提琴～类

g) …之多；…之久；…之极；…之至。

产量已达三亿斤～多｜我国有文字可考的历史已有大约四千年～久｜丰富～极｜兴奋～极｜得意～极｜感激～至｜抱歉～至｜不胜荣幸～至

h) 非常之…。

非常～正确｜非常～厚｜非常～需要｜速度非常～慢｜这种作法非常～不合适

之后　zhīhòu　（见‘以后’）

之间　zhījiān

〔方位〕1. 名$_1$[＋和]＋名$_2$＋之间；数量＋名＋之间。表示在两端的距离以内。不能单用。

a) 指处所。

苏州在上海和南京～｜两栋楼房～有一道矮墙｜两点～的距离以直线为最短

b) 指时间。

春夏～｜元旦和春节～我打算到桂林去一趟｜约好在两点和两点半～碰头

c) 指范围。

彼此～｜两者～有一定内在联系｜上级和下级～要通气

d) 指数量。

室温保持在二十二度和二十四度～|价格大约在一块和一块
五～

2. 动/副＋<u>之间</u>。多表示时间短暂。限于少数双音节的动词短语
和副词。

眨眼～|转瞬～|说话～就做好了|忽然～|突然～

比较 之间：中间：中　见'中间'。

之内　zhīnèi　（见'以内'）

之前　zhīqián　（见'以前'）

之上　zhīshàng　（见'以上'）

之外　zhīwài　（见'以外'）

之下　zhīxià　（见'以下'）

之中　zhīzhōng　（见'中'）

支　zhī

〔量〕1. 用于杆状物。

一～笔(粉笔、钢笔、铅笔)|一～枪(步枪、手枪、长枪)|三～笛
子|两～箭(蜡烛)|几～香烟(雪茄烟)

2. 用于队伍等。

一～军队(队伍、部队)|一～船队(舰队、运输队)|我们是一～
不可战胜的力量

3. 用于歌曲或乐曲。

一～歌(曲子、乐曲)|这～歌很好听

4. 用于分支的棉线和毛线。

一～棉线

5. 棉纱等纤维粗细程度的计算单位。用单位重量的长度来表示,
纤维愈细,支数愈多。

八十～纱的府绸

6. 用于电灯的光度。以功率一瓦的电能发出的光叫一支光或一烛。

　　四十～光的灯泡|这个日光灯是二十～光的

只　zhī

〔量〕1. 用于某些成双、成对的东西中的一个。

　　一～手|一～眼睛|两～耳朵|两～胳臂|一～袜子(鞋、手套、袖子)|˟一～枕头|˟一～眉毛

2. 用于某些动物。

　　一～鸟(夜莺、喜鹊、鸭子、鹅、鸡)|一～老虎(狮子、狼、象、熊、羊、兔子、猫、老鼠)|两～蜜蜂(苍蝇、蜻蜓)

3. 用于船只

　　一～船(帆船、汽艇)

4. 用于某些日用器物。

　　一～箱子|一～竹篮|两～手表

枝　zhī

〔量〕1. 用于带花或叶的树枝。

　　一～花(梅花、桃花、丁香)|手里拿着几～杨柳

2. 用于杆形器物。也可写作'支'。

　　一～笔(毛笔、铅笔、钢笔)|一～箭|一～笛子|一～蜡烛|一～香烟|墙边摆着一～～钓鱼竿儿

知道　zhī·dao

〔动〕1. 对于事实有了解。可带'了',可重叠。可带名词、动词或小句作宾语。只用'不'否定

　　我～这件事|他～要来客人|我～你爱打羽毛球|告诉我,让我也～～|这些事我不～|这件事他～得很清楚

　带某些名词作宾语时,可以受程度副词修饰。

　　很～底细|很～其中的奥秘|我不大～这件事儿

2. 掌握问题的答案。可带含有疑问词的动词短语或小句作宾语。

你～他是谁？｜他～怎么安电灯｜我～上哪儿去找他｜你应该～什么事情可以说,什么事情不能说｜谁也不～哪天又要来寒流｜这道题怎么答我不～

3. 懂得该做什么事。可带动词或小句作宾语。

刚五岁就～帮大人做事了｜十几岁的人了,应该～严格要求自己了｜小孩儿哪儿～怎么做｜难道你不～这种作法违反操作规程吗?

[习用语]　**谁知道**　1) 没料到。

刚才还是大晴天,谁知道这会儿又下起这么大的雨来了

2) 没有人知道(＝我不知道)。

谁知道这是怎么回事

直接　zhíjiē

〔形〕指不经过中间媒介或事物而发生关系(与'间接'相对)。

a) 直接＋动。

你最好～去采访他本人｜这些资金由你个人～支配｜把这包东西～交给老张

b) 直接[的]＋名。

我们这个小厂与华北公司没有～[的]关系｜他是我们部门的～领导｜我们之间没有～[的]联系

c) 做谓语。'直接'前可加程度副词'很'。

我们和这位老板的关系很～｜如果不经过他们,我们之间的联系就更～了

值得　zhí·de

〔动〕1. 价钱相当;合算。可带动词宾语。

这鱼一块钱一斤～｜五十块钱一米的混纺衣料～买

2. 有好处;有意义;有价值。

a) 单独作谓语或用于'是…的'中间。主语一般是动词短语或小句。

　　出去一趟很～, 长了不少见识 | 现在下点功夫学外语～, 将来用处很多 | 要学就学好, 多花点时间也是～的

b) 值得＋动/小句。

　　这个经验～推广 | 老赵的建议～认真研究 | 这种刻苦钻研的精神～我们学习

c) 可受程度副词修饰。

　　自然博物馆很～参观 | 抽出一部分人专门研究这个问题, 看来相当～

d) '值得'的否定式是'不值得', 有时也说'值不得'。

　　花这么多时间不～ | 这点小事值不得争吵

只　　zhǐ

〔副〕表示除此以外没有别的。

a) 限制与动作有关的事物。

　　我～学过英语 | 我～到过天津 | 你～看到事情的一个方面就下结论, 太片面了

'只'常常跟'不(没)'对举。

　　～见树木, 不见森林 | 他～会讲汉语, 不会讲英语 | 我～通知了老赵, 没通知别人

b) 限制与动作有关的事物的数量。

　　我去晚了, ～看了最后两幕 | 他长这么大, ～害过一场病 | 教室里～有三、四个人 | 这件事情～有他一个人知道

c) 限制动作本身以及动作的可能性等。

　　这本书我～翻了翻, 还没详细看 | 这件工作～能慢慢地做, 不能操之过急

d) 直接放在名词前面, 限制事物的数量。可以说是中间隐含一个动词('有、是、要'等)。

屋子里～老王一个人|～你一个人去行吗？|～玉米就收了二十万斤

只得　zhǐdé　（见'只好'）

只好　zhǐhǎo　（只得）

〔副〕表示没有别的选择；不得不。

　a）只好＋动。

　　明天要下大雨，运动会～推迟|我不懂法语，～请他翻译|我那儿搁不下，～暂时寄存在这里

　b）只好＋形。形容词后要加'点儿、一点儿、一些'或'下来、起来'等。

　　小孩儿走不快，咱俩～慢点儿|布料不够，身长～短一些|来不及做什么好菜，～简单一点儿了|人家已经道歉了，我～缓和下来

　c）'只好'用在主语前。

　　他还不来，～我一个人先去了|右手摔坏了，～左手拿着勺儿吃饭

【只得】同'只好'。

　　昨天没找到，今天只得再跑一趟|着急没用，只得冷静一点|别人都走不开，只得我自己去试试

只是　zhǐshì

〔副〕1. 限定范围；仅仅是。前后常有说明情况或进一步解释的词语。

　　我～听说，并没有亲眼看见|我们～想大概了解一下，用不了多少时间|以上～一点不成熟的意见，仅供参考

句末可以用'罢了、而已'等配合，表示语气更为缓和。

　　他不是不会写，～不肯写罢了（而已）

2. 强调在任何条件下情况不变;就是。用于否定句。

随便你怎么问,他~不吭声|无论我们怎么劝说,他~不理睬

〔连〕表示轻微的转折,意思重在前一小句,后一小句补充修正上文的意思。语气委婉,跟'不过'相近

小赵各方面都很好,~身体差一些|他讲的是对的,~说话不大讲究方式方法|这东西好是好,~贵了些|我也很想去看看,~没有时间了

注意 下面的例子里是副词'只'修饰动词'是',不是副词'只是'。

这只是许多事情中的一件|他只是一个小孩儿

比较 只是:不过 连词'只是'和连词'不过'a)用法相近。'只是'的转折语气比'不过'更轻,后面不能停顿。

只要 zhǐyào

〔连〕表示必要条件。

a) 只要…就(便)…。'只要'可用在主语前或后。

我们~打个电话通知他,他就可以把东西送来|~下功夫,你就一定能学会|~你愿意,就可以去|字~清楚就行

b) 后一小句是反问句或'是…的'句,句中不用'就、便'。

~你提出来,难道他还能不帮你的忙?|~肯下功夫,哪儿有学不会的道理?|~你细心一点,这些错误是可以避免的

c) '只要…'作后一小句。

他会同意的,你~把道理给他讲清楚|我可以替他带点儿什么,~东西不太多

d) '只要是…'有'凡是'的意思。

~是去过杭州的人,没有不赞美西湖的|~是报了名的,都要交两张相片

注意 下面的例子里是副词'只'修饰动词'要',不是副词'只要'。

我只要一本,剩下的给别人|他什么都不要,只要一杯水

比较 只要:只有　'只要'表示具备了某条件就足够了,但还可以有别的条件引起同样后果;'只有'表示某条件是惟一有效的,其他条件都不行。

只要打两针青霉素,你这病就能好(不排除其它药能治好)|只有打青霉素,你这病才能好(其它药都不能治好)

只有　zhǐyǒu

〔连〕表示惟一的条件,非此不可。后面多用副词'才'呼应,有时也用'还'。

a) 只有+名。

~我才最了解他的脾气|~最后这个方案还比较切实可行|我~这一本书没看过

b) 只有+动。

~改变以前的办法才行|你~去跟他当面谈,才能消除误解

c) 只有+介+名。

~在紧急情况下,才能动用这笔款项|~通过实践,才能检验出是否符合客观规律

d) 只有+小句。

~你去请,也许他还能来|~铁路修通了,这些木材才运得出去

e) '只有…'作后一小句,前一小句不能用'才'。

要上山,~这一条路|如果下大雨,比赛~延期|电话打不通,~我自己去一趟

注意 '只有'是副词'只'加动词'有'转化而成的连词,因此仍然或多或少保留副词的作用。如'只有'后面只是一个名词,全句很像一个单句。有些句子里的'只有'应该分析为'只'加动词'有'。

比较:

你只有从头学习才能学好('只有'连词)|你只有采取这个办法才能学好('只有'连词)|你只有采取这个办法了('只有'副

词)|你只有这一个办法了('只'+'有')

⬚比较 只有:只要 见'只要'。

只有:除非 见'除非'。

指 zhǐ

〔动〕1. 用手指或类似手指的东西对着。可带'了、着',可重叠。
可带名词宾语。

他～着黑板上的字问:'这是什么字?'|'老蔡在那边',他用拐
棍儿朝工地～了一下|时针～着八点

a) 指+给。

新来的吴老师是谁? 你～给我看看

b) 指+向。

墙上画了一个箭头,～向地铁的入口

2. 针对;对上文作解释。必带名词、动词、小句作宾语。

你这话～谁? |文学史上谈到李杜,～的是李白和杜甫

3. 指点。必须构成动结式或动趋式。

～明方向|～出缺点|同志们把问题都～出来了

4. 指望;倚靠。必带'着'。必带名词、动词、小句作宾语。

好好干,大家都～着你呢! |旧社会我全家就～着背煤过日子|
别～着我一个人出主意,要大家想办法

至多 zhìduō

〔副〕表示最大限度。

a) 至多+动+数量。

内容不长,～讲半小时|我跟他不常往来,每年～见两三次|前
面就是张家庄,～还有八里地

b) 至多+数量。

来人很年轻,～二十五岁(＝～有二十五岁)|在长沙住不久,
～三天(＝～住三天)|文件没有富余,～一人一份

c) <u>至多</u>+动。

小陈腿伤还没好，现在～能扶着拐杖走|他不会参加的，～只给咱们出出主意

至少　zhìshǎo

〔副〕表示最低限度。

a) <u>至少</u>+动+数量。

写完以后～看两遍|我们每个月～通一次信|从这儿到北海公园～得走二十分钟

b) <u>至少</u>+数量。

这篇文章～两万字|他～五十岁了|这次出差，～两个月才能回来

c) <u>至少</u>+动。

你虽然没有见过他，但～听说过他的名字吧？|写文章，～要言之有物|话要说清楚，～让人能听懂你的意思|你放心，他～不会把事情办坏

d) '至少'用在主语前。常有停顿。

～，你应该听听他的意见|～，你一个星期得到郊外去休息一次|别人怎么样我不知道，～我没听说过这件事

至于　zhìyú

〔动〕表示发展到某种程度；到了。

a) 常用否定式'不至于'，表示不会发展到某种地步，前面常加'才、还、总、该'等副词。后面多带动词宾语。

他耳朵不太好，但是当面谈话还不～听不清|只要好好想想，不～答不上来|要走，也不～这样匆忙吧

承接上文或对话时，'不至于'可以单独做谓语。

他可能有些不大愿意，要说他根本拒绝，那倒不～|老秦不会反对吧？——我看，不～

683

b) 也常用于反问。

要是早请大夫看，何～病成这样？｜当初要是按你的意见办，今天哪～大返工呢！

习用语 **大而至于 小而至于** 等于'大到'、'小到'，用在名词短语前，带有举例性质。

大而至于长远规划，小而至于年度计划，都应该充分考虑主客观条件

〔介〕引进另一话题。用在小句或句子开头。'至于'后面的名词、动词等是话题，后面有停顿。

熊是杂食动物，吃肉，也吃果实块根。～熊猫，则是完全素食的｜他在危急关头想到的是人民的利益，～个人的安危，他从来没有放在心上｜这仅仅是我个人的一点意见，～这样做好不好，请大家再考虑一下

比较 **至于：关于** 用'关于'的句子只有一个话题，也不是在原话题之外引进另一话题；'关于'还可以用于书名、文章名，'至于'不能。

关于激光在医学上的应用，我们打算在下星期向大家介绍｜《关于生命的起源》

中 zhōng （之中）

〔方位〕在一定界限以内；里。不能单用。

1. 名＋**中**。多用于书面，口语用'里'。

   a) 指处所。

   家～无人｜跳入水～｜森林～一片静寂｜会场～灯火通明

   b) 指时间。

   假期～｜这两年～，我只写了三篇文章

   c) 指范围。

   计划～没有这个项目｜言谈～流露出不安的情绪｜从群众～来，到群众～去

   d) 指情况、状态。多用在介词'在、从'等后。

沉浸在欢乐的气氛～|病人从昏迷～苏醒过来|蒙眬～仿佛听
见有人敲门|舰队在风浪～急驰

2. 动+<u>中</u>

a) 指过程。

讨论～发现了一些新的问题|会谈～双方友好地交换了看法

b) 指持续状态。用在介词'在'之后。

球赛在进行～|剧本正在写作～

3. <u>中</u>+名。表示不偏向两端的。类似形容词。

a) 指位置。

～途|～指|长江～游

b) 指时间。

～旬|～秋|～年|～古时期

c) 指等级、规模。

～学|～等|～型|～篇小说

【之中】同'中'1,2项用法,一般不用在单音节词后。

家庭之中(ˣ家之中)|海水之中(ˣ水之中)

<u>比较</u> 中:中间:之间 见'中间'。

中间 zhōngjiān (当中)

〔方位〕1. 与两端等距离的位置,或在两端的距离以内。

a) 单用。

相片上左边是我和妹妹,右边是我的两个表哥,～是我爸爸|
报告长达五小时,～休息了两次|九次列车从北京直达重庆,
～不用换车

b) 介+<u>中间</u>。

这两句话不应该连着写,要在～加个逗号

(c) 名+<u>中间</u>。指处所。

地球走到太阳和月亮～就发生月食|你的座位在第三排的～
指时间。

685

假期～|这一年～他病了两次

    d) 中间+名。表示不偏向两端。类似形容词。

        ～人|～状态|～势力

2. 与周围等距离的位置;或在周围的界限以内。

    a)单用。

        四面都坐满了人,～只有一丈见方的空地|这只是初步方案,～有些问题还要研究

    b) 介+中间。

        要不断总结工作,从～吸取经验教训|这一段没写清楚,应该在～加几句话

    c) 名+中间。指处所。

        小华从人群～挤了出来|进门是一片草地,草地的～有一个喷水池

指范围。

    教师～他最年轻|这些意见～有一点很值得重视|在我们生活～,到处都能见到好人好事

【当中】同'中间',但没有1项d)的用法。

⬜比较 中间:之间:中　'中间'既可用于两端的距离以内(两点之间),也可用于周围的界限以内(面或体之内)。'之间'只能用于两端的距离以内。'中'只能用于周围的界限以内。

    廊房在北京和天津中间|人群中间发出一声喊叫

    廊房在北京和天津之间|ˣ人群之间发出一声喊叫

    ˣ廊房在北京和天津中|人群中发出一声喊叫

终归 zhōngguī　(见'总归')

终究　zhōngjiū

〔副〕1. 毕竟;总归。表示强调事物的本质特点不会改变,事实不可否认。有强调语气的作用,多用于评价意义的陈述句。

a) 用在'是…'之前。

孩子虽然惹了祸,但～是个孩子,怎么能动手打他呢? |老虎
～是老虎,它总是要吃人的

b) 用在一般动词性词语之前。

尽管他做了很大的努力,但一个人的力量～很有限|虽然还有
点儿寒意,但春天～来到了

2. 最终;终归,常用于助动词之前,表示预料、期望或肯定要发生
的事情必然发生。

你们对工作这么不负责任,～会出问题的|大家～会明白事情
的真相|进步～要战胜落后

比较 终究:毕竟 '毕竟'和'终究'义项 1 的用法相同,但没有'终
究'义项 2 的意义和用法。

终于 zhōngyú

〔副〕表示经过较长过程最后出现某种结果。较多用于希望达到
的结果。

a) 终于＋动。'终于'后至少要有两个音节。

反复试验,～成功了|等了很久,他～来了|几经周折,案情～
大白|尽管多方医治,～还是把受伤的腿锯了

b) 终于＋形。限于表示状态变化的形容词短语。

天色～暗了下来|由于长期坚持锻炼,身体～强壮起来|赶了
八、九十里路,小刘～疲倦了

比较 终于:到底 1) '终于'多用于书面,'到底'书面、口语都常
用。

2) '到底'修饰的动词或动词短语必带'了','终于'不受此限。

问题终于解决|暴风雪终于过去|问题到底解决了|暴风雪到
底过去了

3) '到底'可用于问句,加强语气;'终于'不能。

你到底(×终于)去不去? |那封信到底(×终于)收到了没有?

4) '到底'还有'毕竟'的用法,'终于'没有。

他到底(ˣ终于)有经验,很快就解决了

种 zhǒng

〔量〕1. 集合量词。用于内部一致而对外有区别的一组事物。

一～动物|一～商品|三～机器|十～期刊|柜台上摆着好多～蔬菜|这一带主要就是这几～鸟|谁也不愿和这～人打交道

2. 个体量词。基本意义同'个',但较强调与同类事物有所区别。多用于抽象事物。

一～现象|两～思想|三～看法|屋里有一～气味|墙上挂着十几～衣服式样|提出了几～解决问题的办法|那两～组织形式都比较好|这一～意见比那一～好|克服了～～困难|遇到了～～不同的情况

比较 种:样 见'样'。

中 zhòng

〔动〕1. 正符合预期目的。可带'了、过'。可带名词、动词作宾语。

～选|百发百～|一箭就～了靶心|打三枪～了两枪

2. 遭受(指不好的事)。可带'了、过'。必带名词宾语。

～毒|～煤气|～了奸计|腿上～过一枪|我不会～你们的圈套

3. 作动结式第二成分,表示达到目的。用在少数单音节及物动词后。可插入'得、不'。

看～了这幅油画|这个谜语他猜～了|一箭射～靶心|这话打得～要害打不～要害?

逐渐 zhújiàn

〔副〕表示缓慢而有秩序地进行。用于书面。

a) 逐渐+动。'逐渐'后至少要有两个音节。

病情～好转|气候已～转暖|各类流行病的发病率在～地减少|

在实践中～改变了原来的看法

b) **逐渐**＋形。形容词后常带'了、起来、下去'等,表示动态。

来的人～多了|歌声～高了起来|心情～平静下来|天色～地
暗了下来

比较 逐渐:逐步 1) 自然而然的变化一般用'逐渐',有意识而又
有步骤的变化用'逐步'。

逐渐(ˣ逐步)忘了这件事|逐步(ˣ逐渐)提高机械化的程度|我
已逐渐认识到实践的重要性|对一个事物总是有一个逐步认
识的过程

2) '逐渐'可修饰形容词,'逐步'不能。

天气逐渐(ˣ逐步)冷了起来

住 zhù

〔动〕1. 居住;住宿。可带'了、着、过'。

这间屋我～|对面没人～|他～了一夜就走了|在这儿～得很舒
服

a) 可带非受事宾语。表示处所。

我～东城|我～楼上,他～楼下|他喜欢～平房,不喜欢～楼房

表示面积。必带数量。

他～三间屋|一家四口人,～了五十平方米

表示施事。

这屋～人,那屋放东西|楼上～着两个客人

b) **住**＋在(＝在…＋住)

～在北京(＝在北京～)|～在三楼(＝在三楼～)|我～在这儿
三年了(＝我在这儿～了三年了)

2. 停止。可带'了'。主语限于'雨、风、雷、声'等。

风停雨～|喧闹声渐渐～了

3. 使停止。可带'了、过',可重叠。必带施事宾语,限于'口、嘴、
手、脚、声'等少数单音名词。

689

~手！不许打人|他刚说到这儿就～了口|这孩子就没～过声儿|～嘴！不许你胡说！

4. 作动结式第二成分。

a) 表示停止或不让行进。可插入'得、不'。

停～|挡～去路|拖～后腿|遮～了视线|抑止～激动的心情|客人留得～吗？|我站不～了

b) 表示牢固，稳固。可插入'得、不'。

拿～，别撒手|捉～了一只蝴蝶|悠扬的琴声把我吸引～了|这个号码你记得～吗？|这木架恐怕支持不～这么大的重量

c) 跟某些动词组合，必有'得、不'，构成固定短语，有些已成为单词。

这人靠得～|天热了，毛衣穿不～了|他对得～你，是你对不～他|温室里的花朵禁不～风吹雨打|一时忍耐不～，笑了起来

动结 住∥久　住∥长

动趋 住∥上　a)在这儿先住上几天看看　b)时间太晚，好旅馆住不上了

住下　他在张大娘家住下了

住∥下　可容居住：这屋不小，再来两个人也住下了|人太多，住不下

住下来　今晚先住下来，明天再收拾

住过来　你还是住过来方便些

住过去　老陈要我住他家，明天我就住过去了

住得(不)起　有(没有)能力支付房租住宿：房租不贵，咱们都住得起

住得(不)开　能(不能)容纳：两间房住不开那么些人

注意　zhùyì

〔动〕把心神放到某一方面；小心。可带'了、着、过'，可重叠。可带名词、动词、小句作宾语。常用于命令语气。

～安全|～火车|你～着东边儿,我～着西边儿|～走白线里边|
～! 不要出界|他的面貌很惹人～|要～他从哪个门出来

a) 可受程度副词修饰。

很～礼貌|非常～清洁|听讲的时候～极了

b) 可修饰动词。

我～看了一下,没发现什么问题|他很～地涂去写错的字

c) '注'和'意'中间可插入其他成分。

注点儿意(=～点儿)|这回我可注了意了

动趋 注意上　开始注意:你上课老说话,老师已经注意上你了

注意得(不)过来　能(不能)注意到:事情太多有时注意不过来

注意起来　开始注意:直到最近才注意起这件事来

注意∥到　事先没注意到这一点

抓 zhuā

〔动〕1. 手指聚拢,使物体固定在手中。可带'了、着、过'。可带名词宾语。

这孩子一看有那么多好吃的,伸出手来就～|～几块糖给小弟弟吃|～了好几把枣儿|她紧紧～着我的手|为这事儿,我们还～过阄儿呢

a) 抓+在。后加表示处所的成分。

他把那封信～在手里|他有把柄让人家～在手里

b) 抓+给。

他把剩下的糖果都～给小表妹了|奶奶～给我好几把花生

2. 用指甲或爪或用带齿的东西搔、挠。可带'了、着、过'。可带名词宾语、可重叠。

我后背很痒,帮我～几下|小心! 这只猫～人|长水痘的地方可不能～|～了好几道血印儿|～着痒痒|小宝宝～过我|再帮我～～

3. 捉拿;捕捉。可带'了、着、过'。可带名词宾语。

~小偷|~了两名罪犯|大娘一边~着小鸡,一边叨唠着|我们一起~过贼

4. 把握住;特别着重(某方面)。可带'了、着、过',可带名词或动词宾语。可带补语。

~学习|负责~生产|~落实|上个月主要~了产品质量问题|学校正在~着纪律问题|他~过两年教育工作|~紧时间

动结 抓光了　抓//破　抓//走　抓//住

抓//着(zháo)　能(不能)抓到:抓着那个小偷了吗?|坏人要是抓不着怎么办?

抓得(不得)　能(不能)抓:这个人现在还抓不得

动趋 抓得(不)过来　能(不能)全部承担:这么多工作只靠我一个人怎么抓得过来|事情太多,我一个人抓不过来

抓起　他抓起一个手电筒赶紧跑了出去

抓起来　先把这个坏蛋抓起来

抓//到　抓到一个逃犯|那个流氓一直抓不到

装作 zhuāngzuò

〔动〕假装;装扮成。必带宾语。

a) 装作+名。

~哑巴|~放羊的|~生气的模样儿|~十分神秘的样子,一句话也不说

b) 装作+动。

他明明知道,就是~不知道|小铁柱哭的时候,爷爷故意~没看见|小李~找东西,跑了! |我~睡着了,不吭声儿|他~吃饱了,再也不吃了

准 zhǔn

〔前缀〕表示虽不够标准但还可以当作某种事物看待。加在名词前面构成名词。

~尉|~将|~平原|~宾语|~静态过程

可以临时用在某一名词前,表示不是标准的、典型的。

我只能算是一个～大学生|我五岁就来北京,现在也可算个～北京人了

着想 zhuóxiǎng

〔动〕为某人或某事的利益考虑。可带'过',可重叠。前面必用'为…'、'替…'、'从…'等,后面不能带宾语。

我们应该多为下一代～|你什么时候替我～过?|一定要从大局～

a) 不能用 A 不 A、A 没 A 提问。只能在前面用'为不为…'、'是不是…'、'要不要…'、'应该不应该…'提问。

你为不为年轻人～?(×你为年轻人～不～?)|我们是不是应该替孩子们～?|光顾眼前,要不要为今后的长远利益～?

b) '不,没'等否定词不能直接用在'着想'前,要用在'为、替'等介词前。

我们不为下一代～,谁为下一代～?|人家可没有为我们～

着眼 zhuóyǎn

〔动〕(从某方面)观察、考虑。'着眼'前多用'从…'。

大处～,小处着手|从全局～,通盘考虑一下

a) 着眼+于。

不只是考虑眼前,还要～于未来|不能只～于一个方面,忽略另一方面

b) '着眼'前如有'从…',否定词只能用在'从'前。

不从积极方面～,难道从消极方面～?|评价一部作品,不能单从形式～,更重要的是内容

自[1] zì

〔前缀〕构成动词。1. 表示动作由自己发出并及于自身。

～爱｜～给｜～救｜～杀｜～拔｜～勉｜～问｜～夸｜～封｜～治｜～卫｜～欺｜～尊｜～卑｜～咎｜～慰

2. 表示动作由自己发出，非外力推动。

～动｜～发｜～学｜～流｜～转｜～满｜～负｜～豪｜～觉｜～绝｜～立｜～燃｜～习｜～主｜～修｜～备｜～愿

〔副〕自然，当然。修饰动词短语。用于书面。

久别重逢，～有许多话说｜现在储备一些，将来～有好处｜抓住了主要矛盾，问题～可迎刃而解｜成绩不够理想，今后～当努力｜青年抢先干活～不用说，连六、七十岁的老大娘也不甘落后

自² zì

〔介〕从。用于书面。

1. 表示处所的起点。跟处所词语、方位词语组合。

a) 用在动词前。

慰问信～全国各地纷纷寄来｜本次列车～北京开往乌鲁木齐

b) 用在动词后。限于'寄、来、选、出、抄、录、摘、译、引、转引'等少数动词。

寄～上海｜来～农村｜引～《人民日报》｜选～《列宁全集》｜'青出于蓝'这条成语出～《荀子·劝学》

c) 自…而…。

～上而下｜～下而上｜～远而近｜～左而右

2. 表示时间的起点。跟名词、动词、小句组合。

～古以来｜～此以后｜本办法～公布之日起施行｜～今年起，本部门采取岗位责任制｜小刘～出学校门，一直在研究所里工作｜～你走后，村里又修建了一座水库

自从 zìcóng

〔介〕从。限指过去的时间起点。

～五月份以后,我就没收到他的信|～他离开北京,我们一直没见面|～水库开始动工,他就搬到工地住去了

自个儿 zìgěr （见'自己'）

自己 zìjǐ （自个儿）

〔代〕1. 复指句中已出现的人,与'别人'相对。

a) 与人称代词或人名结合起来做主语、宾语。

让我～来搬|他～知道是怎么回事|你这样固执,只会害了你～|也怪小刘～不好,没把话说清楚

b) 单用,作主语、宾语或修饰动词。

我看了半天,～都没看懂,怎么讲给你听?|一个人有时候会叫～骗了|你这样固执,害了别人,也害了～|我难得～上街买菜|你不会～跟他说去?

常用'自己+动/介+自己'的格式。

他只好～安慰～|你怎么老是～哄～?|可别～跟～过不去

修饰动词,有时也可用于事物。

泉水～喷了出来|有些事情,你不去理它,它也会～了结

c) 单用,修饰名词。

～的孩子|～的事情|学习主要靠～的努力

表示属于本人这一方面的人、处所或单位,可不带'的'。

～人(=不是外人)|～弟兄|～家里|～身上|～学校

2. 泛称句中未出现的某个主体。

～动手,丰衣足食|越是有成绩,越要严格要求～|把困难留给～,把方便让给别人|～的事～做,不要依赖别人

【自个儿】用法同'自己',用于口语。

子 ·zi

〔后缀〕加在名词、动词、形容词性成分后面,构成名词。

1. 名 + 子。

    a) 前一成分不能单用。

        桔～｜桌～｜胡～｜褂～｜帽～｜缎～｜饺～｜筷～｜婶～｜命根～

    b) 前一成分能单用。

        旗～｜刀～｜厂～｜鱼篓～｜门帘～｜新娘～

2. 量 + 子。

        本～｜片～｜个～｜份～｜团～｜根～

3. 形 + 子。

    a) 形容词指人的生理特征。多含不尊重意。

        胖～｜瘦～｜麻～｜疯～｜聋～｜瞎～｜秃～｜傻～

    b) 人的小名或饲养的狗、猫等动物的名字。

        小顺～｜二柱～｜黑～｜黄～

    c) 指事物,个别的指人。

        乱～辣～｜单～｜豁～｜(扎)猛～｜(抽)冷～｜(钻)空～｜(卖)
        关～｜他是我们的业务尖～

4. 动 + 子。

        推～｜滚～｜钳～｜剪～｜梳～｜钩～｜拍～｜弯～｜骗～｜挑～｜
        (打)摆～

5. ｛名 + 动｝ + 子。

        灯罩～｜鞋拔～｜笔洗～

【注意】 是否用'子',有一定的习惯性。比较:

        肚～｜肠～｜˟肺～｜˟肝～｜李～｜柿～｜˟枣～｜狮～｜˟虎～

【比较】 子:儿 1) '子'除了 1 项 b)以外,都是必不可少的构词成分,不能省掉;'儿'有一定程度的随意性,书面上经常不写出来。

   2) '儿'有附加意义(指'小',等),'子'只有少数含有贬义(见 3 项 a))。另有少数和带'儿'的相比,含有不尊重的意味。比较:

    老头儿:老头子｜小孩儿:小孩子

总　zǒng

〔副〕1. 表示推测、估计,多用于数量。常和'大概'连用。

这房子盖了～有二十多年了|看样子大概～得四、五吨煤才够用|这回出去大概～要个把月时间|妹妹还小,大概～不见得是她欺负你吧|他到现在还没来,～是有什么事情吧|不听我的话,～有一天你会后悔的

2. 表示持续不变;一向;一直。

a) 总[＋是]＋动。

中秋的月亮,～[是]那么明亮|一再相劝,他～[是]不听|我每天早晨～[是]在那几棵松树底下打拳

b) 总[＋也]＋动。只用于否定式。

算了几遍,～[也]没算对|最近你上哪儿去了? 怎么～[也]没碰见你呀|早就想跟你多聊聊,～[也]没时间

c) 总＋是＋这么(那么、这样、那样)＋形。

昆明～是这样温暖宜人|他说起话来～是这么慢条斯理|吴老师待人～是那样亲切、和蔼|小英一天到晚～是乐呵呵的|这孩子倒～是规规矩矩的

3. 毕竟,总归。

不要着急,问题～会解决的|成绩虽然还不理想,但～是一个进步|严冬～会过去,春天～是要来临的|等了你一天,～算把你等来了|一个人～要有一技之长,才能服务于社会|事实～是事实,你～不能歪曲事实

比较　总:老¹ '老'只有'总'的 2 项用法。'总'没有'老'的表示程度高('老高的个子')的用法。

总而言之　zǒngéryánzhī　(见'总之')

总共 zǒnggòng

〔副〕表示数量的总和。后边一定要有数量词语;统共;通共。

　　a) 用于表数量词语的动词短语之前。

　　　　我们研究所～有二百多人|他们编写这部词典,～用了四年多的时间|你在这里工作～有几年了?

　　b) 直接修饰表数量的词语。

　　　　这家公司很大,～五千多人|参加这个大会的代表～六百多人

总归 zǒngguī （终归）

〔副〕表示最后必然如此。

　　a) 用在动词前。

　　　　雪～要停的,你就等雪停了再走吧! |问题～会得到解决的

　　b) 用在主语前。较少。

　　　　不管技术多复杂,～我们是能掌握的

　　c) 名+总归+是+名。前后名词相同,强调所指事物的特点。

　　　　事实～是事实,谁也不能否认|孩子～是孩子,看着什么都好玩

【终归】同'总归'。

　　　　问题终归会得到解决|事实终归是事实|你也不必强留,终归他是要走的

总之 zǒngzhī （总而言之）

〔连〕总括起来说。

　　a) 总括上文。

　　　　工厂、农村、商店、部队、学校、机关,～,各行各业都在为四个现代化奋斗|对于新事物,有的人赞成,有的人反对,有的人怀疑,～,不可能完全一样

　　b) 表示概括性的结论,含有'反正'的意思。

详细地址记不清了，～是在颐和园附近|这时候的心情是很难形容的，～非常激动|不管你怎么讲，～我不同意这种办法

【总而言之】同'总之'。

纵然 zòngrán

〔连〕表示假设的让步；即使。连接小句，可在主语前。用于书面。

名家诗作，或意境高超，或气势磅礴，～韵律稍欠斟酌，也无损于艺术的完美|问题至关重要，～一时无法处理，短期内仍需加以解决|您亲自和我们一起去邀请，～他有些碍难，还不至于当面拒绝吧

走 zǒu

〔动〕1. 人或鸟兽的脚交互向前移动。可带'了、着、过'，可重叠。可带名词宾语。

～了好几步|我正～着，突然听见有人叫我|我从来没～过这条路|咱们出去～～吧|雪地上不知是什么鸟～过的脚印

可带非受事宾语，表示处所或方式。

～草地|～山路|～夜路|～正步|～十字

a) 走+在。后加表示处所的成分。

～在大路上|～在队伍的前边|～在一起

b) 走+向。后加表示目标的成分。

～向胜利|～向美好的明天

2. 移动；挪动。可带'了、着、过'，可重叠。可带少数名词宾语(多限于棋类比赛用语)。

～黑棋|～炮|～马|那块表～了一会儿就停住了|我的表一直～着呢|刚才～过一步马|这块破表总是～～停停

3. 通行；经过。可带'了、着、过'，可重叠。可带名词宾语。

这道沟是～水的|汽车通过这条隧道只～了三分钟|桥上～着一辆马车|我开大客车可没～过这条路|你也想～～后门吗?

可带非受事宾语,表示经过的处所。

> 货车只能~三号公路|下午六点以前,自行车不许~西街|四次列车~沪宁线

4. 离开;去。可带'了'可带非受事宾语。表施事。

> ~了两个客人|~了三辆车|~了不少观众

可作动结式第二成分,可插入'得、不'。

> 把这张桌子搬~|赶紧把病人抬~

5. (亲友之间)来往。可带'了、过'。可重叠。可带名词宾语。

> ~娘家|~了几家亲戚|我有日子没~过亲家了|他打算去姑妈家~~

6. 漏出;泄漏。可带'了、过'。可带名词宾语。

> 这个车胎有点儿~气|别~了风声|我也~过嘴(走嘴:指说话不留神而泄漏机密或发生错误)

7. 改变或失去原样。可带'了、过'。必带名词宾语(限于'样儿、调儿、形儿、题儿、味儿'等少数几个)。

> 他一唱歌儿就~调儿|有些话从她嘴里说出来就~了样儿|这双鞋刚穿了几天就~形儿了|我唱歌儿可没~过调儿|茶叶~了味儿|你在课堂上怎么老是~神儿?

8. 交上、碰上(运气)。可带'了、过'。必带名词宾语。

> 祝你~好运|他可是~了桃花运|我这个人就没~过好运

动结 走//稳 走//准 走//快 走//远 走//好

走//成 a)能(不能)离开:今天咱们可走不成了|这么晚了,他还走得成吗? b)走成:怎么走成方步了?

走得(不)动 我累得实在走不动了|你还走得动吗?

走得(不)了(liǎo) a)有(没有)能力:他的脚扭伤了,现在还走不了路|他的脚还需要多长时间才走得了路呢? b)能(不能)尽数完成:一天走不了八十里|我不相信他一天走得了八十里

动趋 走上 走上新的工作岗位

走//下来 能(不能)坚持到底:一天走百十里路,我可走不下来|

700

这么长的路总算走下来了

走下去 继续：沿着这条路一直走下去

走得(不)过 能(不能)胜过：论走路，我可走不过他|你能走得过他吗？

走得(不)过来 (亲友间)能(不能)尽数来往：这么多亲戚三两天可走不过来|这几家你都要去，哪里走得过来呢？

走得(不)开 a)能(不能)离开：家里事情太多，我暂时走不开|你下个月走得开吗？ b)能(不能)容纳：路太窄，两辆车并排可走不开|谁说三辆车也走得开？

走∥到 走到车站|估计六点以前走不到

足够 zúgòu

〔动〕达到应有的或能满足需要的程度。能够单独回答问题。没有否定式。

买上五斤水果～了|这桶油漆～用的了|这些钱够花吗？——～。

a) 可带名词宾语、动词宾语、小句宾语。

他的才干～工程师的水平|这些资金～一个月的开销|这块布～做两件上衣|这几支笔～你用一个学期

b) 可用作宾语，前边的动词一般限于表示心理活动的动词。

去这么多人我认为～了|已经休息三天了，我感觉～了|爸爸给了我二百块钱，我觉得～了

c) 可受副词修饰。

有他这句话就～了|有这么好的条件已经～了

d) 可修饰名词。

我有～的理由|我们已经掌握了～的证据|这些花缺少～的阳光和水分

e) 可用作补语。

货物已经准备～了|内容写得～了

足以　zúyǐ

〔助动〕表示完全可以、完全能够。能单独回答问题。

这件事～证明你的想法是错误的|这些材料～说明事情发生的起因|这些经费够用吗?——～

表示否定时,通常说'不足以',表示'不可以'、'不能够',多用于书面语。否定式不能单独回答问题。

对这些坏人如不加以严惩,就不～平民愤|仅靠这些材料,不～说明他的犯罪事实

最　zuì

〔副〕表示极端,胜过其余。

1. 最+形。

a) 修饰名词。一般带'的'。否定式少用。

～尖端的产品|～本质的因素|～关键的地方|～根本的原因|～重要的部门|一大筐～大～红～好的苹果|珠穆朗玛峰是世界上～高的山峰|这是～不好的办法

不带'的'直接修饰名词,结合紧凑,像一个复合词。形容词限于单音节。没有否定式。

～高阶段|～低纲领|～大限度|～大降水量|～大公约数|～小范围|～小公倍数|～后胜利|～终目的|～近距离|～远目标|～快速度|～高气温|～低水位

b) 作谓语、补语。有否定式。

今年我们的羊羔成活率～高|他的嗓音～洪亮|黑龙江的冬天来得～早|这块地的麦子收得～干净|这里的东西～不全了|这个问题～不简单|这个地方～不干净(×～不脏)|这种花色～不好看了(×～不难看了)

c) 修饰带时间、数量的动词短语,表示最大限度。

～多一个星期就能办妥|我看一亩～少也得产八百斤|～快也

得三个钟头才能赶到|随身携带的物品～重不得超过二十公
斤|～贵也要不了十块钱|～便宜也得十块钱才买得下|～早
也得明天才能写完|～晚不能超过十二点钟

2. <u>最</u>＋动。动词限于表示情绪、评价、印象、态度等内心抽象活动
的。

　　～喜欢|～愿意|～了解|～应该|～守纪律|～说明问题|～同
情我|～赞成这么做|～富于战斗精神|～受人欢迎|～爱帮助
别人|～愿意打篮球|～沉得住气|～靠不住|～不讲道理了|
～不让人放心了|我～不会动脑子|～爱学习的孩子|那天是
个～讨厌的天气|这几位都是～受欢迎的人

3. <u>最</u>＋方位词(或个别处所名词)。

　　～上边|～下层|～东头儿|～西头儿|～左边|～右边|～前方|
～前列|～前线|～顶上|～外边|～里头|站在场子的～中间
(＝正中间)

[习用语] **最好**　表示最理想的选择,最大的希望。

　　你最好亲自去一趟|最好也不下雨,也不刮风,能够痛痛快快
玩一天

[比较] **最:顶**　用法基本相同,'顶'只用于口语。'最＋形'可直接
修饰名词,'顶'不能。

　　最(ˣ顶)大限度|最(ˣ顶)小范围

　在'先、后、前、本质、新式'等形容词前边用'最'不用'顶'。

最:再:至　1) 在 1 项 c)里,'最'一般都可换成'再',意思不变。

　　最(再)快也得三个钟头才能赶到

　2) 形容词是'多'或'少'时,'最'也可以换成'至'。(见'至多'、
'至少')。

　　一亩地最(至)少也能产八百斤

　　最初　zuìchū

〔名〕最早的时期;开始的时候。

a) <u>最初</u>[＋的]＋名。

～[的]印象还是不错的|这是我们～[的]想法|～[的]情况很糟糕|～几天他没来

b) <u>最初</u>＋动/小句。

我们～住在一个小镇上|他～当工人，以后当了干部|～他并不经商|～我没有打算学医

最近 zuìjìn

〔名〕指说话前或后不久的日子。

a) <u>最近</u>[＋的]＋名。

～[的]天气不大正常|他～的情绪很不稳定|～一段时间他常常回来很晚|～几天你为什么总是迟到？

b) <u>最近</u>＋动/小句。

我们班～又来了一个新同学|～还会有什么新变化吗？|～他一直没去上班|～我到新疆去了一趟

左右 zuǒyòu

〔方位〕1. 用于空间，指事物的左边和右边。

a) 单用。

～摇摆|～有两行垂柳|站队时，前后～要看齐|形影相随，不离～|～都是平房，中间有一座楼房

b) 名＋<u>左右</u>。

房屋～|铁路线～|两个孙女儿坐在奶奶～

c) <u>左右</u>＋名。

～两岸|～两翼|～厢房|～邻居

2. 用于数量，指比某一数量稍多或稍少。只用在数量词后。

三百元～|十点～钟|二十岁～|百分之三十～|二、三百人～|身高一米七～

3. '左'和'右'分开连用。指动作多次重复。

a) 左 + 动₁ + 右 + 动₂。动₁ 和动₂ 相同或意义相近。

> 左思右想|左说右说,总算说通了|左看右看,越看越喜欢|左也不是,右也不是,怎么办?

b) 左 + 一 + 量[+ 名₁] + 右 + 一 + 量[+ 名₂]。

> 左一封信,右一封信,催他回去|左一天右一天地等,等到什么时候? |拿着相机,左一张右一张地照个没完|左一趟,右一趟,跑了足有十几趟

比较 左右:上下 见'上下'。

撮 zuǒ

〔量〕用于成丛的小量毛发。儿化。

> 留着一～儿山羊胡子|脸上有一小～儿毛|左边有一～儿白头发

另见 cuō。

坐 zuò

〔动〕1. 把臀部放在椅子、凳子或其他物体上,支持身体重量。可带'了、着、过'。可带表处所或时间的名词宾语。可重叠。

> 快请～! |～沙发|～板凳|～了几分钟|他还在那儿～着呢|我刚才～过这把椅子|你要是有时间就在我这儿多～～

a) 名(处所) + 坐 + 着 + 名(施事)。

> 台上～着几个人|后边～着一男一女

b) 坐 + 在。后加表示处所的成分。

> ～在沙发上|～在石头上|～在树下|～在床边|～在一起

c) 坐 + 的 + 名。

> ～的姿势不大好|怎么没有～的地方? |你每天～的时间不要太长

d) 可用在表示愿望或表示准许的助动词之后。

> 我不想～|他当然愿意～|这里不许～

2. 乘;搭。可带'了、着、过',可带名词宾语。

～火车|～小汽车|～了三个小时|～着小吉普来到工地|我还
没～过轮船

a) 坐 + 名(处所)。

　　～马车|～飞机|～轿子

b) 坐 + 名(施事)。

　　这辆车可以～十来个人|大客机可以～三百多人

c) 坐 + 在。后加表示处所的成分。

　　～在前排|～在飞机上|～在长途汽车上

d) 可用在表示愿望或表示准许的助动词之后。

　　这种车太慢,我不想～|他不喜欢～这种大轿车|你的月票只
　　准～汽车,不准～地铁

3. 把锅、壶等放在炉子上。可带'了、着、过'。可带名词宾语。

　　～了一壶开水|～着一锅鸡汤|他就没帮我～过一壶开水

a) 坐 + 名(工具)。

　　～大锅|～水壶|～汤盆

b) 坐 + 名(处所)。

　　～炉子上|～火上

c) 坐 + 在。后加表示处所的成分。

　　～在炉子上|～在火上

4. 瓜果等植物结果实,可带少数名词宾语。可带'了、着、过'。

　　～果儿|～瓜|～了几个果儿|～着不少果儿|这棵树就没～过
　　果儿

动结 坐∥住　坐∥稳　坐∥直　坐∥久

坐得(不)了(liǎo)　有(无)能力:我爱晕车,坐不了长途汽车|飞机
　　你坐得了吗?

动趋 坐∥上　咱们还坐得上这趟车吗?

坐得(不)起　有(没有)能力支付:一张飞机票要两千多元,我可坐
　　不起|这种豪华车谁坐得起?

坐起来　怎么又坐起开水来?

坐//到　～到广州|～到半夜

〔名〕指坐位。也写作'座'。常用于口语,常儿化。

　　这里有～儿|把～儿让给老人

作为　zuòwéi

〔动〕1. 当做。必带名词宾语。

　　～罢论|暂不～定论|我的专业是古典文学,音乐只是～一种
　　业余爱好

2. 就人的某种身份或事物的某种性质来说。必带名词宾语。没
有否定式。

　　a) 泛论一般情况时,'作为…'用于句首,后面借用'作为'的宾语
做主语,不重复。

　　　～一个青年,当然应该有远大的理想|～领导,就要以身作则|
　　　～观念形态的文学作品,都是一定的社会生活在人头脑里的
　　　反映

　　b) 特指某种情况时,主语(人称代词或人名为多)不能省,多出
现在'作为…'后,也可以在'作为'前。

　　　～业务部门的领导人,我有责任把生产搞上去|你～一个国家
　　　干部,应当爱护国家财产|～艺术品,石雕、木雕、牙雕各有特
　　　色,难分高低

　　但主语与'作为'的宾语不是同一事物时,主语不能在'作为'前。

　　　～一种假设,你当然也可以这么说|～他的个人爱好,别人用
　　　不着去干涉

做　zuò

〔动〕1. 制造;制作。可带'了、着、过',可重叠 。可带名词宾语。

　　～双布鞋|～了一对沙发|饭菜我都～好了|衣服让他～坏了,
　　太瘦了

2. 从事某种工作或活动;写作。可带'了、着、过'。可带名词宾

语。

    ～工作|～文章|～了一首诗|这个报告～得很好|把工作～深入一些

3. 充当;担任;用做。可带'了、过',可重叠。可带名词宾语或兼语。

    只有先～群众的学生,然后才能～群众的先生|～母亲的怎么能不为儿女操心呢! |售货员、采购员他都～过|拜你们～老师|选他～代表|那间屋子现在～了库房|这笔钱～什么用?

动趋 做∥出　必带宾语:做出两道题

做∥出来　做出来两道题|做出两道题来|几个题全做出来了

做起来　说起来容易,做起来难|他也做起诗来了

做∥到　说到就要做到

注意 '做'和'作'二者在普通话的语音里已经没有区别。习惯上,具体东西的制造一般写成'做',如'做桌子,做衣服,做文章';抽象一点的、书面语色彩重一点的词语,特别是成语里,一般都写成'作',如'作罢,作废,作对,作怪,作乱,作价,作曲,作文,作战,装模作样,认贼作父'。

附　录

名词、量词配合表

本表以名词为条目,在每个名词的后边列出可以跟它配合的量词。共收名词 400 余条,按音序排列。

收录名词的原则如下:

1. 以常用的具体名词为主,抽象名词较少。

2. 可带较特殊的量词的名词尽量多收。只能带'个'或'种'的名词一般不收(如:国家、阶级、政党、苹果、梨、情绪、印象)。

3. 表示液体、粉末状物体、气体的名词,经常用临时量词作单位,一般不收(如:水、墨水、粥、面粉、石灰、氧气)。

4. 动物、植物的名称只收常见的,并且适当地采用'以类相从'的原则。或者只列类名,例如只列'树',适用于'树'的量词也适用于'桃树、松树'等。或者只列一个作为代表,例如只列'教室',不列'办公室、卧室'等;只列'老虎','狮子、豹子'等可以类推。

收录量词的原则如下:

1. 临时量词(如:瓶、车、碗、筐)和集合量词(如:堆、捆、群)一般不收。度量衡量词(如:斤、尺、升)一概不收。

2. 只起单纯修辞作用的量词,如'一线希望、一轮红日、一丝留恋、一团和气'里的'线、轮、丝、团'等不收。

3. 量词前只能用'一'的,加括号注明。如:'心意 (一)片,(一)番'。

4. 有一些量词结合面相当宽(如:个),还有一些量词在使用上有一定特色,都在正文中单列条目说明。

名词	量词	名词	量词	名词	量词
	B	蚕	条		**D**
		苍蝇	只,个		
板	块	草	棵,株,根,	掸子	把
办法	个,套		墩,丛,片	刀	把
报社	家,个	铲子	把	岛	个,座
报纸	张,份	肠子	根,条	稻草	根
碑	块,个,座	唱片	张,套	稻子	株,墩
被单	条,床	钞票	张,沓,叠	灯	盏,个
被面	条,床,幅	车	辆	灯管	根,支
被子	条,床	车床	台	凳子	张,个,条(长
鼻涕	条,(一)把	车厢	节,个		形的)
鼻子	个,只	车站	个,座	笛子	枝,支,管
比赛	场,项	成绩	分,项	地	块,片
笔	枝,支,管	城	座	地雷	颗,个
鞭炮	个,挂,串	城市	座,个	地图	张,幅,本,册
鞭子	条,根	秤	杆,台	点心	块
扁担	根,条	尺	把	电池	节,对
标语	条,幅	翅膀	只,个,对,双	电线	条,段,截,卷
表(表格)	张,个	虫	条(长形的),	电影	个,场,部
表(手表)	只,块,个		个 (非 长 形	钉子	个,颗,枚
冰	块,层		的)	东西	件,样
冰雹	场,颗,粒	锄头	把	豆腐	块
饼干	块	船	条,只,艘,个	豆子	粒,颗
病	场	窗户	扇,个	队伍	支,路
玻璃	块	窗帘	块		**E**
布	块,幅,匹	床	张,个		
布告	张,个	词(语词)	个,条	耳朵	个,只,对,双
布景	堂,套,台	词(诗词)	首,阕	耳环	个,只,对,副
	C	葱	棵,根		**F**
		锉	把		
菜	棵			饭	顿,餐,份,

名词	量词	名词	量词	名词	量词
	桌,口	骨头	根,节,块	火车	列,节
饭店	家,个	鼓	个,面	火箭	支,枚
房间	个	故事	个,段,篇	货物	件,批
房子	所,间,栋,幢	瓜	个		
飞机	架	瓜子儿	颗,粒		**J**
肥皂	块,条	挂面	把	机器	台
坟	座,个	关口	道	机枪	挺
风	场,阵,股	棺材	口,个,具	鸡	只,个
风景	处	管子	根,段,截	计划	个,项
缝纫机	台,架	光	道	技术	门,项
斧子	把	锅	口,个	家具	件,样,套,堂
	G		**H**	肩膀	个,双
				剪子	把
甘蔗	根,节	汗	滴	剑	口,把
缸	口,个	汗珠	颗,滴	箭	枝,支
膏药	张,块,贴	河	条	江	条
镐	把	河堤	道	姜	块
胳臂	条,只,个,双	虹	条,道	交易	笔,宗
歌	首,支,个	狐狸	只,个	教室	间,个
革命	场,次	胡子	撇,撮,绺,把	角	个,只,对
工厂	个,家,座	蝴蝶	只,个,对	脚	只,双
工具	件,样	花儿	朵，枝，瓣，束,簇	轿子	顶,乘,抬
工人	个,名			街	条,道
工序	道	花生	粒,颗	筋	根,条
工资	份	话	句,段,(一)席,(一)番	劲儿	把,股
工作	件,项,个			井	眼,口,个
弓	张	画	张,幅,轴,套	镜子	面,块,个
功课	门	黄瓜	条,根	橘子	个,瓣
宫殿	座	灰	把,撮,层	剧院	家,座
沟	条,道	火	团,把	锯	把
狗	条,只	火柴	根,盒,包	军队	支

名词	量词	名词	量词	名词	量词
军舰	艘,只,条	力量	股	蜜蜂	只
		帘子	个,挂	棉花	株,棵,团
K		粮食	颗,粒	名胜	处
炕	铺,个	楼	层	命	条
客人	位,个	楼房	座,栋,所,幢	命令	道,个,条
课	堂,节,门	路	条	磨	盘,个,眼
课程	门	路线	条,个	墨	块,锭
口袋	条(大的),个(小的)	露水	滴,颗	木头	块,根
口号	个,句	驴	头,条	**N**	
裤子	条	旅馆	家,个,座	泥	块,滩,坨
筷子	枝,支,根,双,把	轮子	只,个	碾子	盘,个
筐	个,副	锣	面,个	鸟	只,个
矿山	个,座	骡子	匹,头	尿	泡
L		骆驼	匹,峰,个	牛	头,条
垃圾	堆	**M**		**O**	
喇叭	个,支	麻	株,缕	藕	节,根
蜡烛	枝,支,根	麻袋	条,个	**P**	
篮子	只,个	马	匹	螃蟹	只,个
狼	只,条,个	马达	台,个	炮	门,尊
老虎	只,个	码头	个,座	炮艇	艘,只
老鼠	只,个	麦子	棵,株	皮	块,张,层
烙饼	张,块,牙	馒头	个	琵琶	面,个
雷	个,声	猫	只,个	劈柴	块
犁	张	毛	根,绺,撮	票	张
篱笆	道	毛线	根,支,团,股	牌	副,张
礼堂	个,座	矛盾	个,对	葡萄	粒,颗,串,架,棵
礼物	件,份	帽子	顶,个		
理由	个,条,点	眉毛	道,双,对		
		门	扇,个,道		
		米	粒		

712

名词	量词	名词	量词	名词	量词
		嗓子	副,个,条	书	本, 册, 部,
	Q	扫帚	把		卷,套,摞
棋	副,盘	森林	个,处,片	书店	家,个
棋子儿	个	砂子	粒,把,撮	梳子	把
旗	面,杆	山	座	树	棵,株,行
企业	个,家	山口	道,个	树枝	根,枝
气	股,团,缕,口	山脉	条,道	刷子	把,个
钱	笔	闪电	道	霜	场
枪	枝,支,杆,条	扇子	把	水	滴,汪,滩
墙	堵,垛,道	伤	处,块	水泵	台
锹	把	伤疤	块,条,道	水车	台,架
桥	座,个	商店	个,家	水库	个,座
亲戚	个,门,家,处	商品	个,件,批	水桶	个,只,副
琴	把(胡琴、提	上衣	件	丝	根,缕
	琴),个,架	烧饼	个,块	塑像	个,座,尊
	(钢琴、风琴)	勺子	把,个	蒜	头,瓣
青蛙	只,个	舌头	条,个	算盘	把,个
蜻蜓	只,个	蛇	条	隧道	个,孔
蛆	条	神经	根,条	唢呐	个,支
裙子	条	牲口	头	锁	把
	R	绳子	条,根		
		尸体	个,具		**T**
人	个,帮,伙,口	诗	首,句,行	塔	座
	(计算人口	石头	块	台阶	级,个
	用)	屎	泡	痰	口
人家	个,户,家	收入	笔,项	坦克	辆
任务	项,个	收音机	台,个	毯子	条
日记	篇,段,本	手巾	块,条	糖(糖果)	块,颗
肉	块,片	手榴弹	颗,个	梯子	个,架
	S	手套	副,双,只	题	道,个
伞	把	手镯	个,只,对,副	蹄子	个,只

名词	量词	名词	量词	名词	量词
田	块	弦	根	雪	场,片
铁丝	根,段,条,截,卷	线	条,根,股,支,轴,子,团,桄,条—	**Y**	
头发	根,绺,撮			鸭子	只,个
头巾	块,条	香	盘(盘香),支,根,子(线香)	牙齿	颗,个,排,口
图章	个,颗,方			牙膏	支,管
土	把,撮,层	香肠	根	牙刷	把,支
兔子	只,个	香蕉	根,个,把	烟	股,缕
腿	条,只,双	香烟	支,根,盒,包,条,筒	眼睛	只,个,双,对
拖拉机	台			眼镜	副
唾沫	口	箱子	个,口	眼泪	滴,串,行
W		相片	张,帧,幅		(一)把
		象	头	砚台	块,个,方
瓦	块,片,垄	消息	个,条,则	雁	只,行
碗	个,摞	箫	枝,支	秧苗	根,棵,株
围巾	条	小说	篇,本,部	羊	只,头
尾巴	条,根	笑容	(一)丝,(一)副	腰带	根,条
味儿	股			药	副,服,剂,味,丸(以上中药),片,粒(以上片剂)
文件	个,份,叠	笑脸	(一)副		
文章	篇,段	鞋	双,只		
蚊帐	顶,个	心	颗,个,条		
蚊子	只,个	心意	(一)片,(一)番	钥匙	把
屋子	间			叶子	片,张
武器	件,批	信	封	衣服	件,身,套
X		信箱	个,只	医院	所,家,个,座
		星	颗,个	仪器	台,架,件
西瓜	个,块,牙	行李	件	仪式	项
席子	领,张,卷	凶器	件,把	椅子	把,个
戏	出,台,个,场	学问	门	意见	个,条,点
虾	只,个	学校	所,个	影片	部,个
霞	片,朵	血	滴,滩,片	影子	条,个

名词	量词	名词	量词	名词	量词
银行	个,所,家	灾荒	场,次	种子	颗,粒
邮票	张,枚,套	水闸	道,座	珠子	粒,颗,串,挂
鱼	条,尾	炸弹	颗,个	猪	口,头
鱼网	个,副,张	债务	笔	竹子	根,节
雨	阵,场,滴	战斗	场,次	主张	项,个
鸳鸯	对,只,个	战线	条	柱子	根
原则	个,项,条	战争	场,次	砖	块,摞
月饼	个,块,牙	账	本,笔	锥子	把
乐器	件	针	根,个,枚	桌子	张,个
乐曲	首,支,段	枕头	个,对	子弹	粒,颗,发
云	朵,块,片,团	政策	项,个,条	字	个,行,笔
运动(体育)	场,项	职业	项	钻	台,把
运动(政治)	场,次	纸	张,片,刀,沓	钻石	粒,颗
		制度	条,项,个	嘴	张,个
Z		钟	个,座		
杂志	本,份,期,卷				

形容词生动形式表

形容词的生动形式分收在四个表中。表一是单音节形容词 A 重叠为 AA 式,共收词 130 余个。表二是单音节形容词 A 加双音后缀或三音后缀,构成 ABB、ABC、AXYZ 等式,共收词 130 余个。表三是双音节形容词 AB 重叠为 AABB 或 A 里 AB 式,共收词 230 余个。表四是双音节形容词 BA 重叠为 BABA 式,共收词 70 余个。都按音序排列。

各类生动形式的构成和功能如下:

一、构成

1. 单音节形容词 A→AA 的

红红的|白白的|高高的|大大的|圆圆的

北京口语中第二个 A 一般读阴平调,儿化。

红红儿的　　hónghōngr·de

小小儿的　　xiǎoxiāor·de

慢慢儿的　　mànmānr·de

2. 单音节形容词 A+BB→ABB 的

红通通的|圆乎乎的|慢腾腾的|绿油油的

a) 北京口语中 BB 常读阴平调。

慢腾腾的　　màntēngtēng·de

沉甸甸的　　chéndiāndiān·de

b) 单音节形容词 A 与后缀 BB 的搭配是习惯性的。不同的方言有所不同,不同的人也有所不同。为了修辞的需要,偶尔还可以自造。表二所收以北京口语为主,只是举例性质,不是充分列举。有些 BB 只能加在一定的 A 后。如:

‘歪歪’只能加在‘病’之后:病歪歪的

'喷喷'只能加在'香'之后:香喷喷的

　　'答答'只能加在'羞'之后:羞答答的

有些 BB 可加在较多的 A 后。

　　洋洋:喜洋洋的、懒洋洋的、暖洋洋的

　　生生:怯生生的、活生生的、好生生的,脆生生的

　　墩墩:矮墩墩的、胖墩墩的、肥墩墩的、厚墩墩的

少数几个 BB 如'乎乎'、'溜溜'、'巴巴'的搭配能力较强。'溜溜'可加在'直、细、酸、光、滑、圆、稀'等词的后面。'乎乎'可加在'黄、黑、粉、灰、辣、潮、湿、稠、稀、毛、软、烂'等词的后面。

　　c) 同一个 BB 的汉字写法常有不同,如:黄糊糊、黄胡胡、黄乎乎;湿渌渌、湿漉漉;美孜孜、美滋滋。如意义无差别,我们只取其中的一种。

　　d) 单音节形容词 A 加上不同的 BB,常使词义或词的色彩有所不同,在表中加注释说明。如能从字面了解意义而又无特殊使用范围时,则不予注释,如:'悲惨惨、光灿灿、乱纷纷'等。

　　e) ABB 式中的 A 大部分是形容词,但是少数名词和动词也能带 BB 构成 ABB 式,也酌量收录,如'水淋淋、血乎乎、笑哈哈、醉醺醺'。

　　f) ABB 式中的 A 大部分是能单说的,但有少数不能单说,如:

　　雄:雄纠纠|悲:悲惨惨|赤:赤条条|喜:喜冲冲

　　g) 大部分 ABB 式是由 A 加 BB 构成的,但有些可以认为是由 AB 重叠 B 构成的,例如:

　　孤单:孤单单的|空旷:空旷旷的|光溜:光溜溜的|稳当:稳当当的

　　3.北京口语中单音节形容词 A 可加 BC 构成 ABC 式。B 大都是 de 或 bu,读轻音。C 读阴平调。

　　臊不答的|肥得噜儿的|美不滋儿的|冷古丁的|圆得乎的|酸不叽的|甜不叽儿的

　　'得乎'使用范围同'乎乎','不叽'使用范围同'了呱叽'。表

717　·

中'－得乎、－不叽'从略。

'乎乎(得乎)、不叽(不叽叽)'常有贬义；儿化后'乎儿乎儿(得乎儿)不叽儿(不叽儿叽儿)'则有褒义。如：

> 这个人长得胖乎乎的：小脸儿胖乎儿乎儿的
> 葡萄没熟，酸不叽的：红玉苹果酸不叽儿的挺好吃

4. 单音节形容词 A＋XYZ→AXYZ 的

各地方言也不相同，表中仍以北京口语为主。

> 白不呲咧的|干不呲咧的|黑不溜秋的|圆咕龙冬的|傻不愣登的|酸不溜丢的|滑不叽溜的|苦了呱叽的

'了呱叽'的结合能力较强，许多单音节形容词都可以加这个成分，例如表二中的'暗、白、潮、沉、稠、臭、粗、脆、呆、淡、短、肥、疯、干、黑、厚、滑、黄、灰、假、尖、娇、紧、空、苦、辣、蓝、懒、烂、冷、愣、凉、亮、绿、乱、慢、面、粘、胖、平、轻、穷、热、软、臊、湿、瘦、水、死、松、酸、甜、秃、弯、稀、咸、香、硬、油、圆、晕、脏、贼、直、皱、醉'等，都可以带'了呱叽'。为了节省篇幅，'－了呱叽'一般在表内未列入。许多不能带其他后缀的单音节形容词(还有其他词类)，但可加'了呱叽'的，表二只举了五个(笨、蠢、贫、素、瞎)为例。

'了呱叽'是北京口语后缀，变体较多，语音不同，用法一样。变体计有(以'脏'为例)：

> 脏了(里)呱叽—脏了(里)咕叽—脏了(里)各叽—脏了(里)巴叽—脏了(里)不叽—脏不叽—脏不叽叽

5. 双音节形容词 AB→AABB 的

> 干干净净的|壮壮实实的|和和气气的|随随便便的

a) 在口语中 BB 常读阴平调，第二个 A 读轻声，第二个 B 常儿化。

> 慢慢腾腾的 　　màn·mantēngtēng·de
> 干干净净儿的　gān·ganjīngjīngr·de

b) 有些双音动词也能构成 AABB 式，在表中也举几个。

> 商商量量儿的|凑凑合合的|对对付付的|吵吵嚷嚷的|来来

往往的

6. 双音节形容词 AB→A 里 AB 的

胡里胡涂的｜马里马虎的｜慌里慌张的｜俗里俗气的｜古里古怪的

7. 双音节形容词 BA→BABA 的

笔直笔直的｜冰凉冰凉的｜通红通红的

在 BABA 四个音节中,重音常落在第一个音节 B 上,BA 式双音节形容词是由单音节形容词 A 前面加上一个修饰成分 B 构成的。本表所收为举例性质。

二、功能

1. 修饰名词性成分。无论哪种格式一般都必须带'的'。

清清的水,蓝蓝的天｜水汪汪的一对大眼睛｜干干净净的床单｜通红通红的小脸

放在受数量修饰的名词前,可不带'的'(BABA 式除外)。

薄薄一层冰｜短短两小时｜小小一个孩子会这么懂事｜乱七八糟一大堆东西｜绿油油一片麦田

2. 修饰动词短语,一般都带'地'

慢慢地走过来｜笑嘻嘻地说｜酽酽地沏壶茶喝｜高高兴兴地唱了起来｜随随便便地说｜粘乎乎地熬了一锅粥

少数 AA 式和 AABB 式修饰动词可以不带'地'。

轻轻一推｜慢慢说｜足足有 5 斤重｜白白跑了一趟｜快快跑｜重重打了一拳｜满满盛了一筐｜痛痛快快洗个澡｜热热闹闹过个年

BABA 式一般不能修饰动词短语。

3. 作谓语。一般都带'的'。

小河的水清悠悠的｜空气潮乎乎的｜小脸红红的,眼睛大大的｜屋里干干净净的｜田野碧绿碧绿的

4. 在'得'字后作补语。AABB 式可省'的',其他各式不能。

收拾得整整齐齐[的]｜洗得干干净净[的]｜烫得平平的｜晒得

暖洋洋的|显得慌里慌张的|脸气得煞白煞白的

5. 前面加上指数量短语或数量短语后可作主语和宾语,必带'的'。

　　说着说着那个胖乎乎的走过来了|买了一个结结实实的|今天又碰上这位瘦高瘦高的了

表　一

A	AA	AA的	第二音节儿化变阴平	A	AA	AA的	第二音节儿化变阴平	A	AA	AA的	第二音节儿化变阴平
矮		+	+	蠢		+		乖	+	+	+
暗	+	+	+	粗	+	+	+	光		+	+
白	+	+	+	脆		+	+	好		+	+
棒		+	+	大	+	+	+	黑			
薄		+	+	单	+			狠	+	+	
饱		+	+	淡		+	+	红		+	+
扁		+	+	低		+		厚		+	+
瘪		+		毒				黄			
糙		+	+	短		+	+	灰		+	+
草	+	+	+	多	+	+	+	活	+	+	+
颤		+	+	方		+	+	尖		+	+
长		+	+	肥		+	+	僵		+	+
潮		+	+	粉		+	+	焦		+	+
稠		+	+	干		+		紧	+	+	+
臭		+	+	高	+	+	+	近		+	+
纯		+		鼓		+		净			+

　　说明: '+'号表示有这种格式,空白表示没有这种格式。'AA'、'AA 的'两栏都是空白,而最后一栏有'+'号的,表示重叠后第二音节必定儿化变阴平。

A	AA	AA的	第二音节儿化变阴平	A	AA	AA的	第二音节儿化变阴平	A	AA	AA的	第二音节儿化变阴平
静		+	+	嫩		+	+	素			+
俊			+	蔫			+	酸		+	+
空		+	+	粘		+	+	碎		+	+
苦	+	+		暖		+	+	烫			
快	+	+	+	胖		+	+	甜		+	+
宽		+	+	平		+	+	秃			+
辣		+	+	浅		+	+	歪			+
蓝		+	+	悄	+	+	+	弯			+
烂		+	+	青		+	+	晚		+	+
老			+	轻	+	+	+	旺		+	+
冷		+	+	清		+	+	微	+	+	
凉		+	+	全			+	稳		+	+
亮		+	+	热		+	+	稀		+	+
绿		+	+	软		+	+	细	+	+	+
乱				傻				咸			
满	+	+	+	深	+	+	+	香		+	+
慢	+	+	+	生		+	+	响		+	+
美		+	+	湿		+		小		+	+
闷		+	+	熟			+	斜			+
猛			+	瘦		+	+	新		+	+
密		+	+	死	+	+		严		+	+
面			+	松		+	+	酽		+	+
难			+	酥		+		阴			+

A	AA	AA 的	第二音节儿化变阴平	A	AA	AA 的	第二音节儿化变阴平	A	AA	AA 的	第二音节儿化变阴平
硬		+		早	+	+	+	直		+	
油		+		窄		+	+	皱	+		
圆		+	+	涨		+		重	+	+	+
远	+	+	+	真	+	+		准			+
匀		+		整	+	+					
脏		+		正		+	+				

表 二

A	A+后缀	注 释	A	A+后缀	注 释
矮	矮墩墩	形容人或物矮而粗壮		悲惨惨	
暗	暗沉沉	形容暗而阴沉, 如天色	悲	悲凄凄	用于书面
	白皑皑	形容雪色		悲切切	用于书面
	白苍苍	形容头发和脸色	笨	笨了呱叽	
	白乎乎		碧	碧油油	绿而有光
	白花花	形容银子或水等的颜色		病歪歪	有病的样子
白	白晃晃	白而亮	病	病恹恹	同上
	白净净	形容人的皮肤		病殃殃	同上
	白茫茫	形容云、雾、大水等一望无际的白	颤	颤巍巍	形容老人或病人的动作
	白蒙蒙	形容雾气、水气等		颤悠悠	
	白不呲咧	颜色浅淡或滋味淡薄	潮	潮乎乎	形容微湿

续表二

A	A+后缀	注　释	A	A+后缀	注　释
赤	赤裸裸	形容裸体,也比喻毫无掩饰	肥	肥囊囊	肥而肿胀
	赤条条	形容裸体		肥得噜儿	形容肉肥
沉	沉甸甸	形容物体沉重		肥咕囊	肥而肿胀
稠	稠乎乎		粉	粉乎乎	
臭	臭乎乎			粉扑扑	形容肤色等粉红好看
	臭烘烘		疯	疯颠颠	
喘	喘吁吁			疯了呱叽	
蠢	蠢了呱叽		干	干巴巴	
粗	粗墩墩	粗而矮		干瘪瘪	
脆	脆生生	声音清脆、食品酥脆	孤	孤单单	形容孤独
大	大咧咧	形容为人随便,不拘小节		孤零零	同上
呆	呆愣愣		鼓	鼓囊囊	形容口袋包裹等塞得凸起的样子
淡	淡巴巴		光	光灿灿	
毒	毒花花	形容阳光炙热		光乎儿乎儿	
短	短巴巴			光亮亮	
	短出出			光溜溜	形容光滑
	短撅撅	形容短而上翘的东西,如胡子、山羊尾、衣襟等		光闪闪	
	短秃秃			光秃秃	
恶	恶狠狠	形容人凶狠	汗	汗津津	形容微微出汗
肥	肥墩墩	肥胖而矮	好	好端端	在好的状态下
	肥滚滚	形容肥而圆,如猪等		好生生	同上
	肥乎乎		黑	黑糁糁	形容脸色或胡须黑
				黑墩墩	形容人黑而矮

723

A	A+后缀	注　释	A	A+后缀	注　释
黑	黑洞洞	形容空间黑	慌	慌乱乱	
	黑乎乎	黑而且模糊一片		慌张张	
	黑茫茫	形容无光的夜色	黄	黄澄澄	读 huáng dēng dēng,形容金子、谷粒等黄而耀眼
	黑漆漆			黄乎乎	黄而模糊不易看清的样子
	黑黢黢		灰	灰沉沉	
	黑压压	形容密集的人群		灰乎乎	
	黑魆魆	形容黑暗		灰溜溜	常形容垂头丧气情绪不振的样子
	黑油油	黑而发光		灰蒙蒙	常形容有云雾的天空或尘土飞扬的道路上空
	黑不溜秋	形容脸色黑或物体颜色黑		灰了呱叽	
	黑咕隆冬	形容光线黑暗		灰不溜秋	
红	红光光	常形容脸色	浑	浑得噜ㄦ	形容儿童或少年浑厚可爱
	红乎乎		活	活生生	现实生活中的、发生在眼前的或在活着的状态下
	红扑扑	常形容脸色			
	红通通		火	火辣辣	
	红彤彤	常形容旭日、晚霞等	急	急湍湍	形容水流得急
	红艳艳	形容红而艳丽		急冲冲	因急而行动迅速的样子
厚	厚墩墩	厚而且矮		急喘喘	急得喘气的样子
	厚实实	厚而结实		急乎乎	
花	花里胡梢	形容五颜六色或比喻华而不实	假	假惺惺	假意的样子
滑	滑溜溜	形容光滑	尖	尖溜溜	形容声音尖细或物体尖细
	滑不唧溜	形容因滑而难以拿到手中,如鱼等,或形容路滑难行			

A	A+后缀	注　释	A	A+后缀	注　释
娇	娇滴滴	形容女子娇嫩的样子或声音	辣	辣酥酥	同上
	娇嫩嫩		蓝	蓝英英	形容颜色发蓝
金	金灿灿			蓝莹莹	蓝而晶莹,形容蓝宝石等的颜色
	金煌煌			蓝闪闪	
	金晃晃		懒	懒散散	
	金闪闪			懒洋洋	
紧	紧巴巴		烂	烂乎乎	
	紧梆梆		乐	乐呵呵	形容快乐的样子
	紧绷绷			乐悠悠	形容快乐自得
	紧箍箍	常形容衣帽紧小		乐滋滋	形容内心高兴
净	净光光	形容荡然无物	泪	泪汪汪	形容眼睛充满了眼泪
静	静悄悄	形容安静无声	冷	冷冰冰	形容待人冷淡不热情或形容物体冷
	静悠悠			冷清清	形容冷落、寂静
空	空荡荡	形容空荡无物		冷森森	形容冷气逼人
	空洞洞	形容房屋、洞穴等空间是空的,或形容文章讲话等无内容		冷丝丝	形容微有冷意
				冷飕飕	形容风冷
	空旷旷			冷古丁	形容突然的动作
	空落落		愣	愣磕磕	
苦	苦英英	微有苦味	凉	凉丝丝	微有凉意或味道微凉
	苦森森			凉飕飕	
辣	辣乎乎			凉苏苏	同凉丝丝
	辣丝丝	形容微有辣味	亮	亮光光	

A	A+后缀	注　　释	A	A+后缀	注　　释
亮	亮晶晶	形容光亮闪烁的东西,如星星等	毛	毛烘烘	形容毛密而多
	亮堂堂	多形容房间光线充足		毛乎乎	同上
绿	绿葱葱	形容植物碧绿茂盛		毛茸茸	形容细毛丛生
	绿茸茸	多形容初生的庄稼或小草绿而密如绒状		毛楂楂	多形容硬而乱的毛发
	绿茵茵	多形容草地、草坪	美	美丝丝	形容内心感到得意或高兴
	绿莹莹	绿而发光		美滋滋	同上
	绿油油	绿而有油光,多形容庄稼、蔬菜、树叶等		美不滋儿	同上
乱	乱纷纷		密	密麻麻	又多又密的样子,如纸上的字、皮肤上的斑点、广场上的人群等
	乱哄哄	乱而有嘈杂的声音,多形容有人群的地方		密匝匝	稠密的样子,如麦穗、玉米的籽粒等
	乱乎乎		面	面乎乎	形容含淀粉多,吃起来柔软
	乱蓬蓬	多形容毛发乱如蓬草		面团团	形容脸圆而胖
	乱腾腾		明	明灿灿	多形容阳光灿烂
	乱糟糟			明光光	明亮透明,如玻璃窗等
麻	麻酥酥	微有麻味或身体稍觉发麻		明晃晃	多形容电灯、刀锋等闪亮的东西
满	满当当	形容容器或空间被物体或人充满		明亮亮	同'明光光'
	满登登	同上	闹	闹哄哄	热闹嘈杂,多形容有人声的地方
慢	慢腾腾	形容缓慢的样子		闹嚷嚷	同上
	慢吞吞	同上	粘	粘乎乎	粘或粘稠成糊状
	慢悠悠	形容动作慢而悠然	怒	怒冲冲	生气的样子
毛	毛糙糙	形容物体粗糙或人的动作毛糙	暖	暖烘烘	形容暖和

A	A+后缀	注　释	A	A+后缀	注　释
暖	暖乎乎	同上	怯	怯生生	胆小、小心的样子
	暖融融	书面语,多形容阳光的温暖	清	清凌凌	形容水面清彻而有波纹
	暖洋洋	多形容在阳光下感到温暖		清幽幽	形容幽静
胖	胖墩墩	形容胖而矮	轻	轻悄悄	
	胖乎乎	肥胖的样子		轻飘飘	形容物体轻或得意忘形
	胖不伦墩	形容胖而笨	晴	晴朗朗	
蓬	蓬茸茸	形容毛发蓬松柔软	穷	穷光光	形容贫穷,一无所有
	蓬松松	多形容毛发胡须蓬松	热	热滚滚	形容热水、热泪等
贫	贫了呱叽			热辣辣	热而感到刺痛,如在烈日下的感觉或内心激动时的感觉
平	平稳稳			热烘烘	
	平展展	多形容地势、道路平坦		热乎乎	
凄	凄惨惨			热腾腾	热而有蒸气的样子
	凄凉凉		软	软和和	形容柔软
	凄切切	多形容声音凄凉		软乎乎	同上
气	气昂昂			软溜溜	同上
	气冲冲	生气的样子		软绵绵	柔软如绵,形容物体软,或形容感觉无力,动作、曲调无力等
	气喘喘	因急促而喘气的样子		软囊囊	同软古囊
	气鼓鼓	形容生气的样子		软塌塌	形容物体瘫软不挺直
	气哼哼	同上		软不塌	同上
	气乎乎	同上		软古囊	软而肿胀的样子
	气囊囊	同上			
	气吁吁	同'气喘喘'			

A	A+后缀	注　释	A	A+后缀	注　释
臊	臊烘烘	臊读 sāo。形容有臊气	松	松散散	松散的样子
	臊乎乎	同上	素	素了呱叽	形容食品无油无肉或形容衣着等过于平淡
臊	臊不答	臊读 sào	酸	酸儿乎儿	形容酸味
沙	沙朗儿朗儿	形容食品质地清爽如沙,如形容西瓜		酸溜溜	同上
傻	傻呵呵	有些傻的样子	甜	甜乎儿乎儿	形容甜味
	傻乎乎	同上		甜津津	同上
	傻不愣登	形容傻(贬意)。		甜溜溜	同上
湿	湿乎乎			甜蜜蜜	同上
	湿淋淋	形容物体湿得往下滴水		甜丝丝	同上
	湿漉漉	形容物体潮湿含水的样子		甜滋滋	同上
瘦	瘦溜溜	细瘦而长的样子		甜不丝儿	同上
水	水叽叽	形容物体含水过多	秃	秃光光	形容光秃无物
	水淋淋	形容湿得往下滴水	弯	弯曲曲	
	水灵灵	形容食物鲜美多汁,植物新鲜洁美或女子肤色、眼睛	雾	雾蒙蒙	云雾蒙胧的样子
				雾腾腾	同上
	水汪汪	形容眼睛明亮、灵活	文	文绉绉	斯文的样子
顺	顺当当	形容顺利	稳	稳当当	形容稳当
	顺溜溜	顺利或驯服听话,如形容牲畜等		稳扎扎	稳当而扎实,多形容人的作风踏实或物体放置、捆绑得牢靠等
死	死巴巴	同'死板板'			
	死板板	死板不灵活的样子	稀	稀乎儿乎儿	形容液体稀薄,如粥、汤等
松	松垮垮	形容衣着结扣松弛不紧等,也用来形容人的作风懒散		稀拉拉	稀疏的样子,如形容人少、物少、雨点稀疏等

A	A+后缀	注　释	A	A+后缀	注　释
稀	稀溜溜	同'稀乎儿乎儿'	笑	笑吟吟	同上
	稀得溜儿	同上		笑盈盈	同上
喜	喜冲冲	形容十分高兴的样子,多用于'走、跑'一类动作时	斜	斜不唥儿	形容位置或方向偏斜的样子
	喜洋洋	形容喜悦的气氛、神色	血	血乎乎	
	喜滋滋	内心喜悦的样子		血淋淋	形容鲜血流淌
细	细溜溜	细而长,如形容棍子、身材等		血丝胡拉	同上
	细条条	细而长,多形容身体	兴	兴冲冲	形容高兴而动作迅速
瞎	瞎了呱叽		羞	羞答答	形容害羞
咸	咸乎乎		虚	虚飘飘	
	咸津津	微有咸味	雄	雄纠纠	形容威武
	咸不丝儿	同上	喧	喧腾腾	形容人群喧哗
香	香馥馥	书面语,形容香味浓厚	暄	暄腾腾	形容物体松软多孔有弹性,如馒头、面包等
	香乎儿乎儿		眼	眼巴巴	形容急切盼望或无可奈何
	香喷喷	形容香气扑鼻,如花香、饭菜食品的香味等		眼睁睁	形容无可奈何或无动于衷
	香扑扑	同上	硬	硬梆梆	形容坚硬结实
响	响当当			硬撅撅	形容胡子等硬而撅起
笑	笑哈哈			硬朗朗	形容老年人身体结实
	笑呵呵		油	油光光	形容油亮发光
	笑乎儿乎儿			油乎乎	
	笑眯眯	形容微笑时眼睛眯起的样子		油花花	形容物体表面多油,如用油烹炸的食物等
	笑嘻嘻	形容微笑的样子			

续表二

A	A+后缀	注 释	A	A+后缀	注 释
油	油腻腻	形容油而发腻	贼	贼咕咕	形容鬼祟狡滑
	油汪汪	形容油多浮起,如菜盘里的油多等		贼溜溜	同上
圆	圆滚滚	形容圆而胖,如小猫、儿童的小手等	直	直瞪瞪	形容眼睛直瞪
	圆乎乎	形容浑圆,如脸庞等		直盯盯	同上
	圆溜溜			直勾勾	形容眼睛直瞪发呆
	圆得乎儿	形容稍圆		直撅撅	形容挺直向前,如胡须
	圆得溜儿	同上		直溜溜	形容笔直
	圆咕隆冬	形容圆而笨重		直挑挑	多形容身材长得高而直
晕	晕乎乎	形容头晕		直挺挺	多形容直立或直躺着不动
匀	匀乎儿乎儿	形容粗细、稀稠、大小适中		直统统	形容直截了当或脾气爽直
	匀溜溜	同上	皱	皱巴巴	形容衣服、纸张、皮肤等发皱
	匀得溜儿	同上		皱古囊	形容皱而臃肿
脏	脏乎乎		醉	醉醺醺	形容酒醉

表 三

AB	AABB	A里AB	BB读阴平	第二个B儿化	AB	AABB	A里AB	BB读阴平	第二个B儿化
矮小	+				肮脏		+		
安定	+				白净	+		+	+
安分	+				别扭	+	+	+	
安静	+		+	+	草率	+			
安全	+				颤悠	+		+	+
安稳	+				吵闹	+			
暗淡	+				吵嚷	+		+	

续表三

AB	AABB	A里AB	BB读阴平	第二个B儿化	AB	AABB	A里AB	BB读阴平	第二个B儿化
诚恳	+				肥胖	+			
迟疑	+				肥大	+		+	+
充裕	+				肥壮	+			
稠密	+				肥实	+		+	+
纯粹	+				敷衍	+			
瓷实	+		+	+	伏帖	+		+	+
从容	+				富泰	+		+	
匆忙	+				富裕	+		+	
粗糙	+				疙瘩	+	+		
粗拉	+		+		干巴	+			
粗实	+		+	+	干脆	+			
粗壮	+				干净	+		+	+
脆生	+		+	+	高大	+			
搭讪	+		+	+	高兴	+			
打闹	+				工整	+			
大方	+		+	+	公平	+			
道地	+				公正	+			
地道	+		+	+	恭敬	+			
对付	+		+	+	勾搭	+		+	
墩实	+	+	+	+	孤单	+		+	+
哆嗦	+	+	+	+	孤零	+		+	+
恩爱	+				古怪	+	+		
方正	+				光溜	+		+	+

AB	AABB	A里AB	BB读阴平	第二个B儿化	AB	AABB	A里AB	BB读阴平	第二个B儿化
规矩	+		+		简单	+		+	
鬼祟	+				娇气	+	+		
憨厚	+				结实	+		+	+
寒酸	+				结巴	+	+	+	
含胡	+		+		紧凑	+			
含混	+				谨慎	+			
浩荡	+				精神	+		+	+
和蔼	+				客气	+		+	
和睦	+				恳切	+			
和气	+		+		空洞	+			
和顺	+				空旷	+			
厚道	+		+	+	快乐	+		+	+
厚实	+		+	+	宽敞	+			
糊涂	+	+	+		宽绰	+		+	
花梢	+		+	+	拉扯	+			
欢实	+		+	+	拉杂	+			
缓慢	+				来往	+			
荒凉	+				烂胡	+		+	+
恍惚	+				跟跄	+			
晃荡	+	+	+		牢靠	+		+	+
活泼	+		+		老气			+	
豁亮	+		+	+	冷淡	+			
机灵	+		+	+	冷静	+			

AB	AABB	A 里 AB	BB 读阴平	第二个 B 儿化	AB	AABB	A 里 AB	BB 读阴平	第二个 B 儿化
冷落	+				迷胡	+	+	+	
冷清	+		+		密实	+		+	
利落	+		+	+	勉强	+		+	
利索	+		+	+	苗条	+			
凉快	+		+	+	渺茫	+			
亮堂	+		+	+	明亮	+			
了草	+				模糊	+	+	+	
伶俐	+				摸索	+		+	
零碎	+				磨蹭	+			
零星	+		+	+	磨咕	+		+	
蹓跶	+		+	+	粘乎	+	+	+	
笼统	+				念叨	+			
流气		+			扭捏	+			
搂抱	+				蓬勃	+			
罗唆	+	+	+		蓬松	+			
麻利	+		+	+	漂亮	+		+	+
马虎	+	+	+		拼凑	+			
蹒跚	+				平安	+		+	
莽撞	+				平淡	+			
毛糙	+	+	+		平静	+		+	+
冒失	+		+		平坦	+			
蒙眬	+				平稳	+			
懵懂	+		+		平庸	+			

AB	AABB	A里AB	BB读阴平	第二个B儿化	AB	AABB	A里AB	BB读阴平	第二个B儿化
破烂	+				曲折	+			
普通	+		+		热乎	+		+	+
朴实	+		+		软乎	+		+	+
朴素	+				散漫	+			
凄凉	+				商量	+		+	+
凄惨	+				实在	+			
凄切	+				爽快	+			
齐全	+		+		顺当	+		+	+
齐整	+				顺溜	+		+	+
奇怪	+				斯文	+			
敲打	+				死板	+			
切实	+				松快	+		+	+
亲密	+				松软	+			
亲切	+				素净	+		+	+
亲热	+		+	+	琐碎	+		+	
勤快	+		+	+	随便	+			
清白	+				踏实	+		+	
清楚	+		+		太平	+		+	+
清静	+		+	+	堂皇	+			
清凉	+		+	+	甜蜜	+			
清爽	+				痛快	+		+	+
轻松	+		+	+	吞吐	+			
轻易	+				拖沓	+			

AB	AABB	A里AB	BB读阴平	第二个B儿化	AB	AABB	A里AB	BB读阴平	第二个B儿化
妥当	+		+	+	阴森	+			
弯曲	+				隐约	+			
完全	+		+		硬朗	+		+	+
完整	+				庸碌	+			
畏缩	+				犹豫	+		+	
温和	+				圆满	+			
文雅	+				扎实	+			
稳当	+		+	+	遮掩	+		+	
稳妥	+				争吵	+			
稳重	+				整齐	+		+	
详尽	+				正当	+		+	
详细	+				枝节	+		+	
辛苦	+				支吾	+		+	
虚假	+				忠厚	+			
严密	+				壮实	+		+	
严实	+		+	+	仔细	+			
阴沉	+				自然	+		+	

表　四

BA	BABA	BA	BABA	BA	BABA	BA	BABA
矮胖	+	笔直	+	惨白	+	飞快	+
梆硬	+	碧绿	+	翠绿	+	粉白	+
绷硬	+	冰冷	+	短粗	+	粉红	+
笔挺	+	冰凉	+	飞薄	+	粉嫩	+

BA	BABA	BA	BABA	BA	BABA	BA	BABA
干冷	+	溜滑	+	死沉	+	血红	+
干瘦	+	溜圆	+	死咸	+	雪白	+
滚热	+	麻辣	+	死硬	+	雪亮	+
滚烫	+	闷热	+	酸臭	+	阴冷	+
滚圆	+	嫩白	+	酸疼	+	阴凉	+
黑红	+	嫩绿	+	通红	+	荫凉(yìn)	+
黑亮	+	喷香	+	通亮	+	油光	+
黑瘦	+	漆黑	+	通明	+	油黑	+
齁咸	+	黢黑	+	瓦蓝(wà)	+	油亮	+
焦黄	+	傻高	+	乌黑	+	燥热	+
金黄	+	傻愣	+	稀烂	+	崭新	+
精光	+	煞白	+	细白	+	湛蓝	+
精瘦	+	瘦长	+	细长	+	贼亮	+
蜡黄	+	瘦干	+	细高	+		
烂熟	+	瘦高	+	腥臭	+		
溜光	+	刷白(shuà)	+	鲜红	+		

音 序 索 引

A

啊　·a ……………… (46)
捱(挨)　ái ……… (47)
矮　ǎi ……………… (48)
爱　ài ……………… (48)
安　ān ……………… (49)
按　àn ……………… (50)
按照　ànzhào … (51)

B

巴不得　bā·bu·de (52)
把¹　bǎ ……………… (52)
把²　bǎ ……………… (53)
罢了　bà·le ……… (56)
吧(罢)　·ba ……… (56)
白　bái ……………… (58)
摆　bǎi ……………… (58)
败　bài ……………… (59)
半　bàn ……………… (60)
帮　bāng ………… (61)
包　bāo ……………… (62)
包括　bāokuò … (63)
薄　báo ……………… (64)
保　bǎo ……………… (65)

报　bào ……………… (65)
抱　bào ……………… (66)
背　bēi ……………… (66)
被　bèi ……………… (67)
倍　bèi ……………… (69)
呗　·bei ……………… (69)
本¹　běn ………… (69)
本²　běn ………… (70)
本来　běnlái …… (70)
本着　běn·zhe … (71)
甭　béng ………… (71)
逼　bī ……………… (72)
比　bǐ ……………… (72)
比方　bǐ·fang … (74)
比较　bǐjiào …… (75)
比如　bǐrú ……… (75)
彼此　bǐcǐ ……… (76)
笔　bǐ ……………… (77)
必定　bìdìng … (77)
必然　bìrán …… (77)
必须　bìxū ……… (78)
毕竟　bìjìng …… (78)
避免　bìmiǎn … (79)
边　biān ………… (79)
扁　biǎn ………… (80)
变　biàn ………… (80)

便　biàn ………… (81)
遍　biàn ………… (81)
标志着　biāozhì·zhe
　　…………………… (82)
表示　biǎoshì … (82)
表现　biǎoxiàn … (82)
别　bié …………… (83)
别的　bié·de …… (84)
别管　biéguǎn … (84)
别是　biéshì …… (84)
别说　biéshuō … (85)
别提　biétí ……… (85)
并　bìng ………… (86)
并且　bìngqiě … (86)
拨　bō …………… (87)
补充　bǔchōng … (88)
部　bù …………… (89)
部分　bù·fen …… (89)
不　bù …………… (90)
不比　bùbǐ ……… (92)
不必　bùbì ……… (93)
不便　bùbiàn … (93)
不曾　bùcéng … (94)
不成　bùchéng … (94)
不单[是]　bùdān[shì]
　　…………………… (94)

· 737 ·

不但　bùdàn …… （94）
不得了　bùdéliǎo （95）
不得已　bùdéyǐ …（96）
不定　bùdìng …（97）
不独　bùdú ……（97）
不妨　bùfáng …（98）
不管　bùguǎn …（98）
不光　bùguāng …（99）
不过　bùguò ……（99）
不及　bùjí ……（100）
不见得　bùjiàn·dé
　　……（100）
不仅　bùjǐn …（101）
不愧　bùkuì …（101）
不料　bùliào …（101）
不论　bùlùn …（101）
不免　bùmiǎn …（101）
不然　bùrán …（102）
不如　bùrú ……（102）
不时　bùshí …（103）
不外　bùwài …（104）
不外乎　bùwài·hu
　　…………（104）
不宜　bùyí ……（104）
不用　bùyòng …（104）
不在乎　bùzài·hu（104）
不止　bùzhǐ …（105）
不只　bùzhǐ …（106）
不至于　bùzhìyú（106）
不致　bùzhì …（106）

　　　C

才　cái ………（107）

采取　cǎiqǔ …（108）
采用　cǎiyòng …（108）
参加　cānjiā …（109）
参与　cānyù …（109）
层　céng ………（110）
曾经　céngjīng （110）
差不多　chà·buduō
　　…………（111）
差点儿　chàdiǎnr（112）
产生　chǎnshēng（113）
长短　chángduǎn（113）
长期　chángqī …（113）
长于　chángyú （114）
场　cháng ……（114）
常常　chángcháng
　　…………（114）
场　chǎng …（115）
朝　cháo …（115）
趁　chèn …（116）
称　chēng …（116）
成　chéng …（117）
成为　chéngwéi（118）
诚然　chéngrán（118）
程度　chéngdù（118）
乘　chéng …（119）
吃　chī …（119）
充满　chōngmǎn（120）
重　chóng …（120）
重新　chóngxīn（120）
愁　chóu ………（121）
出¹（齣）chū …（121）
出²　chū;//·chū（121）

出来
　chū//·lái;//·chū//·lái
　　…………（123）
出去
　chū//·qù;//·chū//·qù
　　…………（123）
初　chū ………（124）
除　chú ………（124）
除非　chúfēi …（125）
除开　chúkāi …（126）
除了　chú·le …（126）
除去　chú·qù …（127）
处于　chǔyú …（127）
处处　chùchù …（127）
穿　chuān ……（127）
此外　cǐwài …（128）
次¹　cì ………（129）
次²　cì ………（130）
从¹　cóng ……（130）
从²　cóng ……（131）
从此　cóngcǐ …（131）
从而　cóng'ér …（131）
从来　cónglái …（132）
从新　cóngxīn …（133）
催　cuī ………（133）
撮　cuō ………（134）
错　cuò ………（134）

　　　D

达到　dádào …（136）
打¹　dǎ ………（136）
打²　dǎ ………（138）

738

打算　dǎ·suan ··· (139)
大　dà ············· (139)
大概　dàgài ··· (141)
大伙儿　dàhuǒr (142)
大家　dàjiā ······ (142)
大家伙儿　dàjiāhuǒr
　············· (143)
大约　dàyuē ··· (143)
带　dài ··········· (143)
代¹　dài ········· (144)
代²　dài ········· (144)
代替　dàitì ······ (144)
单　dān ········· (145)
担心　dānxīn ··· (146)
淡　dàn ········· (146)
但　dàn ········· (147)
但是　dànshì ··· (147)
当　dāng ········· (148)
当然　dāngrán (149)
当中　dāngzhōng (150)
当　dàng ········· (150)
当做　dàngzuò (150)
到　dào;//·dào (151)
到处　dàochù ··· (152)
到底　dàodǐ ··· (153)
倒　dào ··········· (153)
倒是　dàoshì ··· (155)
道　dào ··········· (155)
得　dé ············· (155)
得了　dé·le ····· (156)
得以　déyǐ ····· (156)
地　·de ··········· (156)

底　·de ········· (156)
的　·de ········· (156)
的话　·dehuà ··· (163)
得¹　·de ········· (163)
得²　·de ········· (165)
得　děi ········· (166)
等¹　děng ····· (166)
等²　děng ····· (167)
等等　děngděng (167)
等于　děngyú ··· (168)
的确　díquè ··· (168)
第　dì ············· (168)
点　diǎn ········· (169)
掉　diào ········· (171)
顶　dǐng ········· (172)
定　dìng ········· (173)
丢　diū ········· (174)
动　dòng ········· (175)
都　dōu ········· (177)
度　dù ············· (178)
端正　duānzhèng (178)
短　duǎn ········· (179)
断　duàn ········· (179)
段　duàn ········· (180)
堆　duī ········· (180)
对¹　duì ········· (181)
对²　duì ········· (181)
对³　duì ········· (182)
对于　duìyú ··· (183)
顿　dùn ········· (183)
多¹　duō ········· (184)
多²　duō ········· (184)

多³　duō ········· (186)
多半　duōbàn ··· (187)
多会儿　duō·huir (188)
多亏　duōkuī ··· (188)
多么　duō·me ··· (188)
多少¹　duōshǎo (188)
多少²　duō·shǎo (189)
多一半　duōyībàn
　············· (189)
躲　duǒ ········· (189)

E

儿　ér ··········· (191)
而　ér ··········· (192)
而况　érkuàng (194)
而且　érqiě ··· (194)
而已　éryǐ ······ (195)

F

发　fā ············· (196)
发生　fāshēng ··· (197)
番　fān ········· (197)
凡是　fánshì ··· (198)
反¹　fǎn ········· (198)
反²　fǎn ········· (199)
反倒　fǎndào ··· (199)
反而　fǎn'ér ··· (199)
反正　fǎn·zheng (199)
反之　fǎnzhī ··· (199)
犯　fàn ········· (200)
方才　fāngcái ··· (200)
仿佛　fǎngfú ··· (201)

放 fàng ……… (202)
放手 fàngshǒu (204)
放心 fàngxīn … (204)
非¹ fēi ……… (205)
非² fēi ……… (206)
非常 fēicháng (206)
分 fēn ……… (207)
分别 fēnbié … (207)
分配 fēnpèi … (208)
分头 fēntóu … (209)
份 fèn ……… (210)
丰富 fēngfù … (210)
封 fēng ……… (211)
否则 fǒuzé … (211)
副 fù ……… (212)

G

该¹ gāi ……… (213)
该² gāi ……… (213)
该³ gāi ……… (213)
改 gǎi ……… (214)
赶 gǎn ……… (215)
敢 gǎn ……… (215)
敢于 gǎnyú … (215)
感到 gǎndào … (216)
刚 gāng ……… (216)
刚才 gāngcái … (217)
刚刚 gāngºgāng (218)
刚好 gānghǎo (218)
高兴 gāoxìng … (218)
搞 gǎo ……… (219)
告诉 gào·su … (220)

格外 géwài … (220)
个 gè ……… (221)
各 gè ……… (222)
各别 gèbié … (223)
各个 gègè …… (224)
各自 gèzì …… (224)
给 gěi ……… (225)
给以 gěiyǐ … (227)
根 gēn ……… (228)
根本 gēnběn … (228)
根据 gēnjù … (229)
跟 gēn ……… (230)
跟前 gēnqián … (231)
更 gèng ……… (231)
更加 gèngjiā … (232)
供 gōng ……… (232)
共 gòng ……… (233)
共通 gòngtōng (233)
共同 gòngtóng (234)
够 gòu ……… (234)
股 gǔ ……… (235)
固然 gùrán … (236)
故意 gùyì …… (237)
顾 gù ……… (237)
怪 guài ……… (238)
怪不得 guài·bu·de
……… (239)
关系 guān·xì … (239)
关于 guānyú … (240)
管 guǎn ……… (241)
管保 guǎnbǎo … (241)
惯 guàn ……… (242)

惯于 guànyú … (242)
光 guāng ……… (242)
归 guī ……… (242)
归于 guīyú … (243)
鬼 guǐ ……… (243)
果然 guǒrán … (244)
果真 guǒzhēn (244)
过¹ guò;//ºguò (245)
过² ·guo …… (246)
过来
guò//ºlái;//ºguò//ºlái
……… (248)
过去
guò//ºqù;//ºguò//ºqù
……… (248)
过于 guòyú … (251)

H

还 hái ……… (252)
还是 hái·shì … (254)
害 hài ……… (255)
好 hǎo ……… (256)
好比 hǎobǐ … (258)
好不 hǎobù … (259)
好歹 hǎodǎi … (259)
好多 hǎoduō … (260)
好赖 hǎolài … (261)
好像 hǎoxiàng … (261)
好些 hǎoxiē … (262)
好意思 hǎoyì·si (262)
好在 hǎozài … (262)
何必 hébì …… (263)

何不　hébù　…　(263)
何尝　hécháng　(264)
何苦　hékǔ　…　(264)
何况　hékuàng　(264)
和　hé　………　(265)
很　hěn　………　(266)
恨　hèn　………　(268)
恨不得　hèn·bu·de
　…………………　(269)
后　hòu　………　(269)
后边　hòu·bian　(270)
后悔　hòuhuǐ　(270)
后面　hòu·mian　(271)
后头　hòu·tou　…　(271)
忽　hū　…………　(271)
忽而　hū'ér　…　(271)
忽然　hūrán　…　(271)
互　hù　………　(272)
互相　hùxiāng　(272)
化　huà　………　(272)
坏　huài　………　(273)
换　huàn　………　(274)
慌　huāng　……　(275)
回¹　huí　………　(276)
回²　huí;//◦huí　(276)
回来
　huí//◦lái;//◦huí//◦lái
　…………………　(277)
回去
　huí//◦qù;//◦huí//◦qù
　…………………　(277)
会　huì　………　(278)

活　huó　………　(279)
活动　huó·dòng　(280)
活像　huóxiàng　(280)
活跃　huóyuè　…　(281)
或　huò　………　(281)
或许　huòxǔ　…　(282)
或则　huòzé　…　(282)
或者　huòzhě　…　(283)

J

几乎　jīhū　……　(285)
及　jí　…………　(286)
及至　jízhì　……　(286)
极　jí　…………　(286)
极其　jíqí　……　(288)
极为　jíwéi　…　(288)
即　jí　…………　(288)
即便　jíbiàn　…　(289)
即使　jíshǐ　……　(289)
几　jǐ　…………　(290)
几时　jǐshí　……　(291)
计　jì　…………　(291)
既　jì　…………　(292)
既然　jìrán　……　(293)
继续　jìxù　……　(293)
加以　jiāyǐ　……　(294)
家　jiā　…………　(294)
假如　jiǎrú　……　(295)
假使　jiǎshǐ　…　(295)
架　jià　…………　(295)
架次　jiàcì　……　(295)
坚持　jiānchí　…　(295)

简直　jiǎnzhí　…　(296)
间接　jiànjiē　…　(297)
鉴于　jiànyú　…　(297)
见　jiàn　………　(297)
件¹　jiàn　………　(299)
件²　jiàn　………　(299)
渐渐　jiànjiàn　…　(299)
将　jiāng　………　(300)
将将　jiāngjiāng　(301)
交　jiāo　………　(301)
交互　jiāohù　…　(302)
教　jiāo　………　(302)
叫¹　jiào　………　(303)
叫²(教)　jiào　…　(304)
叫做　jiàozuò　…　(305)
较　jiào　………　(305)
较为　jiàowéi　…　(305)
界　jiè　…………　(305)
借　jiè　…………　(306)
禁不住　jīn·buzhù
　…………………　(307)
禁得住　jīn·dezhù
　…………………　(307)
尽管　jǐnguǎn　…　(307)
尽量　jǐnliàng　…　(308)
进　jìn;//◦jìn　(308)
进而　jìn'ér　…　(309)
进来
　jìn//◦lái;//◦jìn//◦lái
　…………………　(310)
进去

jìn//。qù;//。jìn//。qù

    …………… (310)

进行 jìnxíng … (310)

经 jīng ……… (311)

经常 jīngcháng (312)

经过 jīngguò … (312)

净 jìng ……… (313)

竟 jìng ……… (313)

竟然 jìngrán … (314)

究竟 jiūjìng … (314)

救 jiù ……… (314)

就¹ jiù ……… (315)

就² jiù ……… (318)

就³ jiù ……… (318)

就是¹ jiù。shì … (319)

就是² jiù。shì … (320)

就是了 ·jiu·shi·le

    …………… (320)

就算 jiùsuàn … (321)

居然 jūrán … (321)

局限 júxiàn … (321)

举行 jǔxíng … (322)

具 jù ……… (322)

具体到 jùtǐdào (323)

据 jù ……… (323)

据说 jùshuō … (323)

觉得 jué·de … (324)

决 jué ……… (324)

绝 jué ……… (324)

绝对 juéduì … (325)

K

开 kāi;//。kāi … (327)

开来 //。kāi·lái (330)

开始 kāishǐ … (330)

开外 kāiwài … (330)

看 kàn ……… (331)

可¹ kě ……… (333)

可² kě ……… (335)

可³ kě ……… (335)

可见 kějiàn … (335)

可能 kěnéng … (335)

可是¹ kěshì … (336)

可是² kěshì … (336)

可惜 kěxī …… (336)

可以 kěyǐ … (337)

肯 kěn …… (338)

口 kǒu …… (339)

快 kuài ……… (339)

快要 kuàiyào … (340)

块 kuài ……… (340)

况且 kuàngqiě (341)

亏 kuī ……… (341)

亏得 kuī·de … (342)

L

拉 lā ……… (343)

来¹ lái;//。lái (345)

来² ·lai ……… (347)

来³ ·lai ……… (347)

来⁴ lái ……… (347)

来不及 lái·bují (347)

来的 lái·de … (348)

来得及 lái·dejí (348)

来着 lái·zhe … (348)

懒得 lǎn·de … (349)

老¹ lǎo ……… (349)

老² lǎo ……… (350)

老是 lǎoshì … (350)

乐得 lèdé …… (350)

了 ·le ……… (351)

类似 lèisì …… (358)

离 lí ……… (359)

里 lǐ ……… (359)

里边 lǐ·bian … (361)

里面 lǐmiàn … (361)

里头 lǐ·tou … (361)

理想 lǐxiǎng … (361)

立即 lìjí …… (362)

立刻 lìkè …… (362)

历来 lìlái …… (362)

例如 lìrú …… (362)

俩 liǎ ……… (363)

连 lián ……… (363)

连忙 liánmáng (364)

连同 liántóng … (365)

两 liǎng …… (365)

了 liǎo ……… (366)

了不得 liǎo·bu·de

    …………… (367)

了不起 liǎo·buqǐ

    …………… (368)

了得 liǎo·de … (368)

临 lín ……… (368)

零 líng …… (368)

另外 lìngwài … (369)

留 liú ……… (370)

742

留神 liúshén … (371)

留心 liúxīn … (372)

轮 lún … (372)

论 lùn … (373)

M

马上 mǎshàng (374)

吗 ·ma … (374)

嘛 ·ma … (375)

买 mǎi … (376)

卖 mài … (377)

满 mǎn … (378)

满足 mǎnzú … (379)

慢 màn … (380)

慢说 mànshuō (381)

忙 máng … (381)

嘿 ·me … (382)

没 méi … (382)

没有 méiyǒu … (382)

每 měi … (384)

们 ·men … (384)

免不得 miǎn·bu·de

… (385)

免不了 miǎn·buliǎo

… (385)

免得 miǎn·de (385)

勉强 miǎnqiǎng (385)

面 miàn … (386)

面对 miànduì (386)

面临 miànlín … (387)

面前 miànqián (387)

名 míng … (387)

明明 míngmíng (388)

明确 míngquè (388)

莫不是 mòbùshì (389)

莫非 mòfēi … (389)

莫如 mòrú … (390)

某 mǒu … (390)

N

拿 ná … (392)

哪 nǎ; něi … (393)

哪 ·na … (394)

哪里 nǎ·li … (394)

哪儿 nǎr … (395)

哪怕 nǎpà … (395)

哪些 nǎxiē; něixiē

… (395)

那 nà … (396)

那点儿 nàdiǎnr (397)

那个 nà·ge; nèi·ge

… (397)

那会儿 nàhuìr; nèihuìr

… (399)

那里 nà·li … (399)

那么 nà·me; nè·me

… (400)

那么点儿 nà·mediǎnr

… (402)

那么些 nà·mexiē

… (403)

那么样

nà·me·yang; nè·me·yang

… (403)

那么着

nà·me·zhe; nè·me·zhe

… (403)

那儿 nàr … (399)

那些 nàxiē; nèixiē

… (404)

那些个

nà·xiē·ge; nèi·xiē·ge

… (404)

那样 nàyàng; nèiyàng

… (404)

那阵儿

nàzhènr; nèizhènr

… (405)

乃至 nǎizhì … (405)

乃至于 nǎizhìyú (405)

难 nán … (405)

难道 nándào … (407)

难道说 nándàoshuō

… (408)

难怪 nánguài … (408)

难免 nánmiǎn (408)

难说 nánshuō (409)

难为 nán·wei (409)

难以 nányǐ … (410)

难于 nányú … (410)

闹 nào … (410)

呢 ·ne … (412)

内 nèi … (413)

能 néng … (414)

能够 nénggòu (416)

你 nǐ … (416)

你们 nǐ·men … (417)

您 nín ……… (418)

宁 nìng ……… (418)

宁可 nìngkě … (418)

宁肯 nìngkěn (419)

宁愿 nìngyuàn (419)

弄 nòng ……… (419)

努力 nǔlì …… (420)

O

偶尔 ǒu'ěr … (422)

偶然 ǒurán … (422)

P

怕 pà ………… (423)

派 pài ……… (423)

旁 páng ……… (424)

旁边 pángbiān (425)

跑 pǎo ……… (425)

配 pèi ……… (426)

碰 pèng ……… (426)

批 pī ………… (428)

偏 piān ……… (428)

偏偏 piānpiān (429)

偏巧 piānqiǎo (429)

片 piàn ……… (429)

品 pǐn ……… (430)

平 píng ……… (430)

评 píng ……… (432)

凭 píng ……… (433)

破 pò ………… (433)

Q

齐 qí ………… (436)

其次 qícì …… (437)

其实 qíshí …… (437)

其他 qítā …… (437)

其余 qíyú …… (438)

其中 qízhōng … (438)

奇怪 qíguài … (438)

起 qǐ;//ᵒqǐ … (439)

起来

　qǐ//ᵒlái;//ᵒqǐ//ᵒlái

………… (441)

起码 qǐmǎ … (443)

岂 qǐ ………… (444)

气 qì ………… (444)

恰 qià ……… (445)

恰好 qiàhǎo … (445)

恰恰 qiàqià … (446)

恰巧 qiàqiǎo … (446)

恰如 qiàrú … (446)

恰似 qiàsì …… (447)

千万 qiānwàn (447)

前 qián ……… (447)

前边 qián·bian (449)

前后 qiánhòu … (449)

前面 qián·mian (450)

前头 qián·tou (450)

欠¹ qiàn …… (450)

欠² qiàn …… (450)

且 qiě ……… (451)

亲 qīn ……… (452)

亲自 qīnzì …… (452)

轻易 qīngyì … (452)

情愿 qíngyuàn (453)

请 qǐng ……… (453)

求 qiú ……… (454)

取决于 qǔjuéyú (455)

去 qù;//ᵒqù … (455)

全 quán ……… (457)

全部 quánbù … (457)

缺 quē ……… (458)

却 què ……… (459)

确实 quèshí … (460)

群 qún ……… (460)

R

然而 rán'ér … (461)

然后 ránhòu … (461)

让 ràng ……… (461)

人次 réncì … (463)

人家 rén·jia … (463)

认为 rènwéi … (464)

任 rèn ……… (465)

任何 rènhé … (465)

任凭 rènpíng … (465)

仍 réng ……… (466)

仍旧 réngjiù … (466)

仍然 réngrán … (466)

容易 róngyì … (467)

如¹ rú ……… (467)

如² rú ……… (468)

如此 rúcǐ …… (468)

如果 rúguǒ … (469)

如何 rúhé …… (470)

S

伤 shāng …… (471)
上¹ shàng …… (471)
上² shàng；//∘shàng
　…………… (473)
上边 shàng·bian (475)
上来
　shàng//∘lái；//∘shàng//
　∘lái ………… (475)
上去
　shàng//∘qù；//∘shàng//
　∘qù ………… (475)
上面 shàng·mian
　…………… (477)
上头 shàng·tou (477)
上下 shàngxià (477)
尚且 shàngqiě (478)
稍 shāo …… (478)
稍稍 shāoshāo (478)
稍微 shāowēi … (478)
烧 shāo …… (479)
少 shǎo …… (480)
舍不得 shě·bu·de
　…………… (481)
深 shēn …… (481)
什么 shén·me (483)
甚而 shèn'ér (486)
甚而至于
　shèn'érzhìyú (486)
甚至 shènzhì … (486)

甚至于 shènzhìyú
　…………… (486)
生¹ shēng …… (486)
生² shēng …… (487)
生³ shēng …… (488)
生怕 shēngpà (488)
生恐 shēngkǒng (488)
省得 shěng·de (489)
剩 shèng …… (489)
胜¹ shèng …… (490)
胜² shèng …… (490)
实际 shíjì …… (490)
实际上 shíjìshàng
　…………… (491)
实行 shíxíng … (491)
实在 shízài … (492)
十分 shífēn … (493)
时常 shícháng (493)
时而 shí'ér … (493)
时刻 shíkè … (494)
时时 shíshí … (494)
使 shǐ …… (494)
使得 shǐ·de … (495)
始终 shǐzhōng (495)
势必 shìbì … (496)
是 shì …… (496)
是否 shìfǒu (503)
似的 shì·de … (503)
首先 shǒuxiān (504)
手 shǒu …… (504)
受 shòu …… (505)
数 shǔ …… (505)

双 shuāng …… (507)
谁 shuí；shéi … (507)
顺 shùn …… (508)
说 shuō …… (509)
私下 sīxià …… (511)
私自 sīzì …… (512)
丝毫 sīháo … (512)
死 sǐ …… (512)
送 sòng …… (514)
算 suàn …… (515)
虽 suī …… (516)
虽然 suīrán … (517)
虽说 suīshuō … (517)
虽说是 suīshuōshì
　…………… (517)
随 suí …… (517)
随便 suíbiàn … (518)
随后 suíhòu … (518)
随即 suíjí … (519)
随时 suíshí … (519)
所 suǒ …… (520)
所谓 suǒwèi … (521)
所以 suǒyǐ … (521)
所有 suǒyǒu … (522)

T

它 tā …… (523)
它们 tā·men … (523)
他（她） tā …… (523)
他们（她们） tā·men
　…………… (524)
台 tái …… (525)

太 tài …… (526)	外 wài …… (544)	无须 wúxū … (561)
倘若 tǎngruò … (526)	外边 wài·bian (545)	物 wù …… (561)
趟 tàng …… (526)	外面 wài·mian (545)	误 wù …… (561)
套 tào …… (527)	外头 wài·tou … (545)	
特别 tèbié … (527)	玩儿 wánr … (545)	**X**
特地 tèdì …… (528)	万万 wànwàn (546)	喜欢 xǐ·huan (563)
特为 tèwèi … (529)	万一 wànyī … (546)	下¹ xià …… (563)
特意 tèyì …… (529)	往 wǎng …… (547)	下² xià …… (565)
替 tì …… (529)	往往 wǎngwǎng (547)	下³ xià;//·xià (566)
条 tiáo …… (529)	忘 wàng …… (548)	下边 xià·bian (568)
听 tīng …… (530)	忘记 wàngjì … (549)	下来
听说 tīngshuō (531)	往(望) wàng … (549)	xià//·lái;//·xià//·lái
停 tíng …… (531)	为 wéi …… (550)	…… (568)
挺 tǐng …… (532)	为止 wéizhǐ … (551)	下去
通常 tōngcháng (533)	唯恐 wéikǒng (551)	xià//·qù;//·xià//·qù
通共 tōnggòng (533)	为 wèi …… (551)	…… (568)
通过 tōngguò … (533)	为什么 wèishén·me	下面 xià·mian (571)
通知 tōngzhī … (534)	…… (552)	下头 xià·tou … (571)
同 tóng …… (535)	未必 wèibì … (553)	先后 xiānhòu … (571)
同时 tóngshí … (536)	未曾 wèicéng … (553)	先前 xiānqián … (571)
同样 tóngyàng (536)	未尝 wèicháng (554)	嫌 xián …… (572)
统共 tǒnggòng (537)	未免 wèimiǎn (554)	现成 xiànchéng (572)
通 tòng …… (537)	未始 wèishǐ … (555)	限于 xiànyú … (573)
头¹ tóu …… (537)	问 wèn …… (555)	相 xiāng …… (573)
头² tóu …… (538)	问题 wèntí … (556)	相当 xiāngdāng (574)
头³ ·tou …… (538)	我 wǒ …… (557)	相反 xiāngfǎn (574)
头里 tóu·li … (539)	我们 wǒ·men (558)	相互 xiānghù (575)
透 tòu …… (539)	无 wú …… (559)	相同 xiāngtóng (575)
突然 tūrán … (540)	无非 wúfēi … (559)	相应 xiāngyìng (575)
推 tuī …… (541)	无论 wúlùn … (560)	想 xiǎng …… (576)
	无所谓 wúsuǒwèi	向 xiàng …… (578)
W	…… (560)	向来 xiànglái … (578)
哇 ·wa …… (544)		

项 xiàng ……… (578)
像 xiàng ……… (579)
小 xiǎo ………… (580)
些 xiē ………… (580)
写 xiě ………… (582)
新 xīn ………… (583)
兴 xīng ………… (584)
兴许 xīngxǔ … (585)
行 xíng ………… (585)
醒 xǐng ………… (585)
性 xìng ………… (586)
幸而 xìng'ér … (586)
幸好 xìnghǎo (586)
幸亏 xìngkuī … (586)
需要 xūyào … (587)
须要 xūyào … (588)
许多 xǔduō … (588)
选 xuǎn ………… (589)

Y

呀 ·ya ………… (590)
沿 yán ………… (590)
眼看 yǎnkàn … (590)
样 yàng ………… (591)
要 yào ………… (591)
要不 yàobù … (594)
要不然 yàobùrán
………… (594)
要么 yào·me … (594)
要是 yào·shi … (594)
也 yě ………… (595)
也罢 yěbà …… (597)

也好 yěhǎo … (598)
也许 yěxǔ …… (598)
一 yī ………… (599)
一般 yībān … (600)
一边 yībiān … (600)
一带 yīdài …… (601)
一旦 yīdàn … (602)
一点儿 yīdiǎnr (602)
一定 yīdìng … (603)
一度 yīdù …… (604)
一方面 yīfāngmiàn
………… (604)
一概 yīgài …… (605)
一块儿 yīkuàir (605)
一来 yīlái …… (606)
一连 yīlián … (606)
一律 yīlǜ …… (606)
一面 yīmiàn … (607)
一旁 yīpáng … (607)
一齐 yīqí …… (607)
一起 yīqǐ …… (608)
一切 yīqiè …… (609)
一同 yītóng … (609)
一些 yīxiē …… (609)
一样 yīyàng … (609)
一直 yīzhí …… (610)
依 yī ………… (611)
依照 yīzhào … (612)
已经 yǐ·jing … (612)
以 yǐ ………… (612)
以便 yǐbiàn … (614)
以后 yǐhòu … (614)

以及 yǐjí …… (615)
以来 yǐlái …… (616)
以免 yǐmiǎn … (616)
以内 yǐnèi … (616)
以前 yǐqián … (617)
以上 yǐshàng (617)
以外 yǐwài … (618)
以为 yǐwéi … (619)
以下 yǐxià … (620)
以至 yǐzhì … (620)
以至于 yǐzhìyú (621)
以致 yǐzhì … (621)
意识到 yì·shídào (621)
意味着 yìwèi·zhe (621)
因 yīn ………… (622)
因此 yīncǐ … (622)
因而 yīn'ér … (622)
因为 yīnwèi … (622)
应 yīng ………… (623)
应当 yīngdāng (623)
应该 yīnggāi … (623)
影响 yǐngxiǎng (625)
永 yǒng ………… (625)
永远 yǒngyuǎn (625)
用 yòng ………… (626)
尤其 yóuqí … (627)
由 yóu ………… (628)
由于 yóuyú … (629)
有 yǒu ………… (630)
有点儿 yǒudiǎnr (631)
有些 yǒuxiē … (632)
又 yòu ………… (633)

· 747 ·

于　yú ………… (635)
于是　yúshì … (636)
与　yǔ ………… (637)
与其　yǔqí …… (637)
愈　yù ………… (638)
愈加　yùjiā …… (638)
员　yuán ……… (638)
原来　yuánlái … (638)
愿意　yuàn·yi … (639)
约　yuē ………… (639)
约莫　yuē·mo … (639)
越　yuè ………… (639)
越发　yuèfā …… (640)
云云　yúnyún … (641)

Z

再　zài ………… (642)
再三　zàisān … (644)
在　zài ………… (645)
在乎　zài·hu … (647)
在于　zàiyú … (648)
咱们　zán·men … (648)
遭　zāo ………… (649)
早　zǎo ………… (649)
早晚　zǎowǎn … (650)
怎么　zěn·me … (651)
怎么样　zěn·meyàng
　　………… (652)
怎么着　zěn·me·zhe
　　………… (652)
怎样　zěnyàng … (652)
张　zhāng ……… (653)

着　zháo ……… (654)
照　zhào ……… (654)
者　zhě ………… (655)
这　zhè ………… (656)
这点儿　zhèdiǎnr (658)
这个　zhè·ge；zhèi·ge
　　………… (658)
这会儿
　zhèhuìr；zhèihuìr
　　………… (659)
这里　zhèlǐ … (659)
这么　zhè·me … (660)
这么点儿　zhè·mediǎnr
　　………… (662)
这么些　zhè·me○xiē
　　………… (663)
这么样　zhè·meyàng
　　………… (663)
这么着　zhè·me·zhe
　　………… (663)
这儿　zhèr …… (664)
这些　zhè○xiē；zhèi○xiē
　　………… (664)
这些个
　zhè○xiē·ge；zhèi○xiē·ge
　　………… (664)
这样
　zhèyàng；zhèiyàng
　　………… (665)
这阵儿
　zhèzhènr；zhèizhènr
　　………… (665)

着　·zhe ……… (665)
着呢　·zhe·ne … (667)
真　zhēn ……… (667)
阵　zhèn ……… (668)
整　zhěng ……… (669)
正　zhèng …… (670)
正好　zhènghǎo (671)
正在　zhèngzài (672)
之¹　zhī ……… (672)
之²　zhī ……… (673)
之后　zhīhòu … (674)
之间　zhījiān … (674)
之内　zhīnèi … (675)
之前　zhīqián … (675)
之上　zhīshàng (675)
之外　zhīwài … (675)
之下　zhīxià … (675)
之中　zhīzhōng (675)
支　zhī ………… (675)
只　zhī ………… (676)
枝　zhī ………… (676)
知道　zhīdào … (676)
直接　zhíjiē … (677)
值得　zhí·de … (677)
只　zhǐ ………… (678)
只得　zhǐdé … (679)
只好　zhǐhǎo … (679)
只是　zhǐshì … (679)
只要　zhǐyào … (680)
只有　zhǐyǒu … (681)
指　zhǐ ………… (682)
至多　zhìduō … (682)

至少　zhìshǎo … (683)
至于　zhìyú … (683)
中　zhōng …… (684)
中间　zhōngjiān (685)
终归　zhōngguī (686)
终究　zhōngjiū (686)
终于　zhōngyú (687)
种　zhǒng …… (688)
中　zhòng …… (688)
逐渐　zhújiàn … (688)
住　zhù …… (689)
注意　zhùyì … (690)
抓　zhuā …… (691)
装作　zhuāngzuò (692)

准　zhǔn …… (692)
着想　zhuóxiǎng (693)
着眼　zhuóyǎn (693)
自¹　zì …… (693)
自²　zì …… (694)
自从　zìcóng … (694)
自个儿　zìgěr … (695)
自己　zìjǐ …… (695)
子　·zi … (695)
总　zǒng …… (697)
总而言之　zǒngéryánzhī
…… (697)
总共　zǒnggòng (698)
总归　zǒngguī … (698)

总之　zǒngzhī … (698)
纵然　zòngrán … (699)
走　zǒu …… (699)
足够　zúgòu … (701)
足以　zúyǐ …… (702)
最　zuì …… (702)
最初　zuìchū … (703)
最近　zuìjìn … (704)
左右　zuǒyòu … (704)
撮　zuǒ …… (705)
坐　zuò …… (705)
作为　zuòwéi … (707)
做　zuò …… (707)

笔 画 索 引

词条第一个字笔画少的在前,笔画多的在后,笔画相同的根据字的起笔,按以下顺序:一(横)丨(直)丿(撇)、(点)乛(折)。词条第二个字、第三个字也照上述原则。

一 画

一(数) ………… (599)
一切(指、代) … (609)
一方面(数量) … (604)
一旦(名、副) … (602)
一边(方位、副) (600)
一同(副) ……… (609)
一齐(副) ……… (607)
一块儿(名、副) (605)
一来(连) ……… (606)
一连(副) ……… (606)
一直(副) ……… (610)
一些(量) ……… (609)
一定(形、副) … (603)
一面(副) ……… (607)
一带(名) ……… (601)
一点儿(数量) … (602)
一律(形、副) … (606)
一度(数量、副) (604)
一样(形) ……… (609)
一般(形) ……… (600)
一起(名、副) … (608)
一旁(方位) …… (607)
一概(副) ……… (605)

二 画

十分(副) ……… (493)
人次(量) ……… (463)
人家(代) ……… (463)
儿(后缀) ……… (191)
几(数) ………… (290)
几乎(副) ……… (285)
几时(代) ……… (291)
了(liǎo)(动) … (366)
了(·le)(助) …… (351)
了不起(形) …… (368)
了不得(形) …… (367)
了得(形) ……… (368)
乃至(连) ……… (405)
乃至于(连) …… (405)
又(副) ………… (633)

三 画

于(介) ………… (635)
于是(连) ……… (636)
亏(动) ………… (341)
亏得(副) ……… (342)
才(副) ………… (107)

下^1(方位) …… (563)
下^2(量) ……… (565)
下^3(动、趋) … (566)
下来(动、趋) … (568)
下去(动、趋) … (568)
下头(方位) …… (571)
下边(方位) …… (568)
下面(方位) …… (571)
大(形、副) …… (139)
大伙儿(代) …… (142)
大约(副) ……… (143)
大家(代) ……… (142)
大家伙儿(代) … (143)
大概(形、副) … (141)
万一(名、副、连) (546)
万万(副、数) … (546)
与(介、连) …… (637)
与其(连) ……… (637)
上^1(方位) …… (471)
上^2(动、趋) … (473)
上下(方位) …… (477)
上来(动、趋) … (475)
上去(动、趋) … (475)

上头(方位) …… (477)　无论(连) ……… (560)　不料(动) ……… (101)

上边(方位) …… (475)　无非(副) ……… (559)　不得了(形) …… (95)

上面(方位) …… (477)　无所谓(动) …… (560)　不得已(形) …… (96)

小(前缀) ……… (580)　无须(副) ……… (561)　不然(形、连) … (102)

口(量) ………… (339)　云云(助) ……… (641)　不曾(副) ……… (94)

千万(数、副) … (447)　支(量) ………… (675)　不愧(副) ……… (101)

个(量) ………… (221)　不(副、助) …… (90)　不管(连) ……… (98)

凡是(副) ……… (198)　不及(动) ……… (100)　太(副) ………… (526)

及(连) ………… (286)　不比(动) ……… (92)　历来(副) ……… (362)

及至(连) ……… (286)　不止(动) ……… (105)　尤其(副) ……… (627)

之¹(代) ……… (672)　不见得(副) …… (100)　比(动、介) …… (72)

之²(助) ……… (673)　不仅(连) ……… (101)　比方(动、名、副) (74)

之下(方位) …… (675)　不只(连) ……… (106)　比如(动) ……… (75)

之上(方位) …… (675)　不用(副) ……… (104)　比较(动、副) …… (75)

之中(方位) …… (675)　不外(动) ……… (104)　互(副) ………… (272)

之内(方位) …… (675)　不外乎(动) …… (104)　互相(副) ……… (272)

之外(方位) …… (675)　不必(副) ……… (93)　少(动、形) …… (480)

之后(方位) …… (674)　不过(副、连) … (99)　中(zhōng)(方位) (684)

之间(方位) …… (674)　不在乎(动) …… (104)　中(zhòng)(动)… (688)

之前(方位) …… (675)　不成(助) ……… (94)　中间(方位) …… (685)

已经(副) ……… (612)　不至于(动) …… (106)　内(方位) ……… (413)

子(后缀) ……… (695)　不光(连) ……… (99)　见(动) ………… (297)

也(副、助) …… (595)　不论(连) ……… (101)　手(后缀) ……… (504)

也许(副) ……… (598)　不如(动) ……… (102)　气(动) ………… (444)

也好(助) ……… (598)　不时(副) ……… (103)　长于(动) ……… (114)

也罢(助) ……… (597)　不但(连) ……… (94)　长期(形) ……… (113)

马上(副) ……… (374)　不免(副) ……… (101)　长短(名) ……… (113)

四　画　　不妨(副) ……… (98)　什么(指、代) … (483)

丰富(形、动) … (210)　不单[是](连) … (94)　片(量) ………… (429)

开(动、趋) …… (327)　不定(副) ……… (97)　化(后缀) ……… (272)

开外(方位) …… (330)　不宜(动) ……… (104)　仍(副) ………… (466)

开来(趋) ……… (330)　不便(形、动) … (93)　仍旧(副) ……… (466)

开始(动) ……… (330)　不独(连) ……… (97)　仍然(副) ……… (466)

无(前缀) ……… (559)　不致(动) ……… (106)　反¹(前缀) …… (198)

反²(副) ……… (199)
反之(连) ……… (199)
反正(副) ……… (199)
反而(副) ……… (199)
反倒(副) ……… (199)
从¹(介) ……… (130)
从²(副) ……… (131)
从而(连) ……… (131)
从此(副) ……… (131)
从来(副) ……… (132)
从新(副) ……… (133)
分(量) ……… (207)
分头(副) ……… (209)
分别(名、动、副) (207)
分配(动) ……… (208)
欠¹(动) ……… (450)
欠²(动) ……… (450)
方才(形、副) … (200)
为(wèi)(动、介) (550)
为(wèi)(介) … (551)
为止(动) ……… (551)
为什么(副) ……… (552)
计(名、动) ……… (291)
认为(动) ……… (464)
巴不得(动) ……… (52)
以(动、介、连) … (612)
以下(方位) ……… (620)
以上(方位) ……… (617)
以及(连) ……… (615)
以内(方位) ……… (616)
以为(动) ……… (619)
以外(方位) ……… (618)
以至(连) ……… (620)
以至于(连) ……… (621)

以后(方位) ……… (614)
以来(方位) ……… (616)
以免(连) ……… (616)
以便(连) ……… (614)
以前(方位) ……… (617)
以致(连) ……… (621)
双(量、形) ……… (507)

五 画

未必(副) ……… (553)
未免(副) ……… (554)
未始(副) ……… (555)
未尝(副) ……… (554)
未曾(副) ……… (553)
打¹(动) ……… (136)
打²(介) ……… (138)
打算(名、动) … (139)
正(副) ……… (670)
正在(副) ……… (672)
正好(副、形) … (671)
去(动、趋) ……… (455)
本¹(指、形、副) … (69)
本²(介) ……… (70)
本来(形、副) ……… (70)
本着(介) ……… (71)
可¹(助动、副) … (333)
可²(连) ……… (335)
可³(前缀) ……… (335)
可见(连) ……… (335)
可以(助动、形) (337)
可是¹(连) ……… (336)
可是²(副) ……… (336)
可能(形、副) ……… (335)
可惜(形、副) ……… (336)
左右(方位) ……… (704)

平(形、动) ……… (430)
归(动) ……… (242)
归于(动) ……… (243)
且(副、连) ……… (451)
由(动、介) ……… (628)
由于(介、连) … (629)
只(zhī)(量) ……… (676)
只(zhǐ)(副) ……… (678)
只有(连) ……… (681)
只好(副) ……… (679)
只要(连) ……… (680)
只是(副、连) … (679)
只得(副) ……… (679)
叫¹(动) ……… (303)
叫²(介、助) ……… (304)
叫做(动) ……… (305)
另外(指、副、连) (369)
生¹(动、形、名) … (486)
生²(形) ……… (487)
生³(副) ……… (488)
生怕(动、副) … (488)
生恐(动) ……… (488)
代¹(动) ……… (144)
代²(名、量) ……… (144)
代替(动) ……… (144)
们(后缀) ……… (384)
白(形、副、动) … (58)
他(她)(代、指) (523)
他们(她们)(代) (524)
用(动) ……… (626)
乐得(动) ……… (350)
犯(动) ……… (200)
外(方位) ……… (544)
外头(方位) ……… (545)

外边(方位) …… (545)
外面(方位) …… (545)
处于(动) …… (127)
处处(副) …… (127)
包(动、名、量) … (62)
包括(动) …… (63)
立刻(副) …… (362)
半(数、副) …… (60)
头¹(量) …… (537)
头²(形) …… (538)
头³(后缀) …… (538)
头里(方位) …… (539)
宁(副) …… (418)
宁可(副) …… (418)
宁肯(副) …… (419)
宁愿(副) …… (419)
它(代) …… (523)
它们(代) …… (523)
写(动) …… (582)
让(动、介) …… (461)
必定(形) …… (77)
必须(副) …… (78)
必然(形) …… (77)
永(副) …… (625)
永远(副) …… (625)
出¹(量) …… (121)
出²(动、趋) …… (121)
出来(动、趋) … (123)
出去(动、趋) … (123)
加以(动) …… (294)
边(名、副) …… (79)
发(动) …… (196)
发生(动) …… (197)
对¹(量) …… (181)

对²(形) …… (181)
对³(动、介) …… (182)
对于(介) …… (183)
台(量) …… (525)
丝毫(量、副) … (512)

六　画

动(动) …… (175)
老¹(副) …… (349)
老²(前缀) …… (350)
老是(副) …… (350)
地(·de)(助) …… (156)
场(cháng)(量) … (114)
场(chǎng)(量) … (115)
共(形、副) …… (233)
共同(形、副) …… (234)
共通(形) …… (233)
过¹(动、趋) …… (245)
过²(助) …… (246)
过于(副) …… (251)
过去(动、趋) …… (248)
过来(动、趋) …… (248)
再(副) …… (642)
再三(副) …… (644)
在(动、介、副) …… (645)
在于(动) …… (648)
在乎(动) …… (647)
有(动) …… (630)
有些(代、副) … (632)
有点儿(副) …… (631)
而(连) …… (192)
而已(助) …… (195)
而且(连) …… (194)
而况(连) …… (194)
达到(动) …… (136)

死(动、形) …… (512)
成(动) …… (117)
成为(动) …… (118)
毕竟(副) …… (78)
至于(动、介) … (683)
至少(副) …… (683)
至多(副) …… (682)
此外(连) …… (128)
光(副) …… (242)
当(dāng)(介) … (148)
当(dàng)(动) … (150)
当中(方位) …… (150)
当做(动) …… (150)
当然(形、副) … (149)
早(名、形、副) … (649)
早晚(名、副) …… (650)
同(动、介、连) … (535)
同时(副、连) … (536)
同样(形) …… (536)
吃(动) …… (119)
因(介、连) …… (622)
因为(介、连) … (622)
因而(连) …… (622)
因此(连) …… (622)
吗(助) …… (374)
回¹(量) …… (276)
回²(动、趋) …… (276)
回来(动、趋) … (277)
回去(动、趋) … (277)
岂(副) …… (444)
刚(副) …… (216)
刚才(名) …… (217)
刚刚(副) …… (218)
刚好(副) …… (218)

先后(副)⋯⋯⋯(571)
先前(名)⋯⋯⋯(571)
丢(动)⋯⋯⋯⋯(174)
件¹(量)⋯⋯⋯(299)
件²(后缀)⋯⋯⋯(299)
任(动、连)⋯⋯(465)
任何(形)⋯⋯⋯(465)
任凭(动、连)⋯(465)
伤(名、动)⋯⋯(471)
份(量)⋯⋯⋯⋯(210)
仿佛(动、副)⋯⋯(201)
自¹(前缀、副)⋯(693)
自²(介)⋯⋯⋯(694)
自己(代)⋯⋯⋯(695)
自个儿(代)⋯⋯(695)
自从(介)⋯⋯⋯(694)
向(动、介)⋯⋯(578)
向来(副)⋯⋯⋯(578)
似的(助)⋯⋯⋯(503)
后(方位)⋯⋯⋯(269)
后头(方位)⋯⋯(271)
后边(方位)⋯⋯(270)
后面(方位)⋯⋯(271)
后悔(动)⋯⋯⋯(270)
行(形)⋯⋯⋯⋯(585)
全(形、副)⋯⋯(457)
全部(名、副)⋯(457)
会(动、助动)⋯⋯(278)
各(指、副)⋯⋯(222)
各个(代、副)⋯⋯(224)
各自(代)⋯⋯⋯(224)
各别(形)⋯⋯⋯(223)
名(量)⋯⋯⋯⋯(387)
多¹(数)⋯⋯⋯(184)

多²(形、动)⋯⋯(184)
多³(副)⋯⋯⋯(186)
多一半(副)⋯⋯(189)
多亏(动)⋯⋯⋯(188)
多么(副)⋯⋯⋯(188)
多少¹(副)⋯⋯⋯(188)
多少²(代)⋯⋯⋯(189)
多半(副)⋯⋯⋯(187)
多会儿(代)⋯⋯(188)
齐(形、动、副、介)(436)
交(名、动)⋯⋯(301)
交互(副)⋯⋯⋯(302)
次¹(量)⋯⋯⋯(129)
次²(形)⋯⋯⋯(130)
产生(动)⋯⋯⋯(113)
决(副)⋯⋯⋯⋯(324)
充满(动)⋯⋯⋯(120)
问(动、介)⋯⋯(555)
问题(名)⋯⋯⋯(556)
并(副、连)⋯⋯⋯(86)
并且(连)⋯⋯⋯⋯(86)
关于(介)⋯⋯⋯(240)
关系(名、动)⋯(239)
忙(形、动)⋯⋯(381)
兴(动)⋯⋯⋯⋯(584)
兴许(副)⋯⋯⋯(585)
安(形、动)⋯⋯⋯(49)
许多(数)⋯⋯⋯(588)
论(介)⋯⋯⋯⋯(373)
那(指、代)⋯⋯(396)
那儿(代)⋯⋯⋯(399)
那个(指、代)⋯(397)
那么(指、代、连)(400)
那么些(指、代)(403)

那么点儿(指、代)(402)
那么样(指、代)(403)
那么着(指、代)(403)
那会儿(代)⋯⋯(399)
那阵儿(代)⋯⋯(405)
那里(代)⋯⋯⋯(399)
那些(指、代)⋯(404)
那些个(指、代)(404)
那点儿(指、代)⋯(397)
那样(指、代)⋯(404)
尽量(副)⋯⋯⋯(308)
尽管(副、连)⋯(307)
阵(量)⋯⋯⋯⋯(668)
如¹(动)⋯⋯⋯(467)
如²(连)⋯⋯⋯(468)
如此(指)⋯⋯⋯(468)
如何(指、代)⋯(470)
如果(连)⋯⋯⋯(469)
好(名、形、副、助动)
⋯⋯⋯⋯⋯⋯(256)
好不(副)⋯⋯⋯(259)
好歹(名、副)⋯(259)
好比(动)⋯⋯⋯(258)
好在(副)⋯⋯⋯(262)
好多(数)⋯⋯⋯(260)
好些(数)⋯⋯⋯(262)
好赖(名、副)⋯(261)
好像(动、副)⋯(261)
好意思(动)⋯⋯(262)
买(动)⋯⋯⋯⋯(376)
约(副)⋯⋯⋯⋯(639)
约莫(副)⋯⋯⋯(639)

七 画

弄(动)⋯⋯⋯⋯(419)

754

进(动、趋) ……(308)
进去(动、趋) …(310)
进而(连) ……(309)
进行(动) ……(310)
进来(动、趋) …(310)
坏(名、形) ……(273)
批(量) ……(428)
走(动) ……(699)
抓(动) ……(691)
块(量) ……(340)
把¹(量) ……(52)
把²(介) ……(53)
报(动) ……(65)
却(副) ……(459)
极(副) ……(286)
极为(副) ……(288)
极其(副) ……(288)
求(动) ……(454)
更(副) ……(231)
更加(副) ……(232)
两(数) ……(365)
否则(连) ……(211)
还(副) ……(252)
还是(副、连) …(254)
来¹(动、趋) …(345)
来²(助) ……(347)
来³(助) ……(347)
来⁴(方位) ……(347)
来不及(动) ……(347)
来的(助) ……(348)
来得及(动) ……(348)
来着(助) ……(348)
连(副、介) ……(363)
连同(连) ……(365)

连忙(副) ………(364)
坚持(动) ………(295)
时而(副) ………(493)
时时(副) ………(494)
时刻(名、副) …(494)
时常(副) ………(493)
里(方位) ………(359)
里头(方位) ……(361)
里边(方位) ……(361)
里面(方位) ……(361)
呀(助) …………(590)
足以(助动) ……(702)
足够(动) ………(701)
呗(助) …………(69)
员(后缀) ………(638)
听(动) …………(530)
听说(动) ………(531)
吧(罢)(助) ……(56)
别(副) …………(83)
别的(指、代) ……(84)
别是(副) ………(84)
别说(连) ………(85)
别提(动) ………(85)
别管(连) ………(84)
告诉(动) ………(220)
我(代) …………(557)
我们(代) ………(558)
私下(副) ………(511)
私自(副) ………(512)
每(指、副) ……(384)
何不(副) ………(263)
何必(副) ………(263)
何况(连) ………(264)
何苦(副) ………(264)

何尝(副) ………(264)
但(连) …………(147)
但是(连) ………(147)
作为(动) ………(707)
你(代) …………(416)
你们(代) ………(417)
住(动) …………(689)
坐(动) …………(705)
免不了(动) ……(385)
免不得(动) ……(385)
免得(连) ………(385)
条(量) …………(529)
况且(连) ………(341)
应(助动) ………(623)
应当(助动) ……(623)
应该(助动) ……(623)
这(指、代) ……(656)
这儿(代) ………(664)
这个(指、代) …(658)
这么(指、代) …(660)
这么些(指、代) (663)
这么点儿(指、代)(662)
这么样(指、代) (663)
这么着(指、代) (663)
这会儿(代) ……(659)
这阵儿(代) ……(665)
这里(代) ………(659)
这些(指、代) …(664)
这些个(指、代) …(664)
这点儿(指、代) …(658)
这样(指、代) …(665)
忘(动) …………(548)
忘记(动) ………(549)
间接(形) ………(297)

755 ·

没(动、副) …… (382)
没有(动、副) …… (382)
快(形、副) …… (339)
快要(副) …… (340)
究竟(副) …… (314)
评(动) …… (432)
补充(动、名) …… (88)
初(前缀) …… (124)
即(动、副) …… (288)
即使(连) …… (289)
即便(连) …… (289)
层(量) …… (110)
局限(动) …… (321)
张(量) …… (653)
改(动) …… (214)
努力(动) …… (420)
纵然(连) …… (699)

八　画

玩儿(动) …… (545)
现成(形) …… (572)
表示(动) …… (82)
表现(动、名) …… (82)
担心(动) …… (146)
者(后缀) …… (655)
顶(副) …… (172)
势必(副) …… (496)
抱(动、量) …… (66)
拉(动) …… (343)
幸亏(副) …… (586)
幸而(副) …… (586)
幸好(副) …… (586)
拨(动、量) …… (87)
其中(方位) …… (438)
其他(指、代) …… (437)

其次(指、代) …… (437)
其余(指、代) …… (438)
其实(副) …… (437)
取决于(动) …… (455)
直接(形) …… (677)
枝(量) …… (676)
或(副、连) …… (281)
或则(连) …… (282)
或许(副) …… (282)
或者(副、连) …… (283)
卖(动) …… (377)
奇怪(形、动) …… (438)
轮(动) …… (372)
到(动、趋) …… (151)
到处(副) …… (152)
到底(副) …… (153)
非¹(动、副) …… (205)
非²(前缀) …… (206)
非常(形、副) …… (206)
肯(助动) …… (338)
些(量) …… (580)
尚且(连) …… (478)
具(后辍) …… (322)
具体到(动) …… (323)
果真(副、连) …… (244)
果然(副、连) …… (244)
明明(副) …… (388)
明确(形、动) …… (388)
固然(连) …… (236)
呢(助) …… (412)
败(动) …… (59)
和(介、连) …… (265)
知道(动) …… (676)
物(后缀) …… (561)

供(动) …… (232)
使(动) …… (494)
使得(动) …… (495)
例如(动) …… (362)
凭(动、介、连) …… (433)
依(动、介) …… (611)
依照(动、介) …… (612)
的(助) …… (156)
的话(助) …… (163)
的确(副) …… (168)
往(动、介) …… (547)
往往(副) …… (547)
往(望)(介) …… (549)
彼此(代) …… (76)
所(助) …… (520)
所以(连) …… (521)
所有(形) …… (522)
所谓(形) …… (521)
舍不得(动) …… (481)
采用(动) …… (108)
采取(动) …… (108)
受(动) …… (505)
股(量) …… (235)
忽(副) …… (271)
忽而(副) …… (271)
忽然(副) …… (271)
变(动) …… (80)
底(·de)(助) …… (156)
净(副) …… (313)
放(动) …… (202)
放手(动) …… (204)
放心(动) …… (204)
闹(形、动) …… (410)
单(形、副) …… (145)

沿(名、介) …… (590)
注意(动) …… (690)
性(后缀) …… (586)
怕(动) …… (423)
怪(动、形、副) … (238)
怪不得(动、副) (239)
定(动、形、副) … (173)
实在(形、副) … (492)
实行(动) …… (491)
实际(名、形) … (490)
实际上(副) …… (491)
诚然(副、连) … (118)
该¹(动) …… (213)
该²(动) …… (213)
该³(助动) …… (213)
居然(副) …… (321)
限于(介、动) … (573)
始终(副) …… (495)
参与(动) …… (109)
参加(动) …… (109)
终于(副) …… (687)
终归(副) …… (686)
终究(副) …… (686)
经(动) …… (311)
经过(名、动) … (312)
经常(副) …… (312)

九　画

帮(动) …… (61)
封(动、名、量) … (211)
项(量) …… (578)
挺(副) …… (532)
指(动) …… (682)
按(动、介) …… (50)
按照(动、介) … (51)

某(指) …… (390)
甚而(副、连) … (486)
甚至(副、连) … (486)
甚至于(副、连) (486)
甚而至于(副、连) (486)
带(动) …… (143)
故意(副) …… (237)
标志着(动) …… (82)
相(副) …… (573)
相互(副) …… (575)
相反(形) …… (574)
相当(形,副) …… (574)
相同(形) …… (575)
相应(形) …… (575)
要(动、助动、连) (591)
要么(连) …… (594)
要不(连) …… (594)
要不然(连) …… (594)
要是(连) …… (594)
甫(副) …… (71)
面(量) …… (386)
面对(动) …… (386)
面临(动) …… (387)
面前(方位) …… (387)
轻易(形) …… (452)
点(动、量) …… (169)
背(动) …… (66)
临(动、介) …… (368)
省得(连) …… (489)
是(动) …… (496)
是否(副) …… (503)
界(后缀) …… (305)
哇(助) …… (544)
品(后缀) …… (430)

虽(连) …… (516)
虽说(连) …… (517)
虽说是(连) …… (517)
虽然(连) …… (517)
咱们(代) …… (648)
哪(指、代、副) (393)
哪(助) …… (394)
哪儿(代) …… (395)
哪里(代) …… (394)
哪些(指) …… (395)
哪怕(连) …… (395)
看(动、助) …… (331)
怎么(指、代) … (651)
怎么样(指、代) (652)
怎么着(指、代) (652)
怎样(指、代) … (652)
选(动) …… (589)
种(量) …… (688)
重(副) …… (120)
重新(副) …… (120)
段(量) …… (180)
便(副) …… (81)
俩(数) …… (363)
顺(形、动、介) … (508)
保(动、名) …… (65)
鬼(名、形) …… (243)
很(副) …… (266)
须要(助动) …… (588)
胜¹(动、形) …… (490)
胜²(动) …… (490)
勉强(动、形) … (385)
将(副、介) …… (300)
将将(副) …… (300)
度(后缀) …… (178)

757

亲(副)⋯⋯⋯(452)

亲自(副)⋯⋯⋯(452)

差不多(形、副)(111)

差点儿(副)⋯⋯(112)

送(动)⋯⋯⋯(514)

类似(动、形)⋯(358)

前(方位)⋯⋯⋯(447)

前头(方位)⋯⋯(450)

前边(方位)⋯⋯(449)

前后(方位)⋯⋯(449)

前面(方位)⋯⋯(450)

首先(副)⋯⋯⋯(504)

总(副)⋯⋯⋯(697)

总之(连)⋯⋯⋯(698)

总归(副)⋯⋯⋯(698)

总共(副)⋯⋯⋯(698)

总而言之(连)⋯(697)

活(动、形、副)⋯(279)

活动(动)⋯⋯⋯(280)

活跃(形、动)⋯(281)

活像(动)⋯⋯⋯(280)

派(动)⋯⋯⋯(423)

恰(副)⋯⋯⋯(445)

恰巧(副)⋯⋯⋯(446)

恰似(动)⋯⋯⋯(447)

恰如(动)⋯⋯⋯(446)

恰好(副)⋯⋯⋯(445)

恰恰(副)⋯⋯⋯(446)

恨(动)⋯⋯⋯(268)

恨不得(动)⋯⋯(269)

举行(动)⋯⋯⋯(322)

觉得(动)⋯⋯⋯(324)

突然(形、副)⋯(540)

穿(动)⋯⋯⋯(127)

扁(形)⋯⋯⋯(80)

误(动、副)⋯⋯(561)

说(动)⋯⋯⋯(509)

既(副、连)⋯⋯(292)

既然(连)⋯⋯⋯(293)

除(介)⋯⋯⋯(124)

除了(介)⋯⋯⋯(126)

除开(介)⋯⋯⋯(126)

除去(介)⋯⋯⋯(127)

除非(连)⋯⋯⋯(125)

架(量)⋯⋯⋯(295)

架次(量)⋯⋯⋯(295)

给(动、介、助)⋯(225)

给以(动)⋯⋯⋯(227)

绝(形、副)⋯⋯(324)

绝对(形、副)⋯(325)

统共(副)⋯⋯⋯(537)

十　画

赶(介)⋯⋯⋯(215)

起(动、趋)⋯⋯(439)

起来(动、趋)⋯(441)

起码(形、副)⋯(443)

都(副)⋯⋯⋯(177)

换(动)⋯⋯⋯(274)

莫不是(副)⋯⋯(389)

莫如(动)⋯⋯⋯(390)

莫非(副)⋯⋯⋯(389)

真(形、副)⋯⋯(667)

格外(副)⋯⋯⋯(220)

样(量)⋯⋯⋯(591)

根(量)⋯⋯⋯(228)

根本(名、形、副)(228)

根据(名、动、介)(229)

配(助动)⋯⋯⋯(426)

破(动、形)⋯⋯(433)

原来(形、副)⋯(638)

套(量)⋯⋯⋯(527)

逐渐(副)⋯⋯⋯(688)

顾(动)⋯⋯⋯(237)

较(副)⋯⋯⋯(305)

较为(副)⋯⋯⋯(305)

顿(量)⋯⋯⋯(183)

啊(助)⋯⋯⋯(46)

罢了(助)⋯⋯⋯(56)

缺(动)⋯⋯⋯(458)

特为(副)⋯⋯⋯(529)

特地(副)⋯⋯⋯(528)

特别(形、副)⋯(527)

特意(副)⋯⋯⋯(529)

乘(介)⋯⋯⋯(119)

称(动)⋯⋯⋯(116)

透(动、形)⋯⋯(539)

笔(量)⋯⋯⋯(77)

借(动)⋯⋯⋯(306)

值得(动)⋯⋯⋯(677)

倒(副)⋯⋯⋯(153)

倒是(副)⋯⋯⋯(155)

倘若(连)⋯⋯⋯(526)

倍(量)⋯⋯⋯(69)

拿(动、介)⋯⋯(392)

爱(动)⋯⋯⋯(48)

留(动)⋯⋯⋯(370)

留心(动)⋯⋯⋯(372)

留神(动)⋯⋯⋯(371)

高兴(动、形)⋯(218)

准(前缀)⋯⋯⋯(692)

部(名、量)⋯⋯(89)

部分(名、量、形)(89)

旁(形、方位) … （424）
旁边(形、方位) （425）
烧(动、名) …… （479）
离(动) ………… （359）
害(名、动) …… （255）
家(后缀) ……… （294）
容易(形) ……… （467）
请(动) ………… （453）
被(介、助) …… （67）
谁(代) ………… （507）
通(tòng)(量) … （537）
通共(副) ……… （533）
通过(动、介) … （533）
通知(动、名) … （534）
通常(形) ……… （533）
能(助动) ……… （414）
能够(助动) …… （416）
难(形、动) …… （405）
难于(副) ……… （410）
难为(动) ……… （409）
难以(副) ……… （410）
难免(形) ……… （408）
难怪(副) ……… （408）
难说(动) ……… （409）
难道(副) ……… （407）
难道说(副) …… （408）
继续(动、名) … （293）

十一画

理想(名、形) … （361）
捱(挨)(动) …… （47）
掉(动) ………… （171）
推(动) ………… （541）
堆(量) ………… （180）
教(动) ………… （302）

据(介) ………… （323）
据说(动) ……… （323）
救(动) ………… （314）
副(量) ………… （212）
常常(副) ……… （114）
眼看(动、副) … （590）
唯恐(动) ……… （551）
第(前缀) ……… （168）
做(动) ………… （707）
偶尔(副) ……… （422）
偶然(形、副) … （422）
您(代) ………… （418）
停(动) ………… （531）
偏(形、副) …… （428）
偏巧(副) ……… （429）
偏偏(形、副) … （429）
假如(连) ……… （295）
假使(连) ……… （295）
得(dé)(动) …… （155）
得(děi)(助动) … （166）
得¹(·de)(助) … （163）
得²(·de)(助) … （165）
得了(动、助) … （156）
得以(助动) …… （156）
够(动、副) …… （234）
竟(副) ………… （313）
竟然(副) ……… （314）
着(zháo)(动) … （654）
着(·zhe)(助) … （665）
着呢(助) ……… （667）
着眼(动) ……… （693）
着想(动) ……… （693）
断(动) ………… （179）
渐渐(副) ……… （299）

淡(形) ………… （146）
深(形、副) …… （481）
情愿(动、助动) （453）
惯(动) ………… （242）
惯于(动) ……… （242）
敢(助动) ……… （215）
敢于(助动) …… （215）
随(动) ………… （517）
随后(副) ……… （518）
随时(副) ……… （519）
随即(副) ……… （519）
随便(形、连) … （518）

十二画

替(动、介) …… （529）
越(副) ………… （639）
越发(副) ……… （640）
趁(介) ………… （116）
喜欢(动) ……… （563）
朝(动、介) …… （115）
逼(动) ………… （72）
确实(形、副) … （460）
最(副) ………… （702）
最近(名) ……… （704）
最初(名) ……… （703）
跑(动) ………… （425）
短(形、动) …… （179）
剩(动) ………… （489）
稍(副) ………… （478）
稍稍(副) ……… （478）
稍微(副) ……… （478）
程度(名) ……… （118）
等¹(动) ………… （166）
等²(助) ………… （167）
等于(动) ……… （168）

等等(助) ……… (167)
番(量) ……… (197)
然而(连) ……… (461)
然后(连) ……… (461)
装作(动) ……… (692)
就¹(副) ……… (315)
就²(介) ……… (318)
就³(连) ……… (318)
就是¹(副) ……… (319)
就是²(连) ……… (320)
就是了(助) ……… (320)
就算(连) ……… (321)
道(量) ……… (155)
曾经(副) ……… (110)
慌(形、动) ……… (275)
遍(量) ……… (81)

十 三 画

摆(动) ……… (58)
搞(动) ……… (219)
禁不住(动) ……… (307)
禁得住(动) ……… (307)
想(动) ……… (576)
感到(动) ……… (216)
碰(动) ……… (426)

零(名、形、数) … (368)
鉴于(介、连) … (297)
照(动、副、介) … (654)
跟(动、介、连) … (230)
跟前(方位) ……… (231)
错(名、形、动) … (134)
矮(形) ……… (48)
愁(动) ……… (121)
简直(副) ……… (296)
催(动) ……… (133)
像(动、副) ……… (579)
躲(动) ……… (189)
愈(副) ……… (638)
愈加(副) ……… (638)
新(形、副) ……… (583)
意识到(动) ……… (621)
意味着(动) ……… (621)
数(动) ……… (505)
满(形、动) ……… (378)
满足(动) ……… (379)
群(量) ……… (460)
嫌(动) ……… (572)

十 四 画

遭(动) ……… (649)
愿意(动) ……… (639)
需要(名、动) … (587)
嘛(助) ……… (375)
算(动) ……… (515)
管(介、连) ……… (241)
管保(动) ……… (241)
端正(动、形) … (178)
慢(形) ……… (380)
慢说(连) ……… (381)

十 五 画

趟(量) ……… (526)
撮(cuō)(量) … (134)
撮(zuǒ)(量) … (705)
影响(动、名) … (625)

十 六 画

薄(形) ……… (64)
整(形、动) ……… (669)
醒(动) ……… (585)
懒得(动) ……… (349)
避免(动) ……… (79)

十 八 画

嚜(助) ……… (382)

760

图书在版编目(CIP)数据

现代汉语八百词/吕叔湘主编.—增订本.—北京:商务
印书馆,1999

ISBN 7-100-02197-9

Ⅰ.现… Ⅱ.吕… Ⅲ.汉语-词类-现代 Ⅳ.H146.2

中国版本图书馆 CIP 数据核字（96）第 10780 号

XIÀNDÀI HÀNYǓ BĀBǍI CÍ

现 代 汉 语 八 百 词

（增订本）

吕叔湘 主编

商 务 印 书 馆 出 版

（北京王府井大街36号 邮政编码100710）

商 务 印 书 馆 发 行

北 京 中 科 印 刷 有 限 公 司 印 刷

ISBN 7-100-02197-9 / H·609

1980 年 5 月第 1 版 　 开本 850×1168 1/32
1999 年 1 月增订版 　 印张 24
2006 年 6 月北京第 15 次印刷 　 印数 6 000册

定价：42.00 元